Historia del teatro español
(Desde sus orígenes hasta 1900)

Francisco Ruiz Ramón

Historia del teatro español

(Desde sus orígenes hasta 1900)

TERCERA EDICIÓN

EDICIONES CÁTEDRA, S. A. Madrid

Ediciones Cátedra, S. A., 1979
Don Ramón de la Cruz, 67. Madrid-1

Depósito Legal: M. 22.159 - 1979

ISBN: 84-376-0190-8

Printed in Spain

Impreso en Velograf. Tracia, 17. Madrid-17

Papel: Torras Hostench, S. A.

Índice

Capítulo III. El teatro nacional del Siglo de Oro

A mis hijos Pablo, Astrid y Frederic

Prólogo a la primera edición

Mi editor me pidió que este libro se pareciera lo menos posible a un manual, coincidiendo plenamente su deseo con mi intención. Desde un principio, pues, me interesa recalcar enérgicamente el carácter no manual de esta *Historia del teatro español,* sin que esta declaración inicial sea obstáculo para que vuelva a señalarlo en varias ocasiones a lo largo de las páginas que siguen.

En el teatro español, como no importa en qué otro teatro, hay mucho de definitivamente muerto, mucho que nunca ha estado vivo de verdad y mucho que, estando vivo, ha sido fosilizado al historiarlo. Teniendo siempre presentes estos hechos, me propuse escribir un libro con la firme intención de evitar tres tentaciones: la de confeccionar un catálogo, más o menos razonado, de títulos de obras y nombres de autores; la de olvidar, como se olvida con demasiada frecuencia, que, a la hora de valorar la pieza teatral, son fundamentales en ella sus valores dramáticos; y la del «chovinismo».

Evitar la primera tentación significaba tener que reducir la nómina de autores y títulos mediante un riguroso criterio de selección establecido según el nivel dramático de cada periodo estudiado. Es indudable que ese nivel dramático es muy distinto en el XVI, XVII o en el XIX. Como el siglo XVI se caracteriza por ser, en el teatro, una época de tanteos y de búsquedas, he considerado preferible describir todos los caminos abiertos por los dramaturgos, dando al capítulo mayor extensión de la que se le suele conceder. En cambio, en el capítulo dedicado al siglo XVII he preferido concentrarme en los dramaturgos mayores, deando de lado toda una copiosa lista de autores menores, cuya obra es un vasto sistema de variaciones de la dramaturgia inventada por los dramaturgos de primera fila. Los aciertos de estos dramaturgos menores son siempre parciales y difícilmente alcanzan la categoría de obras maestras capaces de pervivir, aisladamente, por sus propios valores dramáticos. Apenas si puede hacerse otra cosa que citar sus nombres y algunas de sus piezas, que es lo que suele hacerse, y lo que yo no he querido hacer.

Evitar la segunda tentación me ha obligado, con plena conciencia de lo que estaba haciendo, a estudiar en los grandes dramaturgos aquellos aspectos que me parecen más importantes, representados por dramas cuya vigencia dramática es indiscutible, silenciando otros aspectos que están representados por dramas mediocres, con aciertos aislados, pero insuficientes para que valga la pena, a la hora de hacer un balance —y balance he querido hacer— ocuparse de ellos. Que muchos de los aspectos silenciados tengan valor para el historiador y el erudito del teatro español, no es posible dudarlo. Pero valor histórico no es valor dramático. He querido evitarle al lector esa desilusión que yo he padecido cuando desde el manual de historia literaria he acudido a la obra encomiada y me he encontrado con una pieza dramáticamente imperfecta o mediocre o mala, aunque fuera interesante por otras consideraciones ajenas a lo propiamente dramático. Y como estoy convencido de que nuestro teatro clásico no se lee, entre otras cosas que no son del caso, porque al historiarlo se da por bueno lo que no lo es, con el desencanto y escepticismo consiguiente del lector que va del manual de historia a las piezas mismas, y como, además, estoy convencido también de que hace falta una historia del teatro que tenga un insoslayable carácter de balance en la que se consideren de manera primordial aquellos *valores que son específicamente dramáticos,* no he dudado en aceptar los riesgos —y son muchos y graves— de escribir esta historia-balance del teatro español. No se extrañe, pues, el lector de que falten títulos y nombres. Prefiero ser responsable de que falten cosas que no de que sobren. Ese mismo criterio me ha llevado a enfrentarme con piezas teatrales a las que se las suele calificar de «cumbres del teatro español» por cualidades y virtudes que, a mi juicio —discutible, claro está, como tal juicio—, no son cualidades ni virtudes *dramáticas,* sino de otra índole. Muchas veces —debo confesarlo— tales categóricas alabanzas me han parecido más fruto de hábito y crítica mimética que de auténtica reacción crítica a la obra leída. Finalmente, como pienso que una historia del teatro debe esforzarse por ser una historia del teatro vivo escrita para quienes les interesa el teatro vivo, no tengo remordimientos de conciencia, aunque tampoco especial satisfacción, por haber puesto el veto a determinadas obras y a determinados autores, pues ni las unas ni los otros son intocables por definición.

La tercera tentación no me ha costado esfuerzo alguno vencerla. Siempre me ha irritado todo tipo de crítica «chovinista» que considera como valor poco menos que sagrado lo nacional, no por otra cosa que por ser nacional. No necesito citar nombres. Baste decir que es penoso, sobre ridículo, leer las escandalosas e irrespetuosas inepcias escritas acerca de Shakespeare o Racine, pongo por caso, en nombre de un estrecho, antipático e ininteligente nacionalismo que endiosa a Lope de Vega, a Calderón o a Tirso de Molina. Sólo un radical despiste y una inseguridad no menos radical y una ausencia de la más humilde objetividad puede ser la raíz de cierta clase de comparaciones internacionales entre genio y genio. Me pregunto si en el fondo de toda crítica nacionalista no se esconderá un inconfesable complejo de inferioridad tan acéfalo como su contrario complejo de superioridad. Sé que cuando esa inefable estirpe de críticos «chovinistas» lea algunas de las páginas de este libro pondrá el grito en el cielo y desgarrará sus vestiduras. ¿O tal vez no?

En el plan primero del libro figuraba como capítulo sexto el teatro del siglo XX. Al empezar a preparar el guión de este capítulo me percaté de que, precisamente por ir dedicado al teatro de nuestro siglo, era necesario un estudio pormenorizado que tuviera en cuenta todos sus aspectos, que se hiciera cuestión de toda su compleja problemática, que indagara el porqué de determinados fenómenos, las causas de que sea como es, las razones por las que no existen determinadas corrientes teatrales o determinados temas y formas dramáticas que sí existen en otros países. El índice de preguntas a las que tenía que responder creció de tal manera que decidí dedicar no un capítulo, sino un libro entero al teatro español del siglo XX. No consideré honrado despachar ese teatro —ni me hubiera satisfecho— en una cincuentena de apretadas páginas. Como, por otra parte, los manuales de historia literaria suelen —con honrosas excepciones— adelgazarse demasiado cuando llegan a la época contemporánea, no quise hacer lo mismo. Quiero agradecer a don José Ortega, responsable de esta edición, su comprensión y su autorización para suprimir ese capítulo, permitiéndome, pese a lo establecido en el contrato original, dedicarle un próximo libro.

Una última y corta advertencia. El lector no encontrará apenas notas bibliográficas, que hubieran estado desplazadas en un libro de esta colección de bolsillo, cuya norma es aligerar al máximo todo aparato erudito. Ni que decir tiene que este libro debe mucho a historiadores como don Ángel Valbuena Prat y a los autores de monografías especializadas cuyos nombres, que formarían larga lista, me es imposible citar, así como a las ediciones de Obras completas o escogidas de dramaturgos como Lope, Calderón o Tirso, entre otros, y a las ediciones críticas de Clásicos Castellanos o de la Colección Ebro.

Madrid, 30 de diciembre de 1966

Nota preliminar a la segunda edición

Nuestra intención al preparar la revisión de este libro para su segunda edición ha sido mantener la que presidía la primera redacción. Sin embargo, nuestra conciencia de la insuficiente presentación de algunos temas, la crítica amistosa, y por ello mismo severa de algunos amigos y colegas, aquellas reseñas en donde con espíritu objetivo —que agradecemos— se hacían reparos y se señalaban errores y erratas, la consideración más detenida de algunos puntos y nuevas lecturas, nos han decidido a rechazar páginas enteras y a escribirlas de nuevo, cambiando, en la medida en que nuestros puntos de vista habían cambiado, su enfoque, y esto, a veces, de modo sustantivo, sin que nos detuviera el expresar ideas distintas a las sostenidas antes, si éstas nos parecían incorrectas o insuficientes.

Nuevo es el enfoque del teatro medieval y nuevas, por tanto, la mayoría de las páginas a él dedicadas. Queremos dejar aquí constancia de nuestro agradecimiento a Juan L. Alborg, con el que tantas horas, día tras día, de apasionantes discusiones y conversaciones hemos compartido. Mucho debo a él y a ellas, y al nuevo capítulo que al teatro medieval dedicó en la segunda edición del tomo I de su magistral *Historia de la literatura española.* Nada más justo y grato que la decisión de dedicarle esta segunda edición de nuestro libro.

Nuevas son también todas las páginas dedicadas a *La Celestina,* así como buena parte de las que se refieren al teatro del siglo XVIII y algunas de las del siglo XIX. Reaparecen sin cambios sustanciales las dedicadas al teatro del siglo XVI —con la mencionada excepción de *La Celestina*— y el siglo XVII, en donde hemos corregido errores, suprimido, añadido o alterado líneas aquí y allá. En todos los capítulos hemos completado las citas bibliográficas, cuando nos ha sido factible. Incorporar, no obstante, toda la bibliografía utilizada hubiera obligado a rehacer de raíz la estructura de nuestro libro negando así el propósito y la intención que motivaron su redacción. Repetimos que no hemos querido escribir ni para eruditos ni para especialistas, lo cual no quiere decir que hayamos escrito un simple libro de vulgarización, o que no hayamos tenido en cuenta los resultados de la investigación erudita. Confesamos que siempre nos han interesado más las ideas que la multiplicación de notas al pie de página, cuando éstas, por una deformación profesional, sustituyen a aquéllas, en lugar de servirlas funcionalmente.

Deseamos que en su segunda edición sirva este libro de introducción al lector culto interesado en el teatro español y de acicate e invitación a quien desee ampliar esta primera toma de contacto y profundizar en sus múltiples aspectos y problemas, que aquí no hacemos sino aflorar. Si nuestro libro incita la curiosidad del lector a más profundas y demoradas calas, habrán cumplido estas páginas su propósito.

A todos aquellos que nos hicieron observaciones y a aquellos que tengan a bien seguir dispensándonos sus críticas, les atestiguamos desde ahora nuestro agradecimiento.

Purdue University, abril 1971

Nota preliminar a la tercera edición

La mayor novedad de esta edición de mi libro en Cátedra consiste en la Bibliografía Escogida incorporada al final y en las notas a pie de página. Espero que una y otras sirvan de ayuda y orientación al lector interesado en adentrarse en el vasto bosque bibliográfico del teatro español.

Por lo que respecta al texto no hay ningún cambio importante o mayor; solamente pequeñas supresiones o adiciones, y algunas correcciones. Quiero agradecer especialmente a don Antonio Justo Cuevas la confección del «Índice de nombres» que enriquece esta edición.

Purdue University, 1979

Capítulo primero

El teatro medieval

La historia del teatro medieval español en lengua castellana es la historia de un naufragio del que sólo se han salvado dos islotes: el *Auto* o *Representación de los Reyes Magos,* de la segunda mitad del siglo XII, y dos cortos poemas dramáticos de Gómez Manrique, de la segunda mitad del siglo XV. Entre estos dos islotes tan solamnte existen referencias e indicios no muy abundantes de problemática interpretación, que dan pie a hipótesis de difícil, si no imposible, demostración, por lo cual únicamente es posible moverse entre suposiciones y presunciones alejadas tanto de la afirmación drástica de la existencia de un teatro vernacular como de su negación.

Para configurar, de algún modo, esta historia de un teatro medieval perdido, algunos historiadores incluyen como eslabones que actúan como indicios o testigos de lo desaparecido ciertos poemas dialogados, pertenecientes al género de los «debates», como la *Razón de amor* y la *Disputa de Elena y María,* de la primera y segunda mitad del siglo XIII, respectivamente; o poemas dialogados, vecinos a la forma dramática, como la *Égloga* de Francisco de Madrid, el *Diálogo entre el Amor y un viejo* o un fragmento (coplas 122-137) de la *Vita Christi,* de Fray Íñigo de Mendoza, en el que se ha querido ver un «*Auto* o *pieza de Navidad*», textos todos ellos de la segunda mitad del siglo XV. Aun aceptando la imprecisión de límites entre los géneros medievales, siempre cabe preguntarse hasta qué punto es lícito incluir en una historia del teatro obras que sólo guardan con el fenómeno teatral una problemática y tangente relación. Que posean cierta tonalidad dramática, como lo poseen otras composiciones medievales, no es para nosotros suficiente motivo para incorporarlas, con todas las distinciones y reservas posibles, en la historia del teatro. La forma dialogada de buena parte de la poesía medieval tiene su sentido y su explicación dentro de la historia de la poesía lírica, sin que sea necesario transponerla a la historia del teatro.

Otra corriente de investigación, de la que hay un ejemplo bastante reciente [1], niega categóricamente, sin más pruebas que la ausencia de textos —el *Auto de los Reyes Magos* lo consideran una simple excepción— la existencia del teatro medieval en Castilla, de igual modo que a fines de la época del pasado siglo se negaba no menos categóricamente la existencia de la épica castellana. A la vista de lo ocurrido y de los poquísimos testimonios conservados de la existencia de actividades dramáticas, ¿cabe empecinarse, estribados en la prueba «ex silentio», muy relativa, en la negación de toda actividad dramática en Castilla durante más de trescientos años? ¿Hubo lírica, hubo épica, pero no teatro? Trataremos de ordenar, dentro de los límites en que aquí nos movemos, los datos aportados por la investigación.

1. Los restos del drama litúrgico en Castilla

Donovan [2], a quien seguimos en este apartado, completando los escasos restos de *dramas litúrgicos* aducidos por investigadores anteriores, señala la existencia de *tropos,* células generadoras del *drama litúrgico,* en Castilla. Son éstos: 1) Un *tropo* procedente del monasterio benedictino de Silos, que aparece en dos manuscritos de fines del siglo XI, perteneciente al ciclo pascual de la *Visitatio Sepulchri.* 2) Un *tropo* del mismo ciclo procedente de Santiago de Compostela, del siglo XII. 3) Otros dos de Huesca, idéntico uno al de Santiago, y perteneciente el otro al ciclo pascual del *Officium Pastorum,* ambos del siglo XI o XII. 4) El mismo *tropo* del *Officium Pastorum* de Huesca se encuentra en un misal del siglo XV, procedente de Nuestra Señora del Pilar de Zaragoza. 5) Un manuscrito de 1606, hallado también en el Pilar de Zaragoza, contiene descripciones de ceremonias litúrgicas antiguas celebradas en varias catedrales españolas, y en el mismo códice figura la copia de una obra litúrgica de la catedral de Granada, procedente de Palma de Mallorca. Idénticas ceremonias, pertenecientes todas al ciclo de la *Visitatio Sepulchri* pueden atestiguarse en Guadix, Palencia y, probablemente, Segovia. 6) Finalmente, Donovan concede especial importancia al drama litúrgico en Toledo. En un manuscrito redactado hacia 1785 por el canónigo de la catedral de Toledo, arzobispo más tarde de Santiago, Felipe Fernández Vallejo, manuscrito perteneciente a la Academia de la Historia titulado *Memorias i disertaciones que podrán servir al*

---

[1] Humberto López Morales, *Tradición y creación en los orígenes del teatro castellano,* Madrid, 1968.

[2] Richard B. Donovan, *The Liturgical Drama in Medieval Spain,* Toronto, 1958.

que escriba la historia de la iglesia de Toledo desde el año MLXXXV en que conquistó dicha ciudad el rei Alfonso VI de Castilla, y cuyas *Disertación V sobre la música* y *Disertación VI sobre las Representaciones Poéticas en el Templo y Sybila de la noche de Navidad,* contienen descripciones sobre representaciones dramáticas y textos en lengua vernácula. En la *Disertación V* se nos describe con todo detalle una representación del ciclo de Navidad y se incluye un canto alternante en castellano entre pastores que hablan del nacimiento del Niño Dios. Afirma Vallejo que esta ceremonia representa una antigua tradición y añade haber basado su descripción en un manuscrito redactado por Juan Chaves de Arcayo, racionero de la catedral entre 1589 y 1643. Aunque no hay evidencia de que tanto la representación como las coplas en castellano, a las que Vallejo hace retroceder al siglo XIII, representen tan antigua tradición, Lázaro Carreter [3] se inclina a pensar, por el estudio de la métrica y el vocabulario, que la fecha del texto castellano podría aproximarse a la indicada por Vallejo. Donovan, por su parte, encuentra la más antigua referencia a esta representación toledana en un breviario toledano del siglo XIV, sin que haya sin embargo mención alguna al canto alternante en castellano.

En la *Disertación VI,* Vallejo describe, dándola como antiquísima, la ceremonia de la representación de la profecía de la Sibila, e incluye también versos en castellano, que sustituirían, según Vallejo, a los que en principio se cantaban en latín. Dicha ceremonia, con los versos en latín, pudo, posiblemente, estar en conexión con el *Ordo Prophetarum* perteneciente también al ciclo de Navidad.

Comparados con los restos del drama litúrgico en el este de la Península u otros países como Francia o Inglaterra, por ejemplo, los aducidos y estudiados por Donovan en Castilla, suministran, como afirma el investigador benedictino, una muy parca cosecha, de lo cual da algunas razones que nos parecen tan convincentes como interesantes y que, resumidas, son: 1) la introducción en Castilla, para sustituir al mozárabe, del rito romano con carácter de *reforma* de la liturgia, lo que determinaría que los monjes y clérigos encargados de ella no fueran particularmente entusiastas de introducir novedades y ceremonias no esenciales como los dramas litúrgicos; 2) el papel importante jugado en la introducción del nuevo rito por los monjes de Cluny, nada aficionados a los tropos y dramas litúrgicos, y 3) la introducción tardía del rito romano en Castilla, que pudo coincidir probablemente con el comienzo del desarrollo del drama religioso vernáculo, hecho que influiría en frenar la expansión del drama litúrgico.

---

[3] Fernando Lázaro Carreter, *Teatro Medieval,* Madrid, 1965², pág. 28.

En apoyo de esta última razón nos encontramos, justamente, con el *Auto* o *Representación de los Reyes Magos,* drama religioso vernacular compuesto, según Menéndez Pidal, hacia 1150, es decir, posterior tan sólo en unas décadas a la introducción del rito romano en Castilla.

2. El *Auto de los Reyes Magos*

A fines del siglo XVIII Felipe Fernández Vallejo descubre en un manuscrito de la catedral toledana un texto incompleto que consta de 147 versos polimétricos. En 1863 lo publica Amador de los Ríos. A partir de esa fecha es editado varias veces por distintos hispanistas. En 1900 lo edita Menéndez Pidal [4], quien le da el título con que hoy se conoce, y lo data, estudiando sus características lingüísticas, como perteneciente a fines del siglo XII o principios del XIII, y retrotrayendo después su fecha a la mitad del siglo XII.

Los personajes de esta *Representación* son los tres Reyes Magos, Herodes, un sabio anciano y un rabí de la corte de Herodes. Su estructura es la siguiente: tres monólogos sucesivos de Gaspar, Baltasar y Melchor, un diálogo entre los tres Reyes Magos, un diálogo entre los tres Reyes y Herodes, un monólogo de Herodes y un diálogo entre Herodes, el sabio y el rabí. Y ahí se interrumpe el texto.

En cada uno de los monólogos se expresa el asombro del personaje al ver lucir la nueva estrella y la pequeña lucha interior ingenuamente dramatizada entre la duda de la razón y el impulso del corazón. La segunda escena presenta el encuentro de los tres Reyes, que se comunican su descubrimiento, su decisión de ir a adorar al Creador, y su duda de si será «rey de la tierra o si lo es celestial». Baltasar ofrece el medio para resolver la duda: le ofrecerán oro, mirra e incienso. Si elige el oro, será rey de la tierra; si la mirra, hombre mortal; si el incienso, rey celestial. En la tercera escena, se presentan los Reyes a Herodes y le comunican que ha nacido un rey que es señor de la tierra. Herodes se informa cuidadosamente y les encarga que, cuando lo encuentren, vuelvan a comunicárselo. Al quedarse solo expresa su sentimiento de cólera y sus temores y llama a sus consejeros: abades, potestades, escribanos, gramáticos, estrelleros y retóricos. El anónimo autor muestra aquí su intención de actualizar la acción dramática, insertando al personaje en la circunstancia histórica de los espectadores. La última escena presenta la

[4] En *Revista de Archivos, Bibliotecas y Museos,* IV, 1980, págs. 453-463, reeditándolo más tarde en *Poema de Mio Cid y otros monumentos de la primitiva poesía española,* Madrid, 1919, págs. 183-191.

discusión entre dos de sus consejeros. Mientras el rabí confiesa su ignorancia, el sabio acusa de falsa esa ignorancia. Sobre esta nota de discordia entre los representantes de la «intelligenzia» judía queda interrumpido el texto.

Sorprende en esta temprana y única muestra de nuestro incipiente teatro medieval el seguro instinto dramático de su autor que, al escenificar el relato evangélico, procura crear lo que hoy llamaríamos situaciones y trata de caracterizar a sus personajes. En cuanto a la versificación, en donde utiliza versos de 16, de 14 y de 9 sílabas, Menéndez Pelayo ya resaltó también «el instinto dramático con que el poeta procura acomodar los versos a las situaciones, iniciando la tendencia polimétrica que siempre ha caracterizado al teatro español» [5].

Respecto a las fuentes del *Auto,* Sturdevant [6] las encuentra no en el *drama litúrgico,* sino en obras en lengua vulgar, encontrando semejanzas con poemas narrativos franceses sobre la infancia de Jesús como el *Evangile de l'enfance,* basado en el *Evangelio del Pseudo Mateo,* de gran influjo en la literatura y el arte medievales. Coincidiría así nuestro *Auto* con el *Jeu d'Adam* francés en no proceder sólo de fuentes litúrgicas, dando testimonio de una incipiente tradición de teatro religioso en lengua vulgar, independiente de la suerte adversa o no del drama litúrgico, con la importantísima particularidad de que, de ser cierta la fecha señalada por la autoridad de Menéndez Pidal, la pieza castellana sería anterior a la pieza francesa, indicando así, dada la procedencia francesa de nuestro *Auto,* la existencia en Francia de una tradición de teatro vernacular anterior a la mitad del siglo XII. Rafael Lapesa, por su parte, estudiando ciertos rasgos lingüísticos del texto, en especial los casos de «rimas anómalas», señala influencias gasconas concluyendo en el posible origen gascón del autor del *Auto* [7].

Es imposible, por ahora, saber si el *Auto de los Reyes Magos* es sólo una, entre otras, de las aportaciones del teatro medieval castellano al drama religioso europeo. En todo caso, conviene no olvidar que —como escribe Donovan— «las más elementales piezas religiosas vernáculas no eran numerosas veces ni siquiera escritas, sino simplemente trasmitidas por vía oral» [8]. Si en Toledo, en donde

---

[5] *Antología de poetas castellanos,* edic. nacional, vol. I, Santander, 1944, página 149.

[6] Winifred Sturdevant, *The Misterio de los Reyes Magos: Its Position in the Development of the Medieval Legend of the Three Kings,* Baltimore, 1927.

[7] «Sobre el *Auto de los Reyes Magos:* sus rimas anómalas y el posible origen de su autor», en *Homenaje a Fritz Kruger,* II, Mendoza, Universidad Nacional de Cuyo, 1954; reimpresión en *De la Edad Media a nuestros días. Estudios de historia literaria,* Madrid, Gredos, 1967, págs. 37-47.

[8] *Op. cit.,* pág. 73.

existía una numerosa población «franca» (catalanes y franceses), surgió el *Auto de los Reyes Magos,* ¿es aventurado o disparatado suponer que en otras ciudades importantes que jalonaban el Camino de Santiago, en las «que habría —citamos a Menéndez Pidal— barrios enteros habitados por emigrantes franceses, como Pamplona, Puente de la Reina, Estella, Losarcos, Logroño, Belorado, Burgos...» [9] y el mismo Santiago de Compostela, pudieron existir también por las mismas razones que en Toledo —fuerte contingente francés— representaciones religiosas? Sería un caso realmente extraordinario que si el Camino de Santiago —vuelvo a ampararme en la autoridad de Menéndez Pidal— «era la arteria principal que conducía a través de todo el norte de España un torrente de vida y de arte extranjeros», incluida en éste, como ha demostrado don Ramón, poesía lírica y poesía épica, sólo la poesía dramática, especialmente el teatro religioso, quedara excluido o absolutamente postergado. La no existencia de textos no lleva necesariamente aparejada la no existencia de un teatro, pues, si así fuera, ¿cómo explicar, por relación a la lírica y a la épica, la razón de tal anomalía? No olvidemos que el teatro religioso en lengua vulgar —el representado por el *Auto* español y el *Jeu* francés— no están necesariamente fundados en el teatro litúrgico, por lo que la ausencia, pobreza o escasez de éste no implica necesariamente la de aquél.

3. Una ley de las *Partidas* y un canon del Concilio de Aranda

Después del *Auto de los Reyes Magos* viene un vacío de dos siglos y medio. Sin embargo, hay dos textos que dan testimonio de la existencia de un teatro religioso y profano, pero que nada nos ilustran acerca de su valor ni de su importancia como tal teatro. Una ley de las *Partidas* (siglo XIII) de Alfonso X, cuya cita es de rigor, dice: «Los clérigos non deben ser fazedores de juegos de escarnios, porque los vengan a ver gentes, como se fazen. E si otros omes los fizieren, non deben los clérigos y venir, porque fazen y muchas villanías y desaposturas, nin deben otrosí estas cosas fazer en las Eglesias; antes decimos que les deben echar dellas deshonradamente a los que lo fizieren; ca la Eglesia de Dios es fecha para orar, e non para fazer escarnios en ella... Pero representación ay que pueden los clérigos fazer, así como de la nascencia de Nuestro Señor Jesu Christo, en que muestra cómo el ángel vino a los pastores e cómo les dixo cómo era Jesu Christo nacido. E otrosí de su aparición, cómo los tres Reyes Magos lo vinieron a adorar. E de su Resurrección, que muestra que fue crucificado e resucitado al tercer

---

[9] *Poesía juglaresca y juglares,* Espasa Calpe, Austral, 1945², pág. 198.

día: tales cosas como éstas, que mueven al ome a facer bien e a aver devoción en la fe, pueden las fazer, e demás porque los omes hayan remembranza que según aquéllas, fueron las otras fechas en verdad. Mas esto deven fazer apuestamente e con gran devoción, e en las ciudades grandes donde ovieran arzobispos o obispos, e con su mandado dellos, o de los otros que tovieran sus veces, e non lo deven fazer en las aldeas nin los logares viles, nin por ganar dinero con ellas.»

El otro texto es un canon del Concilio de Aranda (1473), citado en latín por Schack y que traducido al castellano por Mier, dice así: «Como a causa de cierta costumbre admitida en las iglesias metropolitanas, catedrales y otras de nuestra provincia, y así en las fiestas de la Natividad de Nuestro Señor Jesucristo y de los Santos Esteban, Juan e Inocentes, como en ciertos días festivos y hasta en las solemnidades de las misas nuevas (mientras se celebra el culto divino) se ofrecen en las iglesias juegos escénicos *(ludi theatrale),* máscaras, monstruos, espectáculos y otras diversas ficciones, igualmente deshonestas, y haya en ellas desórdenes, y se oigan torpes cantares y pláticas burlescas, hasta el punto de turbar el culto divino y de hacer indevoto el pueblo, prohibimos unánimes todos los presentes esta corruptela, con aprobación del concilio, y que se repitan tales máscaras, juegos, monstruos, espectáculos, ficciones y desórdenes, así como los cantares torpes y pláticas ilícitas...; asimismo, decretamos que los clérigos que mezclasen las diversiones o ficciones deshonestas indicadas con los oficios divinos, o que las consintieran indirectamente... han de ser castigados... No se entienda por esto que prohibimos también las representaciones religiosas y honestas, que inspiran devoción al pueblo, tanto en los días prefijados como en otros cualesquiera» [10].

Por lo que se refiere al teatro religioso la ley de las *Partidas* da testimonio de la existencia de tres tipos de representaciones correspondientes a la Navidad, la Epifanía y la Resurrección (estas últimas mostrando no sólo la Resurrección, sino también la crucifixión, punto culminante de la Pasión); mas también especifica en qué lugares deben representarse y en qué lugares no, así como la finalidad de tales representaciones. ¿Puede pensarse que tales especificaciones se refieran a realidades inexistentes? En cuanto al Canon del Concilio de Aranda, al señalar «días prefijados» (Praefatis diebos» y «otros cualesquiera», ¿no hace pensar, justamente, en una tradición sólo dentro de la cual tuviera sentido hablar de fechas ya fijadas, tradición que podía extenderse a «otros cualesquicra» y no prefijados?

---

[10] Adolfo Federico, conde de Schack, *Historia de la literatura y del arte dramático en España,* vol. I, Madrid, 1885, pág. 248.

En cuanto a los *juegos de escenario* aludidos en las *Partidas* y los juegos escénicos, máscaras, monstruos, espectáculos y otras ficciones mentadas en el canon del Concilio de Aranda no existen datos que autoricen a pensar en ningún tipo de representación profana. Lo más probable es que se tratara, como escribe Lázaro Carreter, de «danzas, pantomimas y mojigangas» o, como escribe Juan L. Alborg «de escenas bufas, de pantomimas satíricas o burlescas, dadas con frecuencia a lo grosero y hasta inmoral, no sólo por el texto, sino también por los gestos, las canciones y las actitudes de los representantes», cuya tradición, que posiblemente pueda remontarse a los antiguos mimos romanos, mantuvieron los juglares a lo largo de la Edad Media europea, sin que las numerosas prohibiciones de la Iglesia pudieran desterrarlos [11].

4. Gómez Manrique (1412-1490)

A instancias de su hermana, doña María Manrique, vicaria en el monasterio de Calabazanos, y para ser representada por las monjitas dentro del marco festival religioso del día de Navidad, escribe el poeta su *Representación del Nacimiento de Nuestro Señor.* La obrita comienza con la queja inicial de José, que expresa sus celos al no saber interpretar la preñez de María, su mujer:

> ¡Oh viejo desventurado!
> Negra fue la dicha mía
> en casarme con María,
> por quien fuesse deshonrrado.
> Yo la veo bien preñada,
> non se de quién, nin de quanto;
> dizen que de Espíritu Santo,
> mas yo desto non se nada.

Siguen la súplica de la Virgen, pidiendo a Dios alumbre «la çeguedad de José», el aviso del ángel al marido y el canto de alabanza y adoración de María. Luego hay un conato de coloquio entre los pastores, que van a adorar al Niño, un canto de ángeles a tres voces y un vaticinio de los niños que van nombrando doloridos los instrumentos de la Pasión. Y termina con un delicioso villancico cantado por las monjas. El tono de la obrita es fundamentalmente lírico. Es, en realidad, un hermoso poema navideño a varias voces con escasísima, por no decir nula, acción teatral.

Menos entidad dramática tiene todavía las *Lamentaciones fe-*

---

[11] Juan L. Alborg, *Historia de la literatura española,* I, Madrid, 1970^2, páginas 202-208. La cita en pág. 203.

chas para Semana Santa, que sólo forzando mucho la mano puede ponerse en relación con el ciclo dramático de la Pasión. Son estas coplas un simple comentario lírico, de intenso patetismo, a la Pasión. Como ha demostrado Lázaro Carreter «no son otra cosa que una versión admirable del *Planctus Mariae,* oficio litúrgico muy antiguo, mezclado con el tópico del mensaje fatal» [12].

Hace muy pocos años, al escribir por primera vez las escuetas y demasiado tajantes líneas dedicadas al teatro medieval, pensábamos con Lázaro Carreter que la elementalidad escénica de la *Representación* de Gómez Manrique era un testimonio indirecto del páramo teatral en que surgió. Hoy nos parece más convincente la hipótesis de Alborg según la cual «la *Representación* de Manrique no cierra ningún paréntesis de inexistencia o desconocimiento, ni es ningún eslabón con cifra concreta en ningún proceso dramático, ni vale, por tanto, para determinar el tono ni probar la existencia del teatro medieval; pero tampoco sirve para negarla, sencillamente porque se trata de otro cosa: son cantidades heterogéneas, hablando en términos matemáticos» [13]. En el momento de escribir su obrita para las monjitas de Calabazanos, para que éstas celebraran la Navidad, en la capilla de su convento, es lógico presumir que Gómez Manrique, poeta lírico, no pensara en acomodar para su propósito las representaciones populares. Aunque se aluda a los contactos de la *Representación* con el primitivo *Officium pastorum,* nos parece extremamente curioso que el primer tema con el que comienza la obrita de Manrique sea el de los celos y sospecha de José, sucintamente aludido en el *Evangelio de San Mateo* (I, 19), pero ampliamente desarrollado en varios Evangelios Apócrifos de la Natividad (*Proto Evangelio de Santiago,* XIII, 1, 2, 3 y XIV, 1; *Evangelio del Pseudo Mateo,* X, 1, 2 y XI; *Libro sobre la Natividad de María,* X, 1, 2). Tema que, procedente seguramente de las mismas fuentes, aparece, por ejemplo, en una *Natividad* francesa del siglo XV, encontrada en la Bibliothèque Ste. Geneviève [14], y que será incorporado a las *Pasiones* francesas del siglo XV, como, por ejemplo, *Le Mystère de la Passion* (hacia 1450) de Arnoul Gréban (v. 3979-4196), y que, sin duda, debía ser elemento tradicional en representaciones del Ciclo de Navidad. Si en la escenificación de su *Representación* no tuvo Manrique por qué tener en cuenta representaciones populares, no deja de ser posible que utilizara alguno de sus elementos tradicionales. Coincidiría así también, curiosamente, con la escena inicial —las dudas de José— con que comenzaba, por ejemplo, el texto versificado y dialogado en catalán cuya rúbri-

[12] *Op. cit.,* pág. 62.
[13] *Op. cit.,* pág. 491.
[14] Grace Frank, *The Medieval French Drama,* Oxford, 1954, pág. 137.

ca reza *Per fer la Nativitat de Nostre Senyor,* conservado en copia del siglo xv [15].

En cuanto a las composiciones alegórico-cortesanas tituladas *Un breve tratado que fizo Gómez Manrique a mandamiento de la muy ilustre señora doña Isabel, para unos momos...* y *En nombre de las virtudes que iban momos, al nascimiento de un sobrino soyo,* no pasan de ser uegos de salón sin relación seria con el teatro.

Juegos de salón muy semejantes a los atestiguados, por ejemplo, en la *Crónica de Juan II* o en la *Crónica del Condestable Lucas de Iranzo,* para Castilla o, para Portugal, en la *Crónica de D. Joao I* y en García de Resende [16], al igual que en las grandes y pequeñas cortes europeas del «otoño de la Edad Media», y que nada tienen que ver, naturalmente, ni a favor ni en contra de la existencia o la ausencia de un teatro profano.

Aunque he rechazado incluir aquí como obras dramáticas poemas dialogados o poemas narrativos con partes dialogadas como el fragmento pastoril de la Natividad en la *Vita Christi* o la *Pasión Trobada* de Diego de San Pedro, en donde la acción no deja de ser acción *narrada,* no quiero, sin embargo, silenciar la opinión de algunos críticos (Charlotte Stern para la *Vita Christi* y Dorothy Sherman Vivian para la *Pasión Trobada)* [17], quienes ven en tales obras, además de cualidades dramáticas, reflejos de tradiciones dramáticas anteriores que quedarían, mediante un proceso de selección, incorporados a estos poemas narrativos. En relación con esto, queremos dejar apuntado, pues el tema exigiría un espacio de que aquí no disponemos, que el mismo fenómeno podría detectarse en no pocas piezas religiosas de la primera mitad del siglo xvi, especialmente las del ciclo de Pasión y Resurrección, cuya estructura temática (selección, contenido y disposición de los materiales) refleja, fragmentaria y abreviadamente, la de algunas Pasiones francesas. Así, por ejemplo, la *Égloga de la Resurrección* (Burgos, 1520. Ed. Gillet en *PMLA,* vol. 47, 1932, págs. 963-974) o la Pieza de la Resurrección, de Juan de Pedraza (1549. Ed. Gillet en *Revue Hispanique,* 84, 1933, págs. 555-605), en donde se dramatiza la escena de

---

[15] Martín de Riquer, *Historia de la literatura catalana,* Barcelona, Ariel, 1964, III, pág. 501.

[16] Ver N. D. Shergold, *A history of the Spanish Stage,* Oxford, 1967, página 128.

[17] Charlotte Stern, «Fray Íñigo de Mendoza and Medieval Dramatic Ritual», *Hispanic Review,* XXXIII, 1965, págs. 197-245. Dorothy Sherman Vivian «*La Pasión Trobada,* de Diego San Pedro, y sus relaciones con el drama medieval de la Pasión», *Anuario de Estudios Medievales,* Barcelona, I, 1964, páginas 451-470.

los Profetas en el limbo, el descenso de Cristo a los Infiernos, las primeras apariciones de Cristo, con la particularidad de que en ambas la primera aparición de Cristo es a su Madre, hecho que no consta ni en los Evangelios canónicos ni en los Apócrifos de la Pasión y Resurrección, pero sí, por ejemplo, en la Pasión de Arnoul Gréban (29.112-29.180). De igual modo la pieza de Pedraza incorpora dramáticamente el monólogo de Judas, admitiendo un elemento importante de su leyenda (mató a su padre y yació con su madre), el cual es desarrollado también, por ejemplo, en una *Pasión* catalana del siglo XIV conocida por sólo dos fragmentos [18]. Creemos que el estudio atento de las piezas del teatro religioso del siglo XVI no pertenecientes a la tradición cortesana popular de Encina, Torres Naharro o Gil Vicente, la comparación de sus temas, su ordenación y su tratamiento dramático, así como el análisis del vocabulario, de sus rúbricas en latín, cuando las hay, y de los textos litúrgicos cantados, abriría no pocas rendijas que permitieran mirar hacia atrás. Si se me permite la exageración, ese teatro religioso podría utilizarse, como hizo Menéndez Pidal con las *Crónicas* medievales para reconstruir los fragmentos de la épica castellana perdida, pero ya no inexistente.

El problema del teatro medieval en Castilla no nos parece, pues, ni mucho menos, que queda resuelto con la fórmula negativa: «no existió».

---

[18] Ver Martín de Riquer, *Opus. cit.*, pág. 504.

CAPÍTULO II

Los dramaturgos de la "Generación de los Reyes Católicos" y el teatro del siglo XVI

A fines del siglo XV surge una serie de dramaturgos nacidos alrededor del año 1470 a los que podríamos agrupar, por razón de nacimiento y de ideología, bajo el epígrafe de «generación de los Reyes Católicos». Todos ellos morirán durante el reinado del Emperador y su obra dará nacimiento a un teatro rico y complejo que podemos bautizar, hablando con sentido rigurosamente histórico, como teatro *español,* dotado de caracteres propios y significado no menos propio. En el espacio de menos de cuarenta años esta generación de dramaturgos creará nuevas formas dramáticas, originadas en una problemática tanto social como estética. La obra de estos dramaturgos, aunque hunda sus raíces en una tradición literaria medieval y prerrenacentista, a la que dominarán plenamente o, mejor, *poseerán* conscientemente, no tendrá precedentes ni en cuanto a su alcance ni en cuanto a sus realizaciones. Éstos llamados «primitivos» por algunos historiadores de la literatura y del teatro español serán mucho más que «primitivos». Son, en la acepción más plena de la palabra, creadores de una forma dramática estribada en unas aspiraciones y unas intenciones que nada tienen de primitivas. Su teatro se irá haciendo e irá progresando hasta convertirse en frondoso árbol por virtud de la necesidad vital, más que simplemente literaria, de dar expresión a preocupaciones, inquietudes y congojas tensamente sentidas por sus autores, los cuales se encuentran viviendo en un tiempo histórico cargado de posibilidades e imposibilidades. Si se quiere entender de verdad cuál es el sentido de este inicial teatro español habrá que esforzarse en penetrar más allá de su superficie, atendiendo no sólo a lo que se dice, sino a cómo está dicho. Lo cual, claro está, no es fácil, aunque sea apasionante. Ya Juan del Encina, que sí es, realmente, el «patriarca del teatro español», como se ha repetido muchas veces, parece advertirnos de esta dificultad de penetración. En su Égloga I, representada la Noche de Navidad de 1492 en una Sala del Palacio de los Duques de Alba, en Alba de Tormes, hace decir su autor a un personaje que lleva su mismo nombre, Juan, estas palabras que se refieren a su obra literaria:

> Darles he de mi montón
> bellotas para comer,
> mas algunas tales son
> que en roer el cascarón
> avrán harto que hazer.

Esforcémonos, pues, en roer no sólo el cascarón, más en hincar los dientes en la pulpa de la bellota.

En esta primera generación de dramaturgos destacan, de entre los nombres que la componen, los de Juan del Encina (1468-1529), Lucas Fernández (1474?-1542), Fernando de Rojas (1465?-1541), Gil Vicente (1465?-1536?) y Torres Naharro (1475?-1520).

I. Juan del Encina y el nacimiento del teatro español

1. Juan del Encina

Con Juan del Encina, cuyas ocho primeras églogas dramáticas aparecen al final del *Cancionero* de 1496, comienza el teatro español. Durante los veinte años que siguen se edita seis veces el *Cancionero,* además de muchas impresiones sueltas de sus églogas, lo cual manifiesta el mucho éxito que debió de tener su obra. Durante esos años aparecen otras piezas dramáticas, de diversos autores, que siguen de cerca, tanto en estructura como en lenguaje, el teatro de Encina.

Consideraciones generales

Suele agruparse su producción en dos épocas. En la primera, encontramos piezas de asunto profano, cuyo tema central es el amor, y piezas de asunto religioso, en las que se dramatiza la Navidad, la Pasión y Resurrección de Cristo. A la segunda época pertenecen tres piezas: *Égloga de Fileno, Zambardo y Cardonio, Égloga de Cristino y Febea* y la obra maestra *Égloga de Plácida y Vitoriano.*

Los personajes principales y casi únicos de sus catorce églogas son pastores, además, claro está, de los personajes evangélicos de las piezas de Navidad y Pasión. En la primera época llevan estos pastores nombres vulgares (Bras, Beneyto, Mingo, Pascuala, Gil);

en la segunda época nombres menos populares y más literarios. Del mismo modo hay también una diferencia de lenguaje, conscientemente popular y realista en la primera época. Sin embargo, debe ponerse de relieve el hecho de que Encina utilice para sus pastores de la primera época el «sayagués», dialecto del campo de Salamanca. No es fácil explicar por qué el autor elige tal dialecto como lengua dramática de sus pastores. Tal vez coexistieran varias intenciones: personalización realista (en un tiempo y un espacio concretos), comicidad por contraste (contraste entre el lenguaje del público cortesano que asistía a las representaciones en la sala del palacio de los Duques de Alba, cuyo protegido y servidor eran Juan del Encina, y el de los rústicos pastores protagonistas), originalidad y libertad expresivas (lenguaje de expresiones fuertes, no trabadas por tradición literaria alguna). En todo caso, este lenguaje, al servicio de una intención nueva, alcanzó gran éxito, siendo imitado, sobre todo, por Lucas Fernández. Con ese lenguaje el pastor dramático se diferenciaba del pastor lírico, así como de los lenguajes de los *Cancioneros* cortesanos. Asimismo, gracias a ese lenguaje, las situaciones dramáticas y los personajes que las vivían cobraban, de golpe, una gran autonomía expresiva. Su voz era ya inconfundible. Por otra parte, ese lenguaje conlleva en sí una tal violencia, que debía detonar en el medio palaciego y cortesano en que era dicho y, al mismo tiempo, sirve *dramáticamente* a la violencia de lo representado. Porque, en efecto, lo primero que sorprende en estas primeras piezas del teatro español es la tensión violenta de sus protagonistas, expresiva, tal vez, de la tensión vital de su creador. No es, pues, este lenguaje, contra lo que pudiera parecer, y pese a lo que de él suele decirse, un lenguaje primitivo, sino el hallazgo de un escritor dramático, consciente de su voluntad creadora. Ese lenguaje supone una intención y, por tanto, una voluntad de estilo, y como tal no es obra del azar ni de la improvisación, sino fruto de la inteligencia alerta de su creador. El primer lenguaje del teatro español supone ya un nivel estético.

Teatro religioso

Para hacer ver la singularidad de su teatro religioso comentaremos solamente sus églogas de Navidad.

En la Navidad de 1492, ante los Duques de Alba, en una sala de su palacio, se representan dos églogas de Encina que, en realidad, son dos partes de una misma pieza. En la Égloga I aparecen dos pastores (Juan y Mateo), y lo que dicen nada tiene que ver con la Navidad, pero sí con la vida del autor. Éste alaba descaradamente (para nuestro tiempo, se entiende) a sus amos, se alaba a sí mismo y a su obra, al mismo tiempo que alude a posibles críticas de enemigos, de los que sabrán defenderle sus amos, los duques. Desde el punto de vista dramático consigue Encina suprimir la distancia entre actor y público. Los personajes, además, viven de ese modo, dentro de la pieza teatral, en un «hoy» (un «aquí» y un «ahora») que coincide con el del público, pero también con el del autor. Lo representado es, pues, el presente. El lenguaje, no se olvide, sirve a ese presente. Al mismo tiempo, pues, que los pastores dialogan entre sí, está el autor dialogando con su público. En la Égloga II, o segunda parte de la representación, se introducen dos pastores más (Lucas y Marcos) que vienen a anunciar el nacimiento de Cristo. Nacimiento que era ya esperado, según dice Juan:

> Mia fe, digo que lo creo,
> que ya estaba yo en oteo
> de luengo tiempo esperando.

El diálogo de los pastores es un comentario lírico de los sucesos contados en el Evangelio. Sucesos no vividos en la escena como pasados, sino como actuales, como acaeciendo en ese momento. Esto significa, no sólo que el Nacimiento de Cristo es actualizado, sino que la noticia, el saber se convierte en «drama», en acción, puesto que la palabra dice lo que sucede. La obra es, pues, en el sentido pleno de la palabra, representación, un volver a presentar. Estamos en el «hoy». No olvidemos que en ese «hoy» del autor y su público había sucedido, acaba de suceder, la expulsión de los judíoss por decreto real de 1492. ¿Es casual que la primera Égloga de Navidad de Juan del Encina se represente, justamente, ese año? Como veremos en seguida, muchos pasajes de las églogas de Encina parecen aludir al tiempo que vivió el autor y, desde luego, en muchas ocasiones hay un substrato de vida personal, alusivas a conflictos del hombre con su tiempo. En la égloga que comentamos dice Lucas, refiriéndose al recién nacido:

> ... entre brutos animales
> quiso venir a nacer,
> en tan crudos temporales.
> Por pagar bien nuestros males,
> ¡ya comienza a padecer!

¿Esos temporales son sólo los climatológicos del invierno en que nació Cristo, o los históricos del año de 1492?

La obra termina con un villancico, final que Encina hará tradicional para este tipo de piezas navideñas.

Años después, cuando ya Encina lleva escritas ocho églogas, vuelve a representarse otra Égloga de Navidad, bastante distinta de la anterior. Cuatro pastores (Juan, Miguellejo, Rodrigacho y Antón) hablan «sobre los infortunios de las grandes lluvias y la muerte de un sacristán», a cuya plaza aspira uno de los pastores (Juan), del mismo modo que el autor aspiraba a una plaza vacante de cantor de la catedral de Salamanca. De nuevo nos movemos en el «hoy» del autor y su público en que tienen lugar fuertes lluvias, «año de noventa y ocho/y entrar en noventa y nueve», como dice el pastor Juan. Ahora bien, al aludir a los grandes temporales, padecidos y conocidos también por el público, lo hace el autor de manera que parece estar apuntando a otras catástrofes no climatológicas. He aquí una serie de versos:

ANTÓN:
Todos estamos con llodo,
no hay ninguno bien librado.

JUAN:
¡Con los andiluvios grandes
ni quedan vados ni puentes,
y a las gentes
reclaman a voz en grito;
andan como los de Egipto!

RODRIGACHO:
Soncas, gimientes et flentes.

JUAN:
¡Cien mil alimas perdidas!

ANTÓN:
¿Y ganados perecidos?

MIGUELLEJO:
¿Y aun los panes destruidos?

JUAN:
¡Las casas todas caídas,
y las vidas
puestas en tribulación!

Todo esto podría muy bien referirse al suceso de las lluvias, realmente catastrófico. Pero podría muy bien tener un segundo sentido y evocar otra catástrofe. ¿Por qué buscar otro sentido? ¿Qué nos fuerza a ello? En primer lugar, el tono dolorido, congojoso de la escena, y su apoyatura en ciertas expresiones. Primero, la alusión a «los de Egipto». ¿Quiénes son esas gentes que andan como los de Egipto, es decir, como los judíos que abandonaron Egipto? ¿Por qué «cien mil almas perdidas» y no otro número? Pensamos que los cronistas de la época hablaban de unos cien mil judíos expulsados de España. Si al texto citado superponemos esta real y tremenda catástrofe de la expulsión, ¿no cobra todo su acongojado, hondo y dolorido sentido, versos como: «todos estamos con llodo/no hay ninguno bien librado»; «las casas todas caídas/y las vidas/puestas en tribulación»? ¿Por qué, si no, en una Égloga de Navidad, ocupan más lugar y alcanzan más tensión dramática los sucesos contemporáneos, los que preocupan al autor, que el tema propiamente navideño? ¿Qué quiere decir, si no, el juego de palabras de la siguiente escena? En ella se habla del puesto vacante de sacristán (cantor, en la realidad histórica de Encina), al que aspira Juan y cuya posesión es puesta en duda. He aquí los versos que me interesa señalar:

RODRIGACHO:
Dártelo han si son sesudos [*se refiere a sus amos, los Duques*].

JUAN:
Sesudos y muy devotos;
mas hanlo de dar por botos,
por botos, no por agudos.

Juega aquí el autor con el triple significado de «devotos», «por votos», «por botos», contrapuesto de agudos. Y bien sabido es que «agudos» solía decirse de los judíos, cristianos nuevos. El diálogo sigue así:

RODRIGACHO:
Aun los mudos
hablarán que te lo den.

JUAN:
Mia fe, no lo sabes bien;
muchos hay de mí sañudos.
Los unos, no sé por qué,
y los otros no sé cómo...

MIGUELLEJO:
Unos dirán que eres loco,
los otros que vales poco.

JUAN:
Lo que dicen bien lo sé.

Seguramente, también el público lo sabía. Aunque no nosotros, con certeza absoluta [1]. No es ésta ocasión de detenernos más en el comentario del texto. Si me he detenido en ellos es para hacer ver, o por lo menos sospechar, que este teatro no es ni ingenuo ni primitivo, ni simple juego de diversión o pasatiempo ni sólo obra de devoción, sino compleja expresión de una realidad vital: la personal de Encina; y de una realidad histórica: la del vivir complejo de un hombre con su tiempo. Esos pastores viven en la escena, dramáticamente, sucesos contemporáneos ya de por sí dramáticos y, desde luego, cargados de sentido.

Los pastores son sorprendidos en sus palabras y sus juegos por el ángel que les anuncia el nacimiento de Cristo, el Salvador. Cada pastor dice qué don llevará al recién nacido, dones que forman parte de la circunstancia del pastor, propios, por tanto, del pastor de ayer y de hoy.

En esta égloga, más atenta a los problemas del presente, el del autor y el público, falta el comentario lírico-religioso de la anterior. La reacción de los pastores al anuncio del ángel es fuertemente realista.

En cambio, en las Églogas III y IV, dedicadas, respectivamente, a la Pasión y Muerte, y a la Resurrección de Cristo, no hay pastores, sino personajes evangélicos (Verónica, Magdalena, los discípulos de Emaús) o personajes genéricos (Padre, Hijo) que sirven de comentadores y actualizadores de la Pasión y Muerte, enlazando así el pasado con el presente.

Teatro profano

Como en su teatro religioso parte Encina de situaciones reales, integradas en el vivir histórico de su tiempo y, desde luego, conocidas de su público. La ocasión de sus piezas dramáticas suele ser una fiesta popular, un acontecimiento público (fiesta de carnaval, boda), a partir del cual se estructura la materia dramática. No es, pues, un teatro que surja a espaldas de la realidad o aparte de ella, sino, precisamente, a causa de ella. Ya esto, que considero importante, nos está indicando que la dramatización de la realidad vivida y convivida por el autor y su público, en la que se conjugan realidad y ficción, supone en la base una interpretación de esa realidad.

En las Églogas V y VI, que son las dos partes o cuadros de una pieza representada la noche de Antruejo o Carnestolendas (carnaval) sirve de ocasión inicial la posible partida del Duque de Alba «a la

---

[1] Ver Américo Castro, *«La Celestina» como contienda literaria,* Madrid, 1965.

guerra de Francia». Encina utiliza el diálogo de sus pastores para halagar al duque y a la duquesa, sus amos, tratando de obtener así —se supone— el beneficio de su amor. Siempre aparece en primer plano, como se ve, originando el diálogo, la intención de «quedar bien» de su autor. Todo nace de su yo, bien destacado, en busca de algo. Pero, a su vez, la acción dramática así originada conduce a un fin que trasciende el suceso real comentado dramáticamente. En este caso concreto la paz. La Égloga V termina, en efecto, con un villancico en que se pide a Dios la paz. La paz que es Cristo. Y paz, no sólo en la tierra, sino «en este suelo». Este canto pidiendo la paz de Cristo termina con estos versos:

> Pidámosle paz entera,
> quel es la paz verdadera.

En la Égloga siguiente se libran los pastores a una tremenda comilona, manifestando con palabra y gesto (incluso en la palabra) la grosera alegría animal de vivir. El lector puede darse cuenta del tono de esta orgía por estos versos del principio:

> BRAS:
> Hi de puta, ¡quién pudiera
> comer más!

Y del final del monstruoso banquete:

> Comamos, bebamos tanto
> hasta que nos reventemos,
> que mañana ayunaremos.

¿Se trata sólo de «expresión plena y pantagruélica de la alegría del vivir» [2], como escribe Valbuena Prat? Es indudable el sentido materialista, bajamente materialista de la escena. ¿Qué efecto debía producir este convite dramatizado en el duque, la duquesa y sus cortesanos? ¿Estaba escrito para hacerles reír de la grosería de los pastores? ¿No será otra cosa lo que Encina busca? El pastor Beneyto dice a Bras:

> Estiéndete, Bras y ayamos
> gran solaz,
> oy ques san gorgomellar,
> que assí hazen nuestros amos.

---

[2] *Literatura dramática española,* Barcelona, 1930, pág. 28.

«Que assí hazen nuestros amos». Los amos veían, pues, puesto en escena por los pastores de Encina, lo mismo que ellos hacían, sólo que con palabra y gesto grosero. ¿Les hacía realmente reír? En efecto, yo no puedo dejar de ver en tal escena, con su técnica de acumulación e intensificación por hipérbole, una —no encuentro otro nombre— sátira al pueblo cristiano, que se prepara para el ayuno y la penitencia de la Cuaresma comiendo brutalmente, con un epicureísmo materialista y soez nada concorde con el espíritu de una sociedad realmente cristiana. El tema ya lo había tratado magistralmente el arcipreste de Hita en el siglo XIV, y no, desde luego, como expresión de una filosofía de su época, sino con intención claramente satírica.

En el *Auto de repelón* dramatiza Encina las bromas que unos estudiantes de la villa hacen a pastores que del campo han venido a vender sus mercaderías a la plaza del mercado. Los aldeanos pierden todo huyendo de los estudiantes. ¿Burla de los zafios e ignorantes aldeanos, según el modelo del «teatro escolar» medieval? En la obra percibimos, ya en la primera lectura, un clima de violencia y de injusticia. La acción está presentada desde el punto de vista de los perseguidos y expoliados, los «repelados» que en su lenguaje zafio exclaman, entre otras cosas:

> ¡A cuerpo de San Anton,
> como está el hombre acosado!

Y aludiendo a quienes los acosan:

> No hay más conciencia que en perros.

Al lugar donde se han escondido los dos aldeanos entra un estudiante que, sin razón alguna, como sus compañeros, comienza a «repelar» al pastor Piernicurto, trabándose, mientras menudean los golpes, el siguiente diálogo:

> PIERNICURTO:
> ¿A vos quién manda llegar
> a repelar la persona?
>
> JOHAN:
> Porque sea de corona
> ¿cuida que no le han de hablar?
>
> ESTUDIANTE:
> En burla se ha de tomar.
>
> PIERNICURTO:
> ¡Allá, allá, cuerpo de Dios,
> dotros ruines como vos
> presumí vos de burlar!

La obra termina con un villancico en que se hace burla, no de los pastores, sino de los bachilleres y licenciados, que emplean su ciencia en gastar tan pesadas bromas a los aldeanos.

Las otras églogas profanas tiene por tema central, que es a la vez motivo de la acción, el amor. En la Égloga VII («en requesta de unos amores») representada en ocasión de las fiestas de Navidad de 1494, aunque no hay alusión alguna a lo religioso, Encina, partiendo de la tradición medieval de las «pastorelas», bien que con tratamiento muy distinto, escenifica la disputa de lo cortesano y lo pastoril. Los duques intervienen de nuevo como personajes pasivos, inclusos en el marco de la ficción. Una pastora, Pascuala, solicitada por el pastor Mingo y por un escudero, da la palma y victoria del amor al último, después que éste, renegando de su ser cortesano, se convierte en pastor. En la Égloga VIII, continuación de la anterior, ocurrirá lo inverso: los pastores se harán palaciegos, triunfando así «la corte» sobre «la aldea», no sin que haya una valoración lírica de la vida del campo. Esta segunda transformación de estilo de vida se saldrá por completo de la tradición literaria. La fuerza que mueve este cambio de estado, trocando la máscara pastoril por la cortesana, es el Amor, porque:

> Amor muda los estados,
> las vidas y condiciones...

Ese mismo poderío del Amor es vuelto a dramatizar en la Égloga X, representada «ante el muy esclarecido y muy ilustre príncipe don Juan», hijo de los Reyes Católicos.

Un proceso de estilización cortesana del pastor llevará al autor a la creación de las églogas de su segunda época.

Las tres grandes Églogas

De mayor extensión que las anteriores, podemos notar en ellas, por el cambio de nombre de los pastores y por el cambio del lenguaje, iniciado ya este último en los parlamentos del Amor de la Égloga X, una voluntad de estilo que tiende hacia lo cortesano, por un proceso de depuración de la materia dramática pastoril. Proceso de depuración que es, a su vez, un proceso de interiorización. El pastor no será tanto sujeto rústico, en difícil convivencia con su mundo exterior, igualmente rústico, como prototipo de enamorado, víctima del Amor, en difícil convivencia consigo mismo, con su mundo interior. Por así decirlo, pasamos del nivel de la circunstancia al nivel del yo. El pastor es el agonista de un conflicto que estriba más en su propia persona que en el mundo. Veamos cuál es el conflicto en cada una de estas tres églogas.

Égloga de Cristino y Febea

Ya los nombres de los protagonistas nos están significando, puesto que tienen valor de signo, cuáles son las fuerzas en conflicto en el gran ruedo del Amor: amor cristiano (Cristino), entendido éste medievalmente, como ascética renuncia al amor humano natural, y amor pagano (Febea, de Febo o Apolo, dios de la belleza), entendido éste como triunfo de los sentidos. Cristino, que es el sujeto del conflicto, decide retirarse del mundo y darse «a servir a Dios». Como así lo hace. Pero el dios del Amor, ofendido porque su vasallo ha decidido retirarse sin contar con él, decide castigarlo enviándole una ninfa (Febea) que lo tiente. Cristino no sabe resistir a la tentación. Un monólogo del pastor hace explícita su lucha interior. Monólogo en que hay cierta gradación y matización psicológica de valor claramente dramático. Cristino, que, interiormente, ya ha concedido la victoria al Amor, se culpa a sí mismo de su poca constancia en la intención primera y de la mucha presteza de su cambio de intención:

> Dios me dio
> razón y libre albedrío
> ¡Oh, que mal seso es el mío
> que tan presto se volvió!

El último reparo a su deseo de seguir al Amor es de carácter social:

> Si yo agora renunciase
> o dejase
> la religión que escogí,
> yo soy cierto que de mí
> todo el pueblo blasfemase.

Y, último esfuerzo, para vencerse, piensa en la gloria que espera a quien triunfa de sus pasiones:

> Aquel es fuerte llamado
> y esforzado
> que sufre las tentaciones;
> quien vence tales pasiones
> es de gloria coronado.

Pero de nada sirven tales reparos, porque ya, interiormente, la decisión está tomada:

¡Ay, que todo esto siento,
y consiento
yo mesmo mi perdición!
Ya ni quiero religión
ni quiero estar en tormento.

Lo que sigue, cambiando el sentido de lo que acaba de ser dicho, nos muestra que no es «perdición» seguir el hombre el amor, pues, como le dice su amigo Justino:

aun quizás con el ganado
servirás mejor a Dios.

Al tormento de haberse retirado del mundo, renunciando a sus goces, sucede la alegría de volver a él, y la pieza termina en baile y canto.

La obra tiene un ritmo dramático que supera por su dinamismo a todas las anteriores. La dramaturgia de Encina ha conquistado un nuevo hito: saber dar movimiento escénico a un conflicto interior.

Égloga de Fileno, Zambardo y Cardonio

Escrita en versos de arte mayor, frente al uso del pie quebrado en sus otras composiciones y más estática que la anterior, parecería, desde el punto de vista de la estructura del diálogo dramático, un retroceso respecto a la *Égloga de Cristino y Febea.* En mi opinión, no ocurre así. Si es cierto que lo que pudiéramos llamar ritmo exterior dramático es menor, adquiere una fuerza, hasta ahora no alcanzada, el ritmo interior dramático. El lenguaje consigue, en el momento cumbre de la obra, el que precede al suicidio del protagonista, calidad dramática indudable. La intriga, como elemento estructural del drama, que ya había apuntado en las Églogas VII, VIII y X y, sobre todo, en *Cristino y Febea,* es aquí nula. Pero, en cambio, la intensidad dramática de la palabra que hace explícito el conflicto interior de Fileno, lo es todo, especialmente en el monólogo a que acabo de hacer alusión. A Encina parece importarle poco *lo que* sucede a su pastor, pero mucho el *cómo* vive su pastor lo que le sucede. Es más, Fileno, expresándose a sí mismo, determina con su palabra la acción y muere sobre las tablas, dándose a sí mismo la muerte, como un personaje verdaderamente teatral. El suicidio de Fileno ha sido considerado en relación con los amores trágicos de los amadores de fin de la Edad Media, protagonistas del amor cortés, que en España novelaría Diego de San Pedro en su *Cárcel de amor.* Pero la muerte de Fileno tiene muy poco que ver con la de Leriano, el protagonista de *Cárcel de amor*. Si éste se deja morir, sin obrar violencia alguna, con el corazón y el pensamiento puesto en su amada, a quien bendice, Fileno se quita violentamente la vida, maldiciendo a la amada y al amor, que a tal extremo le ha llevado. Lo que nos importa, sin embargo, aquí es la dramatización de esa muerte, su valor teatral. Fileno, enamorado de Zefira, que no aparece, se nos presenta desgarrado por la pasión e impotente para vencerla o liberarse de ella. Huyendo de su soledad busca a alguien a quien comunicar su pena. Sus interlocutores son Zambardo, personificación de la Naturaleza («que puedes a la vida tornar lo ques muerto», dice de él Fileno) y Cardonio, personificación de la Razón. Zambardo se duerme mientras Fileno le confiesa su pasión. Cardonio, atento al discurso de Fileno, sólo sabe darle razones. Si el sueño de Zambardo deja solo a Fileno, no menos solo le deja Cardonio, que, dichas sus razones, lo abandona. Fileno, a solas con su pasión, que ni naturaleza ni razón aciertan a curar, decide matarse para descansar al fin. Porque lo que busca es el descanso («Busco el descanso», le dice a Cardonio), que no encuentra en la naturaleza ni en la razón. La muerte será, pues, la única solución a su pasión. He ahí, en pocas palabras, el esquema de la acción.

Fijemos nuestra atención en el soliloquio de Fileno. Su eje dramático lo constituye el cuchillo que Fileno empuña para quitarse la vida. Empieza el monólogo con una invocación a la muerte. Sigue el temor a que la muerte, dada su condición cruel, no acuda a quien con tanta ansia la llama. Entonces decide Fileno:

> ... sin más reposar
> ni menos pensar a bien o mal hecho,
> el ánima triste del cuerpo arrancar
> con este cuchillo hiriendo mi pecho.

Nótese que Fileno toma su decisión rechazando considerar la bondad o maldad del acto que va a cometer, situándose así fuera y por encima de la ética. Lo significativo es que ésta, aunque rechazada, no ha estado ausente, como sucede en el amor cortés, regido por otras leyes. Ya con el cuchillo en la mano, convertido en centro de la atención del espectador que, seguramente, no quitaría los ojos de él, el héroe maldice el amor, primero, en términos genéricos, luego, muy concretamente en la relación con su propio caso («Maldigo aquel día, el mes y aun el año/que a mí fue principio de tantos enojos»), para terminar maldiciéndose a sí mismo («pues mi juventud/sirviendo a una hembra he toda expendida»). Inmediatamente centra de nuevo la acción el cuchillo, en un verso que es todo él palabra pura y desnudamente dramática:

> Haz presto, mano, el último oficio.

¿No es este verso un logro teatral? Por este verso, y los que le siguen, Encina, a fines del siglo XV, consigue levantar la palabra a una altura dramática que sólo encontraremos muchos años después (excepción hecha de Fernando de Rojas) en los grandes dramaturgos europeos y españoles.

Antes de que la mano cumpla su oficio, Fileno mira con ternura su mundo, el que va a dejar, y se despide de él, mientras va destruyendo cuanto posee: el rabel, pedernal, yesca, caramillo, zurrón, cayado. Sólo una cosa le apena: dejar su ganado a merced de los lobos. ¿Renunciará Fileno a matarse? Ese momento de ternura, que pudiera hacerle flaquear, pasa en seguida. Y así dice a su brazo:

> ... vos, brazo, el boto cuchillo
> con tanta destreza, por Dios, gobernad
> que nada no yerre por medio de abrillo [*abrirlo por la mitad*].
> el vil corazón sin ninguna piedad.

El corazón que, procurando esconderse, palpita aturdido, pensando si podrá defenderse del golpe; y tal es su temblar que hace doblarse al cuerpo de dolor. Fileno invoca a Júpiter, como los héroes clásicos, y no, desde luego, como los amadores medievales, y le encomienda su alma. Ya puede la mano cumplir su oficio, puesto que todo lo que tenía que decir nuestro trágico pastor está ya dicho. Y, sin embargo:

> ¿Qué haces, mano? No tengas temor.
> ¡Oh, débil brazo, o fuerzas perdidas,
> sacadme, por Dios, de tanto dolor!
> Y ¿do sois agora del todo huidas?
> Mas puede que llamaros es pena perdida,
> según muestra vuestra pereza,
> quiero yo, triste, por darme la vida,
> sacar esta fuerza de vuestra flaqueza.

Todo está consumado. El héroe, derribado por su propia mano, mano que desde el principio de la escena ha esgrimido el cuchillo, en perfecto juego dramático bien dosificado, el héroe cae sobre las tablas. La emoción del espectador ha llegado a su máxima tensión.

La misma calidad dramática tiene la escena siguiente, en la que Cardonio, que ha vuelto preocupado por la situación anímica en que ha dejado a su amigo, lo descubre muerto. Este descubrimiento está dramáticamente graduado. He aquí, explicitada en los versos del original, esa gradación:

Veslo do yace en la hierba tendido.
¡Ay, que he tenido continuo temor
que sólo algún lobo no haya hallado!
Mas quizá durmiendo su pena y dolor
mitiga, dejándole el lloro cansado.
Mejor es salir de tanto dudar,
y ver bien si duerme o qué es lo que hace.
La boca cerrada por no resollar...
¿Y es sangre aquella que en su pecho yace?
Sin duda él es muerto de algún animal
del modo que siempre yo, triste, he temido.
¡Oh venere santa! ¡Y aquel es puñal!
que tiene en el lado siniestro metido!

He preferido hacer tan larga cita para ahorrarme comentarios. El lector puede percatarse por sí mismo de que se encuentra ante una verdadera escena de teatro. Todo en ella está confiado a la palabra que cumple perfectamente su función dramática.

Estas dos escenas que he presentado son las que me han hecho decir al principio que Encina alcanza en esta égloga un ritmo dramático interior no alcanzado antes. En este aspecto, la obra significa un paso adelante en la dramaturgia de su autor.

Égloga de Plácida y Vitoriano

Es la obra más extensa de Encina y, asimismo, la de mayor movimiento escénico. En ella integra su autor sus dos formas dramáticas anteriores: la pastoril rústica (Gil, Pascual) y la cortesana (Plácida, Vitoriano, Suplicio), incorporando, dramáticamente, al mundo pastoril el mundo de ciudad (Eritrea, Fulgencia) y el mundo mitológico (Venus, Mercurio). Es, pues, obra de síntesis, en donde quedan integrados, estructurando la acción, todos los elementos dramáticos creados por Encina más los que vienen por asimilación de la materia teatral contemporánea (*Celestina,* teatro italiano). Esta pieza, alabada por Juan de Valdés en su *Diálogo de la Lengua,* fue escrita en Roma, como él mismo señala. Encina pasará largas temporadas en Roma, en la corte papal, obteniendo protección tanto de Alejandro VI como de León X. En el ambiente y tono desenfadado e irreverente de la égloga es indudable que influyó el ambiente de la Roma de los Médicis y de los Borgias, más atentos a servir a Venus que a Cristo. No sólo tal ambiente explica el de la égloga, así como su final, sino también la inclusión antidramática de la larga «Vigilia de la enamorada muerta», verdadera muestra de conversión «a lo profano» de materia religiosa, sin duda escrita con el pensamiento puesto en hacer alarde de ingenio ante tan refinada y letrada concurrencia.

Esta égloga significa el triunfo definitivo del mundo pastoril, como quintaesencia de la simbiosis del mundo del amor y el mundo natural. Por eso, los protagonistas, presentados en la loa o introducción como enamorados, como dama y galán, se moverán fuera de la ciudad, en comunión con la naturaleza, dominio y reino absoluto de los pastores.

La égloga dramatiza la historia de dos enamorados «los cuales amándose ygualmente de verdaderos amores, aviendo entre sí cierta discordia como suele suceder, Vitoriano se va y dexa a su amiga Plácida, jurando de nunca más la ver». La comedia (así se la llama en el texto) comienza con un monólogo de Plácida, sola, que no sólo inicia la pieza y el título, sino que dice las últimas palabras antes de la canción final del Amor.

Plácida, desesperada, se refugia en la naturaleza para que ésta comparta sus penas. Vitoriano, también desesperado sin su amiga, corre a la ciudad en busca de un amigo que le aconseje y comparta su dolor. Éste le aconseja olvidar su amor con otro amor. Siguiendo este consejo, Vitoriano corteja a Florencia, aunque sin poderse curar de su amor. En la siguiente escena aparece Eritrea, émula de Celestina, que ya gozaba de gran popularidad. Esta escena, de gran desvergüenza y procacidad, tiene la función dramática de contrastar el mentiroso mundo de la ciudad, donde nada es lo que parece, con el mundo natural de los pastores, con la naturaleza, en donde se cumplirá la milagrosa salvación del amor de los dos enamorados. A este mundo se dirige Vitoriano en busca de su amiga, la cual, mientras esto ocurre, en un monólogo, dramáticamente emparentado con el de Fileno, decide matarse con el cuchillo que Vitoriano le dejó. El encuentro del enamorado con su amada muerta supera dramáticamente a la escena similar de la égloga anteriormente comentada. Antes de que Vitoriano se mate para unirse en la muerte con Plácida, Venus detiene la mano que empuña el cuchillo y le salva la vida. Luego, por intercesión suya, Mercurio resucita a Plácida. Y la obra termina en canto y baile. Quedan vibrando en el aire las palabras de Plácida al despertar del sueño de la muerte:

> Oh, mi amor,
> pues que se secó el dolor
> florezca nuestra beldad.

Encina, rehuyendo un final trágico, lo resuelve, por obra de Venus y Mercurio, en un «happy ending». Esta no voluntad de final trágico, que aquí inaugura Encina, volverá a repetirse innumerables veces, con distintos personajes y situaciones, en el teatro español del Siglo de Oro. Sociedad e ideología se aúnan para hacer fuerza al oficio del dramaturgo. Encina es el precursor de tal actitud. Esta obra es casi un testamento que Encina deja al teatro español. Testamento que se preferirá al de Fernando de Rojas. Porque, en efecto, es la dramaturgia de Encina la que triunfará sobre la dramaturgia de Rojas. No sólo, pues, cronológicamente es Encina el patriarca (padre de familias) del teatro español, que con él nace y al que espera un espléndido destino.

2. Lucas Fernández

¿Cuál es la significación y el valor de este seguidor de la dramaturgia salmantina iniciada por Encina? Ciertos historiadores de la literatura española suelen juzgar su obra como un retroceso respecto a la de Encina. Si éste incorporó su obra a la ideología renacentista, Lucas Fernández, según estos historiadores, menos culto e inquieto, enraizó el contenido de su teatro, especialmente el religioso, en lo medieval[3]. Como compensación se destaca en él su reciedumbre castellana y su fuerte religiosidad. En todo caso, se le asigna el lugar de segundón, que nada aporta a la evolución del teatro español. Nuestro autor parte, en efecto, de Encina y parece moverse muy a gusto en el estilo dramático pastoril recién creado. Sus pastores tienen en cuenta y conocen los casos de amor de sus antecesores e incluso los citan, como citarán también a Celestina, como ejemplos que justificarán o corroborarán sus propios casos personales. Los pastores de Lucas Fernández se incorporan así, con sentido comunitario, a la familia de pastores de Encina, vinculándose estrechamente al mismo mundo pastoril. ¿Es nuestro autor un simple imitador? ¿No aporta nada nuevo?

Teatro profano

Tres «farsas o cuasi comedias», según las nombra su autor, y un *Diálogo para cantar* componen la parte profana de su teatro. El Amor es siempre el motivo de la acción y la causa que enfrenta conflictivamente a los personajes. En la primera farsa, cuando parece que el pastor Bras-Gil y la pastora Beringuella se han puesto de acuerdo para amarse, aparece a deshora Juan-Benito, abuelo de la pastora, llenando de insultos a la pareja. Es un viejo mal pensado y peor hablado que supone ya deshonrada a su nieta. Al mismo

[3] Ver Alfredo Hermenegildo, «Nueva interpretación de un primitivo», *Segismundo,* II, 1966, núm. 3, págs. 9-43, en donde sustenta la tesis contraria.

tiempo se muestra muy preocupado por las cuestiones del linaje y del dinero. Esta cuestión del linaje aparece en otras piezas de Lucas Fernández [4]. En la farsa que nos ocupa, la exposición que hace Bras-Gil de su ascendencia debió ser, indudablemente, un elemento de comicidad, y ésa es, por una parte, su función dramática. Por la otra, reflejar por modo caricaturesco lo que constituyó una preocupación social de todas las clases de la sociedad hispana de fines del XV y principios del XVI, sin que sea necesario aludir a lo que ocurrió después, a lo largo y a lo ancho del XVI y el XVII. Tales escenas vividas por los pastores lleva a pensar que muy bien pudieran ser éstos, en la intención del autor, a modo de resonadores de problemas sociales contemporáneos. Sus acciones y pasiones serían, podrían ser, a manera de espejos grotescos donde los espectadores se vieran refractados. Sería así, pues, el pastor, como figura dramática, un ente mucho menos inocente, desde el punto de vista de su finalidad literaria, como se viene suponiendo. El éxito de esta escena cómica de la presunción de linaje lo muestra, por ejemplo, el haber sido imitada por otro autor contemporáneo, el aragonés Pedro Manuel de Urrea. El conflicto, que también lo es de edad (juventud-vejez), que enfrenta a Bras-Gil con Miguel-Turria, se resolverá, tanto por la mediación de otro pastor, Juan-Benito, como por ser la madre de Bras-Gil conocida del viejo, y de buena casta. Hay en estas farsas una voluntad de conciliación de las partes en litigio que hace al autor terminar felizmente todas sus piezas, como así ocurriría también en muchas de Encina. Tal vez sea esa voluntad de conciliación, que resuelve felizmente todas las situaciones conflictivas, consecuencia de un deseo hondamente arraigado en sus autores, como si propusieran reiteradamente a los espectadores la necesidad de paz y concordia. En las otras dos farsas también se dramatiza esa oposición de voluntades, bien entre pastor y caballero (entre aldea y corte), bien entre pastor y soldado (campesino y milicia), oposición que se resuelve en final armonía y concierto [5]. El tipo de soldado de la farsa III hace aparecer en escena al soldado fanfarrón, descendiente del «miles gloriosus» que va a incorporarse al teatro español.

[4] Ver John Lihani, «Lucas Fernandez and the Evolution of the Shepherd's Family Pride in Early Spanish Drama», *Hispanic Review,* XXV, 1957, páginas 252-263.

[5] Sobre estas cuestiones ver Américo Castro, *opus cit.*

Teatro religioso

Dos *Églogas de Navidad* y un *Auto de la Pasión* escribió Lucas Fernández. Frente al sensorialismo de Encina destaca en estas piezas de Navidad el intelectualismo de Lucas Fernández y la mayor riqueza de contenido o, por lo menos, de comentario teológico. Menos ricas de lirismo que las de Encina son, sin embargo, más densas de concepto. En la primera *Égloga de Navidad* vuelve a aparecer el tema del linaje, resuelto aquí religiosamente. A la presunción de linaje del pastor Bonifacio replica el pastor Gil:

> Todos somos de un terruño:
> bajos, altos y mayores,
> pobres, ricos y señores,
> de Aldrán viene todo al cuño.

Esa igualdad de todos los hombres es, posiblemente, la lección ejemplar que el autor propone a su público. Igualdad que viene a consolidar Cristo, cuyo nacimiento se dramatiza. El mensaje, último y profundo, de estas piezas de Navidad podría ser éste con que finaliza la égloga o farsa de Lucas Fernández:

> Y ansí todos nos gocemos
> con este gozo profundo;
> hoy se goce todo el mundo,
> pues que a Dios con nos tenemos.
> ¡Toda maldad deshechemos,
> la ponzoña se destruya!
> ¡Alleluya, alleluya!

Ciertamente, éste es el mensaje tradicionalmente cristiano de la Navidad. Pero lo que en estas obritas le da todo su sentido —sentido en relación con su presente— es que a la escena propiamente religiosa de la Navidad, actualizada como en Encina, precede una escena profana en la que el autor presenta dramatizada una situación donde el gozo de amarse unos a otros brilla por su ausencia. Estos personajes, antes de la Anunciación del nacimiento de Cristo, muestran una predisposición a la lucha y a la desunión, como lo hacen ver sus burlas y sus bromas. Veamos dos ejemplos. Estando disputando entre sí Bonifacio y Gil, llega el ermitaño Macario. Busca el camino que le lleve a Belén, en donde sabe por los profetas ha de nacer el Hijo de Dios. Y, así, dice:

Do va el camino,
por acá o por allá,
por caridad me mostrá,
que con la noche no atino.

Los pastores, lejos de responder con caridad a la petición del ermitaño, comienzan a hacer burla de él, ultrajándolo, llegando incluso a amenazarlo con golpearlo:

BONIFACIO:
Llega, démosle sin duelo.

En la otra égloga llega Juan para anunciar a sus compañeros cómo un ángel se le ha aparecido y éstos le reciben con denuestos e insultos. Esta preocupación que los personajes manifiestan por el linaje lleva al autor a contraponer, paralelísticamente, el linaje de Bonifacio al linaje de Cristo, haciendo Lucas Fernández una apología de la tribu de Judá. Vale la pena citar el pasaje en cuestión:

MACARIO:
Dígote cierto, en verdá,
que viene por línea reta
del gran tribu de Judá.

GIL:
A la hé, mia fe, digo ha,
qu'esa es casta bien perfecta.

MACARIO:
Cierto, son sanctos varones
y prudentes;
son de rey's sus naciones,
de nobles generaciones,
de Dios siervos y obedientes.

¿No es realmente significativa esta apología de la tribu de Judá? Diferencia a estas piezas de Navidad, respecto a las de Encina, no sólo la mayor densidad teológica, sino también el lenguaje conceptista, fuertemente intelectualizado, de algunos personajes y, sobre todo, lo que podríamos llamar el «acento de Antiguo Testamento». El ermitaño Macario tiene menos de ermitaño cristiano que de profeta judío, como lo muestra, no sólo sus alusiones a los profetas, que podrían relacionarse con el oficio religioso del «Ordo proffetarum», sino por sus expresiones y, especialmente, por el tono y estilo de dichas expresiones. Junto a este acento de Antiguo Testamento destacan los encendidos versos a la Virgen María.

Podemos terminar diciendo que en las representaciones navideñas de Lucas Fernández todo parece estar cumplido con el nacimiento de Cristo, mientras que en las de Juan del Encina parece que todo comienza.

Desde el punto de vista dramático, estas farsas de Navidad de Lucas Fernández me parecen superiores a las de Encina, porque la acción aparece mejor estructurada. Las escenas suelen aparecer articuladas las unas con las otras, en función las primeras de las que les siguen. Pondré un ejemplo para que se entienda bien lo que quiero decir. En el segundo auto o farsa de Navidad los pastores, que ignoran todo acerca del Nacimiento, sienten que algo extraño ocurre esa noche: el ganado anda alterado, los pastores sienten turbación, las estrellas relumbran más, «las aves muestran placer/con su muy dulce cantar», braman los animales, «los campos con sus olores/ como que toviesen flores; los ayres en sosegar». Mas todos estos prodigios, inexplicables para los pastores, no impiden, como realistamente observa uno de ellos, «que deje de helar». Tales alteraciones de la naturaleza tendrán su sentido y explicación después que el pastor Juan les anuncie que Cristo ha nacido. Entonces podrá decir Pascual:

> Por eso nosotros vimos
> denantes muy gran llucencia.

Y concluirá Juan:

> Todo el mundo lo sintió:
> la tierra, los elementos,
> los cielos y movimientos,
> cada cual placer mostró.

Este sentir pastores y naturaleza el nacimiento de Cristo ya estaba en la primera égloga de Encina, pero no incorporado dramáticamente a la acción, en perfecta articulación escénica, como ocurre en Lucas Fernández.

Resta ahora comentar la pieza maestra del teatro sacro de Lucas Fernández: el *Auto de la Pasión.*

Esta obra, más larga que las anteriores, fue escrita para ser representada en la Iglesia, como claramente hacen ver las anotaciones escénicas: «Aquí se ha de mostrar un Ecce Homo de improviso para provocar la gente a devoción...»; «Aquí se ha de mostrar o descubrir una Cruz repente a deshora...» «Aquí se han de hincar de rodillas los recitadores delante del monumento...»

Es admirable en concisión, vigor expresivo y dinamismo el lenguaje del *Auto.* Todos los pasos de la Pasión desfilan ante la imaginación de los espectadores, evocados por la palabra encendida de los testigos de aquellos sucesos (Pedro, Mateo, las tres Marías), que se ciñen al relato de los hechos, sin apenas otros comentarios que los de su propio dolor. La función dramática de estos personajes es la de ser, a la vez, narradores-testigos que cuentan lo visto, y Coro a múltiples voces que subraya con su propio dolor el dramatismo de los hechos de que dan testimonio. Cristo y María, ausentes físicamente, no sólo por delicada elegancia y respeto de su autor, sino también —y esto es lo importante desde el punto de vista teatral— por agudo sentido de los valores dramáticos en Lucas Fernández, impresionan la imaginación del lector o espectador, herida por la fuerza plástica de la palabra de los narradores-testigo. Como en la tragedia griega los sangrientos hechos ocurridos fuera de escena intensificaban su dramatismo por virtud de la palabra del narrador o mensajero, así Lucas Fernández, ignorante de tal procedimiento técnico del gran drama clásico, lo utiliza en su *Auto* mostrándonos su gran instinto dramático. La gran unidad estilística de esta pieza maestra del teatro religioso viene dada, aparte de la unidad tonal, por la reiterada apelación de los personajes al sentido de la vista. Porque la intención primaria del autor es *hacer ver* el drama de la Pasión. Precisamente, por esa fidelidad a la acción de la Pasión, henchida de hechos, la palabra está dotada, a la vez, de realismo y de dinamismo. Como descanso de ese vertiginoso sucederse de los hechos, al tiempo que como contrapunto emotivo, los personajes alternan su función de narradores-testigo con la de Coro de plañideras que, al insertar su propio dolor en el dolor que los hechos testificados en sí conllevan, potencian e intensifican hasta el máximo el dolor de la Pasión. Esta doble función dramática de los personajes, sabiamente alternada con gran instinto dramático, es la que estructura y hace teatral esta espléndida obra de Lucas Fernández.

También supone un gran acierto, desde el punto de vista exclusivamente dramático, que es el que nos interesa, el haber elegido, como personaje que inicia la obra, a San Pedro. Porque éste está ya hablando desde una situación dramática «per se»: la del renegado, que ha negado tres veces a su Señor y que cuenta los sucesos desde la dolorida conciencia de su traición:

> ¿Cómo pude yo negar
> tres veces a mi Señor?

Es, precisamente, desde ese dolor de haber negado a Cristo, de donde brota la acongojada palabra del personaje-testigo.

Para dar mayor universalidad a este llanto por la Pasión de Cristo, a los personajes del Nuevo Testamento se unen otros dos:

Dionisio de Atenas, que representa a la gentilidad, y Jeremías, que representa al Antiguo Testamento.

Todos de consuno cantan, al final de esta preciosa joya dramática, «en canto de órgano», la canción y villancico de adoración al «Universal Redentor», «de rodillas... delante del monumento».

A estos dos dramaturgos debe unirse el aragonés Pedro Manuel de Urrea (1486-1529), posiblemente de ascendencia judía, cuyas *Églogas dramáticas* aparecen en 1516. Es especialmente interesante la Égloga I (llamada «Nave de Seguridad»), en la que el papel principal corresponde a un curioso tipo de pastor que se exilia voluntariamente del mundo en que vive y contra el cual lanza sus imprecaciones. Ese mundo está dominado por la desigualdad, la injusticia y la violencia. Una dialéctica muy elemental, pero vigorosa, late en la raíz de la imagen simbólica de los lobos y perros que azuzan al rebaño:

> Verás los ganados, muy grandes rebaños,
> los lobos y perros venir contra ellos.
>
> (Versos 5 y 6)

Sobre ese fondo de persecuciones y de peligro para el humano rebaño se alza la esperanza en una justicia final:

> El día final será la justicia,
> que agora cada uno anda a su viento:
> al fin no darán tan grande tormento
> a los pastores como a la milicia.
>
> (Versos 69-72)

Hay en esta égloga, y en varios pasajes de otra (Égloga IV y Égloga V), una clara voluntad de denuncia y una honda vocación de postular, frente a la contextura de la realidad vivida, la igualdad de todos los hombres, pertenezcan éstos al bando de los perseguidos o de los perseguidores. En la *Égloga IV* dice un personaje:

> Maravíllome yo assí
> de cómo es un humo todo,
> pues somos todos de un lodo,
> todos tenemos un sí.
>
> (Versos, 232-235)

En la Égloga V («Sobre el nacimiento de Nuestro Salvador Jesu Christo») el personaje Marco señala enérgicamente la necesidad de ser «humano» con los prójimos, a imitación de Cristo:

De manera que a de ser
quien se quisiera salvar,
humano para guardar
lo que Dios quiere hazer.
Él se quiso aquí poner
para exemplo a nuestra vida;
quien humanidad olvida
no le puede Dios querer.

Vemos, pues, que, en este respecto, la actitud ante la realidad histórica, dramáticamente traspuesta, es idéntica a la de Juan del Encina y Lucas Fernández. Los tres dramaturgos, cada uno a distinto nivel estético, coinciden, en este caso concreto, en una misma visión del mundo en el que viven y en una misma aspiración.

II. «La Celestina»

La Celestina, del cristiano nuevo Fernando de Rojas, pertenece, rigurosamente hablando, a ese pequeño grupo de obras universales que la literatura española aporta a la literatura occidental. La obra, en su primera versión titulada *Comedia de Calisto y Melibea* aparece en el ocaso del siglo XV, cuando éste está ya encinta del siglo XVI. Sus 16 actos se convierten muy pronto en 21 en la segunda versión titulada *Tragicomedia de Calisto y Melibea* (ver Apéndice I). Su éxito fue fulminante y gozó de extraordinaria fama dentro y fuera de España, como lo muestran sus numerosísimas ediciones durante el siglo XVI, sus imitaciones, adaptaciones y traducciones desde muy temprana fecha, al italiano, al alemán, al francés, al inglés, al portugués, al flamenco... Durante los últimos veinticinco años ha ido creciendo la marea de libros, artículos y notas sobre la obra, dando lugar a diversas interpretaciones y a interesantes polémicas sobre varios puntos concretos, fruto todo ello de un vivísimo interés por la genial creación de Rojas. Al repasar críticamente esa bibliografía [6] se impone al lector, por encima y por debajo de todas las discrepancias como de todos los acuerdos, la complejidad y riqueza —en todos los niveles: psicológico, ideológico, estético, de significación, de estructura, formal, histórica, etc...— de *La Celestina,* y, desde luego y especialmente, su estremecedora modernidad. Escrita en Castilla hace más de 470 años es una de nuestras más contemporáneas creaciones, cuya lectura o representación apasiona, inquieta, preocupa y

[6] La más reciente y completa bibliografía es la de Joseph Snow, «Un cuarto de siglo de interés en *La Celestina,* 1949-75. Documento bibliográfico, *Hispania,* 59, 1976, págs. 610-660.

conquista nuestro fervor de hombres de esta conturbadora segunda mitad del siglo XX.

Dentro de los forzosos límites —de método, de finalidad y de espacio— de este libro, nosotros la abordaremos, especialmente, como obra dramática.

1. El problema del género literario

Durante mucho tiempo se ha venido considerando por muchos *La Celestina* como «novela dialogada» o «novela dramática», sin que por ello se negara su carácter de obra dramática, visible por su estructura dialogada y por su ausencia de narrador y de partes narradas. Desde el siglo XVIII, por virtud de una concepción del fenómeno dramático muy limitada, y hoy superada, como fue la de la poética neoclásica, se consideraron como argumentos en contra del carácter dramático de *La Celestina* su desmesurada longitud, su irrepresentabilidad a causa de lo obsceno de algunas escenas o de las dificultades de montaje escénico, su demorada acción de ritmo lento o su presunta concepción novelesca del tiempo y del espacio, argumento en el que ha insistido, por ejemplo, Stephen Gilman, para denominarla —apoyándose además en otros puntos de su estructura— «diálogo puro» [7]. Lida de Malkiel [8] critica cada uno de esos argumentos, válidos sólo dentro de una visión no muy evolucionada del teatro. Respecto a la longitud recuerda los largos misterios franceses de la Pasión de los siglo XV y XVI, a quien nadie ha negado su carácter dramático; pero también podríamos alegar, por lo que a la división en numerosos actos se refiere, obras teatrales francesas del primer tercio del siglo XVII, divididas en varias «jornadas» de cinco actos cada una, como, por ejemplo, *Théagène et Cariclée*, de Hardy, con sus actos [9]; tampoco es óbice para su esencial estructura dramática el ritmo lento y denso de la acción, ni la obscenidad de algunos pasajes, que en esencia nada tiene que ver con la categoría de lo dramático, ni tampoco sirve de contraprueba el tratamiento del tiempo o del espacio, como después veremos. Lida de Malkiel estudia los antecedentes históricos de *La Celestina,* mostrando su pertenencia a la tradición constituida por la comedia romana, la comedia elegíaca medieval y la comedia humanista de los siglos XIV y XV, superados todos ellos por la obra de Rojas; estudia los procedimientos de la técnica teatral, analizando sus antecedentes y sus innovaciones, así como sus imitaciones y, asimismo, recuerda, citando numerosos testimonios,

---

[7] *The art of* La Celestina, Madison, 1956.

[8] *La originalidad artística de «La Celestina»*, Buenos Aires, 1962.

[9] Jacques Scherer, *La dramaturgie classique en France,* París, 1968, pág. 111.

que durante los siglos XVI y XVII, nadie discutió su carácter de obra dramática, y que como tal influyó en obras dramáticas posteriores.

Creo importante para la cuestión que nos ocupa hacer algunas breves consideraciones. No debe olvidarse que es necesario no confundir, por muy estrechas y dependientes que sean, las *categorías dramáticas* con las *categorías escénicas*. Aunque las primeras —acción, personajes, tiempo y espacio, lenguaje, propios de la estructura del drama— suelan estar predeterminadas por una visión teatral estrechamente ligada a unos conceptos escénicos, los cuales, a su vez, dependen de unas convenciones que varían a lo largo de la historia del teatro, no es, sin embargo, condición *sine qua non* para que pueda hablarse de estructura dramática de una obra y pueda tenerse ésta como drama, el que esté pensada y construida teniendo en mente su realización escénica. Si esto fuera condición *sine qua non*, ¿en qué género habría que poner obras que, estructuralmente, no son ni «novelas dialogadas», ni «poemas dialogados» ni «diálogos puros», como, por citar sólo dos ejemplos, las *Comedias bárbaras* y *Divinas Palabras*, de Valle-Inclán o *Le soulier de satin*, de Paul Claudel? Valle-Inclán al escribir las obras citadas se desentendió de todo sistema específico de categorías escénicas, construyendo libremente su acción dramática. Con igual libertad actuó Claudel al construir su larguísimo drama, del cual hay dos versiones, una íntegra y otra, abreviada, para la representación. Lo decisivo en ambos ejemplos no es el espacio escénico, sino el espacio dramático, siempre interior al mismo drama.

Cuando Rojas escribe *La Celestina* construye *una acción* en diálogo, no sólo un diálogo, con unos personajes que viven dentro de un tiempo y un espacio concretos unas situaciones definidas tanto por lo que hacen como por lo que dicen, y cuyo fin es el resultado o consecuencia de una larga cadena de actos, relacionados entre sí por una sólida relación de causa a efecto. Ahora bien, al construir su obra dentro de esa tradición dramática demostrada por M. R. Lida que va de la comedia romana a la comedia humanística, incorporando elementos temáticos, no técnicos, de la tradición literaria del amor cortés y del *Arte de Amores*, como también de la realidad social y cultural de su tiempo, no lo hace predeterminado por una imagen teatral dependiente de convenciones o requisitos convencionales adscritos a unas categorías escénicas determinadas, por la sencilla razón de que éstas no existían o las existentes —las del drama medieval— no servían para una obra tan radicalmente original en sus contenidos como es la suya. Cuando Gilman [10] habla de la «des-

[10] «El tiempo y el género literario en *La Celestina*», *Revista de Filología Hispánica*, VIII, 1945, pág. 149.

preocupación de Rojas por los requisitos convencionales del drama», no podemos por menos de preguntarnos cuáles podían ser esos requisitos convencionales —¿de qué convención en 1499?— y de qué tipo o tipos de drama. Y aunque así fuera: ¿basta despreocuparse de esos requisitos convencionales, que, dicho sea de paso, pertenecen a lo escénico más que a lo dramático, para que deje de ser drama la obra en que tal despreocupación se da, como así sucedió en el ejemplo citado de Valle-Inclán? ¿No se incluyeron las *Comedias bárbaras* por razones parangonables —tiempo y espacio escénico— con las de *La Celestina* en el género híbrido de las novelas dialogadas?

En 1492 Juan del Encina escribía para ser representado en una sala, según ya vimos, una elemental pieza, elemental tanto en términos dramáticos como escénicos. Unos años después se publicaba la *Comedia de Calisto y Melibea*, infinitamente más compleja y densa, para ser leída. ¿Dónde existía la escena —palaciega, cortesana o pública— a cuyo espacio físico pudiera destinarse? Para ser leída, pues, pero no de cualquier manera, ni a solas, sino en voz alta y para un pequeño auditorio, según especifica Proaza en la cuarta de sus coplas, que vale la pena citar:

> Si amas y quieres a mucha atención
> leyendo a Calisto mover los oyentes,
> cumple que sepas hablar entre dientes,
> a veces con gozo, esperanza y pasión,
> a veces airado con gran turbación.
> Finge leyendo mil artes y modos,
> pregunta y responde por boca de todos,
> llorando y riendo en tiempo y sazón.

Lo que se está recomendando es una lectura *dramática,* actuada mediante cambios de voz, para mover a los oyentes, un arte de actor que finge y llora y ríe y habla entre dientes, representando con su voz los distintos movimientos pasionales de los protagonistas. Y el propio Rojas en el *Prólogo,* cuya paternidad casi nadie le discute hoy, también piensa en un pequeño auditorio cuando escribe: «Así que cuando diez personas se juntaren a *oír esta comedia...*» (la cursiva es nuestra). ¿Sería muy distinta la lectura de las tragedias de Séneca, escritas, precisamente, para ser leídas, como *La Celestina,* ante un pequeño cenáculo de atentos auditores en la Roma del siglo I? ¿Acaso los que admiten que fueron escritas para la lectura le niegan a las tragedias de Séneca su carácter dramático, a pesar de lo narrativo de algunos pasajes o lo discursivo de muchos diálogos?

2. Espacio y tiempo

Ambos están interrelacionados en el drama, pues son dimensiones conjuntas y necesarias en toda estructura dramática, pero, como es sabido, los modos de su realización pueden ser muy distintos. Aislarlos es, naturalmente, una operación arbitraria, pues siempre aparecen en función de la acción y de los personajes, como aquélla y éstos en función del tiempo y del espacio.

Al analizar Henri Fluchère ambas dimensiones en el teatro inglés isabelino escribía esto que podemos aplicarnos: «No vayamos a medir el espacio como un geómetra ni el tiempo como un cronometrador», y también: «El tiempo en los elisabetianos es un servidor, no un tirano»[11].

La estructura del espacio en *La Celestina,* que es siempre un espacio vital, fundamentalmente dinámico y nada estático, es múltiple y simultáneo, pues nace en función de la acción, sin sujeción a ninguna convención que le constriña. Rojas crea espacio y tiempo —como atinadamente escribía Gilman— cada vez que lo necesita, pero con necesidad nunca arbitraria o caprichosa, sino internamente conectada con la acción y su despliegue, coexistiendo con la peripecia. El número de lugares escénicos no es, sin embargo, mayor de lo que será en el teatro español del Siglo de Oro o en el inglés de la época de Shakespeare y obedecerá a las mismas razones: servir al despliegue de la acción utilizando el espacio como lugar «ideal», no material. Los lugares fundamentales son la huerta de Melibea, la casa de Calisto, la casa de Melibea y la casa de Celestina, así como la calle o la plaza, los cuales son siempre lugares «neutros», no limitados a un solo cuarto o a una sola calle, lugares que por su mismo carácter neutro pueden representarlo todo. Si se cambia de uno a otro lugar sin interrupción es, justamente, por su constitutivo dinamismo. Ningún crítico se basa hoy en la manipulación del espacio por Rojas para negar el carácter dramático de *La Celestina,* pues supondría adoptar un punto de vista parejo al que la poética neoclásica adoptó ante el teatro de los dramaturgos del Siglo de Oro. En cambio, sí se hacen reparos a la manipulación del tiempo. Imposible nos es aquí resumir los análisis de Gilman[12],Asensio[13] y Lida de Malkiel[14] sobre la cuestión ni hacernos eco de la polémica entre los dos primeros.

[11] *Shakespeare, dramaturge elisabethian,* París, Gallimard, 1960, págs. 154 y 163.

[12] *Art. cit.* Se encuentra como apéndice III, en *La Celestina: Arte y Estructura,* cit., págs. 337-349.

[13] Manuel I. Asensio, «El tiempo en *La Celestina*», *Hispanic Review,* XX, 1952, págs. 28-43.

[14] *Opus cit.,* págs. 173-181.

El punto capital para nuestro propósito está bien en aceptar con Gilman que Rojas «nunca quiebra la continuidad de su diálogo» o bien en rechazar con Asensio tal continuidad. Creemos que las pruebas aportadas por el segundo son concluyentes y muestran que entre la primera escena del acto I y el resto de la *Comedia* hay una ruptura en la continuidad de la acción que suponen un lapso de tiempo, lapso al cual aluden repetidamente los personajes, tiempo necesario tanto para el desarrollo verosímil de la acción como de los caracteres de los personajes. Esto, naturalmente, plantea la existencia de un tiempo implícito, que detectó Gilman por primera vez, concurrente con el tiempo explícito. Luego, en la *Comedia* siguen tres días de acción ininterrumpida, en los cuales se consuman todos los acontecimientos desde la intervención de Celestina hasta la muerte de Calisto y el suicidio de Melibea. En la *Tragicomedia,* al alargar, según dice el autor en el *Prólogo,* «el proceso de su deleite de estos amantes» sigue a la primera noche de amor entre los amantes un cuarto día hasta las cuatro de la tarde. De nuevo se produce entre el final del acto XV y el XVI una segunda ruptura de la continuidad de la acción, con un lapso de tiempo de un mes, transcurrido, según Melibea, entre la primera noche de amor y los acontecimientos dramatizados a partir del acto XVI. A partir del acto XVII la acción transcurre hasta el final durante un día y parte del otro, en cuya mañana, horas después de muerto Calisto, se suicidará Melibea. Tanto, pues, en la *Comedia* como en los nuevos actos de la *Tragicomedia* tendrá gran importancia en la representación del tiempo el uso del tiempo implícito. Rojas postula deliberadamente dos diferentes órdenes de tiempo: uno explícito de acción continua, que es un tiempo corto (tres días y parte del cuarto, un día y primeras horas de la mañana siguiente) y un tiempo implícito, que es un tiempo largo («muchos y muchos días», «un mes»). Este segundo es necesario para dar mayor profundidad —en el desarrollo de los caracteres, en la motivación de la acción— dramática a lo presentado en la acción continua desarrollada ante los ojos de los espectadores durante el tiempo corto. ¿Es antidramática tal coexistencia y tal relación de funcionalidad entre ambos tiempos?

Hay un caso —los otros creo han sido satisfactoriamente resueltos por María Rosa Lida y por Asensio— en que es imposible no ver una patente contradicción o incongruencia temporal: el del acto XV. Elicia viene a visitar a Areusa, dos días después de que ambas comieran en casa de Celestina con ésta, con Pármeno y con Sempronio, y le comunica las muertes de éstos, ocurridas al filo del amanecer del tercer día, es decir, hace menos de treinta y seis horas, a lo cual replica Areusa: «No ha ocho días que los vide vivos e ya podemos decir: perdónelos Dios». No hace ocho días es, desde luego, más que hace dos días, si aplicamos el punto de vista del cronómetro. ¿Pero cómo acusaba esa incongruencia el auditorio —las diez personas— que seguía la lectura dramatizada de la obra? ¿Cuál era, además, el sentido del tiempo de ese auditorio hacia 1500? Indudablemente es de presumir que muy distinto del que tiene el crítico del siglo XX que en su cuarto de trabajo *detiene* la lectura, desmonta y recompone lo leído, retrocede y avanza mediante una prolija operación abstractiva. ¿Era ésa la experiencia del oyente? ¿Lo era la del público de Shakespeare hacia 1600 para el cual, «en su propio mundo actual es tan incierto el sentido del tiempo»? [15].

Y ya que hemos mencionado a Shakespeare, permítasenos una nueva aproximación. La acción de *Otelo* en Chipre comienza a las cuatro de la tarde de un sábado y termina con la muerte de Desdémona por el Moro y el suicidio de éste pocas horas antes del amanecer del lunes: dura, pues, unas treinta y seis horas. Sin embargo, se hace referencia mediante el mismo uso funcional del tiempo implícito, a un periodo mucho mayor de tiempo: «una y otra vez» («a hundred times», III, 3), «una semana, siete días y siete noches. ¡Ciento sesenta horas! » (III, 4). Estas y otras alusiones «sugieren un lapso de tiempo mucho más largo que las treinta y seis horas o menos que están cuidadosamente detalladas en la pieza» [16]. Para explicar esas contradicciones e incongruencias temporales en Shakespeare, R. M. Frye, reinstalándose en una larga tradición en los estudios shakespirianos que arranca de mitad del siglo XIX, utiliza como método de explicación la «doctrina del doble tiempo» —que puede aplicarse globalmente a *La Celestina,* y así lo hemos hecho— y que él llama modelo *(pattern)* de tiempo largo y tiempo corto concurrentes. En *Otelo* como en *La Celestina* —queremos recalcar que esta aproximación no tiene otro objeto que mostrar la presencia de un mismo modelo de construcción de un doble tiempo concurrente, y no ningún otro tipo de aproximación— el tiempo corto sólo no es suficiente, pues con sólo éste no se profundizaría la psicología de los personajes, que necesitan de ese otro tiempo largo para su perfecta motivación y su maduración. Lo mismo sucede en *Macbeth:* los nueve días representados sobre la escena, con dos intervalos entre ellos, corresponden, según M. Bradley, a diecisiete semanas para la acción entera [17]. Lo que queremos señalar con esto es que ese doble tiempo de *La Celestina,* no es, ni mucho menos, prueba de técnica novelesca ni atenta contra su estructura dramática. Si en *Otelo* y *Macbeth* (y

---

[15] Harley Granville-Barker, *Prefaces to Shakespeare, Hamlet.* Princeton University Press, 1963, pág. 46.

[16] Roland Mushat Frye, *Shakespeare. The Art of the Dramatist,* Boston, Haughton Mifflin Co., 1970, pág. 171.

[17] Ver *Shakespearean Tragedy,* Londres, 1905.

en otras piezas shakespirianas) se da esa coexistencia de dos esquemas de tiempo, explícito y detallado uno, implícito otro, y contradictorios entre sí, sin que tal construcción se haya asociado con técnica propia del género novelesco, ¿por qué suponer para *La Celestina,* como lo hace Gilman, un cruce de género dramático y género novelesco? El hecho de que la *Tragicomedia* de Rojas sea anterior a la cristalización formal de ambos géneros, no supone que sea agenérica, y menos aún que se la asocie sólo con la novela, pues tal representación del tiempo se halla también en el género dramático. Pero este uso libre del doble tiempo, con ser decisivo en lo que aquí nos importaba, no lo es tanto como el hecho de que Rojas utilice tal representación del tiempo para crear —como lo haría después Shakespeare— algo de más radical importancia, como es el *tempo* apropiado y necesario a la acción total, la cual incluye el total desarrollo de los caracteres.

El mismo uso del «doble tiempo», aunque de modo mucho menos perfecto que en *La Celestina* o en Shakespeare, se encuentra en una moralidad inglesa de hacia 1513 *(Hickescorner)* o en obras anteriores al gran dramaturgo inglés, a las que nunca se les ha negado por ello su carácter y naturaleza de drama [18].

En *Le soulier de satin,* de Claudel, antes mencionada, se encuentra esta frase que hubiera podido servirnos de epígrafe o de lema: «pues sabéis que en el teatro manipulamos el tiempo como un acordeón, a nuestro placer, las horas duran y los días son escamoteados. Nada más fácil que hacer marchar varios tiempos a la vez en todas las direcciones» [19].

3. La acción y sus personajes

La división en «actos» no tiene, por lo que a la acción se refiere, ninguna significación estructural, pues en los tiempos en que Rojas escribe no se había impuesto la mentalidad superformalista implícita en las teorías neoaristotélicas-horacianas de los preceptistas italianos, las cuales ni siquiera a fines del XVI y principios del XVII influirían en la construcción de la acción dramática por los dramaturgos elisabetianos o españoles, aunque influyeran en los editores coetáneos ingleses[20].

Para el propósito de este estudio, forzosamente breve, pues exigiría muchas páginas que aquí no podemos escribir, dividiremos la

[18] Ver Mable Brulaud, *The Presentation of Time in Elizabethian Drama,* Nueva York, Haskell House, 1966.

[19] II, 2, versión íntegra. *Theatre,* II, París, La Pleiade, 1956, pág. 718.

[20] Ver, entre otros muchos Granville-Barker, *opus. cit.,* págs. 32 y 55.

acción en dos partes y un prólogo. Éste corresponde al encuentro de Calisto y Melibea en la escena I; la primera parte comprende la intervención de Celestina y los criados, sus muertes y la primera noche de amor de los amantes; la segunda parte introduce el tema de la venganza de las rameras y termina, después del mes de amores y de la segunda noche de amor representada, con la muerte de Calisto, el suicidio de Melibea y el planto de Pleberio, consumada ya la tragedia. Las dos partes o movimientos de la acción forman un sistema de acciones de una determinada cualidad moral que sirve de principio de unidad y cuyo esquema es el de una trabada serie de consecuencias —relaciones de causa a efecto— esquema que corresponde al patrón estructural de la «cuenta presentada[21], según el cual más tarde o más temprano hay que pagar por las acciones propias, como pagan en *La Celestina* cada uno de los personajes, y cuya expresión explícita, aparte y además de la misma acción, encontramos en esta frase de Calisto en el acto XIV de la *Tragicomedia:* «Deudores somos sin tiempo, continuo estamos obligados a pagar luego»[22].

a) *El encuentro.* El «argumento de toda la obra», que hoy se admite como de Rojas, dice: «Calisto fue de noble linaje, de claro ingenio, de gentil disposición, de linda criança, dotado de muchas gracias, de estado mediano. Fue preso en el amor de Melibea, muger moça, de alta y serenísima sangre, sublimada en próspero estado, una sola heredera a su padre Pleberio, y de su madre Alisa muy amada. Por solicitud del pungido Calisto, vencido el casto propósito della (entreveniendo Celestina, mala y astuta muger, con dos servientes del vencido Calisto, engañados, e por ésta tornados desleales, presa su fidelidad con anzuelo de codicia y de deleyte), vinieron los amantes e los que les ministraron, en amargo y desostroso fin. *Para comienço de lo cual* (la cursiva es nuestra) dispuso el adversa fortuna lugar oportuno, donde a la presencia de Calisto se presentó la deseada Melibea».

Aunque en el «Argumento del primer auto», que no era probablemente de Rojas, y, más tarde, en el Auto II, se hable de una huerta adonde Calisto entró en pos de su halcón o neblí, dicha localización carece de importancia, pues lo decisivo es su significado, expresado en el Argumento general, de *lugar oportuno* donde comienza la acción que terminará trágicamente, integrando así este encuentro en la trayectoria de toda la acción y en su sentido. Calisto requiere apasionadamente de amores a Melibea, y ésta, después de dar pie a

---

[21] Ver Georg Lukacs, *La novela histórica,* México, Era, 1966, págs. 117 y ss.
[22] Vol. II, pág. 123. Citamos siempre por ed. Julio Cejador, Clásicos Castellanos, 1954.

Calisto para expresar su pasión, le rechaza violentamente, recalcando la índole de la pasión —«¡ilícito amor!»— del galán. Que Rojas utilice para esta escena materiales procedentes de la tradición del amor cortés o del «arte de amores» o que sea fortuito o provocado el encuentro, lo decisivo para la estructura de la acción es el carácter dramáticamente necesario de este encuentro y del violento rechazo con que termina, pues su función es dar comienzo a todo lo que va a seguir y de lo cual es principio. Encuentro y rechazo determinarán la enfermedad de ánimo de Calisto.

b) *Primera parte.* Enfermedad que hace crisis en la escena que sigue en el papel, pero no en el tiempo, a la anterior. Calisto despide a su criado Sempronio para dar rienda suelta en la soledad y en la oscuridad a sus «pensamientos tristes», a su «tormento», a su «mal», de cuya intensidad y arrebato da cuenta el monólogo de Sempronio, monólogo donde se manifiesta, a la vez, el carácter del criado y la índole de la relación con su amo, nada amorosa ni fiel. Calisto vuelve a llamarle y descubre paulatinamente la causa de su mal (la desaforada pasión por Melibea) y el desarreglo de su espíritu, obnubilado totalmente su «claro ingenio». La respuesta de Sempronio, cuyo contenido está en contradicción con su propia conducta —contradicción entre teoría y práctica, palabra y acción, manifestativa de una dualidad constante como nódulo estructural que es, a lo largo de *toda* la obra— no obra ningún efecto en Calisto. Sempronio, dándose cuenta en seguida de la índole del amor de su amo, le propone, tras percatarse —y comentarlo en sus cortos apartes— del desarreglo mental, emocional y físico de éste, cumplir sus deseos. La reacción de Calisto —regalarle «un jubón de brocado»— despierta su codicia de mayores dádivas, decidiéndole incluso a traerle a Melibea «hasta la cama», para lo cual propone la intervención de Celestina, «hechicera, astuta sagaz en cuantas maldades ay», que «a las duras peñas promoverá e provocará a luxuria si quiere», proposición aceptada inmediatamente por Calisto como medio para venir en su deseado fin, que no es otro —y ello es constante en la obra desde el principio— que la posesión de Melibea. Porque éste y no otro es el fin de la pasión de Calisto, ha propuesto el criado la intervención de Celestina y la ha aceptado el amo. Extrañarse de esto, planteando otros problemas (ausencia de la idea del matrimonio) y otras soluciones (diferencias de raza) es apartarse del planteamiento y significación implícitos en la obra, como es igualmente innecesario poner en duda lo motivado de la intervención de Celestina, pues ésta es necesaria para el fin concreto perseguido por Calisto. Que aquí vuelva a servirse Rojas de la tradición del *loco amor* y de la pintura y convenciones del *amor cortés,* cuya esencia está en ser extra-matrimonial, pues el matrimonio lo rigen las leyes sociales, pero no las del amor[23], tampoco debe hacernos olvidar ese fin concreto propuesto en la obra ni su relación funcional con la estructura y la finalidad de *toda* la obra, es decir, de la acción global.

Sempronio va en busca de Celestina y por el camino de vuelta hace hincapié, pues que «Calisto arde en amores de Melibea», de que juntos saquen provecho del negocio, dado que negocio y no otra cosa es para ellos tal amor. Llegados a la puerta de la casa de Calisto, Pármeno, criado joven, informa a su señor de quién es Celestina, con la que de niño vivió, y le pone en guardia contra ella y contra sus engaños, con lo que creyendo servir a su amo, le irrita, pues éste quiere la ayuda de la alcahueta precisamente por ser lo que es. Apenas ésta entra, las palabras y actitudes de Calisto, manifestativas del interés que éste tiene en ser servido, predisponiendo en su favor a la medianera, escandalizan con razón a Pármeno, quien juzga perdido a su amo. La ausencia de Calisto que, acompañado de Sempronio ha salido del cuarto en busca de una bolsa de moneda, da lugar a una extraordinaria escena entre Celestina y Pármeno, escena conflictiva entre ambos personajes, en la que la astuta vieja, habiendo reconocido al joven, improvisa y pone en efecto las tácticas conducentes a ganarlo para sus fines, de modo que no le estorbe el negocio, y el proceso de la corrupción del criado fiel, tácticas y proceso estribados en dos pivotes principales: el del interés y el de la lujuria del mozo. Calisto, después de entregar las monedas a Celestina, a la que despide, y enviar a Sempronio en su seguimiento para darle prisa en el cumplimiento de su misión, queda a solas con Pármeno, el cual sigue con sus advertencias según la imagen que de su papel de servidor fiel tiene, advertencias que, de nuevo, le acarrean, no la alabanza del amo, sino su insulto y su airada reconvención. Y es esta conducta injusta del amo la que hace mella en sus propósitos de cumplir con su deber, y le decide a secundar los planes de Celestina y Sempronio. Si éste aparece ya degradado desde el principio, el dramaturgo nos muestra en Pármeno el proceso de esa degradación. Rojas utiliza así, de acuerdo con la técnica de las dualidades típicas de su obra —dualidad de discurso y conducta (en Calisto, Sempronio, Pármeno, Areusa, Celestina y Melibea), dualidad entre las «autoridades» (profetas, santos, filósofos) que han escrito sobre el amor y la realidad misma del amor en su nivel concreto, dualidad entre la «tradición» y su sentido actual, dualidad entre la magia y la realidad, dualidad entre la ley de la naturaleza y las normas sociales, religiosas y morales, dualidad del tiempo implícito y del tiempo explícito— el mismo doble punto de vista en la presentación de los

---

[23] Ver el artículo de Inez Macdonald, «Observations on the Celestina», *Hispanic Review,* XXII, 1954, págs. 264-281.

dos criados: Sempronio como resultado, Pármeno como proceso, explicando así lo que el primero *es* por lo que el segundo *llega a ser*.

Mientras tanto, Sempronio ha alcanzado a Celestina, no sin expresarle su extrañeza ante la calma andadura de ésta, y le participa la prisa de su amo. Celestina tras señalar los peligros de la empresa que va a acometer y exponer una teoría general sobre la condición de las doncellas y su conducta amorosa —quemarse por dentro y fingir frialdad— manifiesta su sabiduría en el oficio y su confianza en sus artes. Llegados a su casa, deja a Sempronio con su amante Elicia, y, encerrada a solas, conjura al «triste Plutón, señor de la profundidad infernal» para que haga obrar su efecto mágico al aceite con el que unta el hilado preparado para Melibea. Partida a casa de Melibea, le asalta el miedo a ser muerta por los criados de Pleberio, si se descubre el fin de su embajada. ¿Qué hacer, seguir adelante o volverse atrás? Su orgullo profesional y los agüeros favorables la deciden a seguir con lo emprendido. Es de notar esa dualidad entre la confianza en el poder de su magia y sus dudas ante los peligrosos inconvenientes que la realidad ofrece, dualidad resuelta a la vez racional e irracionalmente por su orgullo profesional y por la estima de su fama: ¿qué dirían, si no, de ella aquellos con los que se ha comprometido? Todo se muestra favorable a Celestina: encontrar a Lucrecia, criada de Melibea, a las puertas de su casa, por la que sabe que la señora necesita hilo para una tela que urdió y, sobre todo, el que Alisa, la madre de Melibea, tenga que salir, precisamente en ese instante, para visitar a su hermana, cuyo mal, súbitamente, ha empeorado, suceso éste que Celestina relaciona *ipso facto* con la intervención del diablo[24]. ¿Casualidad, magia? Que ésta no está ausente lo muestra el hecho tan peregrino —además de lo ya señalado— de que Alisa, que conoce a Celestina y sabe quién es, la deje sola con su hija. Pero hay que recalcar enérgicamente que no sólo la magia, sino también, y de modo muy decisivo, aquí —y en la obra entera— toda una cadena reciamente trabada y profundamente motivada de elementos reales: arte suasorio de Celestina, pasión reprimida, pero ya actuante, de Melibea, confianza ciega de Alisa en su hija y necio orgullo de clase de aquélla... El genio de Rojas consiste, justamente, en el difícil arte de integrar en ambigua y compleja unidad los contrarios e igualmente necesarios factores de tal dualidad, sin romper nunca ésta en favor de los unos o de los otros, por lo que la interpretación unilateral de esta compleja estructura parcializa el haz de sus signifi-

[24] Para la magia ver P. E. Russell, «La magia como tema integral de la Tragicomedia de Calisto y Melibea», en *Studia Philologica, Homenaje a Dámaso Alonso,* III, Madrid, 1963, págs. 337-354, y sobre todo, Elizabeth Sánchez, «Magic in *La Celestina*», *Hispanic Review,* 46, 1878, págs. 481-494.

cados, pues de haz se trata, empobreciendo y amputando la visión global del autor.

El largo diálogo entre Celestina y Melibea, nuevo duelo entre dos caracteres, conflictivamente enfrentados en sus designios, a medias manifestados, a medias ocultados, crea constantemente situaciones dramáticas en que va cuajando la acción interior que las palabras sirven, disciplinadas en ambos personajes por idénticas tácticas de simulación y dualidad entre lo adivinado y lo dicho, lo callado y lo expresado, en la que cada una va concediendo y rechazando en la medida de lo conveniente a sus deseos y sus fines. Diálogo que sirve, a la vez, y a la manifestación de los caracteres. Celestina consigue una parte de lo que se había propuesto y Melibea, que le ha concedido el cordón que lleva a la cintura para aliviar el inventado dolor de muelas de Calisto y no puede ocultar, so capa de piedad y caritativos sentimientos, el interés que por el doliente siente, deja abierta la puerta para una nueva entrevista con la astuta e inteligente alcahueta, lo cual comenta Lucrecia, testigo del duelo, con juicio objetivo: « ¡Ya, ya, perdida es mi ama! ».

Salida Celestina, exultando por lo conseguido, Rojas vuelve a configurar dramáticamente la realidad y sus sentidos mediante el nódulo estructural de la dualidad, haciendo coexistir el tema de la magia, en el que Celestina cree, con el tema de la real maestría de la medianera en su oficio y en sus recursos, en los que no cree menos. Nada le cuenta de lo sucedido a Sempronio, que inquieto la esperaba, y se apresura, contradiciendo sus planes anteriores de demorar el negocio, a buscar a Calisto para darle las buenas nuevas y lograr así el premio a su diligencia. Lo que así hace, con sumo arte en la gradación de su mensaje, cuyo estilo y disposición de los efectos va encaminado a hacer valer su maestría tanto como los peligros incurridos por servir a Calisto, a fin de excitar la generosidad del enajenado mancebo. Acompañada de Pármeno, dado lo tardío de la hora, Celestina reanuda la corrupción del joven criado, mal pertrechado ya en sus defensas como resultado de la conducta de su amo, consiguiendo del todo su colaboración con la entrega de Areusa, prima de Elicia, y ramera con casa propia, deseada por Pármeno, al cual deja instalado en la cama de aquélla, bajo promesa de que, en adelante, colaborará con Sempronio y Celestina en el esquilmo de Calisto, sin oponer ningún obstáculo. Pármeno, después de una noche de amor satisfecho, regresa a su casa y comunica a Sempronio su gozo y su decisión de actuar de acuerdo con éste, estrenando —como se ve por el tono de sus palabras y por los comentarios a las de Calisto, que sigue en plena enajenación— su nuevo cinismo, cuya raíz está en el despecho que el injusto trato del señor le causó. Propone a su nuevo compañero comer en casa de Celestina, según ofreció a Areusa, arramblando con las vituallas de la bien abastecida despensa de Calisto. Y mientras éste está en la iglesia, los dos criados comen y gozan en casa de Celestina con la compañía de la vieja y las dos amigas. En esta escena (acto IX) es donde hace su aparición el tema de la envidia y del rencor social de las dos prostitutas por Melibea, tema importante, dramáticamente, en la motivación de la venganza y de las acciones que conducirán a los dos amantes a su desastrado fin. También en esta escena, capital para la acción de la *Tragicomedia,* al sobrevenir Lucrecia con el recado de Melibea, requiriendo inmediata visita de Celestina, utiliza Rojas con extraordinaria originalidad el tema convencional del *ubi sunt* —la consideración elegíaca del pasado barrido por el tiempo— con intención —que es aquí lo que primariamente nos interesa— fundamentalmente dramática: la evocación por Celestina de su glorioso pasado y de la riqueza y alegría de su casa y sus mozas, apunta a impresionar a la criada Lucrecia, cuya complicidad tácita necesita la hábil zurcidora de voluntades. La escena siguiente en casa de Melibea, ausente la madre, es tan prodigiosa en su construcción dramática como la de la primera entrevista del día anterior. Antes de llegar Celestina, Melibea muestra en un monólogo capital el estado de su ánimo, poseído por la «terrible pasión» que no pide vencer, sino disimular, y cuyo origen retrotrae ella misma a aquel día en que vio por primera vez a Calisto. Pero —y esto me parece importante— su deseo de disimular su pasión es puramente táctico, estribado como está en la conciencia de su papel social, pero no responde a su decisión previa de descubrir su pasión a Celestina, para que ésta la remedie, como así lo demuestran estas palabras suyas: «¡Oh mi fiel criada Lucrecia! ¿Qué dirás de mí? ¿Qué pensarás de mi seso, quando me veas publicar lo que a ti jamás he quesido descubrir? ¡Cómo te espantarás del rompimiento de mi honestidad e vergüenza, que siempre como encerrada doncella acostumbré tener!... ¡Oh, si ya viniesses con aquella medianera de mi salud!». Bien sabe Melibea cuál es el remedio que tal medianera puede traer. Teniendo esto en cuenta, resulta aún más extraordinario el proceso dramático del diálogo que sigue, en el que Melibea se deja conducir por Celestina justo a donde pretendía llegar. Cuando ésta se asusta por el desmayo de la joven y da voces, presto se recupera para evitar escandalizar la casa. En la entrevista queda concertada la cita de los dos amantes para la medianoche, a través de las puertas de la casa. Ida Celestina, Melibea recomienda a Lucrecia le guarde su secreto, porque pueda *gozar* «de tan suave amor». Amor que, como el de Calisto, nada tiene que ver con el matrimonio, y busca cumplirse en sí mismo, fuera de todo lazo social, de todo contrato, de toda intromisión. Para lograrlo no dudará Melibea en mentir a su madre y ocultarlo a su padre.

Celestina corre en busca de Calisto y le comunica el triunfo de su mediación y la noticia de la no esperada cita. Y como premio recibe una valiosa cadena de oro, superior en valor a lo que nunca había pensado recibir, don con el cual parte presurosa. Calisto espera ansioso la entrevista, sin conceder en los temores de los criados, que sospechan en una emboscada. Llegada la hora de la cita Calisto habla, por fin, con su dama, quien primero, en cumplimiento de su papel de honesta doncella, pero también de su curiosidad por comprobar la pasión de su amante, pone impedimentos, para ofrecerse en seguida, tan apasionada como su galán, al amor y a una nueva entrevista, esta vez sin puerta que los separe, que deberá tener lugar a las doce de la noche siguiente en un apartado rincón de la huerta de Melibea. Mientras los amantes hablan, confiados en la fiel vigilancia de los criados de Calisto, muestran éstos su cobarde disposición y su intención de huir al menor asomo de peligro, pues nada, sino el interés, los ata al amo. Vueltos a casa, dejan al embebecido señor reposarse de las pasadas noches en vela —las fundadas en el tiempo implícito— y se dirigen a reclamar a Celestina su parte de las ganancias. Negándose ésta a compartir lo que juzga suyo, cegada por la codicia que inhibe su arte suasorio y no le deja ver el peligro ni lo desacertado de sus excusas y argumentos, Sempronio en un estallido de cólera, incitado por el no vencido rencor de Pármeno por la vieja, la mata delante de Elicia, arrojándose ambos, para huir de la justicia que ha acudido a las estentóreas voces de la alcahueta, por una ventana del piso alto. Contrasta esta escena violenta y de ritmo rápido, con el principio y el final de la siguiente (acto XIII), ocupados por los dos monólogos de Calisto, de ritmo demorado. En el primero, despertando del sueño, se complace en dudar si soñó o pasó en verdad su habla con Melibea. En el segundo, después que sus criados le han comunicado —y al lector-oyente-espectador al mismo tiempo— la muerte de Celestina y la de Sempronio y Pármeno, ajusticiados al amanecer en la plaza pública adonde los llevaron medio muertos como consecuencia del salto desde la ventana alta, Calisto lamenta tales sucesos, que ponen en peligro sus comenzados amores y difaman su nombre, para desentenderse en seguida de la suerte de sus colaboradores, los cuales «agora o en otro tiempo de pagar havían», y concentrarse en la próxima cita con Melibea, dejando en suspenso su plan de conducta futura: hacer que viene de fuera, simulando ausencia, o fingir que se ha vuelto loco «por mejor gozar deste sabroso deleyte de mis amores». Llegada la medianoche, Melibea, que esperaba ansiosa a su señor imaginando mil peligros que estorbaran su venida, lo recibe y, por él solicitada y apremiada, se le entrega «perdiendo el nombre e corona de virgen», instándole a volver, «de día, pasando por mi puerta; de noche donde tú ordenares».

En la *Comedia* a esta escena de amor seguía la muerte de Calisto y el suicidio de Melibea. La *Tragicomedia* alarga el proceso de sus amores, durante todo un mes no representado y concede una segunda entrevista, última de una serie, a cuya terminación mueren los dos protagonistas. Unos críticos han censurado como antidramático este alargamiento de la acción; otros han mostrado su necesidad dramática, ya que con los nuevos actos quedan más profundamente motivados el carácter de Melibea y la muerte de Calisto, recalcando de paso la belleza de la segunda escena de amor en la huerta, superior a la primera. Nosotros pensamos también esto segundo, estando de total acuerdo con Marcel Bataillon y María Rosa Lida de Malkiel que han defendido, entre otros, dicho alargamiento, demostrando no haber ruptura, sino múltiples enlaces y correspondencias entre los actos anteriores y los nuevos.

c) *Segunda parte.* Calisto, calmada su pasión y el hervor de su sangre con la posesión de Melibea, poseído por el tedio de la carne satisfecha, vuelve a lamentarse de la muerte de sus criados, cuya pública ejecución pone su nombre en boca del vulgo, y siente acrecido el peligro en que su hacienda y fama están puestas, dirige su saña contra el juez que tal hizo, sin que mirase que fue criado de su padre y por él protegido, cambia en seguida el curso de su pensamiento disculpando al juez y encontrando razones a su proceder y, finalmente, olvida el enojoso asunto para concentrarse sólo en la rememoración del pasado goce y en el disfrute imaginativo del venidero. Mientras consigo mismo desvaría, los dos nuevos criados, Tristán y Sosia, que le creen dormir, ven entrar a media tarde a Elicia, enlutada, en casa de Areusa, la cual se encuentra en plena discusión con Centurio, su querido y chulo. Partido éste, Elicia entera a su prima de la muerte de Celestina, Sempronio y Pármeno, contando con objetividad lo sucedido, sin favorecer a la una ni a los otros. Ambas se lamentan de esas muertes, de las que consideran causadores a Calisto y Melibea, que gozan de sus amores sin preocuparse de los desaparecidos y concentran su rencor especialmente en Melibea, decidiendo hacerles pagar caras esas muertes de las que planean tomar venganza, enterándose por Sosia del secreto de las entrevistas de los dos amantes y utilizando a Centurio como instrumento de la venganza. Nótese que cuando os dos amantes ya no necesitan del mundo del hampa —criados y alcahueta— como servidores de sus amores, ese mundo no los deja escapar, pues, aunque los nuevos criados sean fieles a su amo, las prostitutas —como escribe Bataillon— «seguirán persiguiendo a los amantes con su innoble odio» [25].

[25] Ver a este respecto el fundamental capítulo V de su libro *La Celestina selon Fernando de Rojas,* París, 1961.

Un mes después, mientras los padres de Melibea hablan de la conveniencia de casarla, ésta comenta con su criada lo errados que están sus padres si piensan que tal hará, pues más que nunca la pasión por Calisto priva por encima de todo. Sólo a él reconoce por señor, sólo de su amor quiere seguir gozando, sin otra pena que el tiempo que perdió en no gozarlo. No quiere marido, sino sólo a su Calisto. Y termina: «Faltándome Calisto, me falta la vida, la qual, porque él de mí goze, me aplaze.» Palabras que contrastan con la ciega necedad de su madre que la cree inocente, ignorante de todo pecado y virginal, y cuyas palabras manda atajar, enojada, Melibea. Rojas utiliza en esta doble escena la técnica del contraste, mostrando la distancia entre lo realmente sentido y vivido por Melibea y lo pensado por sus padres, subrayando casi grotescamente la ignorancia y ceguedad de los padres.

Elicia, rechazado el luto que a nadie aprovecha y a sí misma perjudica, viste sus galas mejores, según la aconsejara Areusa, y va a visitar a ésta para ver en qué ha quedado el proyectado negocio con Sosia. Mientras allí está llega éste y, escondida, asiste a la escena en que Areusa sonsaca al no muy agudo criado la noticia de la hora y noche en que Calisto debe visitar a Melibea. Como es esa misma noche, corren ambas a solicitar intervenga Centurio, vengándolas de los dos amantes. Centurio así lo promete, sin pensar cumplirlo y despide a las dos «putas atestadas de razones», decidiendo salir del compromiso encargando a unos compañeros metan un poco de ruido que asuste «a unos garçones» y los haga huir y volverse a dormir.

Reunidos otra vez los amantes en una de las más hermosas escenas de amor del teatro español, el ruido que arman los compadres de Centurio, ahuyentados —al contrario de lo que pretendían— por el valor de Sosia y Tristán, interrumpe el goce de los amantes. Calisto, temiendo por sus jóvenes criados, corre en su auxilio y en su apresuramiento pierde pie en la escala y se mata despeñado, al pie del muro que su pasión le había llevado a escalar. Melibea expresa su intensa desesperación y, horas después, ya amanecido, sube a la torre de su casa alejando premeditadamente a su padre y a su criada, y desde lo alto da cuenta a Pleberio de lo sucedido y de su decisión de matarse y se arroja al vacío. La acción termina con el llanto acongojado de Pleberio. Llanto acribillado de interrogaciones al parecer sin respuesta, pero cuya respuesta es la acción misma vivida por los personajes, acción que, desde el principio, los ha conducido inexorablemente a su fin desastrado, culpables todos de su ambición, de su codicia, de sus egoístas intereses, de su desordenada pasión y víctimas de ese mundo en desorden por ellos encarnado que en sí mismo lleva el principio de su propia destrucción.

Podríamos tal vez decir que en *La Celestina* la pasión, diosa del desorden, verdadera dueña de cada vida individual, se alza a la categoría de destino. Cada personaje lleva en sí el poder de dominar y vencer o ser dominado y vencido por su destino. Destino inmanente que hace fruto del propio vivir el fin desastroso de cada uno. Pasión y destino son, en el fondo, una sola máscara trágica. Dios, al que se invoca, irónicamente, para la realización de los propios fines, nada religiosos, y disonantes, por tanto, de los divinos, o como testigo de la propia impotencia, que no es sino la forma de una voluntad desordenada y de una profunda enajenación, está ausente de la humana ciudad de *La Celestina.*

Rojas, testigo de ese mundo en crisis de fines del siglo XV, reflejado en la *Tragicomedia*[26], presenta unas vidas humanas máximamente individualizadas, atenidas cada una a su propia ley, que no es nunca la ley común. Cada uno de esos individuos, del mundo del hampa o de la servidumbre o del mundo señorial, vive espoleado por sus propios deseos, para cuya realización utiliza, cuando es necesario, a los demás como simples instrumentos al servicio de sus particulares fines, transgrediendo las normas morales o religiosas. Sus conductas, dada la intensidad y valor absoluto del contenido autónomo de sus voluntades, disparadas a la consecución de sus concretas metas, son expresión del profundo desarreglo de las conciencias, manifestativo de ese «desarreglo de los criterios morales», de que acertadamente hablaba Bataillon[27]. Ahora bien, aunque sea capital la intención moral de Rojas y la ejemplaridad de la acción representada, acción cuyo final tan grave lección moral encierra, no es menos capital la inserción o integración de dicha intención en una visión de la realidad más amplia que trasciende constantemente en la obra sus significados de simple «moralidad». Los personajes no han sido sólo creados para impartir e ilustrar una enseñanza, pero tampoco para encarnar (tesis de Gilman) una visión genérica de la vida humana como caos sin orden ni concierto, fruto de una *Welttanschauung* que ve al mundo como una lucha de contrarios, como un metafísico campo de antinomias. Rojas nos presenta, partiendo tanto de la realidad concreta de su tiempo, no de la realidad *en abstracto,* como de las tradiciones literarias coetáneas —según ha visto muy bien J. L. Alborg en su notable capítulo sobre *La Celestina*[28]— a unos personajes individualizados por sus deseos, dotado cada uno de muy acusados caracteres de individuación, los cuales personajes son signos de un profundo desarreglo y expresión de unos modos de comportamiento cuya esencia estriba en su constante ruptura del

---

[26] José Antonio Maravall, *El mundo social de La Celestina,* Madrid, 1964.
[27] *Opus. cit.,* pág. 191.
[28] *Historia de la literatura española,* I, Madrid, 1970², pág. 581.

sistema de reglas comunes (sociales, morales, religiosas) por ellos conculcadas, pues, en tanto que individuos y por razón de su misma individuación, lo desbordan por todas partes y en todos sus niveles. Rojas expresa su grave preocupación, su honda inquietud, su lúcida visión de un mundo histórico concreto —el suyo— en estado de equilibrio inestable, en pleno proceso de desmoronamiento y de crisis de todos los valores y señala los peligros inherentes y la catástrofe final que es su término fatal si la sociedad —los hombres y mujeres que lo componen, cualesquiera que sean su condición, clase o edad— persiste en comportarse como los modelos «ejemplares» —con ejemplaridad no sólo moral— de su *Tragicomedia,* todos ellos, sin excepción, ajenos a, es decir, enajenados de, toda norma común y todo sistema de normas y fundados única y exclusivamente en sus apetitos, intereses, ambiciones, deseos particulares, y, por ello mismo, conflictivos entre sí y opuestos al bien común en que se basa toda estructuración armónica de la sociedad. La «historia de amor» que constituye el núcleo argumental de la acción no es fin en sí mismo, sino función de la historia global de su mundo y de su tiempo.

La ambigüedad constantemente predicada de *La Celestina,* porque meridianamente patente en ella, así como su estructura dual, también señalada en todos los niveles de la obra, radica justamente, a nuestro juicio, en la misma ambigüedad del *acto creador* que muestra el mal con intención de advertencia didáctico-moral, es decir, para conjurarlo, pero que, al mismo tiempo y con igual importancia, rechaza todo esquematismo moral en la configuración de los caracteres y propone personajes dotados de existencia individual, significativa y valiosa *en sí misma* —y no sólo por lo que tienen de ejemplo— y capaces, como representantes que son de un mundo en desorden que en ellos se manifiesta y del cual son sus víctimas, de suscitar la compasión del lector, *además* de su reprobación, pues que *también* son culpables.

Debemos tener en cuenta —*dialécticamente*— al leer *La Celestina* no sólo la advertencia preliminar, según la cual la obra fue compuesta en reprehensión de los locos enamorados que, vencidos en su desordenado apetito, a sus amigas llaman e dicen ser su dios...», sino también los dos versos finales de la penúltima copia del corrector Alonso de Proaza (introducida en la edición de Valencia, 1514) en donde se dice: «Supplico que llores, discreto lector//el trágico fin que todos ovieron». Admitir como única norma de interpretación de la *Tragicomedia* sólo su fin moral o rechazarlo del todo es dejar fuera su esencial estructura dialéctica. «No quiero maravillarme —escribía Rojas en el «Prólogo»— si esta presente obra ha seydo instrumento de lid o contienda a sus lectores para ponerlos en diferencias, dando cada uno sentencia sobre ella a sabor de su voluntad. Unos dezían que era prolixa, otros breve, otros agradable, otros oscura, de manera que cortarla a medida de tantas e tan differentes condiciones a solo Dios pertenece. Mayormente pues ella con todas las otras cosas que al mundo son, van debaxo de la vandera desta notable sentencia: que aun la mesma vida de los hombres si bien lo miramos, desde la primera edad hasta que blanquean las canas, es batalla.» Y añadía más adelante: «Así que quando diez personas se juntaren a oyr esta comedia, en quien quepa esta differencia de condiciones, como suele acaescer, ¿quién negará que aya contienda en cosas que de tantas maneras se entiende?». *De tantas maneras,* pero no de una sola y dogmática.

La Celestina fue imitada en el siglo XVI por numerosos autores y numerosas obras anónimas [29]. Ninguno de sus imitadores o adaptadores tuvo suficiente genio para captar toda la riqueza dramática e ideológica de esta extraordinaria obra maestra. Todos se inclinaron a imitar lo menos profundo, centrando su atención y su empeño en reproducir superficialmente el ambiente rufianesco del mesón de pecado y alegre vivir, desgarrado y procaz, de Celestina y sus secuaces. Fues Celestina la que pasó al primer plano de la atención. Pero no, desde luego, la Celestina compleja y rica de Rojas, sino una imagen superficial de ella, pintoresca o diabólica, pero siempre desposeída de su humanidad profunda. Ante esa Celestina pasaron a segundo plano Calisto y Melibea. La unidad artística de la obra de Rojas quedó así rota, perdiéndose una gran lección literaria y dramática.

El teatro español corrió por derroteros distintos y *La Celestina* quedó dentro de la historia de este teatro como una obra maestra, cierto, pero aislada, señera, sin dar nacimiento a esa nueva dimensión del fenómeno dramático que ella portaba en sí y que no se convirtió en escuela ni en tradición dentro de la literatura dramática española.

III. Torres Naharro y Gil Vicente

1. Torres Naharro

Bartolomé de Torres Naharro, de cuya vida apenas se tienen noticias, vivió y escribió en Italia, en las cortes de Roma y Nápoles, en contacto directo con la vida teatral y el estilo dramático italianos. Su obra teatral consta de un *Diálogo de Nacimiento,* en donde sigue

[29] Ver Pierre Heugas, *La Celestine et sa descendance directe,* Bordeaux, 1973.

los pasos de la escuela salmantina de Juan del Encina y Lucas Fernández, y de ocho comedias escritas entre 1507 y 1520. Seis de estas comedias fueron publicadas por su autor en un libro titulado *Propalladia,* en 1517 [30].

Teoría dramática

Lo primero que destaca en Torres Naharro es su vocación de dramaturgo, muy consciente en él, que le mueve a reflexionar sobre su propia obra. Para él escribir teatro no es una ocupación marginal. Sentimos al leer el *Prohemio* que puso a su libro que tomaba muy en serio su oficio de dramaturgo y que dedicó muchas horas a meditar sobre el arte del teatro, en sus aspectos teóricos y prácticos. Esa preocupación por aclararse a sí mismo las leyes y principios de su propia dramaturgia hacen de él, dentro de la dramaturgia europea de principios del siglo XVI, una figura realmente interesante y uno de los primeros escritores de teatro que se plantea, a cierto nivel, la necesidad de aunar la praxis y la teoría. Históricamente, pues, esta actitud tiene gran valor. Torres Naharro conoce directamente un teatro italiano preocupado por imitar y trasponer a nuevas situaciones la comedia clásica de un Terencio y de un Plauto. Conocedor él mismo de esa comedia latina, es no tanto un imitador de los italianos, y en esto las fechas de su producción dramática hablan bien claro, como un iniciador de la nueva comedia renacentista. Más que la producción teatral italiana influye en él, y ello de modo decisivo, el ambiente teatral italiano. En este sentido, este español emigrado está tanto dentro del teatro español, por la importancia que sus comedias tendrán en la evolución de nuestra dramaturgia, como dentro del teatro italiano por sus concomitancias con él y por sus aportaciones al quehacer dramático contemporáneo. Desgraciadamente, en las historias del teatro europeo o mundial escritas por ingleses, franceses o italianos, unas veces por falta de información, otras veces por ausencia de interés, otras por servidumbre a unos tópicos y esquemas tradicionales, se desatiende la exacta significación e integración del teatro español en el panorama del teatro europeo, estudiándolo casi como un fenómeno curioso y aparte. Valga como ejemplo la *Historia del teatro mundial,* de Allardyce Nicoll, publicada en 1964, por la Editorial Aguilar, tan deficiente y viciado, por no decir otra cosa, en cuanto trata del teatro español.

---

[30] Ver la edición y estudio de Joseph E. Gillet, *Propalladia and Other Works of Bartolome de Torres Naharro,* Bryn Mawr-Philadelphia, 1943-1961, cuyo cuarto volumen fue t ranscrito del manuscrito de Gillet y completado por Otis H. Green.

En la teoría dramática de Torres Naharro destaca, como actitud básica, la voluntad de sobrepasar los conceptos clásicos, que circulaban como moneda prestigiosa entre los escritores italianos. A veces, incluso opone a las antiguas definiciones las suyas propias. Y así escribe, definiendo la comedia: «Quiero ahora decir yo mi parecer, pues el de los otros he dicho, y digo así que comedia no es otra cosa, sino un artificio ingenioso de notables y finalmente alegres acontecimientos por personas disputado.» Y respecto a la división de la comedia en cinco actos, según el dictamen de Horacio: «No solamente me parece buena pero mucho necesaria, aunque yo les llamo jornadas porque más me parecen descansaderos que otra cosa.» He aquí, pues —y es lo que quiero poner de relieve—, un dramaturgo que a la hora de teorizar no acepta sin más lo recibido, sino que lo acomoda a sus propias ideas, críticamente, o lo sustituye por ideas nuevas. Esta actitud frente a lo clásico, nada servil, es un rasgo no sólo de Torres Naharro, sino, en general, del Renacimiento español y, desde luego, de los dramaturgos españoles.

Reseñemos todavía alguna de sus ideas dramáticas. Rrespecto al número de los personajes: «El número de personas que se han de introducir es mi voto que no deben ser tan pocas que parezca la fiesta sorda, ni tantas que engendren confusión, aunque en nuestra comedia Tinellaria se introdujeron pasadas XX personas, porque el sujeto della no quiso menos, el honesto número me parece que sea de VI hasta XII personas». Aunque establece una norma, él mismo la desatiende si el tema de la pieza teatral así lo exige, con lo cual supedita —que es lo lógico artísticamente— el número de personajes a las exigencias internas del asunto dramático, relativizando así toda norma y proclamando en una época de codificaciones, por lo que al teatro se refiere, la libertad artística bien entendida, como luego hará Lope de Vega. El mismo sentido tiene cuanto dice de la estructura de la obra teatral. Señala dos partes en la comedia: introito y argumento. Pero añade: «y si más os pareciere que deban ser así de lo uno como de lo otro, licencias se tienen para quitar y poner los discretos.» ¿Quiérese más respeto a la libertad creadora y menos dogmatismo crítico? Establece también la necesidad de «decoro», entendiendo éste como: «una justa continuación de la materia; conviene a saber, dando a cada uno lo suyo.» Finalmente, para terminar con esta breve presentación de la teoría dramática de nuestro autor, propone, después de discutir el problema de los orígenes y los géneros de la comedia, lo siguiente: «Cuanto a los géneros de comedias, a mí parece que bastarían dos para en nuestra lengua castellana: comedia *a noticia* y comedia *a fantasía. A noticia* se entiende de cosa nota y vista en realidad de verdad, como son

Soldadesca y *Tinellaria. A fantasía,* de cosa fantástica o fingida, que tenga color de verdad aunque no lo sea, como son *Serafina, Ymenea.*»

La obra teatral

En sus *comedias a noticia* lo primero que nos sorprende es el formidable dominio del diálogo. En estas piezas, carentes de acción, el diálogo rápido de sus numerosos personajes lo es todo. Diálogo al servicio de una intención satírica, que se ajusta a la realidad dramatizada: cocina de un cardenal, en la *Tinellaria,* el ambiente militar callejero de un lugar cercano a Roma, en la *Soldadesca.* No hay protagonistas. Todos los personajes valen lo mismo, pues lo importante no es lo que son ni lo que hacen, sino lo que dicen. A través de lo que dicen surgen ante nosotros escenas de la vida vulgar, ramplona, soez, bajamente materialista observadas por el autor y trasladadas —gesto y palabras— con fidelidad casi naturalista. Es esa sensación de vida captada directamente, en donde vocean y gesticulan unos personajes miserables, moral y socialmente, lo que atrae nuestra atención. En el tinelo del cardenal hace hablar el autor a sus personajes en varias lenguas (español, catalán, italiano, francés, portugués), según la nacionalidad de cada uno. Y ese batiburrillo de lenguaes diferentes sirve para aumentar la confusión de esa sofocante babel donde cada uno va a lo suyo, movido por instintos e intereses primarios, y donde no se respeta nada ni a nadie. Torres Naharro parece complacerse en presentar ese abigarrado y confuso cuadro de vida antiheroica y anticortesana, dominada por los groseros hilos de las pasiones más elementales: el hambre, la lujuria y el amor al dinero. Resulta curioso pensar que este teatro del hampa fuera escrito para ser representado ante un público cortesano y culto, entre los que abundaban cardenales y en el que pudo estar incluso el Papa León X. En el introito de la *Comedia Tinellaria* dice Torres Naharro, dirigiéndose a ese público:

Y a mi ver
los que podrán atender
ganarán un paraíso,
y no sólo un gran placer
mas un gran e útil aviso,
los mayores
que aquestos grandes señores
ora pudieran venir:
de como sus servidores
piensan otro que en servir...
....

Si esperáis,
haremos como venís
lo que agora vido habéis
para que aquí lo riáis
y en casa lo castiguéis.

Como se ve confiesa su autor un doble propósito: divertir y denunciar. Nos cuesta trabajo hoy pensar que tales escenas pudieran realmente regocijar. Y, sin embargo, es de suponer que así sucedía. Lo cual, sin que se lo propusiera el autor, nos deja abiertas de par en par las puertas para acceder al conocimiento, en vivo, de la sensibilidad del hombre espectador del Renacimiento. La imagen del «allegro» renacentista se nos desvanece de golpe para ser sustituida por otra nada idílica.

La gran aportación de estas dos piezas a la historia del teatro español es, además de la transposición artística de la realidad observada, la indudable maestría del diálogo, siempre vivo y rápido.

El mayor logro de Torres Naharro está, sin embargo, en las *comedias a fantasía,* piezas de costumbres urbanas cuyo principal motor dramático es el amor. Hay en estas piezas un empeño de conseguir una intriga bien trabada, a la que sirven los personajes. Puede afirmarse desde ahora que el estudio de caracteres y pasiones es mínimo y de importancia secundaria. En cambio, lo realmente importante, desde el punto de vista de la historia del teatro español, es el ritmo dramático conseguido por Torres Naharro. Los diálogos de los personajes son sobrios, nunca excesivos, adecuados a los personajes tanto como a las situaciones. Es ese lenguaje, eficazmente dramático, raramente dicursivo o lírico, ajustado a la acción, el que nos muestra a Torres Naharro como un dramaturgo que domina eso que hoy llamamos «oficio». Y no es esto poco si no se olvida la fecha en que escribe. Torres Naharro es, pues —y es lo que quiero recalcar—, un buen constructor de piezas teatrales. Justamente en una época del teatro europeo definida por una desesperada búsqueda de una *forma* dramática nueva que permite expresar situaciones y aspiraciones nuevas, el papel histórico de nuestro dramaturgo es de primera importancia. En la historia del drama, como en la historia de cualquiera de los géneros literarios, una de las más apasionantes tareas del crítico es seguir esa lucha, llena de pequeñas victorias y grandes fracasos, del escritor por encontrar su *forma* o, mejor aún, la *forma* que permita expresar artísticamente la nueva manera de habérselas con la realidad. Esa lucha lo es, no de un individuo solo, sino de toda una generación o de sucesivas generaciones literarias. La empresa que honrosamente acabó nuestro autor es ésta: haber dado con una «forma», y por ella debe ser juzgado y valorado, y no por los personajes que creó, pues no creó ningún gran personaje y ni ninguna obra maestra. Los grandes personajes y las obras maestras vinieron después, tanto en España como en Inglaterra o en Francia. Y este «después» da todo su sentido al quehacer de estos dramaturgos que, con su esfuerzo y sus logros, lo han hecho posible. Entre las «comedias a fantasía» de Torres Naharro suele destacarse la *Comedia Himenea,* a la que se la califica de prelopista y antemodelo de la comedia de capa y espada de nuestro teatro del Siglo de Oro. Su importancia histórica y su valor artístico estriba, a mi juicio, en la claridad de la trama, lo cual supone, en primer lugar, economía y, por lo mismo, intensidad de las situaciones dramáticas. La acción está sometida a una disciplina formal que rechaza todo lo que pudiera ser peso muerto, accidente lírico o novelesco, digresión antidramática —cosa bastante abundante en buena parte del teatro del siglo XVI. Es esa exclusión de lo no dramático y ese acierto de equilibrar ponderadamente acción y diálogo lo que convierte a esta pieza en un hito importante en la historia del teatro español. En ella aparecen personajes que después alcanzarán gran boga: el galán, la dama y su hermano, celoso del honor familiar. El conflicto nacerá entre esa tríada de personajes, de la conjunción del tema del amor y del tema del honor, todavía no elevados, claro está, a la categoría de mitos dramáticos, pero dotados ya de eficacia teatral indudable. Junto a los tres personajes principales, como contrapunto y complemento de ellos, aparecen los criados, criados que, como en el resto de la obra de Torres Naharro, están a mitad de camino entre los criados fuertemente individualizados y socializados de *La Celestina* y los criados tipos-individuos desocializados del teatro del Siglo de Oro. No defienden ferozmente sus intereses ni sirven a sus propias pasiones en oposición a los intereses y pasiones de su señor, como en *La Celestina,* ni son todavía el personaje dramático y artísticamente necesario y definido del drama nacional. En Torres Naharro los criados tienen, desde luego, importancia como espíritu motor de la acción, pero, un poco, al modo como ocurría en la comedia plautiana y terenciana.

En casi todas las piezas de nuestro autor observamos la importancia que al dinero dan los personajes, especialmente los criados. Aunque en la *Comedia Himenea* aparezca bien dibujado el criado fiel, puede decirse que, en general, es la esperanza más o menos remota de albricias, y no la fidelidad, la que mueve a los servidores. Hay una escena en la *Comedia Aquilana* en la que vale la pena detenerse un momento para poner de relieve la tensión existente entre amo y criado. Felicina, infanta, hija del rey de España, está a punto de suicidarse para acabar con los tormentos en que el amor la ha puesto. Dileta, su criada, llega con la noticia que la salvará y le dará la felicidad. Antes de comunicársela a su señora exige de ella que le pida perdón, que hinque la rodilla en tierra, que le bese la mano, que haga de criada por un momento. En toda esta escena podemos asistir al gozo que la criada siente por humillar a su señora, vengándose así de la inferioridad social a que su condición la obliga, prueba de que en modo alguno es aceptada como normal esa inferioridad. Esta escena en que la criada humilla cruelmente a su señora, nada menos que hija del rey de España, será imposible encontrarla en el teatro posterior, donde habrá sido escamoteado como realidad dramática el rencor social del servidor. En otros criados —por ejemplo, Lenicio en la *Comedia Serafina*— encontramos una patente contradicción, que ya aparecía magistralmente tratada en *La Celestina,* entre la palabra y la conducta del criado, entre los consejos que a su señor da y lo que hace, entre la teoría y la práctica. Del mismo modo, en los galanes caballeros veremos también contradicción y disonancia, por lo que al mundo del amor se refiere, entre su palabra cortesana y su intención elementalmente sexual. La retórica amorosa con que el galán habla a su dama encubre su ingobernable apetito sexual. Ese doble mundo —palabra bella e instinto sexual— definen la conducta del caballero, como sucederá más tarde en el teatro del siglo XVII, en donde al idealismo de la palabra se aunará la urgente necesidad de satisfacer al sexo. En este aspecto también Torres Naharro se adelanta a los dramaturgos de nuestra centuria áurea.

No es de extrañar que el sistema dramático de Torres Naharro influya poderosamente en sus contemporáneos y que sus huellas se encuentren en muchas de las farsas escritas a lo largo de toda la primera mitad del siglo XVI y parte de la segunda. Incluso en lo que pudiéramos considerar como lo más primitivo de nuestro autor: los introitos, a cargo de un pastor, que antepone a sus piezas. Introitos que carecen de toda función dramática en la estructura de la pieza y que, seguramente, servían, sobre todo, para ayudar al público a concentrar su interés en la escena. Era este introito una especie de puente tendido entre el mundo cotidiano —el del público— y el mundo de la ficción —el de la acción teatral. En todo caso, el pastor del introito, su lenguaje y lo que dice son a manera de cédula de filiación con el teatro de la escuela salmantina.

2. Gil Vicente

Portugués de nacimiento y de morada, Gil Vicente pertenece como dramaturgo a la misma área cultural donde nace y se desarrolla el teatro salmantino de Juan del Encina y el extremeñoitaliano de Torres Naharro. La imposibilidad de fijar la cronología de su obra nos impide decidir si es Gil Vicente o Torres Naharro el primero que emplea ciertos procedimientos dramáticos o maneja determinado complejo de ideas. Pero esta imposibilidad crítica de deslindar primacías nos hace ver, en contrapartida, la proximidad de sus puntos de partida, la identidad de la materia heredada, a la vez que lo disímil de sus logros finales.

Gil Vicente escribe su teatro entre 1502 y 1536. Durante esos años escribe un total de cuarenta y cuatro obras —sin contar alguna que otra perdida—, de las cuales once están en castellano, quince en portugués y las restantes en ambos idiomas. Los críticos vicentinos se han preguntado por qué unas veces escribía en castellano, otras en portugués y otras en ambas lenguas. Uno de estos críticos, Paul Teyssier [31], señala tres principios que pudieran determinar en el escritor la elección de una u otra lengua, o de las dos. He aquí un resumen de la argumentación de Teyssier. Primer principio: la tradición literaria. Cuando Gil Vicente empieza a escribir teatro se encuentra con obras de Juan del Encina y Lucas Fernández, de los cuales parte imitando el dialecto sayagués de los salmantinos. Más tarde, dueño ya de su propio estilo dramático, escribe en castellano *Don Duardos* y *Amadís de Gaula,* cuyo origen está en los libros de caballería españoles. Segundo principio: verosimilitud. En una obra donde aparezcan españoles y portugueses, cada personaje hablará la lengua que utilice en la realidad histórica. Tercer principio: la jerarquía de las dos lenguas. El castellano gozaba de mayor prestigio literario que el portugués y de mucha mayor riqueza, flexibilidad y elegancia literarias.

Se han ensayado varias divisiones de la obra de Gil Vicente, ateniéndose a varios principios de clasificación. En la edición preparada por el poeta, ayudado por su hija, aparecen cinco grupos: 1) obras de devoción; 2) comedias; 3) tragicomedias; 4) farsas; 5) obras varias. De todas maneras, ninguna clasificación puede considerarse definitiva, pues en todas ellas queda sin resolver el problema de la cronología.

Gil Vicente escribe en la corte del rey don Manuel, primero, y de su hijo don Juan III, después, convirtiéndose —como escribe Thomas R. Hart— en «algo así como el dramaturgo oficial de la corte» [32]. En esa corte los cortesanos estaban en contacto bastante directo con artesanos, marinos y campesinos. La obra de Gil Vicente crecerá en un ambiente en donde se alían cortesanía, mar y campo.

---

[31] *La langue de Gil Vicente,* París, 1959.

[32] «Introducción» a su ed. Gil Vicente, *Obras dramáticas castellanas,* Madrid, Espasa Calpe, 1962, Clásicos Castellanos, pág. XIV. Todas nuestras citas son de esta edición.

Aristocracia o cortesanía artística y lírica popular, de aire a la vez marinero y campesino, se aunarán en su obra dramática. Obra dramática que, desde sus orígenes salmantinos, conducirá progresivamente a un teatro original, el más interesante y valioso, no sólo de la Península sino de la Europa de entonces, convirtiendo a Gil Vicente, visto en perspectiva histórica, en un dramaturgo de significación europea. El difícil y perfecto equilibrio de drama y poesía sólo ha sido alcanzado por dramaturgos como Lope de Vega o García Lorca, para hablar sólo de teatro español. Alguna de estas piezas hace pensar en los poemas dramáticos, intensamente líricos, de Rabindranath Tagore.

La temática vicentina es muy amplia y de muy diversa matización. En la primera época, de imitación y formación de su propia dramaturgia, Gil Vicente escribe obras de devoción, de gran simplicidad todas ellas, arraigadas todavía en lo medieval. Inspiradas en dos autos pastoriles castellanos, sorprendemos ya en estas piezas —*Auto pastoril castellano* (1502), *Auto de los Reyes Magos* (1503)— mayor finura artística, más ligereza en el diálogo, mayores valores líricos que en sus antecesores salmantinos. Estas dos obritas citadas tienen un aire de miniaturas por su primor. Partiendo de la materia tradicional heredada, Gil Vicente consigue, por un proceso de estilización artística, enriquecer con nuevo lirismo y con un cuidado especial en los pequeños detalles esa materia. Más que imitar, Gil Vicente recrea desde su genial sensibilidad lírica escenas y motivos dramáticos. El resultado son esas miniaturas lírico-dramáticas a que antes aludía. A partir de estas primeras piezas la obra del Gil Vicente evoluciona rápidamente hacia formas más complejas dramática y temáticamente. El poeta dramatizará —es decir, dará forma teatral— temas de la más distinta procedencia: temas sacros, con elementos realistas o satíricos, temas fantástico-folklóricos, temas caballerescos —donde conseguirá una obra maestra, *Don Duardos*—, temas alegóricos, temas costumbristas... De consuno con esta ampliación temática conseguirá dar a su teatro un carácter social más amplio, y hará progresar la técnica dramática en un triple aspecto: intriga, caracteres, situaciones.

Ante la imposibilidad —dadas las dimensiones y la finalidad de este libro— de analizar, aunque sea con brevedad, todas las piezas de Gil Vicente, nos detendremos especialmente en las más significativas y, siempre que nos sea posible, en las piezas escritas en castellano, en cuanto tengan valor representativo.

Teatro sacro

Auto de la Sibila Casandra (1513). Es un auto de Navidad, pero radicalmente distinto a cuanto se había escrito hasta entonces. En primer lugar hay un protagonista: la sibila Casandra; y una intriga. La obra está concebida desde dos planos de significación: el plano inmediato dramático, y el plano poético-teológico. La intriga debe ser entendida atentiendo por igual a los dos y teniendo en cuenta que la acción y los personajes han sido sometidos a un proceso de actualización dramática, mucho más complejo que el que ya habíamos señalado en Juan del Encina. Los personajes, paganos (Casandra, Erutea, Peresica y Cimeria) o bíblicos (Salomón, Moisés, Abraham e Isaías) están caracterizados como pastores o labradores contemporáneos. Casandra es una joven que rechaza el matrimonio por considerar: *a)* que, como mujer, pierde su independencia; *b)* porque se cree destinada (y de esto nos enteramos más tarde) a engendrar al Salvador. Un joven, Salomón, la pretende por esposa. En una escena de gran comicidad, totalmente inserta en el presente histórico del autor, Casandra lo rechaza. Salomón es en el plano inmediato dramático un joven labrador, de buenas prendas, bastante pagado de sí, que no acierta a comprender por qué es rechazado, pero en el plano poética-teológico es «figura de Cristo», al cual rechaza Casandra, en tanto que representativa del mundo pagano, orgulloso de sí y carente de humildad y de fe. Salomón, rechazado, acude en busca del auxilio de las sibilas Erutea, Peresica y Cimeria, tías de Casandra; y como éstas tampoco consigan reducir a su sobrina, Salomón parte en busca de nuevos refuerzos. Vuelve con sus tíos Moisés, Abraham e Isaías, que tampoco logran convencerla. Se profetiza el nacimiento de Cristo y su Crucifixión. Es entonces cuando Casandra anuncia que ella es la Virgen profetizada. Se escandalizan los profetas bíblicos y las profetisas paganas, y una de ellas profetiza, además, el juicio final. En las señales del juicio final el autor, por boca de Isaías, alude al presente, al suyo y al de los espectadores, claramente denunciado: la Iglesia, sujeta a «la tirana codicia», más preocupada «por levantar palacios» que por atender a los «pequeños menguados, desollados»; el mundo, dominado por «la presunción», consumida en él «la vergüenza y la razón». Se abren las cortinas y aparece «el aparato del nacimiento». Los ángeles cantan una deliciosa canción al Niño. Y todos los personajes se acercan a adorarlo. Casandra, avergonzada de su anterior actitud, ruega a la Virgen que interceda por ella. Delante del Niño, que viene a traer la nueva Ley, se humillan judíos y paganos. La obra termina con una canción invitando a la guerra. Junto a la milicia de caballeros cristianos luchará la milicia de ángeles.

Trilogía de las Barcas.—Consta de tres partes: dos en portugués *(Barca do Inferno* y *Barca do Purgatorio)* y una en español *(Barca de la Gloria).* Escritas en distintos tiempos, tienen una indudable unidad estructural, pudiendo representarse como una pieza en tres cuadros. El valor teatral es muy desigual, siendo la *Barca do Inferno* la de mayor interés dramático, no sólo por el ritmo de la acción y del diálogo, sino por los personajes que en ella aparecen, tipos populares, caracterizados con certeros rasgos realistas. La figura del diablo tiene más de personaje folklórico que de personaje dramático, como suele ocurrir en multitud de farsas o autos religiosos, donde no se le toma en serio y se le avecina a la figura popular del «coco», mitad bufón mitad espantajo, bueno para asustar a los niños. Lo terrible del diablo es puro ademán externo. Si en la *Barca do Inferno* domina la sátira anticlerical, y en la *Barca do Purgatorio* el lirismo, la *Barca de la Gloria,* menos interesante dramáticamente, es la más densa en sentido teológico. Los personajes de esta última no pertenecen ya al mundo de los «menudos», del pequeño pueblo, sino a las más altas clases sociales. En ella desfilan desde el Papa y el emperador hasta el obispo y el conde. Se la ha emparentado con la *Danza de la muerte* medieval. Aunque la estructura formal sea semejante, es muy distinta por la intención y el contenido. En la obra de Gil Vicente no aparece el democratismo tan esencial a la *Danza de la muerte* medieval y, en cambio, hay en ella una ironía que estaba ausente en el poema medieval. Es sumamente curioso el desenlace de esta pieza. La Muerte trae a los personajes, representativos de las más altas dignidades políticas y eclesiásticas, ante el diablo, que los invita a entrar en su barca. Todos ellos están convictos y confesos y merecen por sus obras la condenación. Todos ellos, sin embargo, se arrepienten de sus obras después de haber pasado «el vado» de la muerte. A pesar de sus obras, apelan a la pasión de Cristo y a su propia fe cristiana. Y es ésta, pese a las obras, quien los salva al final. Con razón dice el diablo:

> Mirad, señores defunctos:
> todos quantos estáis juntos
> para el infierno havéis d'ir.

Sólo que, a última hora, cuando el diablo los conduce al infierno, sobreviene Cristo «y en una escena muda se lleva consigo las almas». Gil Vicente, dramaturgo de corte, que hizo representar el *Auto de la Barca de la Gloria* ante el rey don Manuel, en 1510, no se atrevió a darle el final lógico, dramática y religiosamente, y salvó a los muy poderosos personajes. ¿Compromiso de cortesano o ironía de dramaturgo?

En todo caso, la *Trilogía de las Barcas* es un excelente retablo dramático en donde Medievo y Renacimiento se funden felizmente.

Comedias y farsas

La nota sobresaliente de todas ellas, ya domine el tono alegórico, el costumbrista o el satírico, es la riqueza vital de sus personajes. Un tono gozoso, de alegría del vivir, de exaltación de la naturaleza, de juvenil despreocupación las domina. Hay momentos de intenso lirismo, escenas de aguda observación de la realidad circundante, pasos de irresistible comicidad. La suma de todas estas piezas, desde la *Comedia Rubena* a la *Comedia del Viudo,* desde la *Farsa llamada das Fadas* a la *Farsa dos físicos,* constituyen un pequeño universo teatral donde desfilan personas, ideas, cosas, creencias, supersticiones, canciones, manías, modas, costumbres. Juntas forman todas estas piezas un abigarrado y colorido retablo del vivir cotidiano, chillón unas veces, lleno de ternura otras, malitencionado a veces. Ningún dramaturgo de su tiempo ha conseguido como Gil Vicente esa poderosa sensación de vida y verdad que emana de su mundo dramático. Vida y verdad que no son sólo testimonio de un hombre que, con los más diversos humores, se inclina atento a la fanfarria del diario acontecer, esforzándose en captar los detalles mínimos, esos que no ve el historiador, pero sí el artista, sino vida y verdad que han sido elevadas a categoría estética. Casi ninguna de estas piezas puede ser considerada, en rigor, como una pequeña obra maestra; todas juntas, sin embargo, como cuadros o escenas de una única pieza, se imponen al lector conquistando su entusiasmo. No es este o aquel personaje el que representa un aspecto de la condición humana, sino todos juntos quienes la representan con extraordinaria riqueza; no es esta o aquella escena por sí sola la que desvela una faceta del humano vivir, sino todas juntas quienes nos dan una imagen completa de la vida del hombre. La mueca, el llanto, la risa, la limpia intimidad del amor, la gritería de los celos, lo grotesco y lo ridículo, la astucia y la inocencia, la grosería y la delicadeza, el estudio psicológico y la exclamación lírica, la fidelidad y el engaño, todo desfila, a ritmo de farsa o a ritmo de ballet, ante los deslumbrados ojos del lector. El conjunto de las comedias y farsas y, en general, de la obra entera de Gil Vivente, es una auténtica *Summa teatral* de su tiempo. Campo y playa, plaza y alcoba, sala y huerto, son los escenarios simultáneos y sucesivos de esta gran *Summa teatral* del múltiple vivir cotidiano.

Tragicomedias

Tragicomedia de don Duardos (1522).—De entre todas ellas elegimos esta obra maestra del teatro vicentino, escrita enteramente en castellano. En ella Gil Vicente ha conseguido fundir armoniosamente, llevándolos a máxima eficacia y perfección artística, todos los elementos que caracterizan su teatro: intenso lirismo, creación de caracteres, economía de la acción, perfecta adecuación entre personajes, intriga y situación dramática, ritmo teatral del diálogo y, finalmente, correspondencia dramática entre la psicología de los personajes y el desarrollo de la acción. La obra nos presenta la historia de amor del príncipe don Duardos y la princesa Flérida. Don Duardos, para merecer y conquistar el amor de Flérida, oculta su noble origen bajo el disfraz de labrador. Así puede vivir cerca de su amada dando ocasión para que nazca el amor, no a causa de una condición social, sino por el puro y solo valor de la persona. Pretende que Flérida lo ame por lo que es y no por lo que representa. En escenas de extraordinaria delicadeza se nos muestra el proceso sutil, paulatino, del enamoramiento de Flérida. En el alma de este delicioso personaje se establece una lucha, dramáticamente graduada, plena de veracidad psicológica, entre su amor a la persona de don Duardos y su repugnancia a romper la ley social que le prohibe, no externa, sino internamente, entregarse, siendo ella quien es, a un simple labrador. Don Duardos, que hasta el último momento guarda celosamente el secreto de su ascendencia, exige de Flérida algo realmente extraordinario: que su amor salte, limpiamente, por encima de todo el sistema de usos vigente en la sociedad donde vive. Este conflicto entre amor personal, fuertemente individualizado, y deber social o fidelidad al propio estado, causa inquietud, zozobra, angustia y dolor en Flérida, y a esa inquietud y dolor corresponde la angustia de don Duardos, que ha puesto en juego su propia felicidad. Si Flérida no es capaz de vencer, por virtud de su amor, todas las trabas y convenciones que la cercan como un alto muro, don Duardos habrá perdido para siempre la posibilidad de ser feliz y su vida —su vivir personal— habrá perdido su más hondo sentido. No sólo él y ella habrán fracasado, sino el mismo amor, un amor que se quiere realidad de valor único y absoluto. El amor, este nuevo amor que es, en su entraña, una poderosa afirmación de la personalidad humana (así lo ha escrito antes que nosotros Dámaso Alonso en la luminosa introducción puesta a su edición —magistral— del *Don Duardos),* más aún, una afirmación del valor radical de la persona humana, triunfa en la pieza, y don Duardos, vestido ya de príncipe, lleva consigo a Flérida hacia el reino de Inglaterra. La obra termina con el gozoso batir de los remos que lleva a los amantes hacia el reino de la felicidad.

> Sepan quantos son nacidos
> aquesta sentencia mía:
> que contra la muerte y amor
> nadie no tiene valía.

Estos versos casi finales de la canción no son ya un tópico de *Cancionero,* no son ya lugar común de la poesía del amor cortés. Han sido hechos verdad por el esfuerzo puro de dos personas, cuya historia Gil Vicente ha sabido convertir en drama, dando a esta palabra su más hondo valor literario y su más hondo sentido vital.

En la pieza los personajes y su historia de amor conquistado, están enmarcados por un paisaje que no es un accidente ni un simple adorno lírico en la economía de la tragicomedia, sino un elemento sustantivamente dramático, que hace posible situaciones teatrales y movimientos anímicos de los personajes, integrándose en la palabra de éstos. Así, por ejemplo, en los soliloquios de don Duardos. Y no sólo el paisaje, sino hasta el silencio cumplen plenamente su función dramática. Así ocurre, por ejemplo, en la escena (versos 672-691) en que don Duardos, convertido en el labrador Julián, guarda obstinado silencio ante las donosas burlas de Flérida y sus criadas.

Junto a la pareja protagonista aparecen otras dos parejas: Camilote y Maimonda, Juan y Constanza. Camilote, caballero salvaje, es decir, no cortesano, ama con desaforado amor a su dama Maimonda, fea entre las feas, a la que, no obstante, proclama como la más hermosa, llegando hasta morir por defender lo que tan fuera está de la realidad. Con esta pareja y su extraño amor me parece que Gil Vicente afirma, por vía dramática, el esencial subjetivismo del amor, capaz de contradecir la misma realidad. Y, a la vez, le sirve —dentro de la pieza— para oponer la figura del caballero andante a la del galán regalado, incapaz de acción heroica por defender su amor, aunque éste sea absurdo. En cuanto a Juan y Constanza, son los jardineros del palacio de Flérida, de los cuales, previo acuerdo, don Duardos se fingirá hijo. Juan y Constanza representan el amor cotidiano, un amor sencillo y verdadero que, en armonía con el paisaje que los rodea, nos es presentado con intenso lirismo, que es el lirismo de las cosas sencillas y hermosas en su cotidiana verdad. No son Juan y Constanza los burdos labradores que aparecen, por ejemplo, en las piezas de Torres Naharro, sino finos amadores que en su amor convivido día a día en el jardín del palacio encuentran siempre la palabra hermosa para hablarse el uno al otro. He aquí, como único ejemplo, este final de diálogo entre Juan y Constanza, que a lo largo de él se llaman uno a otro «mi amor», «mi alma», «Constanza Roiz, amada», «mi corderito»:

JULIÁN:
Mirad, mi alma, el rosal
cómo está tan cordeal
y el peral tan loçano.

CONSTANZA:
¡Quán alegre y quán florido
está, señor mi marido,
el jazmín y los granados,
los membrillos quán rosados,
y todo tan florecido!
Los naranjos y mançanos...
¡alabado sea Dios!

JULIÁN:
Pues más florida estáis vos.

Acompañado de estos dos amores, el idealista de Camilote y Maimonda, y el realísimo y cotidiano de Juan y Constanza, llega a su plenitud el amor de don Duardos y Flérida, feliz conjunción de idealismo y realismo. Esta *Tragicomedia de Don Duardos* es uno de los más hermosos poemas dramáticos o de los dramas poéticos de la literatura española y la más exquisita pieza del teatro europeo anterior a Lope de Vega y a Shakespeare, ejemplo de la belleza que en el teatro puede alcanzarse cuando se funden armoniosamente drama y lírica.

IV. El drama religioso

En el largo periodo que va de la última década de la producción de Gil Vicente a la aparición de la generación de los trágicos, es decir, aproximadamente, de 1530, en que ya ha comenzado su obra dramática Diego Sánchez de Badajoz, a 1580, en que Jerónimo Bermúdez ha publicado ya sus dos tragedias y Juan de la Cueva estrenado sus primeras piezas, el teatro en España produce una abundante serie de obras religiosas, la mayoría de las cuales son anónimas. Es éste un periodo de gran desorientación teatral, a la vez que de búsqueda, en el que se yuxtaponen o se contraponen, sin armonizarse nunca, tendencias muy variadas. Se imita el teatro de Torres Naharro y Gil Vicente, sistemáticamente unas veces, en rasgos aislados, otras; se intenta aclimatar la tragedia clásica mediante traducciones y adaptaciones; se escriben imitaciones de *La Celestina;* surge y se desarrolla un interesante teatro universitario y de colegio; Lope de Rueda escribe su obra, que, a su vez, cuenta con imitadores; finalmente, combinando elementos satíricos y religiosos, cuyo origen está en Juan del Encina, se escribe multitud de piezas cortas llamadas autos, representaciones, farsas, que integran el caudal de nuestro drama religioso del siglo XVI.

1. El *Códice de Autos viejos*

Es la colección más importante de teatro religioso del siglo XVI. Publicada íntegramente por el hispanista francés Leo Rouanet, consta de noventa y seis piezas [33]. Excepto unas pocas, todas son anónimas. La mayoría de ellas están escritas en verso, con muy poca variación métrica. Su cronología es totalmente incierta, por lo que resulta muy problemático el estudio de la evolución de este teatro. Las fechas límites 1550-1575, señaladas por Rouanet, carecen de autoridad. Se han ensayado varias clasificaciones de tipo temático, único posible cuando se carece de otros métodos de ordenación. Sin intentar una clasificación rigurosamente científica, como la establecida por Bruce W. Wardropper [34], podemos señalar, con la simple intención de mostrar la diversidad de asuntos, los siguientes temas: temas del Antiguo Testamento, temas del Nuevo Testamento, temas hagiográficos, temas marianos, temas sacramentales. Estos temas son tratados bien historialmente a manera de seudomisterios, bien alegóricamente, a manera de seudomoralidades, o bien combinando lo historial y lo alegórico, a manera de seudomisterios con tendencia alegórica. Estas piezas, generalmente cortas, forman en conjunto un curioso universo teatral donde se mezclan motivos teológicos y satíricos, elementos cultos y populares, en donde los personajes alegóricos alternan con los bíblicos y con los extraídos de las farsas populares. Escritos para ser representados durante las fiestas religiosas se dirigen a un público poco culto, con intención de educarlo e ilustrarlo religiosamente, pero también, fundamentalmente, de divertirlo. Tiene mucho este teatro de «farsas a lo divino», de espectáculos teatrales populares en donde la lección religiosa llegue tanto por la vista como por el oído. De ahí la necesidad de acomodarse al gusto de la plebe —y no doy a esta palabra sentido peyorativo— introduciendo elementos plebeyos, bromas rústicas, pasos de la vida cotidiana, o de actualizar la materia religiosa acomodándola a la sensibilidad popular. En general, suele haber una intriga anudada me-

[33] *Colección de autos, farsas y coloquios del siglo XVI,* 4 vols., Macon, 1901.
[34] *Introducción al teatro religioso del Siglo de Oro,* Madrid, Revista de Occidente, 1953, págs. 210-211.

diante numerosos episodios, anécdotas procedentes de la experiencia común, introducción de abstracciones, que dan calidad de retablo dramático a la mayoría de estas piezas. A diferencia del teatro religioso popular de la Edad Media, con el que el drama religioso popular del siglo XVI tiene muchos puntos de contacto, la acción suele ser más rápida y hay una voluntad creciente de adecuación entre la realidad y el símbolo, entre la realidad material y la realidad espiritual.

Estas piezas del *Códice de Autos viejos* cumplen, en la historia del teatro español, una misión capital: adiestrar al público para captar la superposición de lo temporal y lo eterno en la vida humana, adiestramiento sin el cual no se entendería la existencia del público del teatro religioso del Siglo de Oro, concretamente del público de los *autos sacramentales*. La familiarización del pueblo con la difícil simbiosis de realidad material y verdad espiritual, de historia y misterio, de drama (acción representada) y teología es obra indudable de estos dramaturgos anónimos de mitad del siglo XVI. Por otra parte, en sus obras está ya en germen la materia y la forma del teatro religioso-popular posterior, del cual son precedente indudable.

Entre las obras de autor conocido o supuesto que figuran en esta colección destaca el *Auto de Caín y Abel,* del maestro Jaime Ferruz, perteneciente a la escuela dramática de Valencia. Ferruz, partiendo seguramente de la dramatización del tema de Caín y Abel hecha anteriormente por Bartolomé Palau en su *Victoria de Cristo,* construye una tragedia en miniatura cuyo héroe trágico es Caín, el asesino, hundido bajo el peso de la culpa. Como a Orestes le perseguían las Furias, Caín es perseguido por la Culpa, disfrazada de villana, cuyas acusaciones le van atormentando. Caín se defiende inútilmente, y, aunque en el fondo se sabe culpable, no se arrepiente, porque desespera de la misericordia divina. Dios aparece para condenar y maldecir a Caín. La obrita termina con la entrada triunfal de la Muerte. La conciencia de culpa de Caín, su desesperación y su rabia, la condena y maldición de Dios y la presencia final de la Muerte dan una indudable intensidad trágica a esta pequeña pieza.

2. Dos dramaturgos

No son dos, sino muchos más, los dramaturgos con nombre conocido que escriben teatro religioso durante este periodo. Como la intención de este libro —que procura evitar la exposición erudita de un manual, aunque tenga en cuenta los datos aportados por la investigación erudita— no es acumulativa, sino de selección representativa, reduzco a dos el número de dramaturgos por considerar que, con su obra, representan suficientemente al nutrido grupo que con ellos escribe teatro y porque, dentro del panorama de ese teatro, destacan sobre los demás por la originalidad de sus hallazgos dramáticos o por el mayor valor literario de su obra.

Diego Sánchez de Badajoz.—En 1554, muerto ya el dramaturgo, un sobrino suyo publicó en Sevilla la obra conjunta con el título de *Recopilación en metro.* Consta de treinta y ocho piezas. Su actividad dramática se extiende, aproximadamente, de 1525 a 1547. Sánchez de Badajoz, extremeño como Torres Naharro, y clérigo de oficio, es considerado por su sobrino digno émulo del autor de *La Propalladia.* Su teatro está escrito para ser representado en la iglesia, en ocasión de la celebración de festividades religiosas como la Navidad o el Corpus. En algunas de sus piezas el tema se centra en el misterio de la Navidad y la Encarnación, en otras apenas lo toca marginalmente, aunque se representase el día de Navidad. Otras muchas piezas aluden, más o menos directamente, al tema del sacramento de la Eucaristía, siendo éstas un precedente del *Auto sacramental.* Sánchez de Badajoz parte del teatro salmantino de Juan del Encina y Lucas Fernández, del cual toma temas, lenguaje y personajes, y avanza, en continua progresión dramática, hacia la construcción de obras más complejas por el número de personajes, la densidad teológica y el uso de la alegoría. En su teatro combina la intención moralizadora con la sátira social. Sus personajes proceden de la Biblia (Salomón, Nabucodonosor, Isaac, Saúl, David, Abraham, etcétera), de la realidad social contemporánea (pastor, teólogo, soldado, negra, fraile, caballero, molinero, ciego) o son personificaciones alegóricas (justicia, prudencia, fortaleza..., carne, mundo, diablo... libre albedrío, entendimiento, razón, sensualidad..., iglesia, sinagoga..., etc.). El dramaturgo quiere, a toda costa, mantener despierto el interés del público y para conseguirlo estructura una buena parte de sus piezas combinando, con indudable arte dramático, las escenas religiosas con las puramente cómicas. La introducción que pone a sus piezas es siempre un ensayo de captación del público, situándose a su nivel, no sólo por el lenguaje empleado, sino por las alusiones al vivir cotidiano y común. Alusiones que ocurren también durante la representación. En la *Farsa de la Natividad,* el pastor Juan, villano a cuyo cargo encomienda la introducción, dice al final de ésta:

> Serán cosas [*las que aquí se han de decir*]
> devotas y provechosas,
> y porque no vos durmáis,
> algunas
> cosas graciosas
> diremos
> con que riáis.

En sus continuas alusiones a la sociedad contemporánea dominan, especialmente, dos temas: el de la desigualdad económica y la importancia del dinero, y el del linaje. Al primero, pese a la aguda sátira en él inclusa, da una solución ética típicamente medieval: en la muerte todos son iguales, lo decisivo está, no en tener o no tener, «sino sólo en vivir bien» *(Farsa de Isaac).* Son muchas las escenas cómicas admirablemente conseguidas, con un agudo sentido de la comicidad expresado con técnica puramente teatral, en la que se adelanta a los mejores entremeses de Lope de Rueda. Pueden citarse como ejemplares las dos escenas de la *Farsa Teologal,* la primera entre un soldado fanfarrón y un espantajo, y la segunda entre el mismo soldado y un maestro sacamuelas, que habla en una curiosa lengua. Estas dos escenas son ya puro teatro, y del mejor teatro cómico, y sorprende gratamente encontrarlas en un autor tan temprano como Sánchez de Badajoz.

Son muy interesantes las alusiones a las fiestas que acompañaban, sirviéndoles de marco, a las representaciones para-sacramentales del Corpus, como esta que ocurre en la *Farsa del Santísimo Sacramento.* He visto, dice el pastor Juan:

> Las danzas, bailes y sones,
> las músicas muy perfectas,
> las cortinas, las carretas,
> las banderas, pabellones,
> las carátulas, visiones,
> los juegos y personajes,
> los momos y los visajes,
> los respingos a montones.

Por esta y otras alusiones podemos imaginar la alegría, el jolgorio y la riqueza vital que ambientaban estas representaciones religioso-populares.

Si pasamos a aquellas obras en que domina la dramatización alegórica de misterios del dogma y aparecen figuras alegóricas, encontramos en algunas de ellas verdaderos aciertos dramáticos, que suponen profundo instinto teatral y el hallazgo de unas técnicas capaces de dinamizar los conceptos más abstractos. Así, por ejemplo, en la *Farsa Militar* y en la *Farsa Racional.* En la primera, el autor, por boca del pastor, hace al público una advertencia muy interesante:

> Pues notad con cordura
> esto que quiero avisar;
> quel diablo en su figura
> es invisible criatura,
> y por tal lo eis de notar.

Digo, en fin, que imaginemos
cuando va en forma brutal,
que no es visto ni le vemos;
si se cubriere, sabremos
que va en forma corporal.

Es decir, está enseñando a su público la manera correcta de mirar el espectáculo dramático, una especie de técnica del perfecto espectador del drama alegórico-religioso, que le ayude a entender la función dramática y el sentido espiritual de las figuras simbólicas. Cuando en la siguiente centuria se representen obras de mayor complejidad intelectual, como los *autos sacramentales,* el público poseerá ya esa técnica de mirar correctamente el espectáculo. En la *Farsa de Isaac* nos enteramos, como el público, de que no son nuestros sentidos quienes deben entender, sino nuestra fe

el gran misterio figurado
de la hostia nuestro bien.

Es en esta farsa donde Diego de Badajoz dramatiza, proyectada en las figuras de Jacob y Esaú, la separación de cristianos viejos y nuevos en la sociedad castellana del siglo XVI. Américo Castro ha señalado este pasaje. Los personajes de esta farsa son Isaac, Rebeca, Jacob, Esaú y un pastor. La función dramática del pastor, no sólo aquí, sino en general en todo el teatro de Diego Sánchez de Badajoz me parece de gran importancia. Ya he aludido a ella al hablar del sentido dramático de la «introducción», siempre a cargo del pastor. Este es un verdaderao puente de enlace entre los personajes y la acción del drama y el pueblo espectador. En la *Farsa de Isaac* el pastor *comenta* la acción, desvelando su sentido espiritual y la pone en relación con el presente. Pero, además, interviene en la acción como un personaje más.

El teatro de Sánchez de Badajoz no ha sido estudiado aún como merece. No sólo es de primera importancia para la recta comprensión de la historia de nuestro teatro (Wardropper ha señalado el papel que le corresponde en la prehistoria del Auto sacramental), sino como punto de partida para un estudio sociológico de la sensibilidad religiosa en la primera mitad de nuestro siglo XVI.

Micael de Carvajal.—Nacido en Plasencia, es autor de un *Auto de las Cortes de la Muerte,* que no terminó él, sino Luis Hurtado de Toledo.

A las cortes que la Muerte convoca asisten representantes de todas las clases sociales, amén de personajes de la antigüedad pagana y cristiana, y seres mitológicos, como las Parcas, o abstractos como el Mundo, el Demonio y la Carne. La obra, además de ser un espléndido espectáculo lleno de escenas animadas y abundante tramoya, es una sátira tanto social como moral y religiosa, especialmente del estamento eclesiástico, desde el obispo hasta las monjas de clausura. En una de las escenas una madre abadesa dice de sí y de las monjas del convento:

> ... allí nos maldecimos
> cada hora y cada rato,
> desde el día en que nacimos,
> y que tristes entendimos
> la negra clausura y trato.
> Y ¡plugiera a mi gran Dios
> que al más pobre guillote
> que se hallara entre nos,
> Padre, me diérades vos,
> y no a tal yugo y azote!
> Y ¡ojalá que yo criara
> los mis hijos a docenas,
> que al fin, fin, Dios los repara,
> y que nunca me obligara
> a tal prisión y cadenas!

Esta violenta pieza teatral fue dedicada por Luis Hurtado de Toledo nada menos que al rey Felipe II.

La dramatización de un tema ya dramático en sí como es el de las *Danzas de la Muerte* medievales, tentó también a otros autores de su tiempo, como Juan de Pedraza o Sebastián de Orozco, en obras posteriores a la de Carvajal. Sin embargo, su obra más interesante es la *Tragedia llamada Josefina.* Es la mejor pieza de nuestro drama religioso popular de la primera mitad del siglo XVI. Subrayo lo de popular para distinguirlo del drama religioso y universitario y de Colegio, de que hablaré en el apartado VI, que cuenta con la excelente *Tragedia de San Hermenegildo,* y con el cual la tragedia de Carvajal tiene ciertos puntos de contacto. La *Tragedia llamada Josefina* está dividida en cuatro partes en las que se dramatiza la historia de José, el Justo. No es, en rigor, una tragedia, pese a los coros y a algunas escenas trágicas. La obra, pese a sus defectos de construcción, tiene emoción —cosa que no encontramos en muchas piezas de la época— y nervio dramático. A lo largo de ella corren, estructurando el sentido de la acción, dos vetas simbólicas: la identificación simbólica José-Cristo Salvador y la entrada del pueblo judío en la tierra de Salvación. El carácter mejor logrado es el de Zenobia, la mujer de Putifar, y el de José. Zenobia, como ya notó Gillet, es una mujer elemental, víctima de su pasión amorosa que, al igual que la Fedra griega, calumnia a José al verse rechazada por él. Las escenas de Zenobia y José, en la segunda parte, y la del reconocimiento de José por sus hermanos, en la cuarta parte, son las mejores del drama [35].

Junto a estos dos dramaturgos figuran, entre otros, dentro del panorama del drama religioso, los ya citados Bartolomé Palau, Juan de Pedraza y Sebastián de Orozco o el sevillano Hernán López de Yanguas y el extremeño Vasco Díaz Tanco de Fregenal.

V. Lope de Rueda y su teatro ambulante

Después de Fernando de Rojas, de Torres Naharro y Gil Vicente no faltan nombres de autores ni títulos de obras que representen, adecuadamente, la historia del teatro cómico en los treinta años centrales del siglo XVI. Desde las comedias *Selvagia* y *Florinea,* de Alonso de Villegas Selvagio y Juan de Rodríguez, respectivamente, imitaciones de *La Celestina,* hasta la *Comedia Pródiga,* de Luis de Miranda, pasando por las comedias *Radiana,* de Agustín Ortiz, *Tidea,* de Francisco de las Natas, *Tesorina* y *Vidriana,* de Jaime de Huete, imitaciones de Torres Naharro y Gil Vicente, y otras varias cuya cita haría demasiado larga esta lista, encontramos un cultivo incesante de la comedia. Todos estos autores avanzan por el camino abierto al teatro español por los tres dramaturgos arriba citados, pero ninguna de esas comedias sobrepasa un discreto término medio. Cierto que podemos encontrarnos con una intriga bien llevada, o con un personaje bien trazado o con escenas donde la realidad está bien captada. Pero nada más. Todos ellos, excepto tal vez Luis de Miranda, son simples continuadores que aprovechan hábilmente —aunque no siempre— la materia y la forma dramática recibidas. Son herederos, pero no innovadores. Por otra parte, desde 1535 viajaban por España compañías de cómicos italianos, que vendrían a intensificar la influencia de la comedia italiana en el ambiente teatral español. Durante estos años es muy activa la importación de comedias italianas. Además, Plauto había sido ya traducido por Francisco López de Villalobos en 1515, aunque su influencia se transmite a través de la producción italiana.

Hacia 1545 aparece en la escena española Lope de Rueda. Cervantes, siendo muchacho, alcanzó a verlo representar en Sevilla. En 1615, al escribir el prólogo para sus *Comedias y Entremeses,* recuerda aquellas representaciones en las que Lope de Rueda hacía a maravilla los papeles de rufián, de negra o de bobo. En cuanto a la tramoya del teatro, según Cervantes, «era una manta vieja tirada

---

[35] Véase la edición de Joseph Gillet, Princeton-París, 1932.

con dos cordeles de una parte a otra, que hacía lo que llaman vestuario, detrás de la cual estaban los músicos, cantando sin guitarra algún romance antiguo». También Juan Rufo y Agustín de Rojas nos han dejado testimonios de su actuación en los tablados españoles. Al frente de su compañía, una de las primeras compañías de actores profesionales de España, recorre las provincias con sus bártulos. Madrid, Sevilla, Valladolid, Valencia, Segovia lo han visto representar y lo han aplaudido. Su teatro ambulante triunfa en las ciudades y en los pueblos. En 1557 representa en Segovia; al año siguiente actúa en el Corpus de Sevilla; dos años después en Toledo, también durante el Corpus...

Lope de Rueda es, antes que nada y sobre todo, un hombre de teatro. El primer hombre de teatro en España. Del teatro vive y en el teatro aprende lo mejor de su arte. No es un autor que, además de hacer otras cosas, escriba teatro, ni escribe teatro por diversión ni por ganar fama. Escribe teatro para vivir del teatro. Cierto que la vida de la farándula no da para mucho ni conlleva muchas comodidades. Pero es su vida y tiene hartos alicientes, de los cuales son los más estimados la libertad y el viajar de un sitio a otro conociendo gentes, costumbres, ciudades. Lo importante es divertir a las gentes y tener a mano un nutrido repertorio de obras teatrales. Y en una obra teatral, si quiere conseguir el aplauso del público, satisfaciendo su gusto, es más importante llenarla de pasos graciosos que provoquen la carcajada que no construirla según las reglas del arte. Ni es tan necesario inventar una trama original cuando tantos argumentos hay a mano. Lope de Rueda no escribe para la posteridad, ni ésta le importa, sino para el presente, ese presente lleno de públicos que esperan a Lope de Rueda y su teatro ambulante. Es a él a quien hay que servir. Para ese público, con el que está en continuo contacto, escribe Lope de Rueda dramaturgo sus piezas. Para ese público y para alguien más: para el famoso farsante Lope de Rueda. En efecto, el dramaturgo Lope de Rueda escribe para el actor Lope de Rueda. Y escribe teniendo en cuenta los papeles que mejor representa, escribe teniendo en cuenta los gestos y la entonación que mejor le cuadran. Su teatro está escrito desde el interior del teatro, buscando la máxima eficacia cómica de la palabra teatral.

Lope de Rueda escribió cinco comedias, tres coloquios pastoriles y diez pasos, a los que pueden añadirse los catorce intercalados en sus comedias. Se le atribuyen, además, dos autos (*Naval y Abigail, Desposorios de Moisés*) y una farsa. Sus comedias son imitaciones de la comedia italiana, en la cual busca los argumentos, adaptándolos, arreglándolos o plagiándolos. La trama es bastante primitiva, los caracteres están burdamente esbozados. La acción principal es cortada para interpolar escenas cómicas. Más que comedias son retablos cómicos. Lo importante en ellas, artísticamente o, mejor, dramáticamente, es lo episódico, y sus mejores personajes los secundarios —los criados. Y, sin embargo, hay algo en ellas que es fundamental para la historia de nuestro teatro: el ritmo coloquial del diálogo. Las comedias están escritas en prosa. Lope de Rueda ha desechado el verso como instrumento expresivo de su teatro, y lo ha sustituido por una prosa *hablada* —si se me permite la expresión. Ese lenguaje de su teatro, pensado y sentido más en función del actor Rueda que del autor Rueda, no procede ya de la comedia italiana, ni de comedia escrita alguna, sino del lenguaje coloquial cotidiano, vivo en la sociedad de su tiempo. Un lenguaje de intemperie, de plaza pública, no de libro. Pero la introducción de ese lenguaje vivo en el teatro conlleva, como es natural, la introducción, en el plano dramático, de rasgos individualizados, de vida cotidiana. Se ha hablado del realismo de Lope de Rueda. Ese realismo que airea su producción dramática brota, precisamente, del lenguaje teatral. Dicho de otra manera. El realismo de los personajes es un hecho lingüístico, porque lo que los enraiza en la realidad es su palabra, no sus acciones ni su carácter. Esa conquista de la palabra real dramática, cuya sintaxis y cuya fonética tiene la virtud de hacer reales, con realidad vital, a los personajes sobre el tablado, es la gran hazaña de Lope de Rueda, su más genial aportación al teatro. Si crea un teatro popular y lo hace triunfar es porque crea para el teatro un lenguaje popular, no unos tipos o personajes populares. El rufián, el bobo y la negra ya existían en el teatro antes de Lope de Rueda. Lo que no existía era la palabra popular de Lope de Rueda. Si sus tipos son aplaudidos es porque son su palabra. Ésta, y no otra, es la realidad radical de su teatro. Por eso, lo mejor del arte de Rueda son sus *Pasos*. En ellos, dada su brevedad, y su condensación dramática, que no necesita desarrollar una intriga ni trazar unos caracteres, toda la fuerza cómica está confiada a la palabra, mucho más que a la situación. En ningún *Paso* puede verse tan claro como en el famoso de *Las Aceitunas* o en el de *La tierra de Jauja.* En el primero, un marido y su mujer riñen a causa de unas aceitunas que «no están plantadas», que no existen más que en la palabra de los personajes. En el segundo, dos ladrones comen a costa de un simple, gracias al maravilloso don de la palabra que mantiene encandilado al bobo Mendrugo, mientras, por turno, Hoziguera y Panarizo se comen la comida de aquél.

Padre del teatro español ha sido llamado Lope de Rueda. Tal calificación me parece a todas luces exagerada y pesa en ella esa inevitable carga de error propia de toda generalización. En todo caso, no cabe duda que si es el padre del «entremés», ese género menor, pero importante del teatro español, magníficamente historiado no hace mucho por Eugenio Asensio[36]. Esa paternidad no cabe discutírsela, como tampoco puede negársele el descubrimiento, realmente trascendente, de un lenguaje dramático real, con realidad de vida vista y oída.

VI. Los trágicos

1. Primeros intentos de una tragedia clásica

A lo largo de la primera mitad del siglo XVI hay en España, especialmente en el ambiente humanista, una voluntad, más o menos constante, de trasplantar al castellano la tragedia de tipo clásico. Se trata, sobre todo, de una labor de traducción y adaptación de los modelos grecolatinos. Nos han quedado noticias de autores que escribieron tragedias y títulos de obras perdidas. Así, por ejemplo, sabemos que en fecha tan temprana como 1520 un escritor extremeño, Vasco Díaz Tanco de Fregenal, escribió y vio representadas, entre otras piezas, tres tragedias: *Tragedia de Asalón, Tragedia de Amón y Saúl* y *Tragedia de Jonathán en el monte Selboe.* Por los títulos puede suponerse que su temática sería religiosa y tendrían semejanza con la obra de Micael de Carvajal, ya estudiado en el apartado IV. Igualmente tuvieron relación con el teatro trágico, bien como traductores, bien como adaptadores o imitadores, poetas y humanistas como Boscán, Alejo Venegas, Pedro Simón Abril, Francisco Sánchez de las Brozas, el famoso profesor de la Universidad de Salamanca, Esteban Manuel de Villegas, Juan de Mal Lara, al que Juan de la Cueva alaba en términos entusiásticos[37]. Desgraciadamente, la obra de todos estos escritores, que, con más o menos dedicación, cultivaron el género trágico, se ha perdido. En cambio, nos quedan dos tragedias del humanista cordobés Fernán Pérez de Oliva, nacido en los últimos años del siglo XV: *La venganza de Agamenón,* traducción de la *Electra* de Sófocles, y *Hécuba triste,* versión de la *Hécuba* de Eurípides. Pérez de Oliva escribe estas dos tragedias en espléndida prosa castellana, demostrando en ella, según se propuso, la excelencia del romance para expresar el elevado universo de las tragedias. No es su labor de simple traductor. Reflexionando sobre las tragedias de Sófocles y de Eurípides y dándose cuenta de que los mitos y la atmósfera religiosa de estas tragedias resultaría

---

[36] *Itinerario del entremés. Desde Lope de Rueda a Quiñones de Benavente,* Madrid, 1965.

[37] Para la tragedia es fundamental el libro de Alfredo Hermenegildo, en su nueva y muy ampliada versión *La tragedia del Renacimiento español,* Barcelona, 1973.

extraño a la sensibilidad y al sistema de creencias de un público cristiano, lo sustituye, como escribe Alfredo Hermenegildo, «por una especie de ambiente moral, con reflexiones de sabor cristiano diseminadas por todas las escenas». Asimismo, rechaza la forma métrica del original y suprime o cambia algunas escenas. El resultado vale por la fuerza y belleza de la palabra, pero peca de ausencia de un criterio de lo que debe ser la acción trágica. Este ensayo de tragedia clásica en castellano, que hubiera podido rendir espléndidos frutos, si hubiera habido auténticos dramaturgos que partieran de él, quedó aislado y, a la postre, ineficaz. Faltó un público minoritario con fuerza para imponer sus gustos por este tipo de teatro grave. Si lo hubiera habido, quizá los dramaturgos se hubieran animado a cultivarlo, creando un estilo dramático y educando, paulatinamente, al gran público que, falto de buenas tragedias, prefirió un teatro de entraña más popular y menos artística.

2. Las tragedias universitarias y de colegio

Está documentada la existencia de representaciones dramáticas en los medios universitarios renacentistas. Estas representaciones tenían un carácter fundamentalmente docente. En ellas colaborarían profesores y alumnos para montar, en su idioma original, comedias y tragedias grecolatinas. Otras veces, se trataría de adaptaciones y, en algunas ocasiones, de piezas originales en castellano que respondieran a los modelos clásicos, como así parece indicarlo el que dramaturgos o, mejor, humanistas puestos a dramaturgos, como los ya citados Juan de Mal Lara y el Brocense, fueron catedráticos. Los jesuitas adoptaron en seguida para sus colegios esta moda universitaria dando nacimiento a una abundante producción teatral, de carácter didáctico y moralizante [38].

Aunque los títulos están en latín domina en este teatro el uso del latín y el castellano e, incluso, hay bastantes piezas escritas casi enteramente en castellano. En este tipo de teatro universitario pueden distinguirse tres tendencias: clásica, religiosa y popular. De estas tres tendencias, la más cultivada fue la religiosa, preferentemente de inspiración bíblica, en la cual dejaban de observarse algunas reglas del drama clásico, tal como las codificaron los críticos humanistas neo-aristotélicos y neo-horacianos. Entre la abundante producción dramática del tipo universitario y de colegio destaca la obra del padre Pedro Pablo Acevedo. Pero la pieza más importante

---

[38] Quien ha puesto de relieve la riqueza e importancia de este teatro es Justo García Soriano en su documentado libro *El teatro universitario y humanístico en España,* Toledo, 1945.

es, sin duda alguna, la *Tragedia de San Hermenegildo,* de autor anónimo. Esta tragedia es, realmente, una excelente obra dramática y mantiene vivo, desde el principio hasta el fin, el interés del lector actual. Se conserva el manuscrito en la biblioteca de la Real Academia de la Historia. Debió de ser representada, según García Soriano, el 10 de septiembre de 1580. Consta de cinco actos, divididos en escenas. Está escrita en verso castellano, en metro latino e italiano, pero domina el castellano. La lista de personajes es numerosa: treinta y dos, sin contar la comparsa de soldados, pajes..., etc. Los protagonistas son Hermenegildo y su padre, Leovigildo, cuyos caracteres están espléndidamente conseguidos. En Hermenegildo el conflicto trágico nace de la oposición entre su fe cristiana y el deber filial, que le obliga a obedecer a su padre. En Leovigildo, tal vez la figura de mayor intensidad dramática, el conflicto se da entre su amor al hijo rebelde y su deber de rey, que debe hacer justicia en bien del reino. En el fondo de esta espléndida tragedia, que cuenta con escenas de gran tragicidad, las fuerzas o sistemas de valores enfrentados son la fe y la política. Tanto Hermenegildo, el «homo religiosus», como Leovigildo, el «homo politicus», defienden y personalizan una causa objetivamente justa. Cada uno de ellos representa un mundo de valores buenos en sí. Esa bondad objetiva de los dos mundos en conflicto y la seriedad radical con que los sustentan los dos antagonistas, divididos, a su vez, interiormente, da altura y trascendencia a la tragedia. Junto a los personajes reales intervienen figuras alegóricas, como el temor, el deseo o la fe, que de ningún modo rompen la estructura dramática de la tragedia. Por el contrario, su intervención en la acción cumple siempre una función eficazmente dramática —mostrar la lucha interior de los personajes— y no detiene ni retarda la trama de la pieza.

La tragedia termina, después de una magnífica escena, en la que Leovigildo vacila entre el perdón y la condena de su hijo, con la sentencia de muerte de Hermenegildo, que es decapitado.

La *Tragedia de San Hermenegildo* es la obra maestra, dentro del género trágico, de este teatro universitario y de colegio, y una de las mejores tragedias de nuestro siglo XVI.

3. La generación de los trágicos

La fecha aproximada de auge de esta generación es la de 1580. El término generación no debe ser entendido en un sentido rigurosamente histórico, ya que entre el más viejo y el más joven de sus representantes median no menos de treinta años. Pero, en cambio, casi todo su quehacer de tragediógrafos tiene vigencia histórica entre los años de 1575 y 1585. los dramaturgos principales son: Jerónimo Bermúdez (1530?-1599), Andrés Rey de Artieda (1544-1613), Cristóbal de Virués (1550-1609), Lupercio Leonardo de Argensola (1559-1613), Gabriel Lobo Lasso de la Vega (1559-1623) y Juan de la Cueva (1550-1610) y Cervantes (1547-1616). A estos dos últimos, por la significación literaria de su obra, los estudiaremos en epígrafe aparte.

Son todos ellos dramaturgos de (permítaseme la expresión) «entrezonas». Si de un lado se apartan de la corriente del teatro popular de su tiempo, en un intento de dar al teatro una nobleza y elevación de que carecía, por otro, no aciertan a dar con la fórmula dramática apropiada a sus intenciones y aceptan un compromiso con las formas —con ciertas formas— del teatro que, muy pronto, con Lope de Vega llegará a triunfar. Su intento de crear una tragedia española, alejada de la servil imitación de los clásicos, cuyo arte querían superar, adaptándolo, temática y técnicamente, a las circunstancias histórico-literarias de su tiempo, abocó al fracaso. Lo que fracasó fue la creación de una tragedia española. Este grupo de dramaturgos no llegó a tener una idea clara, capaz de realización artística, de lo que debía ser la tragedia nueva que buscaban, ni contó con un dramaturgo de genio que supiera descubrir la fórmula dramática necesaria. Esto no significa que neguemos, como han hecho muchos críticos, todo valor a la obra de estos dramaturgos. Como muy acertadamente escribe Alfredo Hermenegildo, «su mérito principal es haber enriquecido la escena española con temas y formas dramáticas no tratadas».

Influidos por Séneca, no directamente, sino a través de Italia, un Séneca que no es el verdadero, incurren en dos errores capitales: supeditar la acción trágica a la lección moral y convertir al héroe trágico en personaje anormal.

La dimensión ética es fundamental en toda tragedia, y esto por razón de la naturaleza misma del universo de la obra trágica, en donde se enfrentan conflictivamente sistemas de valores, y de la índole del héroe trágico, dominado por una exigencia del orden ético. En nuestros trágicos la lección moral viene impuesta desde fuera, a manera de añadido, sin vinculación interior con la acción ni con el personaje trágico. Su eticismo procede de una voluntad moralizante, que es la del autor, pero carece de necesidad dramática y, en ningún momento forma parte, como elemento integrante, del universo de la tragedia. Es un simple accidente. En cuanto a los personajes, es difícil encontrar ningún auténtico héroe trágico, puesto que el autor encarna en ellos uno o varios vicios por acumulación, convirtiéndolos en verdaderos monstruos, o, lo que es más frecuente, en criaturas anormales, en seres desmesurados, a todas luces más dignos de un disparatado tratado de patología que de una tragedia. Tenemos siempre la impresión, al asistir al cúmulo de horrores que su autor les hace obrar, de habérnoslas con habitantes de un mundo que nada tiene que ver con el mundo, el nuestro, quiero decir, con el humano. Los caracteres están construidos desde fuera de una concepción de la vida humana, y por ello nunca alcanzan verdad dramática, ni mucho menos, categoría de símbolos. Son casos, nunca personas. La crueldad, la sangre y los asesinatos llenan estas tragedias que acaban siempre con una escena donde llega a su máximo paroxismo la acumulación del horror. La acción aparece frecuentemente interrumpida por largos parlamentos que tienen mucho más de discurso retórico que de lenguaje dramático. Están puestos para explicar las ideas del autor o para contar la acción que el dramaturgo no ha sabido *presentar* escénicamente. Todo ello conduce a la ausencia de la autonomía dramática de los personajes y, por tanto, a la falta de verosimilitud, ya que las acciones no se justifican nunca a sí mismas desde el interior del mundo de la tragedia. Pero la falta capital, con ser capitales las anteriores, es la radical carencia de toda trascendencia. Por muy horrible, por muy terrible que sea cuanto en la pieza acontece, es siempre superficial e intrascendente. Nuestros trágicos, al meditar sobre la tragedia, se han quedado en lo más externo de ella, sin entrar de verdad en la meditación de la esencia del arte trágico, y así nos parecen obras escritas según recetas. Por eso, en ninguna de ellas se crea mito alguno, ni su contenido dramático guarda relación con el tiempo que le tocó vivir al dramaturgo. Son, en el sentido más inmediato, sustancialmente incontemporáneas. Este juicio general puede ser paliado ante algunas escenas de varias tragedias, donde sus autores alcanzan momentos felices, que servirían de excepción. El fracaso de la tragedia en el siglo XVI no está en la incapacidad de los españoles para escribir tragedias, como se ha dicho muchas veces, sino en la equivocada concepción de la tragedia de este grupo de dramaturgos, que es el que, aquí y ahora, nos ocupa. Debe recordarse que ni en Francia ni en Italia ni en Inglaterra la tragedia creó, por esas fechas, mejores obras. En general, durante el siglo XVI el género trágico fracasó en toda Europa. En Inglaterra hay que llegar muy a fines del XVI para encontrar buenas tragedias, y en Francia, hay que meterse muy adentro del XVII.

Seríamos injustos y cometeríamos un grave error de crítica si negáramos mérito alguno a la obra de nuestros trágicos del siglo XVI. Teniendo en cuenta la época de transición en que escriben y los problemas anexos a todo periodo de transición, estamos obligados a destacar lo que aportaron de positivo. Contra lo que pudiéramos llamar anarquía en la construcción de la pieza teatral, aportaron nuestros trágicos una mayor disciplina en la construcción dramática, enriquecieron y ennoblecieron el lenguaje, ampliaron, con nuevos temas, la escena española, facilitaron el camino al teatro nacional que triunfó con Lope de Vega al negarse a respetar los sacrosantos preceptos codificados y elevados a norma por los neo-aristotelistas italianos, utilizaron la historia como fuente y fundamento de sus tragedias, abriendo en esto también el camino a la generación que creó el drama nacional, consiguieron una indudable elevación del estilo... Pero lo que considero su principal mérito es el haberse atrevido a usar nuevas formas dramáticas que vinieron a enriquecer nuestro teatro. Me parece asimismo admirable y digno de todo elogio esa «conciencia de misión» y esa vocación de nobleza artística que a todos estos trágicos les animaba.

Pasemos ahora a caracterizar, brevemente, la obra de este grupo de dramaturgos.

Jerónimo Bermúdez

Escribió dos tragedias: *Nise lastimosa* y *Nise laureada,* publicadas en Madrid, con el pseudónimo de Antonio de Silva, en 1577. Unos críticos le han considerado como un gran trágico; para otros sus tragedias «apenas merecen el nombre de obra dramática». De igual modo, para unos su obra es original, para otros es una copia de la tragedia *Castro,* del portugués Antonio Ferreira. No entraremos en la discusión —enojosa e inoportuna en este libro— de influencias y primacías. Sus dos tragedias, junto con una de Virués, son las de tipo más clásico, dentro de la historia de nuestra tragedia. Están divididas en cinco actos e interviene el coro, aunque su función es más decorativa que dramática. En este díptico se dramatiza la historia de Inés de Castro y su trágico fin (en la primera tragedia) y la venganza de su amante el príncipe don Pedro (en la segunda) que, al ser coronado rey, hará coronar, muerta, a Inés. La *Nise lastimosa* tiene más interés y mejores escenas, algunas de indudable fuerza trágica, que la *Nise laureada,* que peca de excesivamente discursiva.

El mismo tema será tratado años después por Vélez de Guevara en *Reinar después de morir,* drama que supera a las tragedias de Bermúdez en intensidad trágica y que responde a distinto sentido y concepción del teatro. Pero Vélez de Guevara, al escribir su pieza, se apoya en una tradición que le facilita, técnicamente, su tarea. En cambio, Bermúdez parte, en lo que a técnica teatral de la tragedia se refiere, del punto cero. Nada hay hecho y él tiene que enfrentarse con el difícil problema de convertir en materia dramática una leyenda que la historia le ofrece. Cuando lleguen Lope de Vega y sus seguidores contarán ya con un grupo de dramaturgos que ha conquistado algunos hitos y resuelto algunos problemas técnicos en la transformación de la materia histórica o novelesca en materia teatral. No partirán, en este aspecto, del cero absoluto. Y esto no hay que olvidarlo.

Andrés Rey de Artieda

En 1581 este caballero valenciano, que frecuentó la Academia de los Nocturnos, donde se reunían los escritores valencianos, publicó la tragedia *Los Amantes,* inspirada en la leyenda de los amores de Isabel de Segura y Diego Marsilla. Es el único drama que nos queda de Rey de Artieda, y debió de ser escrito en su juventud. Del mismo modo que Bermúdez, al elegir como tema de tragedia una leyenda, se separaba de la tradición, y tenía que enfrentarse con el mismo problema que aquél. Lo resolvió de manera un poco distinta: se separó más radicalmente de la imitación clásica. El resultado fue una obra mediocre, donde resalta la inexperiencia del autor y la falta de modelos. Las escenas trágicas han sido escamoteadas y nos son contadas, en lugar de «presentadas».

Rey de Artieda antepuso a su tragedia una dedicatoria a don Tomás de Vilanova, donde expone sus ideas estéticas. De ellas se deduce que su concepción de la tragedia difiere de la de los trágicos de tendencia clásica. Para él la tragedia es, fundamentalmente, choque de pasiones. En lugar de supeditar el personaje a la acción, supedita ésta al personaje. Con plena conciencia de romper con los clásicos para acomodarse a lo que piden los tiempos, suprime los coros. «Lo antiguo al fin se acaba», escribe. Me parece muy importante esta conciencia que el autor tiene de estar intentando algo nuevo. Si tenemos en cuenta que *Los Amantes* es anterior a las primeras tragedias de Juan de la Cueva, captaremos, aunque su tragedia no sea una buena tragedia, lo que de inédito y nuevo intentaba Rey de Artieda. Históricamente, *Los Amantes,* por lo que tiene de actitud nueva, es un paso hacia adelante en nuestro teatro. Un paso que, unido a otros muchos de esta generación de trágicos, despeja el camino hacia la conquista de nuestro teatro del Siglo de Oro.

Cristóbal de Virués

Valenciano como Rey de Artieda, y como éste soldado, aunque con dedicación más absoluta a las armas, intervino en Lepanto y vivió casi toda su vida fuera de su patria, por la que sentía gran nostalgia. Da la impresión de ser uno de esos hombres hechos de una pieza. Es autor de un largo poema *(El Monserrate),* de varias poesías y de cinco tragedias. Junto con Juan de la Cueva es el dramaturgo de más empuje entre nuestros trágicos. En 1609 publica sus *Obras trágicas y líricas.* Sin embargo, sus tragedias las escribió mucho antes, en fecha incierta comprendida, aproximadamente, entre 1575 y 1585. Virués es hombre serio y reflexivo. Ha vivido una vida rica en experiencias. Al meditar sobre ellas se da cuenta de que la ambición, la fortuna y el amor dirigen la vida del hombre, impidiéndole la paz interior y la felicidad. En sus tragedias, escritas desde un temple de severo moralista, denuncia a esos tres enemigos de la vida humana que aparecen como motores de la acción trágica. El Virués dramaturgo gozó de gran consideración entre los dramaturgos del siglo XVII. Lope de Vega le dedica versos entusiásticos. En cambio, no ha tenido buena prensa entre los críticos modernos. A mi juicio, pese a todos los defectos de su obra dramática, es, sin embargo, uno de los mejor dotados para la tragedia. Como dramaturgo es uno de los más consecuentes con la idea que de la tragedia tiene. Esta idea es equivocada, cierto, y le lleva a tomar como modelo la tragedia estilo Séneca. Sus héroes son verdaderos ejemplos de anormalidad. El erotismo y la ambición que los mueven son, más que pasiones, frutos desmesurados de un instinto exacerbado a la máxima potencia. Los crímenes y las atrocidades a que esos instintos los conducen se suceden vertiginosamente para acumularse, en tremendo paroxismo, al final de la pieza. Estos personajes, reducidos a puro instinto, son verdaderos monstruos. Monstruosos son Semíramis (en *La gran Semíramis),* Casandra (en *La cruel Casandra)* y, sobre todo, Atila (en *Atila furioso).* Pocas veces nos conmueven o nos admiran. Generalmente nos repugnan o, simplemente, no los tomamos en serio. De igual modo, nos fastidian los largos parlamentos de intención moralizadora. Y, sin embargo, hay cierta grandeza —la grandeza de lo monstruoso y de lo anormal, si se quiere— en sus tragedias. Hay tragedias, como *La gran Semíramis* y *La cruel Casandra,* en la que Virués muestra poseer un sentido del teatro mucho mayor que el de un Bermúdez, un Rey de Artieda o un Argensola y, en muchas escenas, más que el mismo Juan de la Cueva. La acción, técnicamente, pese a todas las demesuras de los personajes, está bien llevada. A veces es compleja la intriga, pero su autor la domina, teatralmente hablando. Nadie como Virués, a pesar de que, a veces, falle, ha sabido desarrollar, entre sus contemporáneos, una intriga. Las peripecias son muchas, demasiadas en ocasiones, pero el dramaturgo las domina. Excepto *Elisa Dido,* construida según las normas de la preceptiva clásica, Virués no respeta las unidades de tiempo y de lugar. Cada vez, a medida que avanza en su producción, se permite mayores libertades en la estructura de la tragedia hasta, en *La infelice Marcela*, mezclar lo trágico con lo cómico. Aunque la llama tragedia, esta pieza ya no lo es.

Hombre dotado excelentemente para el teatro, con una visión coherente de la vida humana, su errónea concepción del género trágico le lleva a un tipo de tragedia sin posible salida. Sólo le cabía amontonar sucesos terribles y acumular muerte sobre muerte. A la disposición de esta mecánica del crimen puso su talento para anudar intrigas y su lenguaje noble, con patetismo de buena ley en algunas escenas.

Lupercio L. de Argensola

Este aragonés de mente aristocrática, poeta excelente, como dramaturgo es ejemplar para la historia de nuestra tragedia del siglo XVI. Ejemplar no tanto por lo que hizo, sino por lo que, conscientemente, dejó de hacer. Escribió en su época de estudiante universitario tres tragedias *(Filis, Alejandra* e *Isabela),* la primera de las cuales se ha perdido. Después dejó de escribir teatro. Su teatro —y, en general, *ese teatro*— no interesaba. Lope de Vega, y con él otros muchos, escribían un teatro nuevo, o, mejor, *otro* teatro. Y ése es el que triunfaba, el que exigía el público, consciente de sus gustos y de sus apetencias. Argensola protesta contra ese *otro* teatro y lo ataca. No responde a sus ideas sobre el arte dramático ni al fin eminentemente educador y moralizador de éste. Pero en lugar de seguir escribiendo, se calla. Su idea de la tragedia no tiene vigencia alguna. A diferencia de Virués, de Juan de la Cueva o, incluso, del mismo Cervantes, que adoptan un compromiso con las nuevas tendencias o que, con más o menos consecuencia, van a dar en ellas, Argensola —ejemplar en esto— no escribe ninguna tragedia más. Lo que se venía incoando durante el periodo de transición en que este grupo de dramaturgos escribe su obra, ha triunfado plenamente. Ellos mismos, al romper con los clásicos, al buscar sus temas en la historia, al poner en circulación un lenguaje dramático más rico que el de las farsas y comedias, al dotar de mayor complejidad a la intriga, han favorecido la eclosión del nuevo teatro. Históricamente han cumplido una misión, nada despreciable, en la evolución de nuestro teatro. Han poblado los tablados de pasiones humanas —no importa si desmesuradas—, han aportado figuras heroicas —no importa si monstruosas—, han elevado la dignidad del arte dramático y, finalmente, han sabido independizarse del teatro culto y del teatro eclesiástico. El teatro ya no es un ejercicio retórico, ni un servicio seudorreligioso ni un botín de farandularos. El teatro tiene en sí mismo su fin. Ha adquirido su mayoría de edad y, con ella, su libertad artística.

Argensola, con sus tragedias, es algo así como el último náufrago de la tragedia del siglo XVI. Por otra parte, las dos tragedias que de él nos han llegado son, teatralmente, las peores: enojosas, pesadas y aburridas. A diferencia de Virués, Argensola no tenía sentido de lo teatral. Gran estilista, escribió espléndidos versos. Moralista, moralizó. Pero no supo anudar una intriga ni desarrollar, con técnica pura y simplemente dramática, una acción. Y, lo que es peor, no supo hacer caer el telón cuando debía caer. Pésimo dramaturgo, excelente escritor y hombre que supo —¡eso sí!— callarse a tiempo.

Gabriel Lobo Lasso de la Vega

Es el dramaturgo de la liquidación de la tragedia. Escribió dos (*La honra de Dido restaurada* y *La tragedia de la destrucción de Constantinopla*) en donde se han volatilizado ya casi todos los elementos que dieron cierto aire de familia a los trágicos anteriores. Están más cerca del drama histórico del Siglo de Oro que de la tragedia. Por el número y variedad de sus personajes —hombres, animales y seres mitológicos— y por el carácter decorativo de muchas de sus escenas, tiene más de espectáculo teatral que de pieza dramática. La ruptura con el concepto clásico de tragedia es total.

El telón ha caído definitivamente sobre la tragedia estilo siglo XVI.

En conexión con el grupo de dramaturgos valencianos y en el centro mismo de las distintas corrientes teatrales que hicieron de Valencia una importante sede del teatro de fines del siglo XVI y principios del XVII, encontramos al librero y editor Juan de Timoneda (1520?-1583). El polifacético Timoneda, hombre despierto a todos los vientos y modas literarias, editó el teatro de Lope de Rueda y algunas piezas del teatro grecolatino, dos de las cuales son adaptaciones bastante libres de sendas comedias de Plauto: *Anfitrión y Menemnos.* En *La Turiana,* colección de obras en verso, publicada en 1564, reúne piezas cómicas cortas, directamente influidas por los pasos de Lope de Rueda, comedias y farsas de corte italiano y una tragicomedia, de asunto clásico, cuyo título es *Tragicomedia llamada Filomena,* en donde intentando, sin duda, satisfacer el gusto del púbico, da papel relevante al personaje cómico Taurino, mezcla del bobo del teatro anterior y del gracioso del teatro posterior, funde elementos trágicos y cómicos, introduce elementos líricos y construye una acción con lances variados[39]. Por otra parte, situándose en la tradición del teatro religioso, publica sus *Ternarios Sacramentales* (uno en 1558, dos en 1575), que comprenden *autos* que están, por su estructura dramática, a mitad de camino entre el teatro religioso anterior y los *autos* lírico-religiosos de Lope. Timoneda, sea simple refundidor o creador, es indudable que ocupa entre sus coetáneos el puesto de escritor «radar» sensible a todas las señales del teatro de su tiempo.

VII. Juan de la Cueva y Cervantes

Ambos pertenecen al grupo de dramaturgos anteriores por una parte de su obra dramática, pero llegan más allá que aquéllos —sobre todo Cervantes— al escribir varias piezas que ya participan, estructural y temáticamente, en la nueva fórmula del teatro nacional. Conviene por ello, en razón de la importancia histórico-literaria —Cueva— o estético-literaria —Cervantes— de su teatro, estudiarlos aparte.

1. Juan de la Cueva

Escribe el gran hispanista francés Marcel Bataillon, en un agudo artículo[40], que los críticos e historiadores de la literatura han dado al sevillano Cueva un valor y una estimación que no se corresponde con el valor real de su obra ni con la estimación de que gozó entre sus contemporáneos, que le olvidaron casi completamente. La causa de tal contradicción la encuentra Bataillon en el hecho de que Cueva, a diferencia de la mayoría de sus coetáneos dramaturgos, se cuidó de publicar su obra. Contra esta negación de la importancia de Cueva, han reaccionado varios críticos.

Tratemos, sin dar nuestro asentimiento total a una u otra actitud, de valorar, con la mayor objetividad posible, el arte de este dramaturgo.

En 1588 publica Juan de la Cueva la primera parte de sus *Comedias y Tragedias* (la segunda no apareció nunca) en la que reúne catorce piezas, representadas todas en Sevilla entre 1579 y 1581.

---

[39] A Rinaldo Froldi le parece esta obra «la más significativamente empeñada en la realización de un teatro que consiguiera un feliz equilibrio entre la agilidad mímica de los *pasos* y el carácter más literario de las obras destinadas hasta entonces solamente a la lectura». (*Lope de Vega y la formación de la comedia,* Salamanca, Anaya, 1968, pág. 79.)

[40] «Unas reflexiones sobre Juan de la Cueva», hoy en *Varia lección de clásicos españoles,* Madrid, Gredos, 1964, págs. 206-213.

Cuatro llevan el título de tragedias y el resto de comedias, sin otro criterio para su división que el de final infeliz y catastrófico o final feliz y risueño. Cueva, en su *Exemplar poético,* del que hablaré después, define la comedia como ««poema activo/risueño, y hecho para dar contento». Con mayor o menor unanimidad los críticos coinciden en calificar a nuestro autor de improvisador e innovador. La primera calificación explicaría todas las deficiencias y errores de su teatro. La segunda, el puesto destacado, como inmediato precursor de Lope de Vega, y como iniciador de nuevos caminos dramáticos. Detengámonos en este segundo aspecto. La producción teatral de Cueva es, temáticamente, más variada que la de los trágicos ya estudiados. Busca sus temas no sólo en la historia clásica, sino en la historia nacional e, incluso, en la historia contemporánea. Héroes del Romancero y la épica tradicional castellana, como el rey don Sancho, Bernardo del Carpio y los infantes de Lara saltan al tablado, convirtiéndose en personajes dramáticos.

Asimismo, sucesos contemporáneos, como el saco de Roma, se convierten en materia dramática. Lo primero que destaca, pues, en Juan de la Cueva, es la multiplicidad de fuentes adonde el dramaturgo va a buscar sus temas y sus personajes. Ovidio, Virgilio, Tito Livio le suministran materiales para *Ayax Telamón, La muerte de Virginia* y *La libertad de Roma, por Mucio Cévola;* las crónicas y los romances legendarios, para *La muerte del Rey Don Sancho y reto de Zamora, La libertad de España por Bernardo del Carpio* y *Los siete infantes de Lara;* otras veces combina elementos de la comedia latina con otros novelescos a los que añade episodios y situaciones de su propia invención. Esta utilización de las fuentes más variadas, y especialmente de las que proceden de la historia española, es la que ha hecho considerar a Juan de la Cueva como iniciador y maestro de Lope de Vega. Este dramaturgo ocuparía así un lugar destacado en la historia de nuestro teatro: en él se entrecruzarían las formas dramáticas que están a punto de comenzar. A él le cabría el mérito —no pequeño, históricamente— de haber puesto sobre los tablados españoles personajes y sucesos de la historia nacional y de la historia contemporánea, abriendo así amplio cauce a nuestra escena. Nadie, en su tiempo, «atribuyó a Juan de la Cueva el honor de esta importante innovación», escribe Bataillon. Tal vez, sigue diciendo, porque «esta novedad surgiera antes de 1579, y quizá en varios puntos de la península, al mismo tiempo: tan natural pareció que nadie pensó en arrogarse la paternidad». Es posible; es, incluso, presumible que muy bien pudo ser así. Pero no es, ni mucho menos, seguro. Y mientras no existan textos que aporten pruebas, podemos seguir considerando a Juan de la Cueva como el dramaturgo que enriquece la escena española con temas y personajes de la historia nacional, que, después de él, serán de capital importancia en nuestro teatro del siglo XVII. Pero esto no significa que sea Cueva el iniciador del drama histórico nacional, creación artística superior y sin comparación con la obra del sevillano, y que supone una capacidad de síntesis dramática que nunca se encuentra en su teatro. Juan de la Cueva es un dramaturgo no mejor ni peor que los de su generación, típico representante de este periodo de transición que adivina muchas cosas, pero que no acierta plenamente ninguna.

Sus tragedias se apartan muy poco del tipo de tragedia presentado en el epígrafe anterior. El príncipe Lysímaco, protagonista de *El príncipe tirano,* tragedia en dos partes, aunque su autor llame comedia a una y tragedia a la otra, es un personaje de pesadilla, que comete los crímenes más crueles y cuya vesania apenas tiene par en el teatro español, ni siquiera en Virués. Lo tremendo de este personaje es la ausencia de finalidad en todos sus actos, la absoluta gratuidad de todos ellos. Cuando uno de los personajes, horrorizado por lo que el príncipe acaba de hacer, le pregunta: «¿Qué te movió a hacer maldad tan fiera?», responde éste:

> ¿Qué ha de moverme más que ser mi gusto
> y querer yo quel mundo todo muera?

La respuesta es impresionante y nos hace desear un estudio sociológico de todos estos héroes máximos de la anormalidad que pueblan nuestras tragedias. ¿Cuál es su parentesco con los personajes inadaptados, condenados al sufrimiento y a la desgracia, abocados al crimen, al delirio, a la locura y el desastre que suben a los tablados ingleses de fines del siglo XVI? ¿Por qué en ellos, como en el Lysímaco de Cueva o en el Atila de Virués, ese frenético afán de destrucción, de violencia y de muerte? ¿Por qué esa atracción del dramaturgo por el criminal o el asesino? ¿Qué relación honda entre estos individuos monstruosos y la sociedad de los dramaturgos que los han creado? Juan de la Cueva —y en esto sí es distinto a sus coetáneos— adopta ante los crímenes de sus personajes una actitud impasible, libre de toda valoración moral, como si ésta no rigiera o no fuera necesaria en el universo del drama. En sus dramas de asunto nacional, los llame tragedia (infantes de Lara), o comedia (rey don Sancho, Bernardo del Carpio) nos damos cuenta en seguida de que no ha sabido aprovechar dramáticamente toda su riqueza ni captar su espíritu ni sus más entrañables valores.

La acción suele ser muy desigual, notándose en ella las consecuencias de esa capacidad de improvisación de su autor que le lleva a descuidar el plan de la obra y a romper continuamente el ritmo dramático. Puede servir de ejemplo la *Comedia de la muerte del rey don Sancho y reto de Zamora.* El primer acto es excelente: los caracteres, aunque sin demasiada profundidad, están bien dibujados, hay una motivación de las acciones. La muerte del rey don Sancho tiene el sentido de un castigo por haber faltado a un juramento; la traición de Vellido Dulfos responde a una doble motivación: salvar a la ciudad y alcanzar fama; el Cid y doña Urraca están presentados con sobriedad y son convincentes; el ritmo es acertado. Pero la bondad teatral de la pieza acaba cuando acaba el primer acto. Los otros tres son lentos, discursivos, de andadura narrativa, ejemplarmente antidramáticos. En otras ocasiones, como en *Los infantes de Lara,* la acción comienza demasiado tarde, desaprovechando importantes elementos dramáticos de la leyenda, convertidos por Cueva en larga narración puesta en boca de varios personajes. Lo que fracasa aquí es la *dramatización* de la leyenda, no sólo por no dar con la forma teatral idónea, sino por no entender el espíritu de la leyenda. Juan de la Cueva se atrevió —de ahí su significación histórico-literaria— con un material inédito, pero sin descubrir su sentido ni su trascendencia.

De entre las comedias de asunto novelesco se ha destacado *El Infamador,* considerada como la más interesante de sus piezas. Valbuena Prat ha llegado a ver en su protagonista Leucino un precedente del Don Juan. Icaza, editor de Cueva y uno de sus mejores críticos, niega tal opinión y considera a Leucino como un simple difamador. Si Juan de la Cueva hubiera sabido prescindir de la intervención de seres mitológicos como Némesis, Venus, Morfeo y compañía, a todas luces desplazados e inoportunos en el ambiente realista de la pieza, no cabe duda que hubiera creado una obra realmente interesante, muy cercana a la comedia del siglo XVII por sus personajes de carne y hueso, sus lances amorosos, el dinamismo de la acción y su pintura de costumbres urbanas. Esa mezcla heterogénea de dos mundos dramáticamente contradictorios, difícilmente armonizables y, aquí, en absoluto armonizados, muestran, no sólo lo alejado que nuestro autor estaba del nuevo arte que Lope instaura, sino algo mucho más decisivo: la confusión del arte dramático de Juan de la Cueva. Cuanto inició, lo inició por casualidad, o, en todo caso, de manera irresponsable, sin conciencia artística de lo que hacía. Su innovación tuvo mucho de audacia y poco de reflexión.

Por lo que se refiere a Leucino, nos parece más acertado el parecer de Icaza que el de Valbuena Prat. Leucino no tiene nada de Burlador. No es él, sino su dinero, quien consigue conquistar a las mujeres, y no a todas. Aparte de otras cosas, lo que Juan de la Cueva pretende con este personaje, por lo menos al principio, es criticar, como ya habían hecho otros dramaturgos anteriores, la importancia del dinero en la sociedad contemporánea. La reiteración de este motivo es bastante significativa a lo largo de toda la primera escena. Para que no quede ninguna duda, he aquí lo que el mismo Leucino declara:

> pues sabes que no hay dama que rendida
> no traiga a mi querer por mi dinero,
> y no por ser ilustre caballero.

¿Cabe afirmación más opuesta a la psicología profunda de Don Juan, basada en la persona y nunca en el dinero, en el ser y no en el tener? Leucino, en efecto, no es más que un difamador, y esto por cobardía.

Cueva, en los penúltimos años de su vida, se convirtió en teórico, dejándonos en su *Exemplar poético,* repartidas en tres epístolas, unas cuantas ideas literarias. Sus ideas acerca del teatro están en la tercera epístola. No son una meditación sobre su propia obra dramática, ya alejada en el tiempo, sino una defensa de la nueva Comedia en pleno triunfo ya. Cueva rompe una lanza, valientemente, por la nueva dramaturgia, y reclama su parte como iniciador. Su defensa de la libertad artística del teatro español se basa en las nuevas necesidades que los nuevos tiempos han traído consigo. No es por ignorancia del arte, sino por voluntad de acomodación a la edad presente, por lo que los dramaturgos españoles han arrinconado reglas y preceptos clásicos. Tiempo nuevo, arte nuevo. «A la ingeniosa fábula de España», es propia «la invención, la gracia y traza». Este testamento literario pone de manifiesto dos aspectos de la personalidad de Cueva que me parecería injusto silenciar: su nobleza intelectual, que le lleva a saludar con júbilo un arte dramático que no es el suyo, y su terca voluntad, olvidado ya como autor, de reclamar su participación en el triunfo de ese nuevo arte, como si en él viera realizado lo que él quiso y no supo conseguir. Espíritu abierto, audaz, buscador de nuevos argumentos para su teatro, pero irreflexivo, confuso, Juan de la Cueva se yergue ante nosotros en la encrucijada de todos los caminos del arte dramático de su tiempo, atendiendo a todas las solicitaciones, sin genio suficiente para abrir la puerta que, tal vez, adivinaba. En un imaginario museo del teatro su estatua debería ser colocada en el umbral que separa y une lo antiguo y lo nuevo. Llevaría una venda en los ojos y tendría las manos tendidas hacia el futuro.

2. Cervantes

El drama de una vocación

Cervantes mantuvo siempre viva, a lo largo de su azarosa vida, su vocación de dramaturgo. En 1581, de regreso a España, después de cinco años de cautiverio en Argel, fracasadas sus ilusiones de que se le reconozcan sus indudables méritos como soldado, lleva durante algún tiempo una existencia bastante descentrada. Se vuelve hacia las letras y parece querer recuperar los años perdidos y ocupar un puesto entre los escritores contemporáneos. En 1583 obtiene el privilegio para la publicación de *La Galatea.* Al mismo tiempo ha vuelto sus ojos hacia el teatro. Domina en éste la desorientación de que ya hemos hablado. Se han estrenado unas cuantas tragedias. Entre 1583 y 1587 Cervantes escribe piezas dramáticas. Según él, más de veinte comedias suyas fueron estrenadas en Madrid con aplauso del público. De su producción teatral de esos años nos han quedado dos obras *(El trato de Argel,* comedia, y *El Cerco de Numancia,* tragedia). De pronto, cesa esa intensa actividad dramática. En el prólogo que a sus *Comedias y Entremeses* puso en 1615, escribe:

> que se vieron en los teatros de Madrid representar *Los tratos de Argel,* que yo compuse, *La destrucción de Numancia* y *La batalla naval,* donde me atreví a reducir las comedias a tres jornadas, de cinco que tenían; mostré, o, por mejor decir, fui el primero que representase las imaginaciones y los pensamientos escondidos del alma, sacando figuras morales al teatro, con general y gustoso aplauso de los oyentes; compuse en este tiempo hasta veinte comedias o treinta, que todas ellas se recitaron sin que se les ofreciese ofrenda de pepinos ni otra cosa arrojadiza: corrieron su carrera sin silbos, gritas ni baraúndas. Tuve otras cosas en que ocuparme, dejé la pluma y las comedias, y entró luego el monstruo de naturaleza, el gran Lope de Vega, y alzóse con la monarquía cómica...

Cuando Cervantes escribe este prólogo tiene ya sesenta y ocho años. Han pasado casi treinta años desde que escribió sus primeras comedias. No es extraño que sus recuerdos estén un poco confusos. Se atribuye cosas que no descubrió él, como la reducción de los cinco actos a tres. Otros dramaturgos se atribuyeron también la paternidad de esa innovación. Confiesa que otras obligaciones le obligaron a dejar de escribir teatro. En seguida rinde homenaje a Lope de Vega. Pero esto lo escribe cuando ya Lope y el nuevo teatro habían triunfado plenamente. En 1587 debió de suceder de distinta manera. Cervantes concebía entonces el teatro de diverso modo que Lope de Vega, y no podía aceptar la fórmula dramática que iba a imponerse. Por boca del canónigo de *Don Quijote* (I, XLVIII) ataca la comedia, en términos tales que no cabe dudar de la franca oposición cervantina. Si Cervantes dejó de escribir teatro no fue porque otras cosas se lo impidieran, sino porque su teatro ya no atraía al público. Cuando años después vuelva a escribir comedias, sin abandonar del todo su anterior concepción del teatro, no tendrá más remedio que aceptar un compromiso con las nuevas leyes de la *Comedia* triunfante. En *El rufián dichoso,* escrita hacia 1597, introduce al principio del segundo acto un diálogo entre la Curiosidad y la Comedia en el que se justifica —ante sí mismo, claro está, ante su propia conciencia de dramaturgo— de haber aceptado las nuevas normas, incurriendo en lo que años después condenaría por boca del canónigo. Esos cambios que parecen contradictorios son, en última instancia, signo de la vocación dramática de Cervantes, que no renunciaba a escribir teatro, aunque para ello, en contra de sus convicciones, tuviera que acomodarse a las nuevas modas. Aun a riesgo de que en él se contradijeran el teórico, que no renuncia a su teoría, y el autor, que pacta con la nueva praxis, Cervantes no resiste a su vocación teatral. Pese a este pacto, que como autor le llena de escrúpulos, sus nuevas comedias no tienen éxito. En el prólogo de 1615 escribe estas líneas que son un testimonio de su desencanto de dramaturgo a la vez que de sus esfuerzos por salvar esa vocación que ve frustrada:

> Algunos años ha que volví yo a mi antigua ociosidad y, pensando que aún duraban los siglos donde corrían mis alabanzas, volví a componer algunas comedias; pero no hallé pájaros en los nidos de antaño; quiero decir que no hallé autor que me las pidiese, puesto que sabían que las tenía, y así, las arrinconé en un cofre y las consagré y condené al perpetuo silencio. En esta sazón me dijo un librero que él me las comprara, si un autor de título no le hubiera dicho que de mi prosa se podía esperar mucho, pero que del verso, nada; y, si va a decir la verdad, cierto que me dio pesadumbre el oírlo, y dije entre mí: «O yo me he mudado en otro, o los tiempos se han mejorado mucho, sucediendo siempre al revés, pues siempre se alaban los tiempos pasados.» Torné a pasar los ojos por mis comedias, y por algunos entremeses míos que con ellas estaban arrinconados, y vi no ser tan malas ni tan malos que no mereciesen salir de las tinieblas del ingenio de aquel autor a la luz de otros autores menos escrupulosos y más entendidos. Aburríme y vendíselas al tal librero... (...) Querría que fuesen las mejores del mundo, o a lo menos razonables; tú lo verás, lector mío, y si hallares que tienen alguna cosa buena, en topando a aquel mi maldiciente autor, dile que se enmiende, pues yo no ofendo a nadie, y que advierta que

no tienen necedades patentes y descubiertas, y que el verso es el mismo que piden las comedias...

No debió de ser poco el disgusto de Cervantes cuando se vio obligado a guardar sus comedias en el cajón, visto el ningún interés que los directores de compañías tenían en aceptárselas. Y así, adaptándose a los nuevos gustos, compone para ser estrenado y termina por entregarlas a la estampa. En todo el prólogo notamos su nostalgia por aquel tiempo ya pasado, en que el público de Madrid las aplaudió y su empeño de seguir escribiendo teatro [41].

La *tragedia* Numancia

La Numancia es la mejor tragedia española del siglo XVI y una de las más importantes del teatro español. A lo largo de más de dos centurias quedó olvidada. Durante las guerras napoleónicas, los españoles de Zaragoza, que viven en propia carne el drama de la guerra, el hambre y la muerte de los numantinos, resucitan la tragedia cervantina. Durante el sitio de Madrid, el poeta y dramaturgo Rafael Alberti vuelve a montar *La Numancia* y, adaptándola a las circunstancias, viste a los romanos de fascistas de Mussolini. En esas dos ocasiones España toma conciencia de la *actualidad* de la tragedia de Cervantes. En 1937 el gran director y actor francés Jean-Louis Barrault monta en París *La Numancia,* con extraordinario éxito. En 1965, el mismo Barrault vuelve a montarla en París. No ya sólo España, sino Europa, toma conciencia de que el drama cervantino sigue vivo, pleno de fuerza y de significación. En 1966, Narros la monta en Madrid.

La vitalidad de *La Numancia* se debe, primordialmente, a la emoción humana que la llena. Sus personajes están concebidos a escala humana. No importa en qué tiempo, ni bajo qué circunstancia e ideologías cada pueblo, cada hombre, puede identificadse con ellos.

Tres grandes europeos del siglo XIX, Schlegel, Schopenhauer y Goethe admiraron entusiasmados esta tragedia. Llegó a considerarse, desde criterios exclusivamente estéticos, propios del Romanticismo, que su valor era tan grande como el de *Los persas* y *Los siete contra Tebas,* de Esquilo.

El argumento, reducido a su esquema dinámico, es el siguiente: hace años que la ciudad de Numancia está cercada por el ejército romano. Los soldados de Escipión, debilitadas sus virtudes guerreras por el placer y la ociosidad, no pueden acabar con los numanti-

---

[41] Otras declaraciones cervantinas sobre el teatro pueden verse en *Adjunta del Parnaso* y *El coloquio de los perros.*

nos. El gran general romano, levantando la moral de sus soldados, decide acabar con los sitiados haciendo más duro el cerco. Los numantinos envían parlamentarios para obtener un armisticio y, rechazando éste, proponen un singular combate. Su situación se hace desesperada. Todos los presagios les son contrarios. Antes que entregarse, llegados a una situación límite, se deciden al sacrificio colectivo arrojándose todo el pueblo, con sus bienes, a una enorme hoguera. Cuando los romanos entran no encuentran más que un montón de escombros y cenizas. El último superviviente, casi un niño, se arroja desde lo alto de una torre, ante los ojos admirados del enemigo.

La obra está dividida en cuatro actos. En el primer acto nos es presentado el general enemigo. Sus palabras muestran en él nobleza, pericia militar, conocimiento de la guerra y valor. Desde el principio, Cervantes tiene el acierto de no presentar al antagonista negativamente. Al dotarlo de grandeza, hace más gloriosa la resistencia de los numantinos y mantiene así el alto nivel de la tragedia, cuya grandeza no permite la presencia de elementos mezquinos e innobles. Por otra parte, en la realidad histórica de Cervantes, en plena gloria de España, eran los ejércitos y generales españoles quienes hacían el papel de sitiadores [42]. Los romanos de *La Numancia* no podían ser menos grandes que los españoles de la Europa del siglo XVI. Sigue a esta escena inicial la embajada de los emisarios numantinos. Su embajada es rechazada. La tercera escena deja paso a dos majestuosas figuras: España y el Duero. El Destino ha decretado la destrucción de Numancia. Pero a España le esperan días de gloria, días en que se levantará por encima de todas las naciones para asombro del mundo. La victoria de los romanos será transitoria, porque el pueblo que ahora es vencido ha sido elegido para hacer triunfar una causa santa, y en defensa del más alto ideal. La profecía del Duero, que desde la perspectiva del dramaturgo y del espectador, es profecía del pasado, tiene una doble función dramática: cara al espectador es una exaltación de su presente histórico; cara a la acción de la tragedia da al acontecer histórico un sentido trascendente. A partir del segundo acto, y hasta el final de la pieza, la acción se concentra en el interior de los muros de Numancia. Mediante cuadros rápidos Cervantes hace desfilar ante nosotros todos los horrores de la guerra, individualizados en el vivir cotidiano de unos personajes. Son ellos los que nos hacen penetrar en el corazón de la tragedia de los sitiados. La pareja de enamorados, la madre con su hijo, las mujeres, los gobernantes, los sacerdotes, nos hacen vivir, desde distintos ángulos, los desastres de la guerra, del hambre, de la enfermedad.

---

[42] Ver Robert Marrast, *Cervantes,* París, 1957. Ver también el libro de Alfredo Hermenegildo *La «Numancia» de Cervantes,* Madrid, 1976.

Si en el primer acto la guerra nos es presentada en lo que de grandioso tiene, ahora la vemos en lo que tiene de inhumana y cruel. El heroísmo colectivo del pueblo, que se arrojará a las llamas, cobra toda su grandeza trágica, porque Cervantes ha sabido ponernos en contacto, mediante esas escenas rápidas, con el drama individual de un puñado de numantinos, enraizado cada uno en sus propios sentimientos. De todos estos cuadros el más desgarrador es el de la madre con una criatura en los brazos desesperadamente hambrienta:

MADRE:
¿Qué mamas, triste criatura?
¿No sientes que, a mi despecho,
sacas ya del flaco pecho,
por leche, la sangre pura?
Lleva la carne a pedazos
y procura de hartarte,
que no pueden ya llevarte
mis flacos, cansados brazos.

Cervantes, con extraordinario arte, levanta sobre el tablado un insuperable retablo de la guerra, la muerte y el hambre, válido para todos los tiempos y para todos los hombres, y en él introduce la nota pura del amor.

Son muchos, sin embargo, los reparos que los críticos han puesto a la tragedia. Podemos resumirlos en los siguientes puntos: 1) la intervención de personajes alegóricos destruye la verosimilitud dramática; 2) el tema de la tragedia es más propio de la epopeya que del teatro; 3) falta de acción central y exceso de episodios. No es éste el lugar para hacer una crítica pormenorizada de esas críticas. Sólo brevemente podemos contestarlas. Todas ellas tienen un defecto común: estriban en una limitada concepción del teatro. Desde esa concepción serían igualmente inadmisibles casi todo el teatro de Bertol Brecht o, por ejemplo, obras como *El estado de sitio,* de Albert Camus, o *Los siete contra Tebas,* de Esquilo. En *La Numancia* los personajes alegóricos o fantásticos no destruyen la verosimilitud dramática, porque a diferencia de los personajes mitológico-alegóricos de *El Infamador,* de Juan de la Cueva, no intervienen en el desarrollo de la trama, al mismo nivel de los demás personajes, alterándola o modificándola, sino que se mantienen por encima del «mundo histórico» de romanos y numantinos, como fuerzas superiores y tracendentes con función de símbolos. En la estructura de *La Numancia* es fundamental esa superposición de niveles dramáticos. Sólo un concepto limitadamente realista de *lo dramático* puede alegar como inverosímil la intervención de los personajes alegóricos en la tragedia cervantina. En cuanto al punto 2) carece de sentido, ya que lo decisivo no es si el tema es propio de la epopeya, sino si el autor ha convertido en drama, en acción teatral ese tema. Todos los grandes dramaturgos han hecho teatro con temas épicos, novelescos o históricos. Piénsese en Lope de Vega o Shakespeare. Cervantes, en *La Numancia,* ha traspuesto el tema a clave dramática y ha construido un drama. En *La Numancia* el tema es ya dramático. Por último, lo que la crítica ha llamado episodios, no son tales, sino, justamente, la verdadera acción central de la tragedia de los numantinos. Una acción vista *dramáticamente* por Cervantes desde diversas perspectivas, a fin de que el espectador *pueda ver* —y eso es puro teatro— qué les pasa a los numantinos encerrados entre los muros de su ciudad, y cuál es la calidad humana de su heroísmo colectivo, pero concreto.

Si *La Numancia* es muy superior a las tragedias de los dramaturgos de su generación es, además de por su emoción humana de validez universal, por la sobriedad de la palabra y por la unidad de pensamiento y sentimiento. Cervantes ha acertado a no caer en las dos grandes tentaciones de los trágicos de su generación: la palabra declamatoria y la escisión de moral y acción trágica.

Las comedias

El trato de Argel, perteneciente a la primera época de Cervantes, es, como nos dice uno de los personajes al final de la comedia, «trasunto de la vida de Argel y trato feo». Como pieza teatral es un conjunto de cuadros de la vida del cautiverio, protagonizados por unos cuantos personajes, cuya misión es presentar algunos de los aspectos fundamentales de la vida del cautiverio. Una doble intriga enlaza a los personajes y hace progresar la acción, mucho menos importante que las actitudes que encarnan los personajes. La obra plantea una serie de problemas políticos, patrióticos y religiosos, cuya importancia estriba más en sus contenidos ideológicos que en su realización dramática. El espectador asiste al choque de cristianismo e islamismo, postulados como irreconciliables, a la exaltación del heroísmo del cautivo español, a sus dolores y a sus tentaciones, y a su liberación final por los trinitarios que vienen a rescatarlos. Pero Cervantes, a pesar de lo que en esta obra ha puesto de cosa vivida y sentida, no consigue crear un drama valioso.

El tema del cautiverio, tan importante en la obra novelesca cervantina, lo volverá a tratar en tres de sus comedias de la segunda época: en *El valeroso español,* más novelesca que dramática, que nada nuevo aporta a la comedia de moros y cristianos; en *La gran sultana,* comedia hábilmente construida, con excelentes situaciones cómicas, en donde el mundo heroico ha sido sustituido por el puro juego teatral, conducido hasta su final feliz por el ingenio y la fantasía de Cervantes; y en *Los baños de Argel,* refundición libre o recreación ampliada, esta vez de mayor valor dramático, de *El trato de Argel.* La ideología cristiana y patriótica que en ésta quedaba encomendada al discurso, aquí se hace acción. Esta vez el testimonio que Cervantes quiere dar, testimonio de cosa vivida y sentida, el mismo que le llevó a crear años antes *El trato de Argel,* encuentra la forma dramática idónea. El drama de los cautivos interesa no ya por la intención que lo sustenta, sino por su acción y los personajes en ella comprometidos. Cervantes consigue equilibrar su teoría del teatro con las leyes internas de la «comedia nueva», uniendo así el cuidado en la caracterización moral de los personajes con el dinamismo de la acción y alternando las escenas trágicas con las cómicas.

Sus dos mejores aciertos como dramaturgo son, en esta segunda etapa, *El rufián dichoso* y *Pedro de Urdemalas.*

El rufián dichoso es una «comedia de santos» cuya acción está estructurada en torno a un personaje central, Cristóbal de Lugo, cuya conversión constituye el centro vital del universo dramático de la pieza. En el primer acto vemos al protagonista inserto en el mundo pintoresco y miserable de la picaresca, donde ha conseguido ser famoso y respetado por su valor y su audacia. Pero Cristóbal de Lugo se siente radicalmente insatisfecho dentro de los límites de ese mundo, insuficiente para su ambición. Protegido por el inquisidor Tello de Sandoval, los representantes de la justicia no se atreven a prenderlo por respeto a su protector, situación que Lugo no puede aceptar, pues aspira a ser respetado por sí mismo y admirado por sus acciones. Las diversas aventuras en que le vemos metido no bastan a colmar su ambición. Y Lugo, decidido a jugarse el destino a las cartas, jura a Dios que, si pierde, se hará bandolero. Pero gana como nunca había ganado. Y entonces, a solas consigo mismo, vive, como experiencia interior, el minuto decisivo de su existencia, el de la libre elección de su destino, vivido como desafío a las fuerzas del mal:

> Solo quedo, y quiero entrar
> en cuentas conmigo a solas,
> aunque lo impidan las olas
> donde temo naufragar.
> Yo hize voto, si oy perdía,
> de yrme a ser salteador:
> claro y manifiesto error
> de una ciega fantasía.
> Locura y atrevimiento
> Fue el peor que se pensó,

puesto que nunca obligó
mal voto a su cumplimiento.
Pero ¿dexaré por esto
de aver hecho una maldad,
adonde mi voluntad
echó de codicia el resto?
No, por cierto. Mas, pues sé
que contrario con contrario
se cura muy de ordinario,
contrario voto haré,
y assi, le hago de ser
religioso...
¡Ea, demonios, por mil modos
a todos os desafío,
y en mi Dios bueno confío
que os he de vencer a todos!

Esa genial capacidad de saltar de un extremo al otro, tan difícil de entender humanamente, constituye el núcleo de la personalidad de buena parte de los héroes del teatro español del Siglo de Oro.

El segundo acto, cuya acción transcurre en México, nos muestra a Lugo, convertido en fray Cristóbal de la Cruz, en lucha con las fuerzas del mal, a las que había desafiado. La conciencia del dramaturgo Cervantes, dividida entre su fidelidad a su teoría del teatro y la aceptación de las nuevas libertades, le fuerza, a comienzos del acto segundo, a justificar ese cambio brusco del lugar de la acción. A las preguntas de la Curiosidad, que quiere saber la razón de tal cambio, responde, entre otras cosas, la Comedia:

Los tiempos mudan las cosas
y perfeccionan las artes (...)
Ya represento mil cosas,
no en relación, como antes,
sino en hecho, y assi es fuerza
que haya de mudar lugares;
que como acontecen ellas
en muy diferentes partes,
voyme allí donde acontecen,
disculpa del disparate. (...)
el pensamiento es ligero:
bien pueden acompañarme
con él doquiera que fuere
sin perderme ni cansarme (...)
A México y a Sevilla
he juntado en un instante,
zurciendo con la primera
ésta y la tercera parte:

una de su vida libre,
otra de su vida grave,
otra de su santa muerte
y de sus milagros grandes.

La escena más impresionante del drama, en donde asoma de nuevo, como en *La Numancia,* la grandeza del Cervantes dramaturgo, es la que cierra el segundo acto. Fray Cristóbal de la Cruz lucha para salvar el alma de doña Ana de Treviño que, a las puertas de la muerte, se resiste al arrepentimiento, sintiéndose abandonada de Dios, en cuya misericordia no cree. Desesperada de su salvación, insensible a todo razonamiento, fray Cristóbal ofrece todas sus buenas obras a cambio de los pecados de doña Ana:

Cielos, oíd.
Yo, fray Cristóbal de la Cruz, indigno
religioso y professo en la sagrada
orden del patriarca felicíssimo
Domingo santo, en esta forma digo:
que al alma de doña Ana de Treviño,
que está presente, doy de buena gana
todas las buenas obras que yo he hecho
en caridad y en gracia desde el punto
que dexé la carrera de la muerte
y entré en la de la vida; doyle todos
mis ayunos, mis lágrimas y azotes,
y el mérito santíssimo de cuantas
missas he dicho, y assímismo doyle
mis oraciones todas y desseos,
que han tenido a mi Dios siempre por blanco;
y, en contracambio, tomo sus pecados,
por inormes que sean, y me obligo
a dar la cuenta de ellos en el alto
y eterno tribunal de Dios eterno,
y pagar los alcances y las penas
que merecieron sus pecados todos.
Mas es condición deste concierto,
que ella primero de su parte ponga
la confesión y el arrepentimiento.

Doña Ana acepta y muere en paz. En el preciso instante de su muerte el rostro de Cristóbal queda cubierto por la lepra, signo visible de que el cielo ha aceptado su oferta.

El tercer acto nos muestra a fray Cristóbal luchando con Satanás hasta el último instante. Su muerte es su victoria. La lepra desaparece milagrosamente del cuerpo del santo, que recibe el homenaje del máximo representante de la autoridad civil.

En *Pedro de Urdemalas* Cervantes convierte en héroe dramático, rico de humanidad, a un personaje del folklore popular. Astuto, ingenioso, capaz de asumir las más diversas máscaras, Cervantes hace de él el comediante nato, cuya naturaleza es la encarnación del mito de Proteo. Siempre cambiando de apariencia, pero idéntico en su esencia, Pedro de Urdemalas pasa de un estado a otro, de una situación a otra, representando a la perfección todos sus papeles. Su mundo es el mundo de la ilusión, abierto a todas las posibilidades. Cervantes conduce a su héroe, y con él al espectador, de la comedia del mundo al mundo de la comedia, dejándonos, como *El retablo de las maravillas,* indecisos de los límites que separan al mundo real del mundo ilusorio, caballeros en esa frontera que separa y une la vida y el arte, donde es todo verdad y es todo mentira. Cuando el telón cae nos vemos forzados a preguntarnos, como escribe Robert Marrast: «¿Ha acabado la comedia o no ha sido más que un sueño y todo va a comenzar de nuevo?» [43].

Los entremeses

De los ocho entremeses que publicó Cervantes en 1615, dos están escritos en verso *(El rufián viudo* y *La elección de los alcaldes de Daganzo)* y seis en prosa *(El juez de los divorcios, La guarda cuidadosa, El vizcaíno fingido, El retablo de las maravillas, La cueva de Salamanca* y *El viejo celoso).* Se le han atribuido cinco más, sin que las pruebas aportadas para tal atribución sean, ni mucho menos, convincentes.

En manos de Cervantes esas pequeñas piezas o juguetes cómicos, que servían como relleno en los entreactos de las comedias y que, divirtiendo al público, impedían que se aburriera e impacientase durante las pausas de la representación, manteniéndolo, por así decirlo, en forma para la ilusión cómica, se ennoblecen literariamente, convirtiéndose en obras de arte. La comicidad directa y elemental del entremés es fecundada por el humor cervantino, adquiriendo una significación y una densidad de contenido de que carecía. La conciencia reflexiva de Cervantes y su experiencia de la realidad humana, al proyectarse sobre las marionetas del entremés, humaniza sus máscaras y las transforma en criaturas dramáticas de mayor complejidad. Los personajes de los entremeses cervantinos dejan de ser tipos teatrales fijos para convertirse en caracteres cómicos que provocan en el espectador esa risa pensativa que trasciende la pura hilaridad, porque lo movilizado en él tiene su raíz en zonas más pro-

[43] *Opus. cit.,* pág. 129.

fundas del espíritu. Teatro en libertad ha llamado Robert Marrast a los entremeses cervantinos, porque su autor se sustrae a toda intención de edificación política, religiosa o moral, e inventa situaciones dramáticas cuyo planteo, desarrollo y solución quedan al margen de las normas «oficiales» que debían regir la conducta pública y privada de los individuos. Detrás de la palabra y la acción de estas humildes criaturas dramáticas o, mejor, sustentándolas, hay todo un sistema de referencias e indicaciones que apuntan a los contenidos de la realidad social coetánea. El genio cervantino nos muestra, como en sus mejores momentos, el juego dialéctico de la verdad y la apariencia.

En *La elección de los alcaldes de Daganzo* nos presenta un tribunal improvisado que va a elegir alcalde y cuatro candidatos que optan al puesto. Los méritos que tres de los candidatos alegan nada tienen que ver con la función a que aspiran: Humillos presume de no saber leer porque es cosa que lleva «a los hombres al brasero» (de la Inquisición), pero es cristiano viejo y sabe de memoria «todas cuatro oraciones»; Jarrete es cristiano viejo y sabe arar, herrar novillos y tirar el arco; Berrocal es extraordinario catador de vinos; Pedro Rana propone un programa justo y conveniente, pero que no es más que teoría, juzgada como irrealizable. Sobrevienen los músicos y se olvida la elección. Cuando llega el sacristán para censurar a electores y candidatos, lo mantean por haberse metido en terreno impropio de su oficio eclesiástico. Y la elección queda diferida para el día siguiente.

En *La guarda cuidadosa* opone, como rivales en el amor de una criadita, a dos profesiones, individualizadas en dos personajes, el soldado y el sacristán, el hombre de armas y el hombre de iglesia, tipos fijos del entremés, con una larga tradición, que Cervantes vitaliza, humanizando sus rasgos caracteriológicos. La inocente doncellita dará su mano al sacristán, afirmando la primacía del tener sobre el ser.

En *El juez de los divorcios* desfilan ante el juez tres parejas que reclaman el divorcio por distintos motivos. Cada una de esas parejas vive el matrimonio como un infierno, y el juez los condena a vivir en él por aquello de que «más vale el peor concierto/que no el divorcio mejor».

En *La cueva de Salamanca* nos presenta Cervantes al marido cornudo y contento, a cuyo engaño asiste regocijado el espectador, liberado por un momento del código moral.

En *El viejo celoso* dramatiza el tema de la novela ejemplar. *El celoso extremeño.* Cañizares, viejo desposado con mujer joven, está dominado por la pasión de los celos, monstruosamente sentida. Su esposa, que vive encerrada bajo siete llaves, maldiciendo a su marido y al momento en que se dejó casar, le engañará en la primera ocasión que se le presente. La escena del engaño es una de las más desvergonzadas de todo el teatro español. Cervantes se ensaña con su personaje. El espectador asiste al adulterio y oye el diálogo entre la esposa encerrada con su amante y el marido, del lado de acá de la puerta, que nada sospecha y a quien los celos le reconcomen. La burla alcanza toda su crueldad en la intervención de Cristina, sobrina y cómplice de la esposa, cuyas réplicas manifiesta la ausencia total de sentido moral del personaje.

Pero la obra maestra del género es *El retablo de las maravillas.* Chanfalla y la Chirinos llegan a un pueblo, cuyo nombre no se nos dice, pero en el que adivinamos la España contemporánea de Cervantes, y en ella, con sólo variar ligeramente el espectáculo, pero no su esencia, la España contemporánea de cualquier tiempo, y montan su retablo, cuyas maravillas anuncia así Chanfalla: «Por las maravillosas cosas que en él se enseñan y muestran, viene a ser llamado retablo de las maravillas; el cual fabricó y compuso el sabio Tontonelo, debajo de tales paralelos, rumbos, astros y estrellas, con tales puntos, caracteres y observaciones, que ninguno puede ver las cosas que en él se muestran, que tenga alguna traza de confeso o no sea habido y procreado de sus padres de legítimo matrimonio; y el que fuere contagiado destas dos tan usadas enfermedades, despídase de ver las cosas jamás vistas ni oídas de mi retablo».

Y el juego de la ilusión teatral comienza. Cada espectador, sin ver nada, hará como que todo lo ve, para no ser tenido por de casta judía o por hijo ilegítimo. El espectador, que está en el secreto del espectáculo, reirá de la comedia representada por los espectadores del retablo, comedia en donde se borran los límites de la realidad y de la ficción. Pero no nos reímos sólo de su papel de espectadores, sino de los principios sociales que los fuerzan a representar su papel. Cuando, desde fuera, entra en escena un personaje exterior, representante de la milicia, que viene a solicitar alojamiento para sus soldados, el alcalde le toma por un personaje del retablo, ente de ficción enviado por Tontonelo, a lo que observa la Chirinos: «Séanme testigos que dice el alcalde que lo que manda su Magestad, lo manda el sabio Tontonelo». El entremés termina con una escena de golpes y espadazos. Y es entonces, precisamente, cuando el espectador del entremés se convierte en espectador del retablo de las maravillas, cuyo escenario no es ya una sala en una casa de pueblo, sino España entera. «La virtud del retablo —como dice Chanfalla— se queda en su punto, y mañana —es decir, cualquier hoy— lo podemos mostrar al pueblo».

Capítulo III

El teatro nacional del Siglo de Oro

Los estadistas aconsejan al Príncipe tenga medios en que se divierta el pueblo, porque la melancolía no dé lugar a levantar los ánimos a novedad (1650).

Francisco Martínez de la Mata: *Memoriales*

I. Introducción al drama nacional

En estas páginas de introducción al teatro del siglo XVII vamos a tratar de desmontar con la mayor claridad y rigor posibles los elementos fundamentales, tanto externos como internos, que estructuran el drama nacional.

El creador, en el sentido que veremos luego, de este nuevo teatro es, como bien se sabe, Lope de Vega. Cuando después nos enfrentamos con su obra dramática, no será necesario ya hablar de los principios de su dramaturgia, pues, en realidad, nos ocupamos de ellos en las páginas que siguen.

1. El nombre genérico de «Comedia»

A todo el teatro de nuestro Siglo de Oro se le engloba bajo el título genérico de *Comedia,* y así se habla de la *comedia* y aun de las comedias españolas del Siglo de Oro. Los mismos dramaturgos ya empleaban el término comedia para nombrar las incontables piezas que escribían, aunque en ocasiones las llamasen tragicomedias o tragedias. Y, después, los críticos e historiadores de la literatura han utilizado, tradicionalmente, el vocablo *comedia* y su plural, aunque la obra así denominada nada tuviera de comedia, tal como hoy entendemos este término. Desde ahora conviene no olvidar el valor genérico del vocablo y tener muy en cuenta que significaba tanto como obra o pieza teatral. La advertencia puede parecer ociosa o, simplemente, impertinente. A mí no me lo parece, puesto que puede evitar, desde el principio, significaciones que no le son propias o que limitarían su sentido.

El dramaturgo valenciano Ricardo del Turia, contemporáneo y seguidor de Lope de Vega, ya advertía en su *Apologético de las comedias españolas* (Valencia, 1616): «...ninguna comedia de cuantas se representan en España lo es, sino tragicomedia» [1].

En este libro utilizaremos la palabra drama en su recto sentido (= pieza teatral); la palabra comedia para designar la pieza teatral cómica, es decir, con el significado que hoy tiene. Y, desde luego, nunca utilizaremos expresiones redundantes como la de «comedia dramática» o, francamente disparatadas, como la de «comedia trágica».

2. Temática

Uno de los caracteres más acusados del drama nacional es su pluralidad temática. Los dramaturgos buscan argumentos y asuntos para sus obras en el inmenso arsenal de temas de la literatura contemporánea, medieval o antigua o en la circunstancia histórica de su tiempo. Literatura y vida, teología e historia, liturgia y folklore son fuentes a las que acuden indistintamente en busca de temas. El teatro se convierte en un verdadero cosmos, en una *Summa* temática de la literatura universal y de la vida española. Encontramos en este orbe dramático temas que proceden de la tradición épica medieval, de la historia universal y española antigua y moderna, temas renacentistas: pastoriles, moriscos, caballerescos y mitológicos; temas procedentes de la literatura religiosa: asuntos bíblicos, misterios, dogmas, vidas de santos, motivos litúrgicos y piadosos; temas extraídos del vivir contemporáneo: políticos, religiosos, sociales...

Lo realmente significativo e importante para la historia del teatro no es la pluralidad temática en sí, sino algo de más radical alcance: la conversión en materia y forma dramáticas de lo que material y formalmente no lo era. Es esa capacidad genial de hacer *drama,* acción teatral, lo que era novela, cuento, historia, poema, pensamiento, ideología, consejo, anécdota o vida lo que constituye la gran hazaña del teatro español. Su trascendencia para la historia del teatro universal no hay que ir a buscarla en los temas, argumentos, mitos, personajes o recursos técnicos que pasan, por ejemplo, al teatro francés o italiano, que los aprovecharán transformándolos se-

[1] Ver Federico Sánchez Escribano y Alberto Porqueras Mayo, *Preceptiva dramática española del Renacimiento y el Barroco,* Madrid, Gredos, 1972, página 177.

gún su genio y su sensibilidad, distintos, y aun contrarios, a los españoles. Más importante que esta influencia en los otros teatros europeos, más importante, incluso, que la creación de mitos como el de Don Juan o el de Segismundo es, en última instancia, ese hecho formidable de haber traspuesto en clave dramática lo que antes no lo estaba. Ésta es la creación máxima del teatro español y su más genuina aportación al drama occidental. No es, pues, cuestión de calidad ni de intensidad ni de riqueza o profundidad dramáticas, sino que apunta a la esencia misma de esa categoría del espíritu humano que llamamos *lo dramático* y que consiste en ser una manera de pensar la existencia. El teatro español descubre, si se me permite el símil, las Américas del Drama, ampliando así el espacio dramático y desvelando horizontes inéditos y abriendo nuevos cauces para la conversión del mundo del hombre en *drama*. O mejor aún: del drama del mundo en mundo del drama, ya que, como escribe Henry Gouhier en su libro *Le théâtre et l'existence*[2] «el drama está en el mundo antes de estar en la escena». Ese tránsito del mundo —libro, idea, sentimiento o vida cotidiana— a la escena es lo que realiza el teatro español por medio de Lope de Vega y sus seguidores.

3. Actos y escenas

Los dramaturgos del siglo XVI dividieron la obra teatral en cinco, cuatro o tres actos, sin que llegara a imponerse de modo absoluto ninguna de ellas. Ya sabemos que Cervantes, recordando sus primeros años de dedicación al teatro, se atribuía sin razón la novedad de la división en tres actos, que ya había aparecido en la *Comedia Florisea* (1553) de Francisco de Avendaño y, aun antes, en el anónimo *Auto de Clarindo* (hacia 1535). En todo caso, la afirmación de Cervantes nos indica que entre 1581 y 1583 fue cuando empezó a prosperar, con carácter de tendencia, la división tripartita, que se hizo ya general en los últimos años del siglo XVI. Son los dramaturgos del XVII, con Lope de Vega en cabeza, quienes la convierten en normativa. Esta distribución de la materia dramática en tres actos, adoptada definitivamente por la «Comedia», será la que triunfará después en el teatro contemporáneo a partir del Romanticismo, dejando de lado la división en cinco actos que utilizan los dramaturgos isabelinos y los franceses, e imitaron los neoclásicos del siglo XVIII.

Ahora bien, esa división tripartita de nuestro drama nacional no es fortuita ni responde a un criterio puramente mecánico. Su adop-

---

[2] París, Aubier, 1952.

ción obedece a una necesidad interior de la nueva fórmula dramática, en la que es elemento de primera importancia la intriga. Como ésta debe mantener hasta el final de la pieza despiertos la curiosidad e interés del público, se presta especial atención a su desarrollo. Por ello la distribución de la materia dramática en tres actos llamados jornadas se hace en función, precisamente, de la intriga. Cada acto va corrido, sin que el dramaturgo señale explícitamente la división en escenas, limitándose a indicar las entradas y salidas de personajes, como suele hacerse en buena parte del teatro actual. El paso de un acto a otro tiene también valor dramático, pues puede servir para marcar el paso del tiempo. El primer acto suele comenzar abruptamente, introduciéndonos de golpe en la acción, captando así, desde la primera escena, nuestra atención. Este comienzo brusco de la acción es típico de la «Comedia» y descansa en un seguro instinto de economía dramática. Todo lo que es accidental y podría convertirse en peso muerto, retardando el planteamiento o exposición dramática, es suprimido desde el principio. Esto tiene una consecuencia clara: acelerar «ab initio» la acción dramática. A su vez, esta manera de situarnos *ya* en la acción, apenas levantado el telón, tiene la virtud de contribuir, en no poca medida, al ritmo esencialmente dinámico que caracteriza al teatro español del siglo XVII.

4. Lenguaje y versificación

El verso es el cauce normal de expresión dramática, quedando desterrada la prosa. Se utilizan tanto los metros tradicionales como los italianos, dominando el octosílabo. Los versos —tradicionales o italianos— aparecen en diversas combinaciones estróficas, siendo las más frecuentes las redondillas, romances, décimas, quintillas, silvas, sonetos y octavas. La rica polimetría del drama español es sometida por Lope de Vega y sus seguidores a un verdadero proceso de sistematización dramática, buscándose la acomodación entre verso y situación. El criterio que preside la elección de uno u otro metro es esencialmente dramático. En el lenguaje de la «Comedia» se atiende por igual a la belleza poética de la palabra como a su eficacia dramática. Esa síntesis, en el plano inmediato de la palabra, de poesía y drama, corresponde a la síntesis que, en el plano del contenido, se da entre imaginación y realidad, poesía e historia, o, para utilizar la ecuación diltheyana, entre poesía y vida. El lenguaje del drama y su forma es la resultante feliz de una voluntad sustantivamente dramática —y no simplemente literaria— que busca aunar la calidad estética de la palabra con su capacidad de plasmación de lo real. Para ello tuvo que darse la circunstancia de que en el escritor —Lope de

Vega es el arquetipo— se dieran unidas la personalidad del dramaturgo y del poeta. O, más exactamente, esa circunstancia, determinante de una especial concepción del lenguaje dramático, y del drama en general, hizo posible la difícil conjunción de ilusión y verdad en que estriba el teatro español del Siglo de Oro. Cada pieza teatral está concebida, desde el punto de vista del estilo, como un *poema dramático,* y su lenguaje, material y formalmente, es, por su equilibrio, el lenguaje de la *poesía dramática,* y no, a secas, lo que poco ha solía considerarse lenguaje teatral, en el que, por un error de perspectiva, que atenta a la esencia misma de la palabra dramática, se amputaba bárbaramente la dimensión poética de esa palabra. Lo que confiere —y es su más honda raíz— su específico valor al lenguaje de nuestros dramaturgos no es sólo el verso, aunque éste, como vehículo de la comunicación dramática, lleve en sí un formidable poder de síntesis significativa y de economía expresiva, sino el espíritu que decide la elección del verso como tal vehículo de comunicación. Espíritu cuya nota fundamental es el afán de totalidad, la vocación de integrar en su solo mundo —el del drama— la imagen poética y la imagen histórica de la existencia. Cuando asistimos como espectadores a la representación escénica de una pieza de nuestro teatro clásico sentimos que su lenguaje va dirigido a nuestros cinco sentidos, a nuestra imaginación y a nuestro entendimiento, y así, trabajando al unísono sensibilidad, imaginación e inteligencia, descubrimos que es esa armonía de sonido y sentido la que constituye la esencia misma de esa palabra, que es la palabra de la poesía dramática. Es indudable —al menos para mí— que uno de los factores del éxito popular del teatro español áureo que llevaba a los «corrales» a un público homogéneo ideológicamente, pero heterogéneo en educación literaria y artística, fue el lenguaje de la «Comedia», capaz de divertir encantando.

5. Unidades dramáticas: acción, tiempo y lugar

La única unidad dramática real es la de acción y ésta es la que Aristóteles señaló como importante en su *Poética;* las otras dos, la de tiempo y la de lugar, no corresponden a la esencia del drama, y son artificales. Su equiparación con la unidad de acción, hasta formar con ella la célebre tríada que tantas polémicas suscitó a lo largo de los siglos XVI y XVII, fue una invención de los preceptistas italianos del Renacimiento. En 1543 Giraldi Cintio menciona la unidad de tiempo, fijada por Segni (1549) en veinticuatro horas; en 1550 Maggi señala la unidad de lugar. En 1570 Castelvetro, uniendo las tres, las propone, dogmáticamente, como normas intangibles de la pieza teatral. Los dramaturgos españoles del siglo XVI no acostumbraron observarlas en la práctica. Los dramaturgos del XVII rechazaron teórica y prácticamente las unidades de tiempo y lugar y respetaron en teoría siempre y en la práctica casi siempre, la unidad de acción. A la «artificiosa» preceptiva italiana, estribada en un concepto rígido de la creación dramática, opusieron los españoles una preceptiva «natural», fundada en el concepto base de la «comedia nueva», de la libertad de la creación artística. Más importante que construir la obra dramática con arreglo a normas es construirla de acuerdo con *el natural,* donde las acciones, para llegar a su perfección, requieren no veinticuatro horas, ni un solo lugar, sino cada una su tiempo y su espacio. La acción del drama, al prescindir de las supuestas unidades de tiempo y lugar, adopta espontáneamente la estructura espacio-temporal de la vida humana. Ahora bien, ¿cómo se configura dramáticamente esa estructura? Porque lo importante en una historia del teatro no es sólo constatar que en la «comedia» se prescinde de las unidades de tiempo y de lugar y se adopta la pluralidad de tiempos y lugares, sino explicar o, a lo menos, tratar de explicar cómo sucede esto en el interior del drama, merced a qué procedimiento. En el caso que nos ocupa, el dramaturgo —Lope o Tirso, Calderón o Moreto— desarrolla la acción mediante planos o cuadros sucesivos, cada uno de los cuales está sometido a su propia unidad espacio-temporal. En lugar de una unidad de tiempo y de una unidad de lugar, válidas para toda la acción, hay un sistema de varias unidades de lugar y de tiempo, que constituyen los diversos momentos o etapas de un proceso temporal y los diversos lugares de un espacio múltiple cuya articulación dramática —es decir, en función de la acción— dibuja melódicamente la imagen de la estructura espacio-temporal de la vida humana. Naturalmente, en lo que se refiere al espacio, el dramaturgo opera sobre el supuesto convencional —convenido con su público— de que el escenario no es un espacio físico, sino dramático, es decir, dinámico, a diferencia del escenario del drama clásico francés. El tratamiento del espacio en el teatro nacional está más cerca de la escena medieval que de la renacentista, sólo que en lugar del minucioso realismo simbólico del escenario medieval, nos encontramos con un escenario impresionista, porque se ha sustituido la técnica de yuxtaposición y copulación, por una técnica de subordinación. En efecto, cada «lugar» dramático, no físico, está subordinado al dinamismo de la acción, integrado en ella y por ella originado, sin que ni un solo instante se rompa su continuidad. El montaje escénico de nuestros días utiliza con eficacia artística un escenario con distintos niveles y un matizado juego de luces.

Sin embargo, dentro de esta libertad en el manejo del tiempo y el espacio, justificada siempre con razones psicológicas o sociológicas, hay cierta disciplina. Lope, por ejemplo, recomienda que la acción debe suceder en el menor tiempo posible [3].

6. Lo trágico y lo cómico

El mismo principio de la libertad artística, la misma preocupación por imitar la naturaleza en la acción del drama lleva a los dramaturgos del siglo XVII a suprimir las fronteras entre lo trágico y lo cómico, tal como ya lo habían hecho, en parte, los dramaturgos del XVI. Esta supresión de límites entre el territorio de lo trágico y el de lo cómico tiene una doble significación. Literariamente, invalida la distinción de géneros tradicional en poéticas y retóricas. Pero esta distinción la rechaza, no en nombre de unas normas artísticas, sino en nombre de un *concepto vital* de la acción dramática, la cual, antes que nada, debe ser «verosímil», entendiendo la verosimilitud como fidelidad a la naturaleza [4]. Naturaleza significa dos cosas: lo *natural* como contraposición de lo *artificial;* pero también la «naturaleza de la acción», lo propio de ella. Traigamos a colación textos de un crítico del siglo XVII González de Salas. Escribe éste en su *Nueva idea de la tragedia antigua* (Madrid, 1633): Libre ha de ser el espíritu «para poder alterar el arte, fundándose en leyes de la naturaleza». Otro crítico, Francisco de Barreda, escribe: «Hay (...) acciones entre los hombres que mezclan serenidad y borrasca, en un mismo punto, en una misma persona. Juega la fortuna con nosotros: somos teatro de su gusto, y no se tiene por bien reverenciada y temida si no está dando a cada instante muestras de su poder. El poema, pues, que retratare esta acción fielmente, habrá cumplido con el rigor de la poesía. Esto hacen nuestras comedias con suma atención (...). El norte de la poesía es la imitación. Mientras nuestra comedia imitare con propiedad, segura corre, no hay más arte. No hay más leyes a quien sujetar el cuello (...). ¿Por qué no se han de mezclar pasos alegres con los tristes, si los mezcla el cielo? Esta comedia, ¿no es retrato de aquellas obras? Pues si es retrato, claro está que ha de referir su imagen» [5].

No se trata sólo, pues, de la no distinción de los géneros trágico y cómico, sino de la fusión de las «categorías dramáticas» de lo trá-

[3] Ver para este apartado M. Romera-Navarro, *La preceptiva dramática de Lope de Vega,* Madrid, 1935.

[4] Ver Ramón Menéndez Pidal, «Lope de Vega. El arte nuevo y la nueva biografía», en *De Cervantes y Lope de Vega,* Madrid, Espasa-Calpe, Col. Austral, 1958[5], págs. 69-143.

[5] Para los textos sobre la «comedia» ver F. Sánchez Escribano y A. Porqueras Mayo, *Preceptiva dramática española, ed. cit.*

gico y lo cómico, que nada tiene ya que ver con el arte poético. Y sí con la visión que el hombre tiene de la realidad. La nueva dramaturgia es, ante todo, un nuevo punto de vista de la realidad. Ese nuevo punto de vista exige un arte nuevo. La densidad de la vida humana, donde serenidad y borrasca se mezclan en un mismo punto y en una misma persona, es percibida unitariamente, no bajo la especie de compuesto, sino bajo la especie de lo mixto. Ricardo de Turia define la tragicomedia precisamente como poema mixto, donde «las partes (lo trágico y lo cómico) pierden su forma y hacen una tercera materia muy diferente», frente a lo compuesto, donde «cada parte se conserva ella misma como antes era, sin alterarse ni mudarse». Y compara lo mixto «al fabuloso Hermafrodito», que «de hombre y mujer formaba un tercero participante de la una y la otra naturaleza, de tal manera mixto que no se podía separar la una de la otra». En efecto, el drama español del Siglo de Oro es drama hermafrodito, porque es expresión de una concepción centáurica del mundo. La forma dramática propia de esa bifronte concepción del vivir humano no es, por tanto, el poema puro (tragedia o comedia), sino el poema mixto. Por eso carece de sentido hablar de la dificultad o de la incapacidad para la tragedia del teatro español, fundándola en ocurrencias de índole psicológica o sociológica más o menos interesantes. No hay tal dificultad ni tal incapacidad. Lo que hay es una «cosmovisión» distinta a la que origina la tragedia, como forma dramática que la exprese en Grecia, Inglaterra o Francia. Ahora bien, que no exista *la* tragedia estilo griego, estilo Shakespeare o estilo Racine, no significa que no exista en el teatro español *lo* trágico y la forma dramática correspondiente a la percepción «sui generis» de lo trágico. Plantearse el problema de la esencia y carácter de esa forma dramática de la tragedia en España es algo que no corresponde a estas páginas.

En conclusión, la indistinción de lo trágico y lo cómico supone, más allá de todo arte poético, una vivencia de la realidad humana, un talante específico que pretende imitar en un poema mixto la mixta contextura del vivir.

7. Los personajes

Nada me parece tan difícil como emitir un juicio de valor objetivo sobre los personajes de la «Comedia». Nuestra sensibilidad educada en una tradición literaria que presta especial atención al análisis de la intimidad, que centra su interés en la persona interior, que busca profundizar en la problemática de la personalidad, nos lleva, espontáneamente, a buscar en los personajes del drama su contextura psicológica, la individuación de la naturaleza humana, su significación universal, la profundidad y trascendencia que como caracteres los constituyen. Desde estos supuestos, confesados o no, pero actuantes en la estimativa de cierto grupo de críticos, este teatro no ha creado grandes caracteres, sus personajes carecen de interioridad, no hay profundidad psicológica, no encarnan valores humanos universales, salvo algún que otro caso excepcional que, como tal excepción, confirma la regla; en contrapartida, pocos teatros pueden ofrecer un cuadro tan rico y tan variado del vivir humano en lo que éste tiene de brillo exterior, impusividad, antítesis, dinamismo, acción. Es decir, en el teatro español la vida humana es captada con un máximo de intensidad y un mínimo de profundidad. Sus personajes se agitan —eso sí, admirablemente— en la superficie de la vida humana, pero rara vez descienden a sus abismáticas honduras. En resumen: mucha acción y poca psicología, mucho teatro y poco drama. Otro grupo de críticos, poniendo por delante la premisa de que el teatro español no ha querido ser un teatro psicológico, sino un teatro de acción, estudian a los personajes en función de los ideales colectivos que en ellos cristalizan. Los personajes reflejan, esquemáticamente, toda la variada gama de ideas, creencias, sentimientos, voliciones propia de su sociedad contemporánea. Dotados de extraordinaria vitalidad, se proyectan violentamente hacia fuera de sí mismos, consistiendo ese «sí mismo» en una apretada gavilla de haceres. Son lo que hacen y lo que dicen. Su psicología, implícita en cada uno de sus actos y sus palabras, está escondida y nos es sugerida, pero no comunicada. Todos ellos están fuertemente individualizados, tienen aguda conciencia de sí mismos, saben cómo obran y por qué obran, sin embargo, son personajes-tipos (galán, dama, rey, gracioso, criada, padre...), y, como tales, expresión de una actitud vital, unas ideas y unos ideales cuya raíz común está en la uniformidad ideológica que los sustenta.

Cada personaje viene a ser como un complejo de variantes animadas de un tipo genérico. El dramaturgo, al crear a sus personajes, pinta en ellos —al ser pintura *viva* su drama— la variadísima riqueza de lo concreto humano, dejándonos a nosotros la tarea de abstraer lo que de universal hay en esas mil y una formas de la vida captada en su insobornable concreción. Por último, son también figuras teatrales, elaborados según un sistema de convenciones artísticas, son, en el sentido dramático del término, papeles. Para explicarlos se acude al ambiente que rodeó al teatro, a la manera de ser o la voluntad de ser de España y los españoles, a las coordenadas ideológicas de la sociedad en qué y de la que brotaron, etc.

Teniendo en cuenta todo lo anterior, tratemos de acercarnos a ellos para sorprender su secreto, si es que lo tienen. Esforcémonos en hacer caer sus máscaras para ver si, debajo de ellas, hay rostros o... nada. En *El castigo sin venganza,* de Lope de Vega, ocurre, al comienzo de la Escena II del Acto I, este diálogo entre Cintia y Ricardo:

CINTIA:
¿Quién es?

RICARDO:
Yo soy.

CINTIA:
¿Quién es yo?

Esa es también nuestra pregunta: ¿Quién es yo? ¿Quién es ese yo que dice soy en cada personaje? Notemos, de paso, que la pregunta de Cintia y la respuesta de Ricardo son ya, sin más, una pura afirmación de existencia personal.

En cada uno de los personajes del drama español me parece ver siempre un «dentro» y un «fuera», a manera de un rostro y su máscara. La máscara o el «fuera» del personaje corresponde al personaje-tipo o figura teatral estudiado por los críticos. Esta «figura» (galán, dama, gracioso, criada, rey, padre)[6] presenta un cuadro caracteriológico uniforme que responde a una especie de ortodoxia psicológica para uso de dramaturgos. El rostro o «dentro» del personaje no actúa ya como figura teatral al nivel de la intriga, sino como auténtico héroe dramático, al nivel de la acción, en el centro mismo del conflicto creado por el choque de fuerzas (honor, amor, fe, monarquía) que estructuran el universo del drama nacional. El personaje, en cuanto figura teatral, es un papel, puesto en pie sobre la escena por un mecanismo que el dramaturgo maneja con gran maestría. Ese mecanismo, inventado por Lope de Vega, está al alcance de todos los dramaturgos, grandes y pequeños, de los dos ciclos del teatro del Siglo de Oro. Basta ver unas cuantas comedias para posesionarse de él[7]. El personaje, en cuanto héroe dramático, es una persona puesta en pie sobre el drama por la conciencia del dramaturgo que, atento al vivir histórico de su tiempo y de su nación, refleja su problemática estructura, dramatizándola. Sólo los grandes dramaturgos (Lope,

[6] Ver Juana de José Prades, *Teoría sobre los personajes de la comedia nueva,* Madrid, 1963.

[7] En el *Arte Nuevo* escribía Lope al final:

> Oye atento y del arte no disputes,
> que en la Comedia se hallará de modo
> que, oyéndola, se pueda saber todo.

Ver Juan Manuel Rozas, *Significado y doctrina del «Arte Nuevo» de Lope de Vega,* Madrid, 1976. Hay bibliografía.

Tirso, Calderón, Vélez de Guevara, Ruiz de Alarcón, Guillén de Castro, Mira de Amescua, Rojas Zorrilla, Moreto...) poseen esa conciencia capaz de convertir —a veces— en drama valioso, la vida que, como españoles, los sustentaba. Tratemos de ver ese «dentro» y ese «fuera» del personaje, su rostro y su máscara, a los que llamaremos, respectivamente, persona y figura.

El rey.—La figura del rey, como es sabido, es dual. Aparece como rey-viejo o como rey-galán. Al rey-viejo lo caracteriza el ejercicio de la realeza y la prudencia; al rey-galán, la soberbia y la injusticia.

La persona del rey es enfocada desde un doble punto de vista: como *cargo* en que se reúnen el poder y la majestad, fuente y raíz de todo poder y de todo honor, fundamento de la justicia y del orden. Su misión dramática es premiar o castigar, permaneciendo por encima del caos humano y, por tanto, por encima de la acción. Su insignia es el cetro. Hay en él un destello de divinidad, pues de Dios recibe su realeza, que impide mirarlo a los ojos y turba a quienes a él se aproximan. Pero también es visto como tirano, es decir, como personaje en donde chocan conflictivamente el cargo y la personalidad. Poder impersonal y pasión personal se enfrentan introduciendo el desorden y el mal. El hombre, víctima de la injusticia y la pasión del rey, no puede, sin embargo, levantarse contra él. Sólo Dios puede castigarle. La solución normal, sin embargo, es el arrepentimiento del rey. Arrepentimiento *necesario* que vuelve a instaurar el orden roto.

El poderoso.—Por debajo del rey, aunque en relación muy directa con él, como persona dramática, está el poderoso (príncipe, duque, marqués, capitán o maestre) de noble sangre. La figura del poderoso recibe los rasgos caracteriológicos del galán, a los que se suman la soberbia y la injusticia, propios del rey galán.

La persona del poderoso, cuya misión es honrar, actúa en el drama como fuerza destructora de la armonía superior que debe regir la relación del mundo de la nobleza con el mundo del pueblo, del señor con el vasallo. La pasión que lo empuja convirtiendo sus acciones en pura afirmación de sí mismo, situándole al margen de sus deberes de poderoso, le hace culpable ante el rey y ante el pueblo. Y como tal culpable debe ser castigado y lo es por el rey o por el pueblo, cuya justicia ratifica el rey. O bien puede arrepentirse. Dicho arrepentimiento, como en el rey-galán, tiene el sentido de una conversión que instaura el orden roto.

El caballero.—La figura del caballero tiene varias formulaciones escénicas: padre-viejo, esposo, hermano, galán. Las tres primeras figuras tienen como atributo definitivo el honor, a cuyo inflexible código se encuentran sometidos. Ello los lleva a vigilar celosamente a la dama, bien en su figura de hija, hermana o esposa, y a realizar la venganza, si el honor ha sido manchado. El hermano es un sustituto del esposo, que desaparece o pasa a segundo término cuando éste actúa. Es inaceptable toda interpretación psicoanalítica de la relación hermano-hermana. El hermano es un simple equivalente teatral del esposo. A los tres los caracteriza, como figuras, la primacía del poder sobre el amor. La figura del galán tiene una amplia tipología, que veremos en seguida. Es, junto con la dama y el gracioso, la figura clave de toda intriga teatral.

La persona del padre, del esposo y del hermano coinciden en ser autoridad, y su misión dramática es la de salvaguardar el orden ético-social, al nivel de la familia, como el rey y el poderoso, al nivel de la «polis». Puede convertirse en personaje trágico, sobre todo el esposo, cuando en él conflingen el principio de autoridad y la pasión amorosa. No son los celos quienes le impulsan a la venganza, sino su deber para con la comunidad, de la cual no puede vivir segregado. El padre, el esposo y el hermano no son un yo que se representa a sí mismo, sino un yo que representa al nosotros. Mientras no castiguen al hombre y a la mujer que, con su acción, han ofendido la comunidad, ellos mismos están excluidos de aquélla y su destierro es un castigo que tiene la misma significación que la muerte. Lo que el teatro español capta en toda su grandeza trágica, monstruoso para nuestra sensibilidad, es ese conflicto, dramatizado en un individuo (padre, esposo) entre el yo y el nosotros. No es una lucha de pasiones, ni una lucha entre razón y pasión o entre espíritu y carne. Quienes se enfrentan son el principio de libertad y el principio de autoridad, y éste debe triunfar para que el orden común no sea destruido.

El galán y la dama.—Son las figuras claves de toda intriga. Sus rasgos típicos más acusados son, para el galán: valor, audacia, generosidad, constancia, capacidad de sufrimiento, idealismo, apostura, linaje; para la dama: belleza, linaje, absoluta y apasionada dedicación amorosa, audacia... [8]. Celos-amor-honor son los hilos que los mueven separándolos o acercándolos, motivando sus conductas. Estas figuras, deliciosas en su artificialidad, nos parecen encantadores robots a quienes un ingenioso y artístico mecanismo de relojería teatral lanza sobre la escena para que realicen, a vertiginoso ritmo de ballet, sus mil y una piruetas. La mayoría de las veces coinciden en ellos ser y apariencia. Son su apariencia. Figuras creadas para vivir sobre el tablado con la única misión de tejer y destejer la complicada tela de la intriga que mantenga suspensa, hasta el final, la atención de un público que ama los lances de capa y espada, las aventuras galantes, la palabra sonora y sutil, el ritmo vertiginoso de

---

[8] Ver Juana de José Prades, *Opus. cit.*

la acción... Sin embargo, a veces, nos parece sorprender su verdadero rostro. Esta pareja de amantes, que se entrega apasionadamente a la aventura del amor, amor que llega o se va en un abrir y cerrar de ojos, amor en cifra, puro estallido de voluntades, son, en el fondo, una pura contradicción. Contradicción que se manifiesta en su definición del amor. Véase, por ejemplo, este diálogo-tipo que ocurre en el Acto II de *La imperial de Otón,* de Lope de Vega. Lo copio a dos columnas:

ANFRISO:
Amor es deseo.

LIDIA:
Concedo.

ANFRISO:
El deseo es esperanza.

LIDIA:
Concedo.

ANFRISO:
Esperanza es miedo.

LIDIA:
Concedo.

ANFRISO:
Desconfianza es miedo.

LIDIA:
Negar no puedo.

ANFRISO:
Desconfiar es celar;
celos, efecto de amor;
luego celar es amar.

LIDIA:
Niego.

LIDIA:
Amar es querer.

ANFRISO:
Concedo.

LIDIA:
Quien quiere confía.

ANFRISO:
Sin duda.

LIDIA:
Quien confía pierde el miedo;
el que no teme no duda;
el que duda estáse quedo;
un firme nada recela;
pero celar es cautela;
pues quien engaña no ama;
luego ya amor no se llama.

ANFRISO:
Eres de engaños escuela.

Los amantes —galán y dama— viven en un mundo dramático en donde priva la rigidez de la norma pública. El ser privado y personal parece estar como encorsetado por el «deber ser» social. En un mundo tal, donde los amantes viven separados por una espesa red de convenciones y vigilancia que, a su vez, los envuelve, es imposible que el amor florezca como intimidad compartida, fundiéndose armónicamente imaginación e instinto. La relación amorosa auténtica es reducida a sus esquemas elementales: el galán y la dama, más que el hombre y la mujer, son el varón y la hembra. Cada uno agazapado en su instinto, prestos a dispararse, encubre sus impulsos bajo la cobertura social de la palabra. Al idealismo de la palabra no corresponde el idealismo de la acción. Tras el concepto se esconde el instinto.

El gracioso o figura del donaire.—Es la figura de mayor complejidad artística creada por el teatro español y la que más estudios, interpretaciones y valoraciones ha suscitado. Contrafigura del galán, pero inseparable de él, la caracteriza la fidelidad al señor, el buen humor, el amor al dinero, que no tiene, y a la vida regalona (buena comida, buena bebida, buen dormir), no ama el peligro y encuentra siempre la razón para evitarlo (no tiene sangre noble y, por tanto, es natural en él evitarlo, ya que ningún imperativo ético-social-individual le fuerzan a buscarlo), tiene, sin embargo, nobleza de carácter, se enamora y se desenamora al mismo tiempo que su señor, con un amor puramente material; finalmente, tiene un agudo sentido práctico de la realidad, que le hace inestimable como confidente y consejero de su amo cuando éste, perdido en sus ensueños, no da con la llave que le abra la puerta de lo real. Se ha dicho de él que tira hacia abajo de su amo impidiéndole abandonar el suelo firme de la realidad o devolviéndole a él si, impulsado por su imaginación, lo había ya abandonado. Su función dramática, como figura del donaire, es servir de contrapunto a la figura del galán y de puente de unión entre el mundo ideal yel mundo real, entre el héroe y el público. Introduce en la comedia el sentimiento cómico de la existencia, que no es necesariamente divertido, sino que tiene, las más de las veces, sentido correctivo y crítico. Fundamentalmente, el gracioso es, como personaje, «un punto de vista» que amplía, vitalmente, el sentido de la acción dramática. Es a manera de un espejo puesto por el dramaturgo en la «comedia» no para reflejar la realidad tal cual es, sino para dar la *otra* imagen que, unida a la del caballero (galán, padre, esposo, poderoso, rey), dé, por integración y por contradicción a la vez, la imagen completa de la vida humana tal como funcionaba en la sociedad española contemporánea. Es decir, no una imagen genérica, y por tanto intemporal, de la vida humana, sino una imagen histórica y, por tanto, radicalmente temporalizada. Su participación en la acción, de la que, en ocasiones, suele ser el motor, y su concepción de la vida, estribada en principios opuestos a los que rigen la conducta del caballero, hacen de él una especie de personaje-coro.

El villano.—Le caracteriza la conciencia de su propio valer, de su dignidad como persona, que fundamenta en su limpieza de sangre. Los dramaturgos del Siglo de Oro lo elevan, como personaje dramático, a un rango sin par en ninguna otra dramaturgia. Los labriegos del teatro español, «paradigmas de la honra», según expresión de Américo Castro, suelen tener todos ellos un aire de familia, que les viene dado por el medio campesino, rural, al que se hallan adscritos. Rara vez el dramaturgo separa al labrador de la tierra en que se encuentra enraizado. Y ese mundo aldeano, contrapuesto por una tradición literaria renacentista al mundo cortesano, es siempre dramatizado a cierto nivel lírico o desde ciertos supuestos líricos que realzan, idílicamente, un estilo de vida caracterizado por la sencillez, la alegría, las fiestas, cantares, músicas... La paz y alegría, la vida natural de la aldea, vista siempre con pupila prestigiadora, se rompe cuando lo cortesano irrumpe violentamente introduciendo la injusticia. Entonces el labrador, estribado en su conciencia honrosa, alcanza la protagonía dramática y con su oposición a la injusticia y a la soberbia de la vida encarnada en el noble, que actúa dirigido por la pasión, se convierte en símbolo del pueblo que defiende sus derechos y, especialmente, su honra y su dignidad personal. Surgen así, en los mejores dramas de este tipo, héroes populares, dotados de fuerte individualidad, como Peribáñez, Pedro Crespo, los villanos de Fuenteovejuna. Sólo una aguda y honda vivencia de la estructura interna del vivir español contemporáneo, basado en una radicalización del sentimiento de honra, explica satisfactoriamente que la dramaturgia española haya convertido al hombre del pueblo, al labrador en héroe dramático, y no en simple comparsa, como sucede en otras dramaturgias coetáneas. Su puesto en el drama se explica, pues, desde una estructura social determinada; pero debemos cuidarnos de no interpretar estas piezas como teatro social, en el sentido que hoy damos a estos términos.

Para terminar con esta caracterización de los personajes de la «comedia», podemos decir que, en términos generales, su tratamiento como tales personajes de drama obedece a un doble proceso de teatralización e historización. El proceso de teatralización de los personajes origina «tipos». El proceso de historización produce «individuos». En cada personaje se da, en dosis más o menos fuerte, ese cruce de «tipo teatral» e «individuo dramático».

8. El honor

Américo Castro, partiendo de los versos que Lope de Vega estampa en su *Arte Nuevo de hacer comedias* (1609):

> Los casos de la honra son mejores,
> porque mueven con fuerza a toda gente.

Y teniendo en cuenta la especialísima estructura de la vida española durante los siglos XVI y XVII, distingue entre honor y honra. Más que del concepto del honor —dice— habría que hablar del sentimiento o vivencia de la honra. Vale la pena citar las palabras de Américo Castro. «El idioma distinguía entre la noción ideal y objetiva del 'honor', y el funcionamiento de esa misma noción, vitalmente realizada en un proceso de vida.» El honor es, pero la honra pertenece a alguien, actúa y se está moviendo en una vida. La lengua literaria distinguía entre el honor como concepto y los «casos de la honra». En el primer caso, «el honor aparece aún íntegro, no roto, aunque esté amenazado»; en el segundo caso, «lo expresado es la vivencia del honor ya maltrecho». Frente al honor «como calidad valiosa, objetivada en tanto que dimensión social de la persona», la honra «parece más adherida al alma de quien siente derruido o mermado lo que antes existía con plenitud y seguridad». A su vez, la honra aparecía íntimamente ligada a la limpieza de sangre. Para entender, en toda su amplitud, el motivo dramático del honor y captar su raíz vital son fundamentales los estudios de Américo Castro, especialmente su libro *De la edad conflictiva,* a cuyas páginas remito al lector interesado [9]. Nuestra intención, aquí y ahora, es señalar las características del honor en tanto que principio o elemento estructural del drama.

El honor, en la economía del drama español ocupa un puesto privilegiado y aparece dotado de un valor absoluto, hasta el punto de que se lo equipara a la misma vida. Patrimonio del alma, es, sin embargo, por lo que tiene de bien comunitario, raíz y fundamento del orden común. El individuo, en cuanto miembro de la comunidad que sustenta y da sentido a su vida, debe, si quiere permanecer en ella, mantener íntegro su honor. Pero como éste «está en otro y no en él mismo» (Lope de Vega: *Los comendadores de Córdoba),* pues son los demás quienes dan y quitan honra, es necesario vivir en permanente tensión vigilante con todos los sentidos y el ánimo atentos a la opinión ajena. No sólo una palabra o una acción, sino un simple gesto o actitud desestimativos, reales o como tal estimados, de los demás, pueden ser considerados como ofensas al honor. La ofensa, real o imaginada, exige la inmediata reparación. Ésta se consigue mediante la venganza, pública o secreta, según haya sido pública o secreta la ofensa. El derramamiento de la sangre del ofensor es el único medio que el ofendido tiene para reintegrarse como miembro vivo a la comunidad. Mientras no se cumpla la venganza

---

[9] Ver Jenaro Artiles, «Bibliografía sobre el problema del honor y la honra en el drama español», en *Filología y crítica hispánica. Homenaje al profesor Federico Sánchez Escribano,* Madrid-Atlanta, 1969, págs. 235-241.

el deshonrado es un miembro muerto que la comunidad rechaza. Por eso, si la honra es equiparada a la vida, la deshonra lo es a la muerte. Ni siquiera en los casos de honor conyugal mancillado es la pasión de los celos quien impulsa al marido a la venganza, sino la inexorable necesidad de cumplir las leyes del honor. Por ello, la venganza puede ser un deber doloroso. A diferencia de Otelo, impulsado al asesinato por la pasión de los celos, los héroes del honor conyugal del teatro español asesinan «en frío», movida la mano no por la pasión del corazón, sino por obediencia de la razón al código del honor. Una razón cuya lógica va contra toda ética cristiana y contra el propio querer personal. De ahí que el deber de matar cree en el héroe un conflicto de valores que hace de él un auténtico héroe trágico, aunque la esencia de su tragicidad nos sea hoy difícil, si no imposible, de comprender. Como escribe Hegel en su *Estética,* refiriéndose al honor en la poesía dramática española, «en lugar de las profundas emociones que nos hace sentir una lucha necesaria, este espectáculo sólo nos produce un sentimiento de penosa ansiedad» [10]. Algún crítico (Viel-Castel), citado por Menéndez Pidal en su ensayo *Del honor en el teatro español,* escribe: «lo que era la fatalidad para los trágicos griegos era, en cierto modo, el honor para los poetas dramáticos españoles; un misterioso poder que se cierne sobre toda la existencia de sus personajes, arrastrándolos, imperioso, a sacrificar sus afectos e inclinaciones naturales, inspirándoles tan pronto actos del más sublime rendimiento, como crímenes y maldades verdaderamente atroces, pero que pierden este carácter por efecto del impulso que los produce, de la terrible necesidad cuyo resultado son» [11]. Poder sobrepersonal, más allá del bien y del mal, que como espada de Damocles pende sobre la cabeza de cada héroe del drama nacional, y a cuyo dominio no es posible escapar. La dictadura absoluta e inmisericorde de la opinión ajena, del «qué dirán» social elevado a imperativo categórico de la conducta individual, acosa al hombre hasta los últimos reductos de su conciencia, obligándole a rechazar sentimientos personales y consideraciones éticas. El honor coloca a los personajes del drama en una verdadera «situación límite», en donde lo que está en juego es el ser o no ser hombre para los demás, el tener derecho a la existencia dentro de la comunidad.

Sólo ante el rey, cuando éste es el ofensor, se detiene la venganza del honor mancillado, no sólo por ser fuente del honor, sino en razón de su poder, de origen divino, o por ser, según escribe Je-

---

[10] *De lo bello y sus formas (Estética).* Trad. Manuel Granell, Madrid, Espasa-Calpe, Col. Austral, 1958³, pág. 199.
[11] *Opus. cit.,* págs. 149-173.

rónimo de Carranza en 1571, en un texto citado por Menéndez Pidal: «persona universal, necesaria a la comunidad»[12].

9. Los teatros y su público

Hacia 1580, en que Lope de Vega comienza su carrera dramática, contaba Madrid con tres tipos de teatros: el eclesiástico, el de Corte y el teatro público urbano[13]. Los dos primeros montaban, con gran riqueza escenográfica, piezas en ocasión de celebrar festividades o ceremonias religiosas o cortesanas. La obra teatral formaba parte de la fiesta como un espectáculo más. A diferencia de estos dos el teatro público urbano montaba piezas teatrales con bastante regularidad, si bien no todos los días del año. Este teatro público, para el que se escribió la mayoría de las obras del teatro nacional, es el que nos interesa. En 1579 se fundó el teatro o «corral» de la Cruz, al que en 1582 vino a añadirse el teatro del Príncipe. Ambos locales superaron, en capacidad, ya que no en comodidad, a los ya existentes en Madrid desde 1574. Pertenecían todos ellos a cofradías religiosas, dedicadas a menesteres caritativos y devotos que, con el fin de obtener dinero para sus hospitales, alquilaban sus «corrales» a las compañías de representantes. La estructura física del teatro no podía ser más primitiva. Construido en un patio, cerrado por casas en tres de sus lados, a cielo raso, constaba de escenario, cubierto con un tejadillo, del patio donde se amontonaban de pie los hombres, llamados *mosqueteros,* de cuyo gusto, expresado siempre ruidosamente, dependía el éxito o el fracaso de la comedia; los balcones y ventanas de las casas que daban sobre el «corral» servían a manera de palcos desde donde veía el espectáculo un público más selecto. El alquiler de estos *aposentos* llegó a constituir un pequeño negocio. Las mujeres tenían su sitio en la *cazuela,* situada al final del patio. Más adelante, cuando el teatro fue prosperando como negocio, se construyó un anfiteatro. Finalmente, había también los *desvanes,* situados encima de los balcones o aposentos.

Las funciones eran por la tarde y terminaban una hora antes de la puesta del sol. Solían durar dos horas como mínimo y tres como máximo. Generalmente, había representación todos los días festivos y dos o tres veces entre semana. Los precios de las entradas eran relativamente reducidos y el control no muy severo.

La escenografía, que irá variando a lo largo del siglo XVII, ha-

---

[12] *De Cervantes y Lope de Vega, ed. cit.,* págs. 145-173.

[13] Para este apartado ver N. D. Shergold, *A History of the Spanish Stage...,* Oxford, 1967, y el reciente libro de Othon Arroniz, *Teatros y escenarios del Siglo de Oro,* Madrid, 1977. Hay excelente bibliografía.

ciéndose más complicada según nos acerquemos a Calderón, era, cuando Lope comienza, bastante simple. El dramaturgo confía a la palabra del personaje la descripción, rica de color y de música, de los lugares donde transcurre la acción o, en otras ocasiones, se limita a sugerirlo. Todo era posible en el escenario, sin necesidad de transición alguna. El público colaboraba imaginativamente en el brusco cambio del lugar o del tiempo.

A finales del siglo XVI había en España unas ocho compañías de cómicos reconocidas. En 1615 eran ya doce. El director o empresario de la compañía se llamaba *autor*. Junto a las grandes compañías (unos treinta actores) se encontraban otros grupos de comediantes que iban desde el *bululú* (un solo actor) hasta la *farándula,* escalón inmediatamente anterior a la compañía. Éstas dominaban unas cincuenta comedias y se quedaban en las ciudades importantes durante varios meses. Agustín de Rojas, en su pintoresco *Viaje entretenido,* nos cuenta la vida difícil, realmente heroica, llena de penalidades, de los distintos grupos de actores.

Desde el punto de vista sociológico uno de los hechos interesantes del teatro español es la relación del dramaturgo, no como persona privada, sino como tal dramaturgo, con su público. Lope de Vega establece, revolucionariamente, que la finalidad del arte dramático es *dar gusto al público.* El escritor de teatro debe, pues, esforzarse por satisfacer el gusto de un público insaciable que, sin diversiones públicas hasta entonces, organizadas a la escala del teatro, pide novedades, llevado de una enorme pasión por el espectáculo teatral. Ese público es heterogéneo, formado de personas de muy distinta condición social y de no menos diversa educación y sensibilidad, artísticas y literarias. Forzosamente había que crear un teatro mayoritario, esencialmente popular y nacional. Pero, además, y es de lo que se da cuenta Lope, tenía que ser también arte, debía tener calidad poética. No sólo una vulgar diversión para el pueblo, sino un arte teatral para el pueblo. Para hacer popular y nacional ese «arte nuevo» era necesario descubrir, por debajo de la heterogeneidad del público, su homogeneidad como pueblo. Lope, genialmente pueblo, no tiene más que bucear en su propio sistema de ideas y creencias, para dar con el módulo del nuevo arte. Guía excelente del autor teatral, para indicarle si se aparta o no del teatro querido por el pueblo, son las reacciones, siempre ruidosas, del público. Ese público era el verdadero rey del espectáculo teatral. Y es él quien, responsable de la demanda, realmente asombrosa, de obras nuevas, determina la oferta.

El fenómeno histórico-literario del teatro español del Siglo de Oro no puede ser entendido si no se tiene en cuenta el fenómeno histórico-sociológico del público de ese teatro. El estudio del público español del siglo XVII, utilizando las técnicas modernas del método sociológico, está, prácticamente, sin hacer. Mientras no se haga tal estudio la historia del teatro español sólo será *historia* en grado muy relativo. De esta relatividad tenemos nosotros en este libro aguda conciencia [14].

10. Los dos ciclos del teatro español

El largo periodo de producción teatral intenso comprendido entre los comienzos de Lope de Vega y los finales de Calderón de la Barca, suele dividirse, faltos de mejor criterio de clasificación, en dos ciclos dramáticos: ciclo Lope de Vega y ciclo Calderón de la Barca. Estos ciclos, cada uno con sus dramaturgos, no están radicalmente separados uno de otro, sino que, a partir del segundo cuarto del siglo XVII, coexisten ambos. Dentro de la unidad del teatro áureo español suelen distinguirse dos «maneras» de realización del sistema dramático inventado por Lope. A la «manera» de Lope, más libre, le pasaría con Calderón hacerse más cerrada, como consecuencia de una mayor preocupación por la ordenación técnica de los materiales dramáticos. A la primera y segunda generación de dramaturgos, la de Lope y la de Tirso, viene a sumarse la de Calderón. Durante algunos años los dramaturgos de las tres generaciones estrenarán, al mismo tiempo, sus piezas, estableciéndose así lo que podríamos llamar una intensa «zona de contagio». La vocación de originalidad e independencia de la tercera generación que, al mismo tiempo, había aceptado la estructura del drama nacional, y la necesidad de mantener vivo el espíritu de ese teatro, cuaja en una especie de compromiso entre tradición y cambio. El cambio consistirá en la voluntad de construir con mayor rigor la pieza teatral, ordenando, estilizando, intensificando la inmensa materia teatral con la que se encuentran conviviendo. Si el problema de la primera y segunda generación es convertir en drama la historia, la vida, la literatura, etc. el problema de la tercera generación es perfeccionar el sistema dramático para que, en lugar de anquilosarse, siga produciendo obras vivas.

En cada uno de los dos ciclos suele distinguirse un grupo de dramaturgos de primera fila, por el conjunto de su obra o por algunas en particular, y otro de epígonos, dramaturgos menores o satélites. Y aun una verdadera nube de dramaturgos tercerones y cuarterones.

---

[14] Ver Noel Salomon, *Recharches sur le théme paysan dans la «Comedia» au temps de Lope de Vega,* Bordeaux, 1965; Ch. V. Aubrun, *La comedie espagnole* (1600-1680), París, 1966 (Traducción española en Taurus, 1968); José Antonio Maravall, *La cultura del barroco,* Barcelona, 1975; J. M. Díaz Borque, *Sociología de la Comedia española del siglo XVII,* Madrid, 1976, y *Sociedad y teatro en la España de Lope de Vega,* Barcelona, 1978.

Reduciendo cada ciclo a sus representantes máximos, tenemos la siguiente nómina:

A) Ciclo Lope de Vega:

1 Lope de Vega (1562-1635).
2 Guillén de Castro (1569-1630).
3 Mira de Amescua (1574-1644).
4 Vélez de Guevara (1579-1644).
5 Ruiz de Alarcón (1581-1639).
6 Tirso de Molina (1584-1648).

B) Ciclo Calderón de la Barca:
1 Calderón de la Barca (1600-1681).
2 Rojas Zorrilla (1607-1648).
3 Agustín Moreto (1618-1669).

Estos serán los dramaturgos en los que centraremos nuestra atención. Imposible nos es analizar, dado el carácter no manual de este libro, la obra dramática, siempre estimable, alguna vez con grandes calidades, de autores como los del grupo valenciano (Tárrega, Aguilar, Ricardo del Turia), o como Pérez de Montalbán, fervoroso discípulo de Lope de Vega, Jiménez de Enciso, Antonio Coello, Cubillo de Aragón o Bances Cándamo. En cambio, sí nos ocuparemos de Quiñones de Benavente, por ser el mejor entremesista del siglo XVII y de Valdivielso, por sus hermosos autos sacramentales, casi único género teatral que cultivó.

Nuestra intención no es, en los autores que estudiemos, abordar metódicamente todos los géneros temáticos del teatro de cada uno de ellos. Nuestra intención es, justamente, la contraria. No nos interesan los catálogos, más o menos razonados, de obras ni de género, sino sólo aspectos definitorios de las distintas dramaturgias, siempre y cuando haya una obra cuyo valor dramático permanezca vivo y vigente. No nos interesa aquí la erudición, aun contando con ella como puro instrumento de trabajo, sino la vitalidad dramática de las piezas teatrales o su peculiar condición teatral [15].

[15] Para una interpretación global del teatro del Siglo de Oro ver, por ejemplo, Alexander A. Parker, *The Approach to the Spanish Drama of the Golden Age, Diamante,* VI, Londres, 1957 (Traducción española en M. Durán y R. González Echevarría, *Calderón y la Crítica: Historia y Antología,* Madrid, Gredos, 1976, t. I, págs. 329-357); J. A. Maravall, *Teatro y Literatura en la sociedad barroca,* Madrid, 1972; y mi libro *Estudios sobre teatro español clásico y contemporáneo,* Madrid, 1978.

II. Lope de Vega

1. Introducción

Un teatro nacional

Páginas atrás, al hablar de la extraordinaria variedad temática del teatro español del siglo XVII, decíamos que lo radicalmente importante fue la capacidad de *dramatización* de nuestros dramaturgos. Ahora bien, esa conversión de la realidad —en cualquiera de los múltiples aspectos o dimensiones ya señalados— en drama con sentido nacional, sólo se explica a partir de Lope de Vega. Éste no sólo encuentra la fórmula que permita tal conversión, sino que fija el tono y el sentido propios de ese teatro. La misión de Lope, como dramaturgo, fue, partiendo de lo que existía como posibilidad en la escena contemporánea o como simple conato, articular todos los elementos, inoperantes todavía como elementos dramáticos, en una unidad artística inédita. Como es natural, Lope, lo mismo que Shakespeare en Inglaterra, no creó un nuevo teatro de la nada. Cuando Lope empieza a escribir piezas teatrales ya había un teatro o, mejor dicho, varios teatros o estilos dramáticos, coincidentes en muchos puntos y divergentes en otros muchos. En todos los dramaturgos anteriores a Lope encontramos, entre otros, dos rasgos comunes: la incapacidad de armonizar en una estructura dramática valiosa lo culto y lo popular, la originalidad y la tradición, el drama y la poesía, los valores individuales y los colectivos, el pensamiento y la acción; asimismo, carecieron de una visión clara de la relación entre arte dramático y público. En efecto, aquellos dramaturgos, guiados por un concepto del teatro que tenía en cuenta, para negarlos o afirmarlos, unos modelos, no escribieron para un pueblo espectador, sino para un público o culto o ignorante. En muy pocos casos consiguen escribir para todos. Y cuando lo hacen —o, a lo menos, lo intentan— el resultado —salvo alguna que otra excepción— es mediocre. Ninguno de ellos sabe poner de acuerdo la pieza teatral con las necesidades teatrales de todos los espectadores, la forma y el fondo o la técnica y la temática o la materia y el espíritu del drama con el sistema de ideas, creencias y sentimientos del público, entendido éste como colectividad nacional. Naturalmente, sería absurdo considerar mis palabras como acusación a esos dramaturgos. No se puede, en efecto, acusar a ninguno de ellos de no haber hecho un teatro nacional. Lo que intento poner de relieve es, precisamente, la genialidad de Lope de Vega, que sí supo hacer desde el comienzo casi de su carrera dramática un teatro nacional. Recordemos las palabras de Cervantes: «y entró luego el monstruo de naturaleza, el gran Lope de Vega, y alzóse con la monarquía del teatro...» Y los seguidores de Lope justificarán, en último término, el nuevo teatro basándolo en el ejemplo de Lope, razón suficiente de la bondad de toda novedad. Desde un principio, Lope gozaba de inmenso prestigio. Lo decisivo de ese triunfo de Lope el dramaturgo estriba en su concepto del teatro, al que va indisolublemente adscrita su visión —¿pura intuición?— de la finalidad del teatro como arte para el pueblo. Lope tuvo que darse cuenta de que el público era el pueblo o, invirtiendo el orden de las palabras, de que el pueblo era el único público auténtico. Nobles y villanos, hombres y mujeres, cultos e incultos coincidían en sentir y en pensar la vida como españoles. Ese modo o estilo español de vivir y desvivir la existencia empieza Lope por captarlo en sí mismo, en su propia sensibilidad. Lope de Vega, en el centro mismo del vivir de su tiempo, testigo de excepción de los afanes —voliciones y «noliciones»— de su época, y actor, también de excepción, de unos ideales y unas creencias, se convierte en intérprete de la colectividad por el simple hecho de interpretarse a sí mismo. Y lo que Lope interpreta no es un pensamiento, sino su con ciencia de estar existiendo como español de la España concreta, rica de aventura —positiva o negativa— de fines del siglo XVI y primer tercio del XVII. Si se me permite decirlo así, Lope dramaturgo descubre en sí a Lope pueblo. La fidelidad a sí mismo, a su radical espontaneidad vital, mantenida, sin rechazar nunca —esto es importante— sus propias contradicciones, será uno de los secretos de su constante triunfo.

El teatro creado por Lope triunfa en la escena española a lo largo de casi cien años porque, entre otras muchas cosas más, fue ininterrumpidamente actual. La actualidad de ese teatro, lo que le mantenía vigente, no era el que sus temas dramáticos fueran en sí actuales, sino que sus temas, cualesquiera que fuesen (bíblicos, de historia extranjera o española, antigua o moderna, novelescos..., etcétera), estaban pensados y sentidos desde el hoy de todos los españoles y para ese hoy. Es decir, lo radicalmente actual era el punto de vista español —y aquí español no es accidental, sino esencial— desde donde o a través del cual se interpretaba la realidad del universo. Ese punto de vista, compartido —porque convivido— por cada espectador, permite el nacimiento de un teatro popular, fenómeno éste que muy raras veces se da en la historia del teatro universal. Claro está que ese mismo punto de vista iba a determinar, por otra parte, la indudable limitación de nuestro drama nacional.

Fecundidad e improvisación

Conocida es la inmensa producción dramática de Lope. Su fecundidad hace de él un caso único,un auténtico fenómeno dentro de la historia de las literaturas. Fecundidad e improvisación son dos notas que siempre se asocian a la obra y al escritor Lope de Vega, «monstruo de naturaleza». «Fénix de los ingenios»..., etc. Ahora bien, por debajo de esa fecundidad creadora y de ese don de la improvisación, a mí me gustaría dejar bien destacada otra nota, sin la cual las otras dos nada hubieran valido, y que define un aspecto muy importante de la personalidad de Lope: su formidable capacidad de trabajo. En las biografías de Lope se pone de relieve su potencia vital, su enorme empuje, su capacidad erótica, presentándosele casi como una fuerza de la naturaleza. Sin embargo, lo que realmente asombra es su entrega total a la faena de escribir. Mucho más tiempo que al amor y a la aventura gustosa de vivir intensamente cada una de sus empresas dedicó a permanecer amarrado a su mesa, escribiendo. Numerosas veces nos da Lope testimonio de esa entrega suya al trabajo. Basten estas dos citas sacadas de dos de sus epístolas:

Entre libros latinos y toscanos,
ocupo aquí, Gaspar, los breves días,
que suelen irse en pensamientos vanos.

(Al contador Gaspar de Barrionuevo)

Entre los libros me amanece el día
hasta la hora que del alto cielo,
Dios mismo baja a la bajeza mía.

(A don Antonio Hurtado de Mendoza)

Siempre hemos tenido la impresión, corroborada por las numerosas alusiones que hace Lope de su propia vida en sus múltiples epístolas en verso, de que en él había una constante aspiración a la paz, a la tranquilidad, a la soledad gustosa de su gabinete. Vocación mantenida a pesar de los muchos avatares e impedimentos a que su inquieto y apasionado temperamento y las circunstancias de su vivir le conducen. En medio de los mayores tormentos y tormentas de su ánimo, Lope sabe retirarse, hurtando horas al sueño o dedicando largas jornadas de su existencia, al aposento donde están sus libros y sus papeles. Al hablar de Calderón se alude a la «biografía del silencio». Al hablar de Lope, se llenan páginas y más páginas contando la historia de sus amores, pero no se habla de lo que, lógicamente, debería hablarse: de la «biografía del trabajo». Es el trabajo, tanto como los amores, la verdadera constante de su vida. Precisamente porque fue un gran trabajador y porque fue un hombre que gustó, aún más, que necesitó confesarse con la pluma, pudo escribir tanto de sus propios amores. Ciertamente dedicó muchísimas más horas a escribir acerca del amor que a hacer el amor. Intensidad no significa dedicación continua. Y no hay dedicación más absoluta, más incesante en Lope que la dedicación a su propia creación literaria. Destaquemos, pues, junto a su fecundidad y a su don de improvisación o, mejor, sustentando a ambas, su genial capacidad de trabajo.

Popularismo

En el Lope dramaturgo se destaca, igualmente, lo que se llama su «popularismo». Lope fue un hombre que leyó mucho, que leyó de todo, y de sus lecturas asimiló un enorme caudal de conocimientos que, luego, transformado, hecho sustancia propia, aparece a lo largo de su obra. Hombre nada o muy poco problemático, dotado de una mente poco reflexiva, pero muy clara, con una tremenda capacidad de impregnación, parece resolver cuanto observa en los libros o en la vida en materia convivible. Cuanto toca se convierte, inmediatamente, en palabra. Y lo propio de su palabra es ser corpórea, plástica. Cuanto es concepto o abstracción encarna en seguida en palabra nacida en los cinco sentidos corporales. Su palabra es siempre rítmica, jugosa, empapada de realidad. Sensible, desde muy joven, a los versos del Romancero, aprende en él lo que podríamos llamar el arte de la poesía natural y llegará a decir del romance que es composición «envidiada de otras lenguas por la suavidad, dulzura y facilidad que tiene, y porque es capaz de cuantas locuciones y figuras puede tener la más heroica y épica...» Justamente a través del Romancero accederá Lope a la expresión popular, intensamente vivida, de la dimensión heroica de la existencia, tan arraigada en la conciencia de los españoles de su tiempo y tan importante, por tanto, en su teatro y en todo el teatro español. A la vez que Lope se posesiona de esta palabra del Romancero y de su espíritu, hay en Lope algo que Karl Vossler señaló agudamente cuando escribió acerca del «sentido genial de Lope para la significación psíquica de ambientes de toda clase», que le permitió atisbar «la vinculación del hombre a su contorno, a su ascendencia y a sus usos y costumbres» [16]. Ese «sentido genial» para la captación del medio ambiente pudo

---

[16] *Lope de Vega y su tiempo,* Madrid, Revista de Occidente, 1933, pág. 267.

desarrollarlo Lope precisamente en la frecuentación del Romancero y, en general, de la poesía popular castellana, donde unos cuantos rasgos definen limpiamente la circunstanica de la persona, su medio ambiente. Su «popularismo» consiste, sobre todo, en una disposición, no tanto de su inteligencia como de su sensibilidad, para captar en la literatura o en la vida, en toda su inmediatez y frescor, los valores de todo cuanto forma parte de la tradición. Esa tradición que informa cantos, costumbres, fiestas, ambientes, supersticiones, actitudes, que corre como una veta de agua pura a lo largo y a lo ancho del vivir del pueblo y que tiene voces y apariencias distintas en las diversas regiones físicas y sentimentales de la tierra española, Lope parece poseerla de inmediato y sabe —con sabiduría que es afinidad simpatética— hacerla aflorar, como si acabara de nacer, en la entraña misma de su obra poética. En sus dramas suena de continuo, como agua de manantial, esa múltiple voz delgada y pura de la tradición. Tradición que es cosa viva, afán, esperanza y sueño.

Lirismo

Íntimamente unido a ese «popularismo» destaca poderosamente el lirismo de Lope de Vega. No se trata sólo de que en todos y cada uno de sus dramas encontremos rincones de encendido lirismo, escenas de delicado o agreste lirismo, sino de que, en el acto mismo de la creación dramática, trabajan al unísono, uncidos en el mismo yugo, el dramaturgo y el lírico. Testimonio inequívoco de tal unión es la palabra dramática de Lope, que es, en los momentos de mayor intensidad o de mayor densidad, palabra poética. Las mejores piezas de Lope, las mejores escenas, aquellas inconfundiblemente suyas, son, en el sentido antes sugerido, poesía dramática. Lope se caracteriza por el dinamismo de la acción, «la rapidité presque abstraite de l'action», de que hablaba Marcel Carayon. Ese dinamismo de la acción, que elimina de la «fábula» lo no interesante, lo que pudiera resultar peso muerto en el esquema dramático, que condiciona la estructuración de la materia dramática haciéndole adoptar la sucesión rápida de escenas, por medio de transiciones bruscas; ese dinamismo de la acción que fuerza, desde dentro mismo del drama, a la estilización y a la condensación, y que dirige la atención del dramaturgo a lo emotivo de las situaciones humanas, se origina, justamente, en el lirismo básico de la creación dramática de Lope de Vega. Su fuente inmediata está en el Romancero. Precisamente al tratar de caracterizar ese especial dinamismo de la acción típica del teatro de Lope —y a través de él difuso en el teatro español del siglo XVII— he utilizado una serie de rasgos que Menéndez Pidal señaló como característicos del estilo de los romances. Pero además de este lirismo de base encontramos otro mucho más visible que se manifiesta, por medio de canciones y de villancicos, en aquellas escenas, muy numerosas, en que los personajes viven sus alegrías y sus penas en estrecha conexión con la naturaleza. Deliciosas escenas de aldea o de campo en las que Lope expresa la belleza del cotidiano transcurrir de las horas en un paisaje sentido idílicamente, en donde reinan la paz y la alegría y en donde los corazones, en comunión con la naturaleza sencilla, manifiestan una especie de beata armonía. Lope sintió intensamente la poesía de la naturaleza y su reflejo en las vidas por ella sustentadas.

2. Aspectos de su teatro

Ningún problema tan difícil de resolver satisfactoriamente como el que plantea la necesidad de presentar con cierto rigor metodológico la inmensa producción de Lope de Vega. ¿Cómo ordenar, previamente, esa ingente e intrincada selva teatral, sin dejar fuera ningún aspecto importante? Imposible acudir, como podría hacerse con el teatro isabelino inglés o con el teatro francés, al cómodo esquema de los géneros dramáticos clásicos, pues, como ya sabemos, la ruptura de los géneros es lo que define, exteriormente, al teatro español. Desde Menéndez Pelayo suele adoptarse, para el estudio del teatro de Lope, la clasificación temática. Se agrupan las obras atendiendo a los temas, motivos o asuntos. Pero esta clasificación no es, ni mucho menos, la mejor, aunque sea la única, y plantea, a su vez, nuevos problemas, ya que reúne en un mismo epígrafe piezas que por su estructura son desemejantes. Por otra parte, esta clasificación, puramente externa, convierte el estudio de los dramas en una rápida revista repleta de títulos y más títulos que llega a abrumar al lector. Si, al mismo tiempo, se tiene en cuenta que lo propio de Lope es tratar el mismo tema según estilos dramáticos muy diversos o desde enfoques que varían de una pieza a otra e, incluso, de un acto a otro dentro de la misma pieza, el problema de una clasificación realmente científica se hace insoluble. Con todas estas salvedades es indudable que la clasificación establecida por Menéndez Pelayo ofrece, con todos sus defectos, una especie de panorámica del teatro de Lope. Como el criterio que hemos adoptado en la redacción de este libro es fundamentalmente selectivo, y no acumulativo, agruparemos las obras representativas de los aspectos más relevantes del teatro de Lope en torno a varios núcleos. Cada uno de ellos estará determinado por un sistema de fuerzas o principios en conflicto. Desde ahora advertimos que no nos interesa establecer clasificación alguna. Si nos importa, en cambio, presentar del modo más vivo posible, a través de unas cuantas obras de Lope, lo mejor del universo dramático de nuestro autor. Para la elección de las piezas de Lope nos hemos basado no exclusivamente en nuestro juicio estético, sino, sobre todo, en esa innegable tradición crítica que, rica de muchos trabajos y días, ha ido, desde criterios y estimaciones muy varias, señalando de manera unánime en la amplia geografía del teatro de Lope las más altas cimas. Hoy en día todos los críticos, españoles o extranjeros, están de acuerdo en dar la palma a un grupo de obras, casi siempre las mismas, cuyos títulos aparecen destacados en cualquier estudio, monográfico o no, sobre el teatro de Lope. No olvidemos lo que tantas veces se ha repetido: que aun en la peor de las obras de Lope hay siempre una escena buena donde resplandece su genio. Cierto. Pero no hemos querido caer en la beatería de muchos críticos que, guiados por su amor a Lope, todo lo disculpan y para todo hallan justificación. Precisamente esa beata indecisión, excesivamente puntillosa, ha hecho más mal que bien al conocimiento verdadero de Lope, a quien el público actual no lee, por carecer de una buena edición popular, mayoritaria, del teatro de Lope, en donde figuren no *muchas* piezas, sino las mejores, las veinte o treinta —ya es suficiente— que dan la medida de su genio de dramaturgo, y que representen, a la vez, lo mejor de cada uno de los géneros por él cultivados, desde la tragedia griega y la tragicomedia a la comedia propiamente dicha, en cualquiera de sus distintas formas temáticas.

Dramas del poder injusto

Buen número de dramas de Lope tratan del uso injusto del poder por parte de un poderoso, el cual puede ser un noble o el mismo rey. Representativos del primer caso A) son tres obras maestras: *El mejor alcalde, el Rey; Peribáñez y el Comendador de Ocaña y Fuenteovejuna;* del segundo B) *El Duque de Viseo* y *La Estrella de Sevilla.*

A) Cuando es un noble quien ejerce injustamente el poder, su antogonista es el villano, el hombre del pueblo que, impulsado por su conciencia honrosa, estribada, a la vez, en el sentido de su propia dignidad personal y en la seguridad que le da la limpieza de su sangre, no contaminada, por saberse perteneciente a la casta de los «cristianos viejos», acudiendo al rey en demanda de justicia, bien para que éste castigue al poderoso, que no ha sabido usar convenientemente de su poder, bien para que corrobore la venganza que por su propia mano se ha tomado. En estos casos, el rey actúa siempre como juez supremo y su sentencia fulmina al señor y favorece la causa del villano. Monarquía y pueblo forman así un bloque compacto y una armoniosa unidad, cuyo sentido es tanto político como religioso. Aunque no conozcamos con absoluta certeza la cronología exacta de los tres primeros dramas, es bastante probable que fueran creados en el siguiente orden: *Peribáñez y el Comendador de Ocaña* (1610?), *Fuenteovejuna* (1612?-1614?), *El mejor alcalde, el Rey* (1620-1623). Estudiémoslas en este orden, aunque lo usual sea empezar por *El mejor alcalde, el Rey* y terminar por *Fuenteovejuna*[17].

Peribáñez y el Comendador de Ocaña

La obra comienza con la alegría de unas bodas rurales. En la villa de Ocaña, Peribáñez, rico y honrado labrador, se casa con la hermosa Casilda, villana como él. Los rústicos del lugar celebran con danzas, bailes y canciones el feliz acontecimiento. Reinan la paz y la armonía. Una intensa poesía emana de ese ambiente de aldea, donde la vida transcurre estrechamente ligada a los campos. Peribáñez y Casilda, estribados en su amor, se sienten ricos de sí mismos, contentos de su condición que por nada querrían trocar. Peribáñez, de limpia sangre, cuenta con la admiración de sus paisanos:

> Es Peribáñez, labrador de Ocaña,
> cristiano viejo, y rico, hombre tenido
> en gran veneración por sus iguales,
> y que, si se quisiese alzar agora
> en esta villa, seguirán su nombre
> cuantos salen al campo con su arado,
> porque es, aunque villano, muy honrado.

No es, pues, simplemente Peribáñez el villano, un villano cualquiera, sino individuo de excepcional calidad moral dentro del pueblo. Junto a él, su esposa Casilda resplandece por su hermosura y por sus virtudes, entre las cuales es la primera la fidelidad al marido. Arquetipo de feminidad natural y ejemplo de perfecta esposa. Los dos héroes populares son, por tanto, dos individualidades a las que Lope dota de altas virtudes. El antagonista, el comendador de Ocaña, es presentado también como ejemplo de caballeros, destacando entre sus virtudes el valor, la generosidad y la gallardía, que lo hacen admirable al pueblo. Por puro azar se encuentra ante Casilda. Un no-

[17] Para la cronología ver S. G. Morley y Courtney Bruerton, *Cronología de las comedias de Lope de Vega...*, Madrid, 1968.

villo de los que se corrían en la fiesta lo ha derribado, dejándolo sin sentido. Casilda le atiende. Al volver en sí, el comendador, admirado de la hermosura de Casilda, la desea. Esa pasión súbita, que se apodera fulminante de todo su ser, cegándole la razón, es quien, descentrándolo, dirige sus acciones hacia una meta única: la posesión de Casilda. Para ello intentará ganarse al marido, obligándolo con favores, a fin de que descuide su honor. Aprovechando una ausencia de Peribáñez, acude, de noche, a casa de Casilda, siendo rechazado por ésta, que alerta a los segadores. El comendador actúa no como señor, sino como enamorado. Y al sentirse rechazado como tal monta en ira y se jura a sí mismo:

> ... aunque gaste mi hacienda,
> mi honor, mi sangre y vida,
> he de rendir tus desdenes,
> tengo que vencer tus iras.

El amor, el deseo insatisfecho y la vanidad herida son los acicates de su conducta. Aprovechando una orden del rey, que pide dos compañías de labradores, aleja a Peribáñez de la villa nombrándole capitán de una de ellas y ciñéndole él mismo la espada de caballero. Por la noche, el comendador llega hasta Casilda. Todavía le dice:

> Vengo
> esclavo, aunque soy señor.

Casilda se apresta a defenderse. ¿La forzará el comendador? Peribáñez, que partió lleno de sospechas, y ha vuelto a todo galope a su casa, adonde entró por la casa de un vecino, escondiéndose, sale de su escondite y hiere de muerte al comendador. Antes de morir reconoce que Peribáñez le ha muerto con razón. Y dice algo más:

> No es villano, es caballero;
> que pues le ceñí la espada
> con la guarnición dorada,
> no ha empleado mal su acero.

El conflicto planteado por Lope no es, en modo alguno, un conflicto social, pues, en ningún momento, los protagonistas actúan movidos por conciencia alguna de clase. Cada uno de ellos se representa a sí mismo como individuo y la responsabilidad de las acciones que cada uno acomete son imputables a las personas, no a su condición social. Lope, exaltador de los valores individuales, enfrenta un hombre del pueblo y un poderoso y los deja en libertad para que cada uno dé, con sus acciones, la medida de su propio valor. La culpa del poderoso consistía, en última instancia, en anteponer el gusto personal a la obligación que el poder le impone. Sin embargo, el arrepentimiento del comendador, que perdonará a Peribáñez, dejará restaurado el orden roto. El conflicto cobrará así, en la penúltima hora, una dimensión fundamentalmente ética.

El rey, a cuyos oídos llega la noticia del suceso, montará en cólera y pondrá precio a la cabeza de Peribáñez. Para el monarca, Peribáñez es un villano que se ha atrevido a dar muerte a un noble. Sólo cuando Peribáñez se presente ante él y, con palabra que denota toda la conciencia de su propia dignidad, le cuente lo ocurrido, le declarará inocente. La raíz de su justicia no será social, sino ética. Pero la consecuencia última será que el rey hace justicia al villano, aunque no sin asombrarse de:

> ¡Que un labrador tan humilde
> estime tanto su fama!

Fuenteovejuna

Fernán Gómez, comendador de la Orden de Calatrava, señor de Fuenteovejuna, tiene fama de valiente en las armas y de libertino con las mujeres. Partidario de Juana la Beltraneja en la sucesión del trono de Portugal, lucha en el bando opuesto al de los Reyes Católicos. Después de la toma de Ciudad Real regresa a Fuenteovejuna, villa de su encomienda que ha elegido como lugar de residencia. El pueblo le recibe con vítores. El comendador, que hace más de un mes persigue a Laurencia, bella lugareña, hija del alcalde, la busca para forzarla. Frondoso, villano, novio de Laurencia, le amenaza con una ballesta. Fernán Gómez jura vengarse. El Consejo de la villa, compuesto de aldeanos, ofendidos por la conducta del comendador, le ruegan se comporte como señor y no los deshonre. El comendador se burla de ellos, ya que para él los villanos carecen de honra. Antes de partir de nuevo a la guerra comete nueva crueldad: entrega a Jacinta, joven aldeana, a sus soldados para que abusen de ella y manda azotar a Mengo, rústico simple, que ha salido en defensa de la muchacha. Partido el comendador, el pueblo de Fuenteovejuna respira y aprovecha su ausencia para celebrar las bodas de Laurencia y Frondoso. En medio de la alegría sobreviene el comendador. Hace preso a Frondoso y lleva consigo a Laurencia. Reunido el pueblo en la sala del consejo discuten acalorados qué es lo que deben hacer. Se proponen varias soluciones: acogerse a la protección de los Reyes Católicos, abandonar la ciudad, matar al comendador.

> ¡Contra el señor, las armas en las manos!

responde uno de ellos. Los representantes del pueblo no llegan a ponerse de acuerdo. Laurencia, rotos los vestidos, brutalmente tratada por el comendador, llega a la sala y con palabra donde la pasión restalla insulta a los hombres y los excita a la venganza. La chispa que faltaba para encender el furor popular prende en todos los ánimos. Al grito de «¡Vivan Fernando e Isabel, y mueran los traidores!», «¡Fuenteovejuna! ¡Los tiranos mueran!», el pueblo asalta la casa del comendador y lo mata. Después, cumplida la venganza, el pueblo, que ha sabido liberarse del tirano por sí mismo, se pone de acuerdo para declararse colectivamente culpable del asesinato ante la justicia del rey. Cuando llega el juez real y somete a tortura al pueblo para que confiese quién mató al comendador, todos, hombres y mujeres, niños y viejos, contestan: «¡Fuenteovejuna!» En la última escena el pueblo, ante el rey, se acoge a su clemencia, declarándose inocente. A lo cual responde el rey:

> Pues no puede averiguarse
> el suceso por escrito,
> aunque fue grave el delito,
> por fuerza ha de perdonarse.

Subrayemos los siguiente hechos:

1.° El poderoso es presentado en este drama mediante una acumulación de rasgos sistemáticamente negativos. La base de su personalidad, como es puesto ya de relieve en la primera escena, apenas habla el comendador, es la soberbia de la vida. Vemos con claridad, desde el principio, la contradicción entre el cargo y la virtud, entre el nombre y la conducta personal, es decir, entre poder y conciencia.

2.° También desde el principio (Escena III) sorprendemos dos actitudes en el pueblo, representadas por Laurencia y Pascuala, respectivamente. Laurencia se sitúa resueltamente frente al comendador. Pascuala considera imposible resistirse al poder del comendador. Estas dos actitudes tienen un sentido exacto: el poder del poderoso pesa como un destino sobre el pueblo. ¿Podrá éste rebelarse contra él o sucumbirá fatalmente? A partir de esta escena ya está planteado el conflicto. Estas dos actitudes perdurarán casi hasta el final, en que prevalecerá la primera.

3.° La venganza del pueblo como héroe colectivo no estriba en el principio de la libertad, sino en el principio de la justicia. El motín popular, la rebelión del pueblo está fundada en la necesidad de la justicia. Por eso el pueblo apela a Dios y al rey, a la justicia divina y a la justicia real, que representa a la primera en la tierra. La libertad es consecuencia de la justicia, y no al revés. Es la justicia quien funda la libertad. La misión del poder es administrar la justicia. Cuando no lo hace así, el pueblo tiene el derecho —y es lo que Lope dramatiza— de administrarla por sí mismo. A lo largo del drama el pueblo acusa al comendador de injusto. Cuando Esteban, convertido en simple brazo de la justicia popular, le mata, dice:

¡Muere, traidor Comendador!

Traidor, ¿por qué? Porque ha traicionado, en efecto, la esencia del poder que le ha sido dado: la justicia. El pueblo, una vez satisfecho su deseo de justicia, está dispuesto a someterse al castigo del rey e, incluso, a morir si es necesario. Para el rey el pueblo ha cometido un delito, delito que no puede quedar sin castigo. Las palabras con que el rey cierra el drama son significativas por sí mismas:

Pues no puede averiguarse
el suceso por escrito,
aunque fue grave el delito,
por fuerza ha de perdonarse.

4.° En la escena del tormento Lope ha elegido para representar al pueblo a un viejo, un niño, una mujer y a Mengo, hombre gordo y cobardón, es decir, a los más débiles. Esa selección potencia al máximo el heroísmo del pueblo. Ese heroísmo es el que, en definitiva, le salva. Uno de los mejores aciertos de construcción del drama es, justamente, el haber puesto una a continuación de otra la escena de la venganza y la escena del tormento. El pueblo que ha sabido unirse para la realización de la venganza, cobra conciencia de esa unidad en la escena del tormento. Ésta, y no la venganza, marca el punto máximo de su heroísmo. La venganza —ya lo hemos visto— constituye un delito para el rey; el heroísmo le redime del castigo. Lope, hombre de su tiempo hasta la médula del alma, no podía escribir, sin más, el drama de la libertad del pueblo, pero sí el drama del heroísmo del pueblo.

El mejor alcalde, el rey

Comienza la obra con la presentación, llena de limpio y luminoso lirismo, de los amores de Sancho y Elvira, dos jóvenes y honrados aldeanos que se aman con amor puro y cuyo idilio transcurre sobre un fondo de paisaje gallego. Reina una intensa armonía entre los corazones de los enamorados y la naturaleza que los sustenta. Nuño, el padre de Elvira, grave y digno campesino, autoriza las bodas y aconseja a Sancho que dé parte de su intención a su señor natural, don Tello, para que éste le honre y le dé alguna dote. Don Tello, poderoso infanzón que, retirado en sus tierras, vive entregado al ejercicio de la caza, como propio de su condición y ánimo esforzado, dota generosamente a Sancho y decide honrar con su presencia las bodas. Pero en cuanto ve a Elvira brota en él súbita la pasión y el deseo de poseerla. Hasta aquí la situación dramática es casi idéntica a la de *Peribáñez y el Comendador de Ocaña.* Pero a partir de este momento, los personajes van a actuar de modo distinto. Don Tello, más primitivo que el comendador de Ocaña, hará raptar a Elvira y la llevará a su casa. Sancho, acompañado de Nuño, pide a don Tello que le haga justicia, no atreviéndose a acusarlo del rapto. Y don Tello le miente. Descubierta su mentira, monta en cólera y manda matar a palos a los villanos. Sancho marcha a León, donde se encuentra el rey, para pedir justicia. Peribáñez y el pueblo de Fuenteovejuna se atrevieron a más que Sancho. Sancho sabe que, quedándose en la aldea, nada conseguirá. El poder de don Tello pesa más que el de los dos comendadores. Lope establece aquí la relación pueblo-nobleza según el esquema pobre-poderoso. El pobre nada puede por sí mismo contra el poderoso. Su dependencia y su impotencia son absolutas. Sólo le cabe una salida: apelar ante la justicia del rey. La exaltación del rey es en este drama superlativa, en relación con los dos anteriores. El rey, en efecto, atiende al villano que, como Peribáñez, no es cualquier villano. Sancho se presenta ante el monarca diciendo:

> Señor, yo soy hidalgo,
> aunque pobre.

Don Tello participa, a la vez, de la naturaleza del comendador de Ocaña y del comendador de Fuenteovejuna. Las palabras de Sancho al rey no pueden ser más claras:

> Pido justicia de quien
> en su poder confiado
> a mi mujer me ha quitado,
> y me quitara también
> la vida si no me huyera.

dice, y añade:

> Él pone y él quita leyes;
> que éstas son las condiciones
> de soberbios infanzones
> que están lejos de las leyes.

El rey le entrega una carta para don Tello, pero éste se niega a obedecer las órdenes reales. La acción cobra, a partir de este momento, un sentido ausente en los otros dos dramas. Don Tello ya no es culpable solamente de usar injustamente el poder, sino que se hace culpable de desobediencia al rey. Esta desobediencia, y no solamente el uso injusto del poder, es la que mueve al monarca a hacer justicia por sí mismo. Y su justicia será terrible. Elvira, entre tanto, ha sido brutalmente forzada por don Tello. El rey, después de desposar al noble con la ultrajada aldeana, obligándole a dotarla con la mitad de su hacienda, le hará decapitar. Y Elvira, noble y rica, podrá casar con Sancho.

B) La exaltación de la monarquía idealizada y la sublimación de la autoridad real parecen haber sido vividos como un dogma por los súbditos de la monarquía absoluta, donde el rey, encarnación individual del Estado, depositario del poder supremo, estaba situado más allá del bien y del mal. Lope, creador de un teatro nacional, uno de cuyos principios es la fidelidad al rey por encima de toda norma ética y aun en contra de la conciencia individual, sería en esto hombre radicalmente de su tiempo. Como dramaturgo no se permitiría la más mínima actitud de protesta, antes bien escribiría sus dramas desde una postura rígidamente conservadora. El teatro español clásico, ante el tema del rey, procedería siempre de acuerdo con un sistema ideológico inmutable, sin permitirse contradicción ni reserva alguna. En la dramaturgia de Lope aparece una serie extensa de monarcas cuya tipología responde a la idea del príncipe perfecto: son justos, buenos, protectores y honradores de sus vasallos, preocupados de la felicidad de sus súbditos, imagen de Dios en la tierra, llenos de piedad para con los inocentes, inmisericordes con los soberbios, autodominadores de sus pasiones..., etc. ¿Ocurre alguna vez en este teatro que el rey no responde a la imagen ideal del rey, que el rey no represente a la perfección su papel de rey ideal? Desde luego. Otra serie de dramas, mucho más reducida, hace subir a escena al rey que no se comporta como rey, al rey que usa injustamente de su poder, porque en él puede más su individualidad de hombre que su función de rey. En estos casos, la conducta del rey causa la tragedia del vasallo e incluso su muerte. Y, sin embargo, nadie acusa al rey, ni siquiera sus víctimas. Todos callan y aceptan, todos callan y se resignan. O, más exactamente, la aceptación y la resignación va acompañada de la pública declaración del derecho del rey a *hacer su* gusto, su voluntad, aunque ésta sea contra la ley de Dios y del hombre.

> Que no hay más honra, vida ni más leyes
> que el gusto y la obediencia de los reyes.

Sin embargo, realmente preocupados por esta absoluta inhibición de la conciencia individual ante el poder político, no podemos menos de preguntarnos: ¿es posible tan absoluta sumisión de la conciencia del dramaturgo? ¿No habrá en estos dramas del poder injusto, cuando es el rey quien lo encarna, algo distinto? ¿La palabra de los personajes será la palabra del dramaturgo? Y si es así, ¿por qué y para qué ha escrito estos dramas donde la figura del rey no aparece a la luz más favorable? Vossler, en su libro *Lope de Vega y su tiempo,* escribía: «Lo ciego del horror ante el rey es exaltado como una fuerza de la Naturaleza» [18].

Veamos qué es lo que ocurre en la tragedia, no valorada hasta ahora como se merece, *El Duque de Viseo* (1608-1609) [19].

He aquí el esquema de la acción: El rey don Juan II de Portugal, preocupado por la seguridad del trono, inducido a sospecha por su valido y confidente, manda matar, sin prueba alguna objetiva de culpabilidad, al duque de Guimaráns y asesina por su propia mano al también inocente duque de Viseo, hermano de la reina y hombre muy amado por el pueblo. Las propias víctimas, que se saben inocentes, si alguna vez incurren en tentación de murmurar de la áspera condición del rey, cortan inmediatamente con sólo decir:

> El Rey quiere, el Rey lo manda:
> al Rey obediencia.

Cuando son asesinados ni una sola voz se levanta acusadora. En esta tragedia el rey no mata a causa de una pasión, sino por miedo a perder el poder —poder que nadie amenaza— y por simple necesidad de seguridad.

Lope se inspiró, como ha demostrado Menéndez Pelayo, en la *Crónica del rey Don Juan,* escrita en portugués, por el cronista mayor de Portugal Ruy de Pina. *La Crónica,* favorable al rey, mostraba que el duque de Guimaráns (en la Historia duque de Braganza) y el duque de Viseo eran culpables de haber conjurado contra el rey. Por tanto, históricamente, el rey tuvo razones políticas para matar. En la poesía popular las víctimas aparecen como inocentes. Lope, al construir su drama, adopta la misma postura. Y, así, en lugar de escribir un drama en el que el rey asesina a dos hombres por crímenes políticos reales, escribe un drama en el que el rey asesina a dos hombres inocentes. Es decir, que el dramaturgo, durante el proceso creador, cuando estructura la acción y elige que las víctimas sean inocentes y no culpables, cuando hubiera podido hacer justamente lo contrario, nos está significando ya cuál es su postura.

---

[18] *Op. cit.,* pág. 262.
[19] Véase mi edición. Madrid, Alianza Editorial, 1966.

En esa postura inicial y fundamental que origina el drama, y en la acción representada, y no sólo en las palabras de los personajes, está la voz más honda de la conciencia del dramaturgo Lope de Vega. Ningún personaje acusa al rey. Pero es, precisamente, ese silencio universal de los personajes quien acusa, pues no hay que olvidar que el juicio final y definitivo sobre la acción vivida en la escena no corresponde a los personajes, sino al espectador, que sabe que las víctimas son inocentes.

Es demasiado ingenuo identificar la palabra de los personajes con la palabra del dramaturgo, olvidando que éste no sólo crea la palabra del personaje, sino la acción, y que ambas sustentan el universo dramático de cada pieza. Y que es ese universo —construcción total— y no sólo la palabra o la acción quien se impone al espectador. Tener esto en cuenta nos evitaría muchos errores críticos en la interpretación de nuestro teatro clásico. Y muchas acusaciones de conformismo al dramaturgo.

El mismo contraste o desnivel entre acción injusta y palabra sumisa y aceptante de quien padece la injusticia se encuentran también en *La Estrella de Sevilla.* Atribuida a Lope hasta el siglo pasado, varios críticos han negado que sea de Lope. Si el texto que hoy poseemos no es de Lope, parece más que probable se base en otro perdido de él. Por otra parte, Eduardo Juliá Martínez, con argumentos que nos parecen de peso, restituye a Lope la paternidad de la obra [20]. Por no parecernos zanjado definitivamente el problema, nos permitimos estudiarla aquí entre los dramas del poder injusto. He aquí el esquema de la acción:

El rey Sancho el Bravo, recibido triunfalmente en Sevilla, ha visto a una dama de extraordinaria belleza. La pasión brota súbita. La dama, llamada la Estrella de Sevilla, es hermana de Bustos Tavera, y está prometida a Sancho Ortiz de las Roelas, a quien ama y de quien es amada. Bustos y Sancho son amigos. El rey, aconsejado por su confidente, Arias, que ha sobornado a una esclava, criada de Estrella, penetra, de noche, en la casa de Bustos Tavera, creyendo que éste no regresará hasta el alba. Pero Bustos llega en ese momento e impide al rey llegar hasta Estrella. Bustos, que ha reconocido al rey, finge no conocerlo. Discuten, y el rey, temeroso de ser descubierto por los criados que acuden a las voces, huye. Está afrentado porque sabe que Bustos le ha reconocido y, a pesar de ello, le ha hecho frente. Decide vengarse del vasallo, pero en secreto, ya que no hay razón para el castigo público. Encarga esta misión a Sancho Ortiz de las Roelas, ignorando que es el prometido de Estrella y amigo de Bustos. Le ordena matar a un hombre culpable del crimen

[20] Ver su edición de *Obras escogidas dramáticas,* de Lope, en 6 vols., Madrid, 1934-1936, vol. IV, págs. V-XXI.

de lesa majestad. Sancho da palabra al rey de cumplir su mandato sin saber quién es el acusado. Cuando, dada ya su palabra, se entera, se enfrenta con el trágico dilema: obedecer al rey o salvar al amigo, cumplir con lo que considera su deber o con lo que es su gusto. Su concepto del honor y de la obediencia le deciden a matar a Bustos. Los jueces de la ciudad lo condenan a muerte contra el deseo del rey. El rey, que ha silenciado ser el responsable del asesinato de Bustos, confiesa al final haber dado él la orden. Estrella y Sancho, que siguen amándose, renuncian a unirse en matrimonio.

Ni un solo personaje del drama acusa al rey, ni uno solo le culpa, en ninguno de ellos hay asomo alguno de protesta o de crítica. Cuando el rey confiesa ser la causa de esa muerte, el único comentario es éste:

Así
Sevilla se desagravia;
que, pues mandasteis matalle,
sin duda os daría causa.

Ni siquiera Estrella, hermana del asesinado por orden del rey, pronuncia queja alguna. Y Sancho y Estrella se separan, renunciando al amor y a la felicidad, sin resentimiento alguno contra el rey. El único que se atrevió a enfrentarse al rey fue, precisamente, el muerto. Pero fingiendo que no sabía que era el rey. En sus palabras hay, indudablemente, una ironía trágica, envuelta en una lección de qué es ser rey:

Es el rey el que da honor,
tú buscas mi deshonor...
....
que no es rey quien atropella
los fueros de la opinión...

Los personajes, pues, incluidas las víctimas, cuya vida ha destrozado el rey, no protestan. ¿Y el dramaturgo? Al parecer, tampoco. Sin embargo, una cosa es patente: las acciones del rey son injustas. ¿Qué es lo decisivo en la conciencia del dramaturgo: la acción injusta que él ha convertido en drama, en pieza teatral, o la palabra de los personajes? Justamente lo puesto de relieve en el drama ¿no es, acaso, el contraste entre la acción en sí misma y la palabra de los personajes? Porque hay un hecho que no puede pasarnos desapercibido: las palabras antes citadas:

que, pues mandasteis matalle,
sin duda os daría causa.

Esas palabras las dice un personaje del drama, pero las escuchan no sólo los otros personajes, sino el público, que *sí sabe,* porque ha asistido al desarrollo de la acción, que *Bustos Tavera no dio causa.* Naturalmente, es aventurado afirmar con absoluta certeza cuáles serían los sentimientos del público, pero sí es lícito presumir que al espectador no le escapaba, sentimentalmente, el contraste entre la acción y la palabra. ¿Podemos asegurar que al dramaturgo sí le escapaba? Yo no lo creo.

Mirada así, esta tragedia tiene en nuestro tiempo —hoy mismo— una gran actualidad, con sólo vestir personajes y conflicto con nuestra ropa. ¿Quién no reconocería en ella la tragedia del poder injusto, y en la palabra de los personajes la palabra del hombre que todo lo acepta y todo lo justifica? ¿Cuál sería la reacción del espectador? Que cada lector responda.

Un drama de honor

En los dramas anteriores hemos podido ver el honor, en su aspecto más universal, funcionando vitalmente en unos personajes individualizados e integrados en situaciones de la vida concreta o en un personaje colectivo. El honor-virtud, consecuencia del valor infinito de la persona, «patrimonio del alma», identificado en su raíz ontológica con la dignidad personal, mueve a unos hombres del pueblo o al pueblo como colectividad, a la realización de acciones que los alzan, dramáticamente, al plano del heroísmo. Estribado en su conciencia honrosa el villano se convierte, por primera vez en la historia del teatro europeo, en héroe, con igual categoría dramática que el personaje de noble sangre e ilustre nacimiento, único héroe hasta entonces admitido en el teatro. A través de este sentimiento de la honra, adscrito al núcleo más íntimo de la persona, Lope de Vega no sólo nos da una imagen noble del hombre, espiritualmente valiosa, más allá de toda condición social, sino una nueva imagen *teatral* del hombre. Esta dramatización de los «casos de la honra» significa, pues, una exaltación del hombre común como persona y como personaje. Que la personalidad humana, que el sentimiento personal de sí mismo, adquiera máxima intensidad en su formulación, es fruto natural del Renacimiento. Lope de Vega está a la altura de su tiempo. Su imagen del hombre es la imagen vigente del hombre. Lo que, en cambio, no estaba vigente, lo radicalmente original e inédito es —repito— la imagen teatral del hombre del pueblo en Lope. En este sentido, Lope, como dramaturgo, es mucho más revolucionario e innovador que Shakespeare o Corneille. Peribáñez y el pueblo de Fuenteovejuna son los verdaderos *nuevos* héroes del teatro renacentista.

Pero al lado de este aspecto del honor, que mira a lo más íntimo del alma, existe otro aspecto, el social, que lo hace depender de la opinión. Esta segunda dimensión del honor, «orientado hacia la trascendencia social de la opinión» (Américo Castro) está sustentada por el hombre de Corte, por el caballero cortesano. Una espesa red de normas condicionan y rigen su vida en sociedad. Estos dramas son, justamente, los más difíciles de entender para nosotros, dada la falta de vigencia del sistema ideológico y de la sensibilidad para lo social que sustenta tales dramas. Los «casos de honra» en ellos dramatizados que, según Lope, movían con fuerza a toda gente, hoy no mueven a nadie o mueven de diferente manera. Para apreciar en toda su grandeza la fuerza o intensidad dramática de estas obras hay que aceptar, según escribía Menéndez Pidal «las premisas que el honor supone», premisas ya tratadas en la primera parte de este capítulo.

Lope, en este tipo de dramas en que la acción humana no brota espontáneamente de la persona, por necesidad de su íntima naturaleza, sino de unas leyes impuestas desde fuera, aunque aceptadas, por así decirlo, como segunda naturaleza, se mueve con menos soltura o, al menos, con menos capacidad para hacer verdad dramática conflicto y personajes. Mientras la acción transcurre en el ámbito de la vida concreta y los personajes se mueven en la esfera de los sentimientos naturales, mientras los personajes, unos frente a otros o unos junto a otros, hacen y deshacen sus vidas sustentados en lo que son, irreductibles y desnudos en su pura individualidad, el conflicto dramático se nos impone con la fuerza de la verdad, pero cuando acción, pasiones y personajes son puestos en lo que yo llamaría la órbita del vivir convencional, el conflicto se mecaniza. Esta mecanización del conflicto convierte *ipso facto,* al personaje de persona dramática en figura teatral. En lugar de representarse a sí mismo, representa su papel. Ese papel es, justamente, el que le impone el código del honor. Tiene que comportarse como los demás esperan que se comporte. Puede producirse entonces una situación dramáticamente interesante: el combate, en el interior del personaje, entre su ser individual y su ser social, entre lo que es como persona y lo que debe ser como figura. Vida íntima, con toda su constelación de sentimientos, y teatro social, con toda su constelación de ideas, se enfrentan conflictivamente. Siempre la figura que debe representar su papel en el teatro de la sociedad vence a la persona. El sentimiento debe retroceder ante la idea. Estas situaciones adquieren su mejor formulación dramática en Calderón, aunque ya estén en Lope. En los dramas del honor conyugal mancillado, de Lope, la venganza del marido está motivada por una situación real de adulterio consumado;

en los dramas de Calderón no es necesario el adulterio, basta con la simple sospecha. La esposa en Lope es, excepto en *La bella Estefanía,* culpable; en Calderón puede ser inocente, ya veremos por qué.

Entre los dramas del honor conyugal de Lope hemos elegido una de sus obras maestras, que es, además, una de las grandes creaciones del teatro español: *El castigo sin venganza.* Lope la escribió en 1631, a los sesenta y nueve años de edad. Pocas obras suyas están tan cuidadosamente escritas, tan bien estructuradas como esta espléndida tragedia.

El duque de Ferrara, hombre que ha vivido como un libertino, ha decidido, para contentar a sus vasallos, casarse. La mujer elegida es Casandra, hija del duque de Mantua. Envía a buscarla al conde Federico, hijo suyo natural, que, defraudado en su esperanza de heredar al duque, no siente simpatía alguna por su futura madrastra. Antes de llegar a Mantua, junto a un río, salva a una dama. La dama resulta ser Casandra. Entre los dos, jóvenes y hermosos, se establece una corriente de simpatía. Celebradas las bodas, el duque, abandonando a su esposa, se entrega a sus acostumbrados placeres. Casandra se siente ofendida de la conducta de su marido. La inicial simpatía entre Federico y Casandra va convirtiéndose en pasión amorosa. Cuando ambos toman conciencia de ese amor que ha ido apoderándose de ellos, deciden huir uno del otro. El duque parte a Roma para servir al Papa en la guerra. Durante esa ausencia de cuatro meses Casandra y Federico, que no han podido resistir a su pasión, viven como amantes. Vuelve el duque, moralmente cambiado, arrepentido de su vida libertina y dispuesto a entregarse entero a Casandra. Un anónimo le denuncia los amores de su esposa y de su hijo. El adulterio es juzgado por el duque como un castigo del cielo por sus muchos pecados. El honor le exige matar a los adúlteros, sin hacer pública la afrenta. No matará para vengarse como marido, sino para castigar como padre. Las leyes del honor quedarán satisfechas porque la sangre de los culpables será derramada, aunque no por la mano del duque.

> ...... Cielos,
> hoy se ha de ver en mi casa
> no más que vuestro castigo;
> alzad la divina vara.
> No es venganza de mi agravio;
> que yo no quiero tomarla
> en vuestra ofensa, y de un hijo
> ya fuera bárbara hazaña.
> Éste ha de ser un castigo
> vuestro no más, porque valga
> para que perdone el Cielo

el rigor por la templanza.
Seré padre y no marido,
dando la justicia santa
a un pecado sin vergüenza.
Esto disponen las leyes
del honor, y que no haya
publicidad en mi afrenta
con que se doble mi infamia.

Inmediatamente después de estas palabras, el duque cuenta cómo Casandra, al saber por su propio marido que el adulterio ha sido descubierto, se ha desmayado, y está, en la habitación inmediata, atada de pies y manos, cubierta con un tafetán y amordazada. A su hijo Federico le dice que aquel bulto es el de un traidor de Ferrara conjurado para quitarle la vida, y le manda que le mate sin descubrirle la cara. Federico obedece y cuando sale, tinta la espada en la sangre de Casandra, cuya identidad ha descubierto después de haberla matado, el duque, que ante su guardia y sus vasallos lo ha acusado de haber asesinado a su madrastra:

no mas
de que porque fue su madrastra,
y le dijo que tenía
mejor hijo en sus entrañas
para heredarme.

manda matarle.

El «caso de honra» que Lope presenta en esta tragedia española no es, precisamente, el más frecuente en este tipo de dramas. El adulterio cometido por la madrastra y su alnado es bastante excepcional. El tema del amor incestuoso de la madrastra por su entenado había sido tratado por Eurípides y Séneca en la antigüedad, pero en ellos sólo la madrastra, Fedra, es culpable. También la literatura antigua había presentado el tema del hijastro enamorado de su madrastra en la historia de Antíoco, que Lope utiliza en una escena de su drama. La fuente de Lope es una novela de Bandello [21]. Lo peculiar de Lope es hacer compartir el amor incestuoso a la madrastra y al hijastro. Hay un exquisito cuidado en motivar el nacimiento, crecimiento y triunfo de la pasión. El contenido de los dos primeros actos y de casi todo el tercero lo constituye la pasión de Casandra y de Federico. Paso a paso conduce a los amantes al adulterio, sin que falte o sobre ninguna escena, sin que la acción corra precipitada.

---

[21] Ver Menéndez Pidal, «*El castigo sin venganza.* Un oscuro problema del honor», en *E. P. Las Casas y Vitoria con otros temas de los siglos XVI y XVIII,* Madrid, Espasa-Calpe, Col. Austral, 1958, págs. 123-152.

Lope, esta vez, se ha demorado en presentarnos el proceso de una pasión amorosa. Nos importa analizar aquí la solución del conflicto y centrar nuestra atención en el tercer personaje: el marido ofendido. La ley del honor le exige matar a los culpables, dando secreta venganza a secreto agravio. Vengarse en el hijo le parece «bárbara hazaña». Por otra parte, no sólo él, padre y marido, ha sido ofendido, sino el cielo. ¿Cómo vengar el honor agraviado sin vengarse del hijo y sin ofender al cielo? Notemos que lo que le angustia no es matar a la esposa, sino matar al hijo. Es entonces cuando pronuncia las palabras arriba transcritas.

Menéndez Pidal, en el estudio citado, después de criticar las interpretaciones que Vossler y Meier dan al desenlace, acepta, en parte, la de Consiglio y la completa, escribiendo: «El duque, después de su victoria, renovado en su ética, vuelto un hombre virtuoso, quiere castigar como juez y no como parte interesada: así Casandra muere a manos de su propio amante y no por la culpa verdadera, que permanecerá oculta (...). El duque castiga en nombre del estado de que es señor. El castigo, al suplantar a la venganza, acepta de ésta su más esencial modalidad, la de dejar en secreto el agravio, publicando una falsa culpa, merecedora del público castigo; pero la venganza no existe, pues no es tomada por propia mano.» Para Menéndez Pidal es necesario no perder de vista que «Lope estructura el desenlace de su tragedia teniendo en cuenta el formalismo que regía la venganza medieval» [22].

Ahora bien, si al historiador y al crítico le importa la interpretación histórica del desenlace, al espectador de la tragedia le importa mucho menos esa interpretación que el desenlace en sí y su intensidad trágica. El duque, encerrado en la soledad de su conciencia, se debate intentando conciliar la ley del honor, la ley natural y la ley divina, presa su alma de contrarias exigencias. Excitado hasta el paroxismo por la ofensa recibida, contendiendo en él el deseo de venganza, el amor al hijo, el miedo a hacer pública su deshonra, la voluntad de castigar, queriendo, todo a un tiempo y de una vez, actuar como juez, como padre y como marido, llegará, justamente, a la más trágica de las soluciones: que Federico mate a Casandra, que sea el asesino de la mujer que ama y que muera por tal asesinato. ¿Castigo sin venganza? Sí, pero para el mundo, es decir, para los demás personajes, los que hablan y los que permanecen invisibles, y para el duque. Pero de ninguna manera para el espectador. Castigo sin venganza para los testigos que actúan dentro del mundo del drama, pero no para el espectador de ese mundo. No para el espectador que asiste al cumplimiento de los asesinatos, que ve pe-

[22] *Op. cit.*, págs. 146-147.

recer a los culpables y que sabe que sólo el duque es responsable de esas muertes. La muerte de Federico y Casandra, castigo sin venganza para el duque y su mundo, es para el espectador la más terrible de las venganzas.

El juego del amor y de la muerte

Entre 1620 y 1625 debió de escribir Lope *El Caballero de Olmedo.* Como en *Peribáñez,* la fuente generadora del drama es un breve cantarcillo:

> Que de noche le mataron
> al caballero,
> la gala de Medina,
> la flor de Olmedo.

Bastan esos cuatro versos para que la imaginación creadora del dramaturgo se dispare. Su libertad para inventar la acción es máxima. Esos versos sólo condicionan el fin del caballero. De antemano, antes de que exista como personaje dramático, su fin está determinado. El caballero de Olmedo nace para morir. Esa presencia anticipada de la muerte rige inexorablemente el destino del caballero. La muerte le espera y nada podrá impedir la cita. En la génesis y elaboración artística de este drama del amor truncado, la noticia de la muerte del héroe presidirá la estructura de la pieza teatral. Los dos primeros actos son un canto al amor, pero un amor en cuyo interior, como secreta almendra, residirá la muerte. Alonso Manrique, el caballero de Olmedo, llevará en el alma, como un presentimiento, que tiñe de honda melancolía sus palabras de amor, la escondida muerte. Cuando hable a Inés, o cuando consigo mismo monologue, aun siendo la certidumbre del amor correspondido la fuente de su palabra, siempre en ella vida y muerte aparecerán unidas. En medio de la alegría y del gozo del amor triunfante será la tristeza el tono fundamental del alma del caballero. Tristeza que no nace de celos, porque el caballero está seguro del amor de Inés. Las imaginaciones que le atormentan son «sólo un ejercicio triste del alma». A medida que el amor de Alonso e Inés se hace más firme, el alma del caballero destila mayor tristeza. La obra comienza con un «allegro». Ninguna queja puede tener Alonso Manrique; pues apenas nace en él el amor nace también en Inés. Las etapas del galanteo y de la conquista son brevísimas. Del ver se pasa al amar, como si el tiempo apremiase a los amantes. Fabia, la alcahueta, imagen de Celestina, voluntariamente querida por Lope, no necesita desplegar su arte ni arriesgar en nada su persona, para concertar la primera cita de los amantes. Diríase que todo está ya a punto y que no es necesario el arte de seducción de Fabia, cuya filosofía del placer es una réplica, en miniatura, o, mejor, estilizada de la de Celestina. ¿Qué obstáculo se opone, pues, a la unión plena de los amantes? En realidad, ninguno; porque don Rodrigo, enamorado desdeñado por Inés, aun antes de que aparezca el caballero de Olmedo, no tiene posibilidad alguna de triunfar. Cuando se compara a sí mismo con don Alonso reconoce su propia inferioridad. Imposible igualar su fama. Lope prestigia al máximo la figura del héroe mediante la alabanza de su fama [23] hecha por boca del rival que, pese a su resentimiento y a su envidia, no puede menos de publicar la verdad. Verdad que llega a su punto cumbre en la escena de las fiestas de mayo, en Medina, presididas por el rey. Es en ellas donde don Alonso alcanza el cenit de su fama y la aclamación pública de su valor, corroborada por el rey. En esa fiesta el caballero de Olmedo salva de la muerte a su rival, a punto de perecer entre las astas de un toro. Ese momento de máxima gloria humana es el que Lope elige como último en la vida del caballero. A la escena de la exaltación del héroe seguirán, en rápida sucesión, las que le conducirán a la muerte. Don Alonso se despide de Inés para volver a Olmedo, donde sus padres le esperan. Sus palabras de despedida tienen ya el acento de un adiós definitivo, que Lope acentúa con la glosa de aquella copla que Cervantes utilizara en su dedicatoria del *Persiles* para despedirse de la vida. En ellas el amor y la muerte parecen laborar juntos en un juego alternado de sentidos. Es el amor quien las hace brotar de la boca del caballero y es la muerte quien las hace sonar misteriosamente. En la cima de su gloria don Alonso ha descendido, alma adentro, a la sima de su tristeza. En este juego del amor y la muerte va tomando forma corpórea el misterio. Apenas don Alonso parte de la reja de Inés una sombra se le pone delante. Es la primera señal, la primera advertencia para desviar el destino del héroe. Con ella comienza la presencia del misterio que, hasta el fin, creciente siempre en intensidad dramática y en fuerza poética, cercará la persona del caballero. La intervención de lo sobrenatural y ultraterreno, que Lope había utilizado en muchas de sus piezas teatrales, no siempre con el mismo acierto, alcanza aquí como también en *El duque de Viseo* o en *El Rey Don Pedro en Madrid,* una intensidad y eficacia dramática insuperables. En medio del campo, en el camino entre Medina y Olmedo, que tantas veces había recorrido don Alonso empujado por el amor y que recorre ahora empujado por la muerte, el misterio vuelve a corporeizarse, no ya en una sombra, sino en un labrador, que es primero una voz en la noche. Voz que canta la

[23] Ver Alfredo Lefebvre, *La fama en el teatro de Lope de Vega,* Madrid, 1962.

copla que dio nacimiento al drama, y que advierte nuevamente al caballero:

> la gala de Medina,
> la flor de Olmedo.
> Sombras le avisaron
> que no saliese,
> y le aconsejaron
> que no se fuese
> el caballero,
> la gala de Medina,
> la flor de Olmedo.

Desaparecido el misterioso labrador queda solo don Alonso. Ese instante de soledad en que el caballero, rodeado de noche, medita en el sentido de la canción, y duda si seguir o volver, es el instante decisivo. Está a mitad de camino entre Medina y Olmedo, a mitad de camino entre el amor y la muerte. Hasta el último momento Lope mantiene en suspenso el cumplimiento del destino del héroe, como si quisiera conceder a éste un último segundo de libertad ante la muerte. ¿Qué le decide a seguir? Esto:

> ¿qué han de decir si me vuelvo?

Y avanza hacia su muerte. La escena del crimen es rápida. Los asesinos hacía rato que le estaban esperando. Tello, criado y confidente del caballero, llega a tiempo de verlos huir. Lope cierra su tragedia con una escena de contrapunto, de gran fuerza dramática. Inés, ignorante de la muerte del caballero, se siente llena de felicidad porque ha obtenido de su padre el beneplácito para que se una en matrimonio a don Alonso. La dicha, pues, la realización plena del amor es posible, está al alcance de la mano. En el ánimo del espectador, en cambio, donde se funden la imagen de la felicidad vivida por Inés y la imagen del trágico fin del caballero, brota una honda melancolía. La conciencia de la imposibilidad real de una felicidad tan posible intensifica hasta el fin el trágico destino del héroe. Y como en todas las grandes creaciones de Lope la justicia se cumple antes de que el telón caiga definitivamente. Los asesinos pagarán por su crimen.

La comedia del amor

Un grupo muy abundante de comedias de Lope, al que se ha designado con los nombres de comedia de costumbres, de capa y espada, de enredo, nacen con el solo designio de poner en escena, como en espejo, la vida superficial de la villa y corte. Lope, hombre de ciudad, con lírica nostalgia de campo y aldea, se propone divertir al hombre de la ciudad con el espectáculo de lo que pasa en las calles, plazas, paseos, casas de Madrid. Precisamente de lo que pasa y no queda. La vida como pura fluencia, afirmándose a sí misma en su pasar. El motor dramático de todas estas piezas es el amor. Petroy [24] ha señalado los mil y un aspectos del amor en el teatro de Lope, poniendo de relieve la riqueza del *ars amandi* lopesco. Denis de Rougemont, que ha escrito un sabroso libro sobre *El amor y el Occidente,* hubiera encontrado en Lope un testigo de excepción para la historia del amor en la España del siglo XVII. Toda la mitología del amor humano —realidad y ficción, instinto y espíritu— está incorporada y convertida en drama en el inmenso retablo teatral del dramaturgo español. Desde el amor como divinidad eternamente vencedora, a cuyo culto nadie se sustrae, hasta el amor como realidad fisiológica, pasando por el amor como maestro de engaños y el amor fuente de gozo y transfiguración o fuente de tortura y de locura, desde la teoría neoplatónica del amor a la teoría más radicalmente carnal del amor, toda la compleja y contradictoria realidad del amor humano está presente —con presencia vital— en la dramaturgia de Lope. Estas piezas, que forman un cosmos completo, suministran datos al sociólogo, al psicólogo, al historiador, al crítico literario. Más que la obra de un solo hombre, parece la obra de toda una sociedad.

El número de piezas maestras —con maestría dramática y poética— es, realmente, impresionante. He aquí sólo unos títulos de todos conocidos: *La dama boba, El perro del hortelano, Las bizarrías de Belisa, El acero de Madrid, La noche toledana, La moza de cántaro, Santiago el Verde, Los embustes de Celauro, La niña de plata, El anzuelo de Fenisa, La viuda valenciana...*

En todas ellas asistimos, conducidos por los caminos más diversos, al triunfo del amor, que vence todos los obstáculos, salta todas las barreras, burla todas las normas, invalida todas las reglas, libera todas las potencias del individuo —inteligencia, voluntad, instinto, ingenio, fantasía—, exalta la totalidad del vivir personal... El prota-

[24] «El amor, sus principios y su dialéctica en el teatro de Lope de Vega», *Escorial,* XVI, 1944, págs. 9-40.

gonista de todas estas piezas no es ni la mujer ni el hombre, sino la pareja. La pareja humana que vive todas las aventuras posibles en un mundo rico de fiestas, canciones, modas, costumbres, paisajes, devociones, ensueños, juramentos, astucias, creencias, supersticiones, duelos, burlas... Un mundo donde todo acaba bien, porque tal es la voluntad de su creador. Voluntad puesta al servicio de la ilusión, que, sin evadirse de la esencia problemática del vivir del hombre, captado en su inmediatez, mediante el reflejo estético de la realidad cotidiana, descubre todas las salidas que el ser humano, apresado en su tiempo, tiene hacia el reino de la felicidad. En cada comedia Lope, insaciablemente, nos hace ver lo que de radical encrucijada tiene todo destino humano. Karl Vossler, en su ya citado libro sobre Lope, escribía en la última página:

> Sólo es comedia todo, ciertamente, y luego poético, mas cuando el juego se convierte en auténtica poesía, adquiere su grave, su honda y eterna significación (...). Si todo este arte escénico produce el efecto de un sueño febril, si transmite un pulsar prepotente y tumultuoso —recio gozar del mundo, impulso de vigencia y agudizado deleite de los sentidos— va todo ello, sin embargo, acompañado de un vigilante y tácito sentido de tránsito y de fin. Dejamos la comedia con un cierto aturdimiento y a la vez con la firme decisión del viajero que, después de un trago de buen vino, salta fortalecido sobre el corcel y cabalga rostro a la aventura de la vida ignota. Lope no educa: da alas.

Puestas sus criaturas en la encrucijada, Lope les hace dar la espalda al camino oscuro, a todos los caminos oscuros que conducen hacia el dolor y la muerte, y los lanza a galope tendido hacia el fantástico reino de la eterna primavera. ¿Evasión? ¿Mentira? Algo más radical: mito. La comedia del amor de Lope es la más prodigiosa recreación del mito del paraíso perdido, que no está más acá ni más allá del hombre, sino justo donde el amor lo inventa: en el reino de la poesía. En *El laberinto de Creta,* comedia mitológica de Lope, Ariadna, expresándose con palabras del Romancero, canta estos versos:

> Soñaba que un pardo azor
> una paloma sacaba
> del nido en que yo dormía,
> y que del mar por las aguas
> a la margen de otro puerto
> se la llevaba en las alas.

La comedia del amor de Lope de Vega nos lleva siempre, en sus alas, a la margen de ese otro puerto.

III. CICLO LOPE DE VEGA

1. Guillén de Castro

Durante los quince últimos años del siglo XVI, Valencia, ciudad de rica tradición teatral, contó con un pequeño grupo de dramaturgos que, sin romper del todo con el teatro de sus compatriotas Rey de Artieda y Virués, pero impulsados por una ansia de renovación que los llevaba a desbordar las formas dramáticas típicas del siglo XVI, recorrían, paralelamente a Lope de Vega, las primeras etapas del camino que conducía al drama nacional[25]. La estancia de Lope en Valencia, durante el periodo de su destierro, fue decisiva en la evolución de su propia dramaturgia e importante para los valencianos. Lope debió de sentirse aguijoneado por las nuevas formas dramáticas y disfrutar, sin duda, del clima de entusiasmo por el teatro que reinaba en Valencia, donde funcionaba la Academia de los Nocturnos, que reunía en animada tertulia literaria a los mejores ingenios de la ciudad. En ese grupo se formó, destacando muy por encima de los demás, Guillén de Castro, gran admirador del arte dramático de Lope de Vega, a quien dedicó la *Parte primera de sus comedias* (1618). Lope le correspondió siempre con su estimación, dedicando al valenciano *Las almenas de Toro,* con indudable intención de homenaje al creador de *Las mocedades del Cid.* Castro no es sin más, por su técnica teatral y su temática, un discípulo de Lope como lo serán, cada cual con su personalidad y su genio específicos, Mira de Amescua o Tirso de Molina, por ejemplo. Es, más bien, un dramaturgo que, con una obra ya iniciada, perfecciona su incipiente sistema fecundándolo con el ejemplo del estilo dramático de Lope. Es decir, no parte de Lope, como quien parte del punto cero, sino que sigue a Lope cuando ya lleva recorrida una etapa del camino. Esto me parece importante para entender ciertos aspectos de su teatro. El primero de ellos, señalado por varios críticos, es el tratamiento de la figura del donaire. En varias piezas teatrales de Castro el gracioso no interviene en toda la obra, sino sólo en alguna escena, y de modo muy secundario. O, dicho más exactamente, quien interviene no es *el* gracioso, sino un personaje episódico con algo de gracioso. Podría suprimirse tal personaje y no se resentiría para nada la estructura de la pieza. Incluso cuando el gracioso aparece como tal,

---

[25] Ver Rinaldo Froldi, *Lope de Vega y la formación de la Comedia,* Salamanca, 1973[2]; John G. Weiger, *The Valencian Dramatist of Spain's Golden Age,* Boston, Twayne, 1976. Del mismo autor, *Hacia la comedia: de los valencianos a Lope,* Madrid, 1978.

su función escénica es de mucha menor importancia que en Lope o en cualquiera de los otros dramaturgos del ciclo. Su presencia en la obra da la impresión de no obedecer a razones internas al mundo del drama. Aunque se den en él muchas de las características que definen la figura del donaire, el gracioso de Castro, como figura teatral, no parece responder a la sistematización que, como tipo, logra en otros dramaturgos. Es, por así decirlo, un personaje cómico que no llega a ser del todo figura del donaire.

El teatro de Guillén de Castro, aun moviéndose dentro del sistema artístico e ideológico de la «comedia», mantiene, perfeccionados, ciertos elementos que lo enlazan con el momento dramático inmediatamente anterior. La construcción de la intriga, en algunos de sus dramas localizados en una corte italiana, no corresponden del todo al tipo de intriga del drama cortesano del siglo XVII. En una tragicomedia de estructura tan perfecta como *El perfecto caballero* están presentes todos los motivos clave del teatro nacional: honor, fidelidad al monarca, lealtad. Don Miguel Centellas, uno de los más nobles caracteres masculinos creados por Castro, es un arquetipo del perfecto caballero. Su conducta responde ejemplarmente a la buena crianza que ha recibido: buen cristiano, buen vasallo, buen hijo. Por sobre todas sus virtudes destaca en él el amor a la verdad, que posee en grado heroico. En torno a él, cercándolo, se mueven cuatro personajes, cada uno impulsado por una violenta pasión: el rey y la reina de Nápoles, Ludovico y su hermana Diana, primos de la reina. El rey ama a Diana, que le rechaza, la reina y Ludovico se aman, pero la reina resiste a ese amor, venciéndose a sí misma, estribada en su profundo sentimiento del honor y del deber. La intriga, muy complicada, está prodigiosamente concentrada en este quinteto de personajes. La manera como Castro va anudando apretadamente la intriga, aunando en una unidad compleja las intrigas del rey, de la reina y de Ludovico, la aprendió nuestro dramaturgo en su compatriota Virués. Esta obra muestra, con mucha claridad, esa fusión de dos estilos dramáticos que, en mi opinión, define el teatro —una parte de él, a lo menos— de Guillén de Castro. Incluso en un drama como *El Conde de Alarcos,* basado en el Romancero, a pesar de lo que en él hay del espíritu y de la técnica del teatro nacional, nos parece respirar la enrarecida atmósfera del drama trágico del siglo XVI. La crueldad y la empecinada maldad de la infanta, o mejor, el modo de convertir la desmesurada pasión de la infanta en motor de la complicada intriga, refleja procedimientos típicos de las tragedias de Virués. La escena del banquete, en que la infanta manda servir el corazón y la sangre de un niño a sus padres —aunque al final sepamos que no eran los del niño— es una escena típica de la sangrienta tragedia del siglo XVI. La presencia de esta escena, que no está en el romance que sirvió de fuente al dramaturgo, la explica Valbuena Prat como probable «contaminación del mito de Progne y Filomena, dramatizado por Castro»[26]. A nosotros nos interesaba recalcar simplemente el carácter siglo XVI de esta escena, ausente del romance-fuente. Castro ha intensificado el patetismo de la situación con un procedimiento típico, repito, de la tragedia del siglo XVI. Lo que sí es, en cambio, propio del teatro siglo XVII es la solución del conflicto —aquí y en otras piezas— que, en lugar de terminar en catástrofe sangrienta y en acumulación de horror y muerte, acaba en arrepentimiento y en «happy ending», desde luego completamente inmotivados, hablando con rigor dramático.

Guillén de Castro parece sentir cierta preferencia por personajes —masculinos o femeninos— radicalmente insatisfechos con su situación amorosa. El rey y la reina de *El caballero perfecto* no se aman entre sí, del mismo modo que no se aman entre sí las parejas de matrimonios de *Los mal casados de Valencia*. La situación dramática de la pareja desparejada, aunque unida por matrimonio, en estos dos dramas, resuelto con ¡asesinato del rey! en el primero y con doble divorcio en el segundo, se da casi con rara constancia en muchas obras de nuestro dramaturgo. Siempre en ellas un personaje, unido a un segundo, u obligado a unirse a un segundo, ama a un tercero. La crítica ha llamado la atención sobre esa obsesión de Guillén de Castro por el conflicto matrimonial y lo ha relacionado con una experiencia autobiográfica. Lo importante para nosotros es esa constancia de un mismo tema. Tema que, en el fondo, cualquiera que sea su relación con la vida personal del poeta, muestra una aguda sensibilidad para los aspectos trágicos del amor humano. En el fondo de este conflicto central en su teatro me parece ver una clara intención de mostrar cómo la sociedad, con sus leyes y sus normas, atenta contra la esencia misma del amor humano. El tema del amor matrimonial aparece unido, en bastantes casos, al tema de la amistad. El marido, que confía en el amigo, descubre, dolorosamente, que es éste quien le deshonra o intenta deshonrarle. Es una pena que Guillén de Castro se quedara siempre en la superficie del conflicto, sin profundizar de verdad en él, más atento a la intriga o al efectismo de las situaciones, que a la verdad humana del problema y de los personajes. Cada uno de éstos nos aparece como un «yo» sin «sí mismo».

Sin embargo, en otro tipo de dramas, estudiados recientemente con gran penetración por el hispanista holandés A. A. van Beysterveldt en un libro importante para la historia crítica del teatro es-

---

[26] *Literatura dramática española,* Barcelona, 1930, pág. 176.

pañol del siglo XVII [27], al enfrentar conflictivamente el «honor-opinión», encarnado por el varón, y el «honor-virtud», encarnado por la mujer, crea profundos caracteres femeninos. La mujer, estribada en la conciencia de su propia virtud, fiel al amor que la sustenta, llega hasta el sacrificio último, aceptando la muerte. La Nísida de *El amor constante* y la Celia de *Cuánto se estima el honor* son dos de las más hermosas heroínas trágicas del amor en el teatro de Castro. El interés de este teatro, como escribe Beysterveldt, «reside en las profundas calas que su fina pintura del amor ha sabido realizar en la psicología de la mujer» [28].

La obra maestra de Guillén de Castro es el drama, en dos partes, *Las mocedades del Cid*. En este drama, inspirándose y apoyándose en los romances, se hace la más cumplida exaltación de un héroe y, en él, del espíritu de un pueblo y de una raza. En el Cid se encarnan las virtudes, físicas y espirituales, del pueblo castellano, paradigma y crisol de la nación española. Precisando más podríamos decir que Guillén de Castro propone a la contemplación admirativa del español del siglo XVII un modo radical de ser hombre. Rodrigo es presentado no sólo como el hombre que ama a Jimena, sino como el hombre que sabe ser buen hijo, buen vasallo, buen guerrero, buen cristiano. Es, precisamente, esa ejemplaridad del héroe lo que Castro resalta en las dos partes de su drama, especialmente en la primera. Para Castro, sin embargo, no es fundamental, como para Corneille en su tragedia *Le Cid*, inspirada en la española, de la que transcribe versos enteros, el conflicto Rodrigo-Jimena. Ese conflicto, central en Corneille, y como tal, ahondado psicológicamente, es sólo un elemento más en Castro. El dramaturgo español no estructura la acción sólo en función de un conflicto pasional, pues lo que le interesa es, sobre todo, la dimensión del heroísmo del Cid captado en una serie de actitudes ejemplares. En el drama español, Rodrigo y Jimena sacrifican su amor no al deber, entendido como imperativo moral, sino al espíritu del clan, cuya sangre derramada clama venganza a los cielos. Rodrigo, al decidir matar al padre de Jimena, exclama:

> Todo es poco, todo es nada
> en descuento de un agravio,
> el primero que se ha decho
> a la sangre de Laín Calvo.

El héroe se debe, enteramente, al «santo honor». Jimena, que a lo largo de toda la pieza pide justicia por la muerte de su padre,

---

[27] *Repercussions du souci de la pureté de sang sur la conception de l'honneur dans la «Comedia Nueva» espagnole,* Leiden, 1966.

[28] *Op. cit.,* pág. 162.

exigiendo que la sangre derramada sea vengada. Jimena, que pide la muerte de Rodrigo, sin ocultarse a sí misma que lo ama, en una de las escenas finales, creyendo que el Cid ha muerto, prorrumpe en estos lamentos:

> ¡A voces quiero dezillo,
> que quiero que el mundo entienda
> quánto me cuesta el ser noble,
> y quánto el honor me cuesta!
> De Rodrigo de Bivar
> adoré siempre las prendas,
> y por cumplir con las leyes
> —¡que nunca el mundo tuviera!—
> procuré la muerte suya...

2. Mira de Amescua

El mejor estudio sobre el teatro de Mira de Amescua es el de Valbuena Prat en el prólogo a su edición de *El esclavo del demonio* (Clásicos Castellanos), en donde el ilustre historiador de la literatura y del teatro españoles analiza los caracteres generales de la obra dramática del guadijeño, establece la clasificación de su teatro y estudia, sintéticamente, cada uno de los géneros temáticos cultivados por este dramaturgo.

«El teatro de Mira de Amescua —escribe Valbuena Prat— se halla absolutamente comprendido en el ciclo de Lope.» En su teatro vemos «una sucesión de escenas, muchas veces sin trabazón íntima. Al lado de fuertes momentos de pasión y lucha psicológica, se desenvuelve una intriga fría y convencional. De una sola comedia se pueden sacar temas para varias obras, problemas que exigen distinto y lógico desarrollo y que al amontonarse quedan sin solución». «Lo más corriente en Mira es el estilo ampuloso y culterano.» Para Valbuena Prat los mejores aciertos de Amescua se encuentran en la comedia de costumbres. Una de sus mejores piezas cómicas es la comedia palaciega *Galán, valiente y discreto,* «una de las más perfectas del autor..., comedia fina, llena de agudeza y armoniosamente versificada». Su obra maestra, *El esclavo del demonio* (1612), perteneciente al grupo de «comedias de santos». En los demás géneros teatrales (autos sacramentales, comedias bíblicas, comedias de historia y leyendas extranjeras, comedias de historia y leyendas nacionales), Valbuena Prat encuentra piezas interesantes, momentos felices, habilidad, ingenio, pero ninguna obra definitiva ni perfecta.

La lectura de la veintena de piezas más celebradas de Mira de Amescua nos deja ver a un dramaturgo que ha aprendido bien la lección viva del teatro de Lope —demasiado bien, a veces— preocupado por sorprender al espectador, atento a construir una intriga embrollada, precipitado en la construcción del plan, brillante a ratos, desigual siempre, deseoso de meter en la estructura dramática de la pieza más de lo que ésta puede contener. La acción principal queda rota o suspendida por la irrupción de elementos accidentales, con función menos dramática que lírica, unas veces, y más novelesca que dramática, otras. Guiado por el imperativo categórico de la intriga o por el simple afán de despistar al espectador o de asombrarlo con una rara inventiva, el dramaturgo convierte su drama en un verdadero cajón de sastre. El universo dramático de cada pieza se convierte en una ininterrumpida sucesión de situaciones no ligadas entre sí por necesidad puramente dramática. El mundo del drama, tanto del lado de la acción como de los personajes, da la impresión de lo inacabado, como si el dramaturgo, acribillado de solicitaciones, incapaz de la menor disciplina, o, mejor, despreocupado de ella, se limitase a escribir un guión teatral cuyo valor estribara únicamente en su vertiginoso ritmo. Mira de Amescua era consecuente con su concepción de la pieza teatral, como puede verse en estos versos, oportunamente citados por Valbuena Prat:

> entran y salen figuras,
> haciendo más novedades
> en dos horas mal seguras
> que el mundo en sus tres edades.

En efecto, son tantas las entradas y salidas de los personajes y tantos los personajes que entran y salen, y sus novedades tantas, que difícilmente se quedan. Su virtud de permanencia como criaturas dramáticas es más bien problemática. Y si, a veces, permanecen es más por sus virtualidades que por sus realidades, más como signos que como entidades cabales y autosuficientes.

Dediquemos nuestra atención a la obra maestra de Mira de Amescua: *El esclavo del demonio.* Pertenece al grupo de dramas religiosos cuya acción tiene como eje el tema de la predestinación, del libre albedrío y de la salvación. En ellas se escenifica la leyenda de fray Gil de Santarem.

Las tres situaciones capitales, por lo que al protagonista se refiere, son: la tentación de la carne en que cae el asceta, el pacto con el diablo y su vida de pecador, y su conversión a Dios. Estas tres situaciones dramáticas, claves en la acción principal, están separadas entre sí por una segunda serie de situaciones cuyo eje es la caída, el ejercicio del pecado y la conversión de Lisarda, origen de la tentación de don Gil y víctima suya; finalmente, a estas dos series se añade otra tercera cuyo pivote es la conquista amorosa de Leonor, hermana de Lisarda. Como es natural, dada la duración escénica del drama («dos horas mal seguras», para utilizar la expresión de Mira), cada una de estas tres series de situaciones recibe un tratamiento dramático insuficiente. Las dos acciones fundamentales, la de don Gil y la de Lisarda, unidas entre sí desde el comienzo del drama, son esquemáticamente configuradas. El dramaturgo no tiene materialmente tiempo de profundizar en ellas, por lo que el drama, como tal drama, se queda en puro esbozo. Por ello, no podemos menos de afirmar que, en todo caso, es un esbozo maestro de drama, pero no un drama maestro, para lo cual es necesario mucho más de lo que en la pieza hay o mucho menos, según se mire.

Examinemos los tres momentos decisivos en la estructuración del protagonista.

1. *La tentación.*—Don Diego, amante de Lisarda, es invitado por ésta a que la rapte. Cuando tiene ya puesto el pie en el balcón del aposento de su amada, llega don Gil y le exhorta, mediante un sermón, a que renuncie a su hazaña. Don Diego renuncia, «porque a las voces de Dios/no ha de haber orejas sordas». Don Gil, solo ante la escala que pende vacía del balcón, es tentado por la carne y sube a gozar de Lisarda. «La tentación de don Gil —como escribe Valbuena Prat— es un análisis del estado psicológico, que en la ocasión del pecado resuelve, en definitiva, por medio del albedrío.» El análisis es suficiente desde el punto de vista religioso, pero totalmente insuficiente desde el punto de vista dramático. El proceso interior que lleva a don Gil desde la santidad al pecado carece de consistencia dramática, porque la dialéctica que lo funda pertenece a una esfera de realidad ajena a la propia del drama. Don Gil ejemplifica una situación teológica no vivida dramáticamente. Don Diego y don Gil son, como personajes de drama, en esta situación concreta, dos marionetas cuyos hilos maneja el autor. Sus respectivas acciones obedecen a un sistema extradramático. El autor no ha conseguido hacer funcionar dramáticamente la idea que presidía la construcción de esta escena.

2. *Don Gil, pecador.*—Don Gil pecador, a quien acompaña Lisarda, es presentado como un personaje de gran guiñol. Asistimos al despliegue de su furia en una serie de escenas en que lo vemos convertido en bandolero. Según él mismo nos cuenta, ha matado a tres labradores, forzado a dos mujeres y salteado a diez pasajeros. Lo que le fuerza a obrar mal es su amor al pecado. Sintiéndose dejado de la mano de Dios, condenado por el deseo de gozar cuanto ve, carece de importancia el número, mayor o menor, de sus obras. Ahora bien, el valor de la figura de don Gil no está en su realidad de personaje dramático, sino en las ideas a que sirve de vehículo.

Las situaciones del drama valen por su calidad de ejemplificación, y no por sí mismas. Ni Angelio es Mefistófeles ni don Gil es Fausto, como parecen dar a entender ciertos críticos, sino dos deficientes criaturas dramáticas a quienes el autor maneja, más atento a la verdad teológica que a la verdad dramática. El pacto entre Angelio y don Gil carece de grandeza y de misterio. Se parece más a un silogismo correcto que a otra cosa.

3. *La conversión a Dios.*—Gil pide al demonio que le entregue a Leonor, según lo pactado. El demonio así lo hace, sólo que Gil, creyendo haber gozado a Leonor, se da cuenta de que está abrazando un esqueleto. En esta escena Gil vive la experiencia de la «nada» que es el placer. Cautivo del diablo, pero desengañado del pecado, no atreviéndose a pedir a Dios que le libere, se dirige al ángel de la guarda para que interceda por él. El conflicto queda resuelto por el ángel, que lucha con el diablo y lo vence. La solución del drama no puede ser más ingenua, si la enfocamos desde el punto de vista dramático. Más que nunca queda manifiesta la condición ancilar de la categoría estrictamente dramática. Mira de Amescua ha escrito una fábula teológica ejemplar, rica como tal fábula, pero no ha conseguido, o no se ha propuesto, convertirla en drama, valioso no por su contenido teológico, sino por su esencial «dramaticidad».

La palabra de don Gil en el momento de la tentación, en el estado de pecador y en el momento de la conversión no es la palabra del hombre tentado, del hombre pecador y del hombre en trance de convertirse: su lenguaje no es el que conviene a su sentimiento y a su pensamiento en esas tres concretas situaciones, sino el que conviene a la teología de la tentación, del estado de pecado y de la conversión. Del mismo modo, el comportamiento del personaje ante determinadas circunstancias, es decir, el «carácter», no traduce o traspone dramáticamente una experiencia humana, sino un libro de teología. Quien obra, hace, padece, se queja, no es don Gil, es decir, un hombre que vive su drama, sino un haz de páginas de teología a quienes se les da un nombre de persona. El dramaturgo fracasa, precisamente, en su misión de dramaturgo, al no salvar la distancia entre la teoría y la existencia. En la pieza teatral no se ha conseguido convertir esa teoría del pecado y del arrepentimiento en el drama de unas vidas.

El mundo de *El esclavo del demonio,* en su insuficiente realización dramática, recuerda, por la índole de sus personajes, de sus pasiones y de sus situaciones, el mundo desaforado del gran guiñol. En este caso, un gran guiñol de contenido teológico, con personajes que tiene más de figuras ideales que de personas.

El puesto que la crítica actual ha dado a este dramaturgo dentro del ciclo de Lope de Vega nos parece más que discutible, pues no bastan las bellezas de su versificación ni el ingenio, ni la riqueza de observación ni el sentido de la comicidad, ni el «oficio» ni el que haya escrito algunas excelentes comedias para ponerlo a la altura de dramaturgos como Tirso o Ruiz de Alarcón, ni siquiera de Guillén de Castro o Vélez de Guevara. Para ello hubiera sido necesario lo que yo no encuentro en su teatro: dramas realmente valiosos como tales dramas, dotados de la virtud de permanencia más allá del contexto socio-teatral en que nacieron.

3. Vélez de Guevara

Diecisiete años más joven que Lope de Vega, Vélez de Guevara se forma como dramaturgo dentro de un estilo dramático y de una concepción del teatro que ha triunfado ya y cuenta con el favor y el fervor de un público insaciable. Empresarios y actores montan para ese público piezas y más piezas. Escribir teatro significa poseer unas técnicas, instalarse dentro de unos temas, manejar un sistema de mitos, mover una serie de personajes, satisfacer unos gustos... Todos los elementos que colaboran al éxito popular de una pieza teatral, desde los más externos a los más internos están ya claramente fijados. El joven dramaturgo que quiere hacer carrera se encuentra, a la hora de escribir, *con un teatro y con un público.* Ese teatro y ese público poseen ya una figura inconfundible. Como dramaturgo no tiene que hacerse pregunta previa alguna, sino sólo ponerse a la altura teatral de su tiempo, lo cual significa seguir a Lope de Vega. Entre los muchos seguidores de Lope destaca Vélez de Guevara por la intensidad de su lirismo y por la potencialidad trágica de algunos de sus dramas. Descubrimos en él cierta voluntad de originalidad, muy relativa, puesto que se reduce a simples variaciones dentro de una fórmula dramática inalterable. En algunas ocasiones hace constar que la obra no termina ni en muerte ni en boda. Esta afirmación, en la que Valbuena Prat ve cierta actitud reflexiva ante lo que era convencional en el desenlace de la intriga y Francisco Indurain una crítica irónica, nos muestra el peso enorme de la convención teatral en la construcción de la obra, de cualquier obra escrita para ser representada. Al lado de esa libertad artística que caracteriza a nuestro teatro del Siglo de Oro es necesario tener en cuenta esa consciente sujeción a una fórmula dramática, que se altera mínimamente, si queremos entender la gran paradoja del drama nacional, paradoja que puede formularse así: el teatro español es revolucionario en cuanto a su fórmula dramática, pero no es nada revolucionario en cuanto a su historia interna. Estudiar el teatro español es estudiar la historia de las variaciones de un sistema invariable. Que durante más de cien años se escriba *un mismo* teatro muestra, ciertamente, la fecundidad de una fórmula dramática, pero también su inmovilidad. De 1580 a 1680 produce el espectáculo realmente asombroso de un público cuyos gustos teatrales no han variado en lo fundamental y de varias generaciones de dramaturgos que escriben un teatro que tampoco en lo fundamental —técnica, ideas, personajes, problemas— ha cambiado. Por otra parte, sabemos que la «comedia» seguirá existiendo, aunque degenerada, a lo largo del siglo XVIII. ¿Es que el teatro no ha cambiado porque no ha cambiado la vida? ¿O es, más bien, que, habiendo cambiado la vida, ha permanecido invariable el teatro?

De entre los diversos temas dramáticos puestos en circulación por Lope de Vega, Vélez de Guevara muestra especial preferencia por los temas heroicos protagonizados por personajes de noble sangre, de los cuales se exaltan sus acciones gloriosas. Es su heroísmo, en lo que éste tiene de valor ejemplar, lo que es puesto de relieve. A sus héroes los busca en la historia y en las leyendas nacionales y, sacándolos de allí, los presenta sobre la escena para que con sus hechos causen la admiración del público. Estas piezas están construidas a base de una serie de situaciones en que nos muestra al héroe en acción. Lo que varía de unas piezas a otras son las situaciones, pero no el carácter de los héroes, que responden a un mismo patrón. Podríamos hablar de una verdadera mecánica del heroísmo. Dado un concepto del heroísmo, al dramaturgo no le queda sino buscar unos héroes que lo encarnen con sus acciones. En realidad, todos los héroes, aunque tengan nombres diversos, son un mismo héroe: *el* héroe. Tenemos la impresión de que Vélez de Guevara, y con él el dramaturgo español, nos presenta un solo personaje con muchas máscaras, tantas como nombres tiene ese personaje. Con ello quiero decir que la idea del héroe es previa al personaje heroico que protagoniza el drama. El resultado, en términos exclusivamente dramáticos, es muy curioso: se nos impone con fuerza una imagen genérica del comportamiento heroico, pero en absoluto de la personalidad heroica individualizada. El conjunto de héroes del teatro de Vélez de Guevara desde, por ejemplo, Guzmán el Bueno hasta García de Paredes, nos da no una galería de personajes heroicos, sino una vigorosa imagen del heroísmo, no unos individuos, sino la esencia misma de la conducta heroica. Cada personaje vale no por sí, sino por su referencia a la imagen ideal del héroe. Poco importa, por consiguiente, el tipo de realidad con la que el héroe tenga que habérselas. En *Más pesa el rey que la sangre,* cuyo protagonista es Guzmán el Bueno, éste lidia con una espantosa sierpe, digna habitante de los libros de caballería.

Cuando Vélez de Guevara aúna en una pieza expresión lírica y situación trágica consigue su mejor teatro, como ocurre en *La luna de la sierra, La serrana de la Vera* y *Reinar después de morir.*

Las dos primeras están inspiradas en fuentes populares: un cantar y un romance. La utilización de esas fuentes está hecha siguiendo a Lope de Vega. La oposición entre el mundo de aldea y el mundo de corte también procede de Lope. La intriga, más complicada que en Lope, sirve a la misma intención: la exaltación poética del hombre que vive en paz consigo mismo, lejos de la corte y cerca de la naturaleza. Frente a la digna y pura humanidad del hombre de aldea, que siente muy vivamente la dignidad y el valor de la persona y se comporta con autenticidad, se yergue la figura engañadora del cortesano que, fiado en su poder, y menospreciando al villano, intenta atropellarlo o lo atropella. Como se ve, el esquema es el mismo de *Peribáñez* y las demás piezas del poder injusto. Lo decisivo es el enfrentamiento de dos mundos, de dos sistemas de valores, auténtico uno, inauténtico el otro. La novedad de *La serrana de la Vera* es que la protagonista, de alma montaraz y primitiva, venga por su propia mano su deshonra. Es de notar la perfecta correspondencia de paisaje y talante de la serrana. Más belleza dramática tiene, sin embargo, *La luna de la sierra,* en donde las escenas de interior aldeano, de exquisito realismo poético, nos introducen eficazmente en el corazón mismo de la vida aldeana, haciéndonos gozar su encanto, que es el encanto de la vida sencilla, donde nada es apariencia, sino verdad. Vélez de Guevara, con la sola presentación escénica de un matrimonio aldeano que se dispone a cenar, mientras afuera rondan disfrazados los cortesanos, nos hace sentir, sin retórica, de manera limpiamente dramática, la superior calidad humana de Antón y Pascuala. Frente a ellos, voz en la oscuridad y disfraz, el príncipe don Juan y el maestre muestran la radical insustancialidad de sus vidas. Esta oposición entre los dos mundos representativos de dos estilos de vida, mantenida con cierta constancia en el teatro del Siglo de Oro, manifiesta, aparte de su enraizamiento en una tradición literaria, una toma de posición de la conciencia del dramaturgo ante un estado de conflicto entre el hombre del pueblo y el hombre de la corte, entre el humilde y el poderoso. Lo que es puesto de relieve es la impotencia social del primero, que si triunfa es a causa de su poderosa individualidad, pero no porque tenga sólo razón. Junto a los excepcionales héroes del pueblo está el inmenso coro de quienes nada pueden ni osan poder.

Reinar después de morir está considerada como la obra maestra de Vélez de Guevara. Algunos críticos, a causa de esta pieza, han dado en llamar a nuestro dramaturgo «el Racine español», apodo a todas luces improcedente, pues nada está tan alejado de una tragedia de Racine como esta tragedia de los amores de Inés de Castro y el príncipe Pedro de Portugal, ni puede haber mayor diferencia entre la concepción del universo trágico del francés y del español.

La leyenda de Inés de Castro contaba ya con una tradición literaria, tanto lírica como dramática. Su más bella expresión la había conseguido Camoens en el Canto III de *Os Lusiadas.* En el teatro, además de las tragedias de Ferreira y de Jerónimo Bermúdez, se tiene noticia de una *Inés de Castro,* de Lope de Vega, hoy perdida, y se conserva una *Tragedia famosa de Doña Inés de Castro,* de Mexía de la Cerda, impresa en 1612.

Vélez de Guevara construye, dentro de la más ortodoxa fidelidad a la fórmula dramática española, una tragedia cuyo acierto fundamental consiste en la belleza poética de las situaciones más que en la profundidad dramática de los caracteres. La tragedia parece estar concebida y realizada desde un temple lírico más que desde un temple trágico. Por eso es la *historia* escenificada de los amores de Inés y de Pedro lo que nos conmueve y no Inés y Pedro, en cuanto héroes de un *universo trágico:* el del drama. La técnica del paralelismo utilizada por Vélez de Guevara en la articulación de las escenas le permite presentar con gran eficacia dramática la soledad enamorada de don Pedro y la de doña Inés que, cuando separados, expresan con gran intensidad lírica su pasión amorosa. Esas escenas preparan, a su vez, la emoción de aquellas otras —sólo dos— en que los amantes aparecen juntos. Ausencia y soledad de los dos enamorados, simétricamente escenificados, y breves uniones turbadas por presentimientos constituyen el núcleo dramático de esta historia de amor en los dos primeros actos. En torno a los dos amantes surgen las dos fuerzas que conducirán al fin trágico: la pasión de la infanta, prometida del príncipe don Pedro, herida en su orgullo al ser rechazada por el príncipe, y «la razón de Estado», expresada por Egas Coello y Alvar González. Indeciso entre estos tres mundos, el rey don Alonso de Portugal. En el tercer acto la acción se concentra en la decisión del rey. De su palabra depende la vida o la muerte de Inés de Castro. La escena cumbre de la tragedia es aquella en que Inés lucha por apiadar al rey haciéndole ver su inocencia. La escena tiene gran emoción, pero su fuerza trágica está aminorada por la falta de profundidad del carácter del rey, personaje borroso, incapaz por la superficialidad de su caracterización de dar la réplica, en términos dramáticos, a Inés de Castro. Por otra parte, tampoco la «razón de Estado», causa de la muerte de Inés, adquiere suficiente densidad en el drama. La necesidad de la muerte de Inés por «razón de Estado» viene dada por la leyenda, pero no llega a adquirir categoría de necesidad trágica, con necesidad exclusiva y fundamentalmente intradramática.

En las escenas finales Vélez de Guevara funde con el tema de la muerte el tema de la glorificación de Inés. Este tránsito rápido de la una a la otra sí es un acierto pleno del dramaturgo. Inés, coronada después de muerta, conserva viva su belleza de víctima inocente.

4. Ruiz de Alarcón

Por varias razones, al enjuiciar al dramaturgo y a su obra se ha hablado del «caso» Alarcón. Se ha insistido en la importancia que en el dramaturgo Alarcón tuvieron dos factores biográficos del hombre Alarcón: sus jorobas y su origen mejicano. El cuerpo contrahecho, blanco de sangrientas y crueles burlas, amargaron al hombre, haciéndole un resentido, y le llevaron a retraerse a su intimidad y a contraponer al mundo exterior la superior valía del mundo interior, en cuyas virtudes espirituales estriba el verdadero valor del hombre. Su «mejicanismo», del que rechazamos cuanto toca a aspectos psico-raciales (cortesía y sinuosidad indias), determinaría en el hombre una actitud de distancia respecto al sistema socio-religioso que condicionaba la vida peninsular, y en el artista una actitud crítica, traspuesta a su teatro, frente a las normas que regían la sociedad española. Alarcón, desde su retraimiento dolorido y orgulloso y desde su condición de hombre venido de fuera, estaría, en más radical medida que sus colegas, en situación óptima para analizar las formas de vida españolas y su mecanismo social [29].

Caracteres generales

La obra teatral de Alarcón se distingue de la de los dramaturgos contemporáneos, en primer lugar, por su brevedad. Frente a la abundancia de obra de Lope, Tirso, Vélez de Guevara o Mira de Amescua, Ruiz de Alarcón escribe poco. Es ridículo ver en ello una falta de inspiración o un defecto de capacidad creadora. Alarcón no vive del teatro, ni su criterio de valoración es el de la abundancia. En él domina la preocupación por la obra bien hecha. Su voluntad de estilo le lleva a corregir, pulir, cuidar la pieza teatral. Ese cuidado lo lleva no sólo al verso, preciso siempre, y al lenguaje, vaciado de hojarasca, hinchazón y rebuscamiento, sino a la construcción de la acción, en la que evita la multiplicidad de intrigas y de temas, atento

---

[29] Ver A. A. van Beysterveldt, *Op. cit.,* pág. 88.

a su unidad, y a la configuración de caracteres. Este cuidado en el estilo y en la construcción dramática determina, en sus mejores piezas, la coherencia interior de su mundo dramático.

Tan importante como esta unidad estructural de la obra teatral, que funda su perfección formal, es la unidad intencional, que funda la originalidad del contenido de su teatro. Con ello tocamos un aspecto fundamental del teatro alarconiano: la raíz ética del conflicto dramático. Mucho se ha escrito sobre la «moral» de Alarcón, moral que se ha querido explicar como consecuencia del resentimiento del hombre, como trasposición de su caso personal, y de la que se ha afirmado no ser desinteresada. Ese carácter de «no desinteresada» de la moral alarconiana, se ha deducido, naturalmente, del comportamiento de ciertos personajes y del juicio de valor que esos u otros personajes han emitido acerca de tal comportamiento, como si esos personajes hubieran nacido sólo para ser portavoces del hombre Alarcón, con su joroba a cuestas, y nada, o poco, tuviesen que ver con el mundo en que se mueven y al que dan existencia con su palabra y su conducta. Valbuena Prat hace notar la simpatía humana y la riqueza vital del personaje censurado —Don García, el mentiroso de *La verdad sospechosa,* y don Mendo, el maldiciente de *Las paredes oyen*— y su contraste con el rigor del castigo o con el personaje que encarna las virtudes de la moral triunfante. Frente a la simpatía y la vitalidad de don García está la moral «fría, convencional y antipática» de don Beltrán; frente a la riqueza vital del maldiciente don Mendo, la sinuosidad y poca franqueza del proceder de don Juan. El origen de tal contraste lo encuentra en la resentida psicología de Alarcón, «cuyo subconsciente veía con envidiosa complacencia aquellos traviesos y agraciados tipos sociales, engañándose a sí mismo en la rígida solución». Siempre nos ha parecido muy relativa toda explicación más o menos psicoanalítica de la obra literaria. Ese juego dialéctico del subconsciente y del consciente del autor, en el que el segundo, bajo forma de razón, desaprueba y rechaza lo que constituye objeto de deleite para el primero, sospechamos que pudiera muy bien no haber ocurrido. ¿Por qué el subconsciente de Alarcón tenía que envidiar tal estilo de ser hombre ni complacerse en él, ni por qué la creación de tipos heroicamente ejemplares, como el generoso don Fadrique de *Ganar amigos* o el leal don Rodrigo de *Los pechos privilegiados* son fruto de la sublimación del subconsciente? Intentemos la comprensión del mundo alarconiano sin apelar al resentimiento de la moral ni a turbios —e indemostrables— complejos de inferioridad.

El honor no actúa en el teatro alarconiano como una deidad a la que hay que rendir culto absoluto, contradiciendo las exigencias íntimas de la conciencia moral del individuo. La dialéctica entre los dos aspectos del honor, el interior y el exterior, el «honor-virtud» y el «honor-opinión», no cristaliza en situaciones trágicas, en las que la conciencia individual, pese a su lúcida protesta, es vencida por la inexorable tiranía de la ley traspersonal del honor. Lo normal —aunque no con carácter de exclusividad— es que el «honor-virtud» triunfe del «honor-opinión». Lo cual significa una puesta en relieve del imperativo moral como raíz del honor. Como escribe Américo Castro, al enfocar el concepto del honor en Alarcón: «La doctrina del honor no es sino un aspecto de su moral. Siendo ésta autónoma e inmanente, lo será también el concepto de la dignidad del hombre, que no depende de circunstancias externas (fama, opinión, galardones), sino de la intimidad de la virtud individual. El honor es atributo de la virtud, pero ésta existe y vale, no obstante la actitud que los demás observan»[30]. El honor consiste, pues, en la afirmación de la propia conciencia moral y en el respeto a sí mismo como persona. Esta concepción del honor, al funcionar dramáticamente, determina, entre otros, los siguientes hechos: 1) el personaje noble funda la raíz de su nobleza no en la herencia, no en lo recibido de sus antepasados, sino en sus propias obras, en sus méritos personales, pues en él el honor es un valor espiritual; 2) el noble ofendido no se ve necesariamente impelido a la venganza sangrienta que, incluso, puede no darse; 3) la razón llega a dominar los impulsos de la pasión y se convierte en guía de la conducta; 4) la moral personal puede entrar en colisión con la moral colectiva. Ejemplo preclaro de todo ello puede ser don Domingo de don Blas, protagonista de *No hay mal que por bien no venga.*

Al dejar de funcionar el honor como un mito socio-religioso, Alarcón concentra su atención en el valor ético de la conducta, creando la comedia moral, de costumbres o de caracteres, a la que, convencionalmente, llamaremos «comedia alarconiana».

La comedia alarconiana y su contenido ético-social

Está estructurada en torno a un carácter o tipo psicológico, muy individualizado, cuya personalidad básica está constituida por un vicio *(La verdad sospechosa, Las paredes oyen, La prueba de las promesas)* o una calidad socialmente significativa *(No hay mal que por bien no venga)*, o en torno a una situación socialmente insólita *(El examen de maridos)*. Su ambiente es fundamentalmente urbano y sus personajes pertenecen a la clase media noble. A este grupo de

[30] «Algunas observaciones acerca del concepto del honor en los siglos XVI y XVII», *Revista de Filología Española,* III, 1916 (reimpreso en *Semblanza y estudios españoles,* Princeton, 1956, págs. 319-382).

comedias podría aplicarse lo que Alfonso Reyes considera rasgos propios del teatro alarconiano: «da una nota sobria y le distingue una desconfianza general de los convencionalismos acostumbrados, un apego a las cosas de valor cotidiano, que es de una profunda modernidad, y hasta una escasez de vuelos líricos provechosamente compensada por ese tono 'conversable y discreto', tan adecuado para el teatro» [31].

En *La verdad sospechosa* el protagonista es don García, el mentiroso. Pero no un vulgar mentiroso, sino un auténtico artista de la mentira. Mentir es en él un vicio inherente a su naturaleza, pero no un vicio gratuito. No miente sólo porque sí, por el puro placer de mentir, sino como medio para conseguir objetivos inmediatos: impresionar a una dama, mostrarse superior a un caballero, esquivar responsabilidades, obtener lo que desea. Cuando su criado le pregunta por qué miente, le responde:

> Quien vive sin ser sentido,
> quien sólo el número aumenta
> y haze lo que todos hazen
> ¿en qué difiere de bestia?
> Ser famosos en gran cosa,
> el medio qual fuere sea.
> Nómbrenme a mí en todas partes,
> y murmúrenme siquiera;
> pues, uno, por ganar nombre,
> abrasó el templo de Efesia.
> Y, al fin, es éste mi gusto,
> que es la razón de más fuerza.

Gusto, pero también deseo de fama. Es esta segunda finalidad de la mentira la que pone de relieve el fondo social sobre el que Alarcón proyecta sus figuras. De ese fondo social, en donde la riqueza y el lujo muestran su prestigio, surge don Beltrán, el padre, cuya moral tiene dos caras: una que mira hacia el interior de la persona y otra hacia la opinión pública. De las dos, la que prevalece es la exterior, más decisiva, socialmente, que la otra. De ese mismo fondo social, cuya ética no es, precisamente, ejemplar, pues da más importancia a la apariencia que al ser, surge también Jacinta, que, enamorada de don Juan, decide no casarse con él mientras éste no obtenga el hábito solicitado, pero no lo deja hasta estar segura de encontrar otro marido. Estos personajes, que no mienten como don García, representantes de una sociedad donde lo que vale es la apariencia, pero no la verdad moralmente pura, serán los encargados

---

[31] Prólogo a Ruiz de Alarcón, *Teatro,* Madrid, 1948, Clásicos Castellanos, páginas XXXI-XXXII.

de castigar a don García, justo cuando éste dice su única verdad: don García será víctima de sus propias mentiras, pero no en nombre de una moral pura. Quien decide su castigo no es tanto el moralista, sino el dramaturgo, no la razón, sino la ironía. Don García se casará con la mujer que no ama, Jacinta con don Juan, pero sólo después que éste ha obtenido el hábito. En cuanto a don Beltrán, habrá conseguido lo que de verdad le preocupa: estar en orden con la opinión pública.

En *Las paredes oyen* Alarcón, por medio del maldiciente don Mendo, nos muestra las consecuencias del vicio de la maledicencia. Don Mendo, físicamente atractivo como don García, carece de la simpatía de éste y muestra la ruindad de su alma, en contraste con la belleza moral de don Juan, «pobre y feo». Esta pieza, menos honda y más elemental que la anterior en cuanto a su contenido, aunque igualmente perfecta en la construcción, ejemplifica, con demasiada simplicidad, el triunfo de la virtud sobre el vicio. Doña Ana, pretendida por don Mendo, por don Juan y por el duque, rechazará al primero por hablar mal de ella, al último por la diferencia de clase social y dará la mano de esposa a don Juan «porque —dice ella— me obligó diziendo/bien de mí». Con su decisión doña Ana viene a hacer verdaderas las palabras de Celia, su criada:

> En el hombre no has de ver
> la hermosura o gentileza:
> su hermosura es la nobleza;
> su gentileza, el saber.

En *La prueba de las promesas* Alarcón castiga la ingratitud. Esta comedia, inspirada en el Ejemplo XI de *El conde Lucanor,* del príncipe don Juan Manuel, tiene una original construcción, consistente en la yuxtaposición de dos tiempo dramáticos: el tiempo real de presente y el tiempo imaginario de futuro. Dos galanes, don Juan y don Enrique, pretenden a doña Blanca, que se inclina por el primero. Don Illán, padre de la dama y gran mago, hace vivir a los personajes una acción ficticia, suscitada por él. Don Illán, mediante su ficción, adopta, en realidad, el papel de dramaturgo: inventa unas situaciones y deja a los personajes en libertad para vivirlas según lo que son y no lo que dicen ser. Don Juan se verá elevado al marquesado de Tarifa, a la privanza del rey y a la presidencia del Consejo de Castilla. La posesión del poder le llevará al desenmascaramiento de su verdadero ser, revelando así la ingratitud, esencia de su personalidad. Cuando don Juan amenaza a don Illán con castigarlo como hechicero, éste deshace el encanto y los personajes vuelven al presente real interrumpido. La ruptura de la secuencia temporal, con técnica semejante a la del dramaturgo inglés J. B. Priestley, aunque con función dramática muy distinta, sirve así para poner al desnudo la auténtica personalidad de cada una de las criaturas del drama. Los personajes quedan procesados y el presente se carga de nuevas valencias que deciden la solución del conflicto. Blanca rechaza a don Juan y da la mano a don Enrique.

En *No hay mal que por bien no venga* encarna en don Domingo de don Blas una actitud de no-conformismo ante las normas que rigen la sociedad. Don Domingo antepone, en las diversas situaciones de la comedia, sus propios criterios a las normas sociales en uso: se niega a seguir los criterios vigentes de la moda, a batirse en duelo con su rival en amores, al que cede la dama por reconocerle que tiene más derecho a ella, a intervenir como torero en un «juego de cañas», pues encuentra estúpido arriesgar su vida sólo para que la opinión pública le tenga por valiente... En cambio, cuando se trata de defender una causa justa, no duda en arriesgar la vida. Con su actitud don Domingo muestra su independencia frente a las convenciones sociales y la primacía de la moral personal, estribada en principios firmes y racionales, frente a la convención moral, estribada en apariencias, del mundo social, cuyo modelo o eje es el respeto a la opinión pública, verdadero motor de las conductas individuales.

Finalmente, en *El examen de maridos* el comediógrafo desenmascara el fundamento vicioso e inconsistente de la opinión pública. Doña Inés, joven noble y rica, decide casarse obedeciendo el testamento espiritual de su padre, testamento que se cifra en esta frase: «Antes que te cases, mira lo que haces». Los pretendientes serán sometidos a un concurso de méritos, obteniendo su mano el que más méritos posea. En el curso de este examen de maridos, al que se presentan seis candidatos, doña Inés se sentirá enamorada de uno de ellos, el marqués don Fadrique, con el que no se atreverá a casarse por ciertos defectos que la opinión pública, encarnada, irónicamente, en una dama celosa, ha hecho correr. De un lado pone, pues, de manifiesto Ruiz de Alarcón el turbio origen de esa opinión pública, a cuya tiranía todos se someten, y cuyo poder social puede causar tanto mal a individuos totalmente inocentes y, de otro lado, satiriza el mundo del amor tal como aparece en la «comedia». Don Carlos, que amaba apasionadamente a doña Inés, se desenamora instantáneamente de ella para enamorarse, no menos apasionadamente, de doña Blanca, pues hasta él ha llegado el rumor de que ella lo ama. Doña Blanca, a su vez, causante de ese rumor que, intencionadamente, iba contra don Fadrique al que ella amaba y del que quería vengarse desacreditándolo a los ojos de doña Inés, acepta dichosa la mano de don Carlos, para no verse convicta en sus enredos. Y, claro está, don Fadrique y doña Inés se casan, una vez que los defectos del marqués quedan convictos de falsedad. Quien, en realidad, queda convicta es la opinión pública, cuyo fundamento no es otro que la envidia y la calumnia. Ésta me parece ser la verdadera intención del autor, camuflada bajo la sátira del juego socializado del amor.

En estas cinco comedias, rápidamente analizadas, creo que resalta suficientemente la raíz de los conflictos planteados y la intención crítica del autor, quien, frente a la sociedad, dentro de la cual vivía, adopta una actitud de independencia y de no conformismo.

El drama heroico-nacional

Tres dramas representan ejemplarmente este género dramático: *Ganar amigos, Los pechos privilegiados, La crueldad por el honor.* En estos tres dramas el héroe fundará su heroísmo más en la virtud que en la sangre, más en la fidelidad a la propia conciencia moral, que en la fidelidad a los valores vigentes en el mundo, por muy altos que éstos sean. Los móviles de la acción tienen su fuente, su núcleo motor, en el interior de la persona y no en las leyes del mundo. El conflicto surge, precisamente, del choque entre la persona y el mundo. El héroe triunfa y su triunfo constituye una lección para el mundo. Ese triunfo no lo obtiene sin antes haber padecido. La aceptación del dolor, en donde se pone a prueba la autenticidad de la virtud de héroe, acaba de perfilar el temple de su heroísmo. La escena final, de apoteosis del héroe, significa el reconocimiento oficial, por parte del mundo, de la virtud heroica, convertida así en modelo a seguir. Ruiz de Alarcón lleva la ejemplaridad ética de estos dramas hasta el punto de redimir al culpable de su culpa, mediante la confesión de su error y el reconocimiento de la inocencia del héroe. Protagonista y antagonista quedan así igualados en nobleza de alma al final del drama. Este final conciliatorio, en que todos quedan bien y en que todo se resuelve favorablemente para el héroe y para el mundo, muestra, mejor que cualquier otro ejemplo, la necesidad del dramaturgo de aliar su actitud no conformista, su independencia de criterios morales, con la conciencia de los límites dentro de los cuales debe moverse. En manos de un dramaturgo isabelino la solución final hubiera sido trágica: el héroe virtuoso hubiera sucumbido víctima de la injusticia del «mundo oficial». En el dramaturgo español todo termina como en el mejor de los mundos.

En *Ganar amigos,* el protagonista es el marqués don Fadrique, que a las leyes del mundo (vengar el asesinato de su hermano, asesinar por orden del rey a un noble) antepone los dictados de su propia conciencia (respeto a la palabra dada, repugnancia a cometer un crimen innecesario). Condenado a muerte, por el rey, le basta la conciencia de su propia inocencia. Quiénes le han llevado a tal situación confesarán magnánimamente sus culpas y el rey perdonará a todos, dándoles

> la libertad por derecho
> y por justicia el perdón.

En *Los pechos priviligiados,* don Rodrigo preferirá caer en desgracia del rey y renunciar al amor correspondido de doña Leonor, antes que obrar en contra de su conciencia. Desobedecerá al rey que le manda actuar de tercero en la posesión de doña Elvira, hermana de doña Leonor. Al final, el rey, vuelto a la razón, premiará la lealtad y la virtud de don Rodrigo.

En *La crueldad por el honor,* de acción más complicada que las anteriores, Sancho Aulaga prefiere luchar contra su padre, que se hace pasar por rey, y a quien siguen todos los nobles, creyéndole rey, que faltar a la palabra dada al príncipe, único que tiene derecho a la corona. Antepone la fidelidad para consigo mismo a sus sentimientos filiales y a las ventajas que le supondría secundar los planes de su padre. Al final del drama, desenmascarado el usurpador, a quien los nobles, que antes le siguieran más por interés propio y por ambición que por lealtad, han condenado a muerte infamante, el inocente Sancho es acusado de complicidad. En una escena, construida con gran fuerza trágica, Sancho, a petición de su propio padre, lo mata. En el último momento nos enteramos de que Sancho no es hijo del usurpador. Su virtud triunfa en toda la línea, quedando, de golpe, limpio del pecado de parricidio. Aunque el drama abunda en situaciones trágicas, aunque la conducta de los nobles resulta puesta en evidencia, el dramaturgo renuncia al final trágico y acaba la pieza en un virtuoso y ejemplar clima de conciliación. Debemos confesar que tal final nos defrauda. Ruiz de Alarcón escribió una pieza ejemplar, pero dejó escapar la ocasión de escribir una interesante tragedia.

A estos tres dramas podemos añadir un cuarto: *El tejedor de Segovia.* De las dos partes de que consta, la segunda es de Alarcón. Respecto a la primera, la crítica no ha resuelto aún con pruebas suficientes, si es o no de Alarcón, aunque hay muchas razones en favor de la paternidad de Alarcón, como se deduce del libro del hispanista holandés J. A. van Praag [32]. La más valiosa es la segunda parte. Es un drama de venganza, en que el héroe, encubriendo su verdadera personalidad bajo la figura del tejedor de Segovia, da muerte, cara a cara, a su ofensor, después de numerosas peripecias en las que son puestas de relieve el valor, arrojo y coraje del protagonista, alguna

---

[32] La *comedie espagnole aux Pays-Bas au XVIe et XVIIe siècles,* Amsterdam, sin año.

de ellas tan brutal, y teatralmente primitiva, como la de cortarse los dedos de una mano para obtener la libertad. Alarcón consigue crear, sin duda, una poderosa figura dramática, movida por el deseo de venganza y la necesidad de justicia, pero no un gran drama, para lo cual le sobran lances y le falta verdad. Para que pudiéramos hablar de un gran drama no basta con una intriga bien desarrollada y un protagonista dotado de poderosa vitalidad. Sería necesario un mundo dramático valioso, que es, precisamente, lo que no existe.

5. Tirso de Molina

Tirso de Molina (pseudónimo de fray Gabriel Téllez) es, en cierto modo, un dramaturgo *típico,* el más típico del ciclo teatral de Lope de Vega. Típico no sólo por cultivar todos los géneros dramáticos puestos en circulación por Lope ni por su fidelidad a la técnica y al sentido de su fórmula dramática ni por la abundancia de su producción, sólo inferior a la de Lope, sino porque en su teatro se hace patente, con meridiana claridad, la miseria y el esplendor del teatro español del Siglo Oro, los límites y la riqueza del drama áureo, su imperfección constitutiva y su constitutiva vitalidad interna. El teatro de Tirso nos entusiasma por sus radicales aciertos y nos defrauda por sus no menos radicales desaciertos. Si atendemos al conjunto de su obra dramática nos sentimos inclinados al entusiasmo y a la admiración, pero si atendemos, particularmente, a cada una de sus piezas el entusiasmo y la admiración se truecan en irritación y en censura, salvo en muy contados dramas. Si Tirso de Molina fuera nuestro contemporáneo reconoceríamos su importancia, su riqueza, pero esperaríamos siempre de él esa obra perfecta como drama que nunca acaba de darnos, esa obra que, a veces, está a punto de conseguir, sin conseguirla. Estaría siempre en el centro vivo de nuestra atención, sin colmar plenamente nuestra tensa espera. En el fondo, seríamos siempre y después de cada uno de sus estrenos, insatisfechos admiradores suyos y, como tales, críticos exigentes. Nuestra responsabilidad de espectadores lúcidos nos impediría los excesos ditirámbicos estilo doña Blanca de los Ríos o los excesos depreciatorios estilo Moratín y demás críticos neoclásicos.

Los críticos han destacado en el dramaturgo Tirso de Molina su claridad expositiva, la finura psicológica en el retrato de los caracteres, la precisión ideológica, el agudo ingenio satírico, la riqueza del lenguaje, el sentido realista... Las mismas notas, con ligeros retoques, podrían servir para caracterizar a un novelista, incluso al mismo Tirso novelista. En realidad, esas notas caracterizan, genéricamente, al escritor, pero no específicamente al dramaturgo.

También se ha destacado en el teatro de Tirso su feminismo. Sus heroínas en esa guerra galante de sexos que constituye uno de los elementos capitales del amor en la «comedia» se resisten a adoptar un papel pasivo frente a la agresión del varón. Descontentas y en desacuerdo con la posición subordinada que la sociedad, regida por los principios varoniles, les ha impuesto, tratan de afirmar su espíritu de independencia, lo afirman en numerosas ocasiones, bien vengando ellas mismas su honra, bien persiguiendo al ofensor disfrazadas de hombres hasta conseguir el desagravio, bien lanzándose al monte para castigar en los hombres que topan al hombre que las ofendió, bien adoptando una actitud de burla ante el varón.

Se ha señalado, asimismo, en el dramaturgo su aguda visión de la sociedad contemporánea, cuyos usos y costumbres pasan a su teatro, estilizadas, unas veces, traspuestas, otras, con sustancioso realismo. Naturalmente, lo traspuesto no son las estructuras profundas de esa sociedad ni sus más hondos problemas, sino lo exterior, los estratos más superficiales, aunque característicos, pintorescos o divertidos. Lo traspuesto no es tanto la realidad social cuanto las apariencias que adopta esa realidad, no son tanto esencias cuanto accidentes. Así, pues, lo captado por nosotros en su teatro es menos una sociedad al desnudo, con sus raíces al aire, que las vestiduras —ridículas, divertidas, pintorescas, curiosas— de una sociedad.

El teatro religioso

El drama religioso de Tirso ha sido clasificado en tres grupos temáticos, según sea la Biblia, las vidas de santos o un problema teológico la fuente de inspiración del dramaturgo.

Los dramas bíblicos

Dejando aparte los autos bíblicos, ni demasiado felices ni demasiado profundos, componen este grupo cinco piezas de muy desigual valor dramático: *La mujer que manda en casa* (1612), *La mejor espigadera* (1614), *Tanto es lo de más como lo de menos* (1614), *La vida y muerte de Herodes* (¿1612-1615?) y *La venganza de Tamar* (1621).

En todos ellos, ambiente y personajes han sido sometidos a un proceso de actualización, como es frecuente en el teatro del Siglo de Oro. Los contenidos mentales y afectivos que definen a los personajes, así como los móviles de la acción, pertenecen al momento histórico del autor. Ahora bien, en esa actualización es mayor el peso de lo puramente accidental que de lo realmente esencial. El tema bíblico, que constituye el núcleo de la acción, no es sometido a una radical interpretación, a una auténtica recreación dramática, sino a una simple acomodación teatral.

El resultado es, unas veces, un drama disparatado en su realización dramática, con alguna escena buena *(La mujer que manda en casa, La vida y muerte de Herodes)*, un drama muy superficial, con deliciosas escenas líricas *(La mejor espigadera)*, un drama interesante, aunque limitado *(La venganza de Tamar)*, o, caso único, una excelente pieza *(Tanto es lo de más como lo de menos)*. Lo tenido en cuenta para establecer esta valoración es el nivel de realización dramática, que es lo que hace que un drama sea bueno o malo, y no este o aquel momento, esta o aquella escena, el mayor o menor interés del tema, o media docena de profundas sentencias.

La mujer que manda en casa tiene como protagonista a Jezabel, la reina libidinosa y cruel. La pieza está pésimamente construida. El tiempo dramático no cuenta para nada. En una escena del Acto II nos dice un personaje que han pasado tres años desde que ocurrieron los sucesos del Acto I y, casi inmediatamente, los personajes se comportan como si sólo hubieran pasado horas. Los personajes principales carecen de sustancia dramática propia. Son personajes de cartón piedra cuya personalidad está tomada en préstamo al relato bíblico, sin que el dramaturgo los autentifique como criaturas dramáticas. La crueldad y la lujuria de Jezabel, la debilidad de carácter del rey, la honradez y castidad de Nabot son mecánicas. Son así, no con necesidad interna, sino gratuitamente, porque así los presenta el relato bíblico. Como no llegan a ser, con autenticidad dramática, alguien, lo que les pasa no nos conmueve, porque no le pasa a nadie. La muerte de Nabot, lapidado por orden de Jezabel, es un puro suceso escénico, pero no un acontecer dramático. Ocurre así porque así les ocurrió a los personajes bíblicos, cuyo papel recitan estos tres personajes, los de Tirso, que no tienen más realidad que la de estar recitando un papel. El único personaje que se convierte, durante un momento, en una persona dramática, que no recita ya, sino vive, es Raquel, la esposa de Nabot, cuyo llanto por la muerte de su esposo y sus furiosos gritos de venganza dan existencia a la única escena auténtica del drama. Desgraciadamente, una sola escena no puede rescatar toda la obra ni dar pie para afirmar que nos encontramos en presencia de una tragedia impresionante. No está de más recordar que en arte lo que valen, como es sabido, no son las intenciones, sino las realizaciones.

En *La vida y muerte de Herodes,* el dramaturgo pierde un tiempo precioso en inventar y desarrollar una intriga en la que Marianne y Herodes aparecen como una dama y un galán del siglo XVII con el agravante de que Herodes se vale de un subterfugio para birlarle la dama a su hermano. Cuando llega el momento central, los celos de Herodes, ya se han pasado dos actos, llenos de peripecias y lances de fortuna. En el tercer acto el dramaturgo quiere atender a tantas cosas que no atiende a ninguna. Herodes confirma sus celos en una escena ridícula, a la que asiste escondido: sorprende a su esposa y a su mejor amigo diciéndose ternezas. Y, claro está, los manda encarcelar. Lo sucedido, en realidad, es que, para consolar a Marianne, que sufre por la ausencia de Herodes, el amigo de éste propone jugar a que él es Herodes, que ya está de vuelta; así Marianne podrá dar rienda suelta a su amor inexpresado. El drama termina con una escena de portal de Belén, con sus pastores y sus Reyes Magos y con un Herodes furioso quitando niños a las madres para traspasarlos con su espada. Antes de caer el telón Herodes aparece muerto «con dos niños desnudos y ensangrentados en las manos», como reza la acotación. El Herodes de este disparatado drama no es más que un nombre.

En *La mejor espigadera,* la historia de Ruth y Booz sólo aparece en el tercer acto, que es donde tienen lugar las líricas escenas de la siega. El primer acto está dedicado a dos episodios: 1) el del avaro Emilemec, su mujer, la caritativa Nohemí, y los pobres; y 2) el del idilio de Ruth y Masalón, que llenará también todo el segundo acto. El episodio 1) es una escena de pastores, que tienen hambre, sacados del mundo de Juan del Encina, con lances tan chocarreros como el del pastor que quiere comerse a su hijo para calmar el hambre o el del pastor que se fuerza a vomitar lo que acaba de comer, para que no le maten los criados del avaro, que no le quieren dejar partir con el vientre lleno. El episodio 2), que ocupa casi las dos terceras partes de la obra, es una convencional historia de amor, contada con técnica de comedia de intriga galante: amor que brota instantáneo como el rayo, dama que habla dormida con el galán despierto, galán que se hace el dormido para hablar con la dama despierta, diálogos de sutilezas del amor cortés, escenas de celos y escena final en que el celoso da rienda suelta a su ira y anuncia su venganza. En el tercer acto la venganza ya se ha cumplido: Ruth ha quedado huérfana y viuda. Al final del acto, después de la famosa escena de la siega, en que se cantan deliciosas canciones populares de sabor campesino, Ruth encuentra a Booz y se desposan. ¿Para qué, entonces, todo el acto primero y el segundo? En puridad, su función dramática es nula, pues ninguna falta hacían para el idilio de Ruth y de Booz. Belleza lírica de unas escenas no es belleza dramática de una obra entera, ni puede juzgarse el valor de ésta por la deliciosa poetización de aquéllas.

La venganza de Tamar es mejor que las anteriores. La obra está centrada en el motivo del incesto. La primera parte del Acto I está dedicada a presentarnos a Amón, cuyo carácter se nos revela esquemáticamente en una serie de notas: amante de la vida ciudadana, que prefiere a la vida guerrera, ocioso, insatisfecho y con cierto cinismo juvenil, consciente de su ansia de singularidad:

> en todo soy singular
> que no es digno de estimar
> el que no intenta algo nuevo.

En la segunda parte del acto asistimos al encuentro de Amón con Tamar, en un retirado jardín del palacio, donde los varones tienen prohibida la entrada, y cuyas tapias escala el joven. Su curiosidad por lo prohibido, su deseo de aventuras y el calor de la noche, insistentemente destacado por el dramaturgo, motivan la acción. Amón, en la oscuridad del jardín, se prenda de Tamar, sin saber que es su hermanastra. Cuando lo descubre decide alejarse:

> Más vale, cielos, que muera
> dentro de mi pecho esta llama
> sin que salga el fuego afuera;
> ausente olvida quien ama,
> amor es pasión ligera.
> Al cerco quiero partirme...

El acto termina con un baile de máscaras. Amón no ha partido. El Acto II dramatiza el desarrollo de la pasión en el ánimo de Amón. Su melancolía, su desesperación, su deseo de soledad están finamente expresados. Más convencionales son las escenas en que Amón declara su pasión a Tamar. Tirso no consigue, con la intensidad con que Calderón lo hará en el primer acto de *Los cabellos de Absalón,* mantener a la misma altura que las escenas anteriores la escena final en que se cumple el incesto.

El Acto III está dedicado a la venganza de Tamar. Apenas satisfecha su pasión, Amón rechaza a su hermana. Su rechazo es expresión del horror por la acción cometida. Tamar, que pide justicia al rey David, su padre, no la obtiene de éste, quien perdona a Amón, príncipe heredero, movido de la piedad paterna. En Calderón, que, en la obra citada, utiliza como segundo acto este que es tercero de Tirso, esta escena, al conectarse con el sentido último de su drama, muy distinto al de Tirso, tendrá una función dramática de mayor importancia que en *La venganza de Tamar.* Para Calderón, como veremos cuando estudiemos su drama, lo central no es el incesto. Para Tirso sí. Por ello, la función específica de esta escena es preparar la motivación de la venganza de Tamar, que ejecutará Absalón, su hermano de padre y madre, y no sólo de padre, como Amón. Este acto, excelente, carece, sin embargo, de la suficiente unidad. El primer plano de la acción ya no lo ocupan Tamar y Amón, como en los dos anteriores, sino Absalón, el vengador de la honra de su hermana, más por ambición de reinar que por amor a su hermana. Amón y Tamar, aunque importantes, quedan en un borroso segundo plano.

Por último, la mejor como pieza teatral es *Tanto es lo de más como lo de menos,* en donde Tirso funde en unidad dramática dos parábolas del Evangelio: la del pobre y el rico, y la del hijo pródigo. La actualización es aquí plenamente eficaz, pues va sustentada por una auténtica recreación dramática de la materia y el espíritu de las parábolas, que se cruzan y se entrecruzan en la acción, desarrollan íntegramente, en técnica de contrapunto, la totalidad de sus existencias. El mundo en que se mueven los tres personajes tiene consistencia y densidad de mundo real. El rico avariento, atento sólo a satisfacerse a sí mismo, indiferente para con los demás, dios de sí mismo, ralicalmente materialista, ateo, consecuente hasta el final con su propia filosofía del vivir humano, que sustenta, con lógica sustantividad dramática, cada una de sus palabras y de sus acciones; Lázaro, inflamado por la caridad que lo devora, entregado enteramente a su prójimo; y Liberto, derrochador de su riqueza por amor a la vida plena de los sentidos, enamorado del placer, rabioso gozador de cuanto el mundo ofrece, generoso con todos, son tres tipos humanos, ricos de individualidad, en los que cristalizan tres estilos de vida, tres concepciones del vivir humano. A cada uno de ellos los lleva el dramaturgo a su fin sin que en ningún momento falle en su caracterización. Hoy podría montarse esta pieza en un escenario moderno. Bastaría suprimir la última escena, con valor de ejemplaridad moral.

La trilogía de *La Santa Juana*

Tal vez ninguna pieza teatral mejor que ésta para introducir al lector contemporáneo en ese mundo extraño, pintoresco, contradictorio, rico, ingenuo, polifacético de la «comedia de santos», donde lo profano y lo religioso, la «naturalidad» y la sobrenaturalidad, la intrascendencia y la trascendencia, la superstición y la fe se superponen mediante una técnica teatral compleja y, a la vez, elemental. Para que este género dramático naciera y triunfara fueron necesarios varios factores. En primer lugar, que en el teatro coincidieran, con la misma validez, la concepción del teatro como espectáculo, como expresión de la sensibilidad colectiva y como instrumento al servicio de las creencias religiosas y de los ideales socio-políticos. En segundo lugar, un público idóneo que pedía ser divertido y enseñado, exaltado y admirado, y para quien el escenario era el lugar ideal en donde podían darse cita el hombre, el diablo y Dios, símbolo del gran teatro del mundo donde lo visible y lo invisible trabajan de consuno, tan reales uno como el otro. En tercer lugar, una técnica teatral estribada en el principio de la más omnímoda libertad artística. Por último, un dramaturgo para quien el teatro es un arte mayoritario y la pieza teatral un saco donde todo cabe, un mundo pluridimensional en donde el milagro es tan real como el pan, la distancia entre el cielo y la tierra y entre la tierra y el infierno tan corta como entre una casa y otra casa, un mundo donde todo es posible, menos el absurdo, pues todo acontecer humano, desde el más exterior al más interior, está iluminado por dos focos —uno terreno, otro celeste—, y cuando uno se apaga se enciende el otro, de modo que rara vez se produce la oscuridad completa. Toda acción humana, cualquiera que ésta sea, alcanza la plenitud de su sentido en el punto de conjunción de su sentido mundano y su sentido divino. El dramaturgo, al escribir su obra, se aplica a satisfacer la insaciable sed de misterio y el gusto por el sensacionalismo de su público. Entre éste y el dramaturgo existe un acuerdo tácito, según el cual lo sobrenatural es la más «natural» de las realidades. La ley de la verosimilitud, la ley de la relación de causa a efecto y la ley de la identidad quedan anuladas y sustituidas por la ley de las correspondencias simbólicas, cuya lógica estriba en la fe y no en la razón.

La Santa Juana consta de tres partes. Cada una de ellas es la historia de un conflicto. La primera parte es la historia del conflicto de la vocación de Juana, la santa, con el mundo, representado por el padre y el prometido. Juana vence los obstáculos que el mundo opone a su vocación ayudada por Dios. Esa ayuda divina se materializa en la escena, con lo cual lo sobrenatural se convierte en un factor importante del mecanismo de la acción dramática. La materialización de la inserción de lo sobrenatural en el mundo, por medio del milagro, adquiere así una doble función: religiosa —pues da testimonio de la presencia de la divinidad en el núcleo de sentido de toda acción humana— y teatral —pues determina el desarrollo de la intriga. En el tercer acto comienza el proceso de exaltación de la santa, mediante una serie de escenas que materializan su vida interior, su misteriosa relación con Dios, y los efectos que en el mundo obra esa relación de un alma con su Dios. En este acto introduce el dramaturgo las dos respuestas del mundo a la santidad: la admiración y la envidia. La admiración hermanará en una misma actitud al más humilde y al más poderoso, al pastor Llorente y al emperador Carlos V. La envidia, personalizada en la maestra de novicias, prepara la acción de la segunda parte.

La segunda parte es la historia del conflicto entre la santidad y las pasiones que rigen el mundo: pasión de la envidia dentro del convento y pasión de la lujuria fuera del convento. El mal movilizará todas sus armas contra la santa por medio de la monja envidiosa y del poderoso que usa injustamente de su poder. El dramaturgo introduce el problema de la existencia del mal en el mundo, sin atacarlo a fondo, pues sólo le interesa para contrastarlo con la santidad, que acaba venciéndolo y obteniendo de Dios el perdón para sus ejecutores.

La tercera parte, que repite el esquema de la anterior, acaba el ciclo de exaltación de la santa, cuya muerte gloriosa da fin al drama.

La unidad de esta trilogía viene dada por la figura de la Santa Juana, cuya vida es el punto de intersección de la vertiente profana y divina de la existencia humana. Durante la representación el escenario queda convertido en el lugar de recepción del universo entero y el espectador, definido por su radical disponibilidad, avanza de pasmo en pasmo, en íntima familiaridad con lo divino y lo humano. Nosotros, que hemos perdido el secreto de esta disponibilidad, nos quedamos irremediablemente afuera, ignorantes de las reglas del juego. Su lenguaje nos es extranjero. El drama de Tirso no ha podido vencer la barrera del tiempo. Ha muerto con el suyo y será difícil resucitarlo.

El condenado por desconfiado

La paternidad de este drama es uno de los problemas del teatro clásico español que está sin resolver. Mientras los argumentos en contra o en favor de la autoría de Tirso no se funden en criterios críticos verificables con absoluto rigor científico puede considerarse como obra posible de Tirso.

El conflicto planteado en este drama hunde sus raíces en el misterio de la gracia y la predestinación, tan hondamente vivido por la conciencia del cristiano de todos los tiempos, y, con especial intensidad, propia de las grandes épocas de crisis, por los cristianos divididos del siglo XVI y XVII. El autor de este drama teológico enfoca el asunto, como es natural en un español del siglo XVII, desde el punto de vista católico, cuyos teólogos, a su vez, sustentaban dos posturas, origen de apasionadas polémicas teológicas: una, encabezada por Báñez, que restringe la virtud operativa de la voluntad humana en el proceso de la salvación, y otra, representada por Molina, que acentúa la importancia de la participación del individuo en su propia salvación. El dramaturgo, partiendo de los supuestos católicos del misterio de la predestinación, rigurosamente asimilados y expresados con máximo dominio del problema teológico, según la autorizada opinión de teólogos contemporáneos como el padre R. M. Hornedo, jesuita; fray Norberto del Prado, dominico; o fray Martín Ortúzar, mercedario, escribe un espléndido drama y es ese drama lo que aquí nos importa.

En *El condenado por desconfiado,* a diferencia de *El esclavo del demonio,* de Mira de Amescua, se ha producido un auténtico fenómeno de radicalización dramática, en virtud del cual unos personajes viven la tragedia de sus vidas dentro de un universo dramático. El conflicto no surge ya del choque de unas ideas, sino del choque de unas existencias. Paulo y Enrico, protagonistas, no son ya un simple pretexto para exponer unas ideas, de las que son simples portavoces, sino que poseen un temple anímico. Los móviles de la acción no están en el juego dialéctico de las ideas teológicas que el autor maneja, sino en el temple anímico de los personajes que las viven.

Paulo es, fundamentalmente, un hombre cerebral, que ha abandonado el mundo, acogiéndose a la rigurosa soledad del yermo, menos por amor a Dios y por ansia de perfección que por miedo a condenarse. El misterio de su salvación o de su condenación le obsede de un modo patológico. En el monólogo con que arranca la obra percibimos inequívocamente la angustia del personaje que quiere ver, tener una prueba de su destino final, y que, ante la imposibilidad de rasgar el velo del misterio, siente rondar la locura. Expresión de esa congoja que le atenaza el alma, es un sueño que tiene: la muerte le atraviesa el corazón con certera saeta y Dios, ante quien acude a juicio, le condena. El Dios del sueño, que es el Dios de Paulo, es un Dios terrible, «fiscal de las almas», «airado» y de «cruel semblante». El Dios de Paulo está más cerca del Dios de Lutero que del Dios de Ignacio de Loyola, como está más cerca de aquél que de éste el talante religioso del personaje. A ese Dios, tan distinto del de Enrico, es al que, al despertar del sueño, dominado por la fatiga y el miedo, temblando todavía, sin ver otra cosa que su culpa, exige una y otra vez una respuesta. Paulo, lleno de confusión, no sabe si el sueño que acaba de soñar es anuncio de su desdichado fin o traza del diablo.

> Vos, Dios santo,
> me declarad la causa de este espanto.
> ¿Heme de condenar, mi Dios divino,
> como este sueño dice, o he de verme
> en el sagrado alcázar cristalino?
> Aqueste bien, Señor, habéis de hacerme,
> ¿qué fin he de tener? Pues un camino

sigo tan bueno, no queráis tenerme
en esta confusión, Señor eterno.
¿He de ir a vuestro cielo, o al infierno?
Treinta años de edad tengo, Señor mío,
y los diez he gastado en el desierto,
y si viviera un siglo, un siglo fío
que lo mismo ha de ser: esto os advierto.
Si esto cumplo, Señor, con fuerza y brío,
¿qué fin he de tener? Lágrimas vierto.
Respondedme, Señor, Señor eterno.
¿He de ir a vuestro cielo, o al infierno?

No puede expresarse con mayor economía dramática ni con mayor eficacia e intensidad la tragedia de Paulo. Paulo quiere saber y exige de Dios una respuesta. La respuesta le llegará, pero no de Dios, sino del diablo. El diablo no será ya el ingenioso personaje medieval de la obra de Mira de Amescua o de buena parte del teatro religioso del Siglo de Oro, que antes de tentar al hombre obtiene permiso de Dios y, a la postre, le hace el juego a la divinidad. El diablo que viene a tentar a Paulo es el espíritu de la confusión, que aprovechando la duda y la angustia de la conciencia humana se instalará en ella para llevar al hombre a la desesperación. Su análisis del estado de conciencia de Paulo es certero:

Éste, aunque ha sido tan santo,
duda de la fe, pues vemos
que quiere del mismo Dios,
estando en duda, saberlo.
En la soberbia también
ha pecado; caso es cierto,
nadie como yo lo sabe,
pues por soberbio padezco.
Y con la desconfianza
le ha ofendido, pues es cierto
que desconfía de Dios
el que a su fe no da crédito.

Conociendo, como conoce, a Paulo utilizará la más inteligente de las tácticas para conseguir sus fines; hacerle creer al hombre que espera una respuesta de Dios que Dios responde esto: tendrás el mismo fin que Enrico, hijo del noble Anareto. La angustia de Paulo cesa, por el momento. Y algo en él, que hasta ahora sólo estaba apuntado, se nos revela: Paulo, en el fondo de su corazón, se cree santo, no por otra cosa sino por haberse retirado del mundo y entregado a la penitencia. Está convencido que Enrico debe de ser gran santo. El drama se pone en movimiento, Paulo encuentra a Enrico, al que nosotros —el público— hemos conocido antes: pendenciero, chulo de mujeres, asesino a sueldo. Cuando Paulo lo conoce se resiste hasta el último instante a creer que ese asesino, jugador, que se complace en el mal y en la violencia es, realmente, el hombre a cuyo destino cree estar enlazado el suyo. Como el diablo había calculado, comienza para Paulo el abismo sin fondo de la desesperación; la desesperación, sin salida aparente, del hombre que cree que está condenado. Paulo convertirá su vida en una venganza de Dios. Paulo, sin embargo, ignora una virtud de Enrico: el profundo amor a su padre, al que es capaz de sacrificar todo. Las vidas paralelas de Paulo y Enrico estructuran la acción principal del drama a partir de ese primer encuentro. Paulo, desde lo hondo de su desesperación, ya no será capaz de aprovechar la mano que Dios le tiende. Un ángel, en figura de pastorcillo, le lleva un mensaje de salvación: la misericordia de Dios es más fuerte que el pecado del hombre. Para Paulo, sin embargo, la culpa tiene un peso demasiado enorme para levantarlo.

El segundo encuentro de Paulo y de Enrico da lugar a la escena de mayor intensidad trágica de este drama. Paulo apresa a Enrico y lo hace atar a un árbol, vendados los ojos, y le hace creer que ha llegado su última hora. El diálogo entre los dos hombres es impresionante. Paulo, peleando por su propia salvación, quiere conseguir de Enrico que se arrepienta. Paulo quiere que Enrico quiera salvarse. Y Enrico quiere morir como ha vivido: sin pedir perdón, aunque lleno de una absurda esperanza en la misericordia de Dios. Paulo, a lo largo de esta escena, siente que la desesperación se cierra definitivamente en torno a él. Odia a Enrico y le maldice, pero no puede condenarlo a morir, porque firmaría su propia condenación. No dudo en considerar esta escena como una de las más trágicas del teatro religioso occidental. Una escena sin carga retórica ni énfasis, construida con genial simplicidad dramática. En ella alcanza la tragedia de Paulo su punto culminante y su «climax».

El tercer acto nos hace asistir a la muerte de Enrico. Encarcelado en una celda, condenado a muerte, sólo el amor a su padre le salvará en el último instante. La absurda esperanza de Enrico en la misericordia de Dios se transforma en esperanza activa, sustantivamente cristiana, mediante el arrepentimiento. Paulo, quien por segunda vez rechaza al ángel, morirá desesperando de la salvación.

La última escena es una concesión al deseo de lo maravilloso y de lo ejemplar del público, que quiere ver al condenado en el infierno, que necesita que sus sentidos participen en el espectáculo religioso.

En *El Condenado por desconfiado* no es, como en *El esclavo del demonio,* un espectáculo maravilloso y una teoría teológica lo que acapara nuestra atención, sino el drama de Paulo y Enrico, sobre todo del primero, cuyo despliegue vital acontece en un universo trágico de valor universal. Si en el teatro religioso español encontramos otros muchos personajes como Enrico, Paulo, en cambio, permanece solitario y aparte, figura señera en la historia de la sensibilidad religiosa hispana.

El drama histórico: La prudencia en la mujer

Tirso escribe numerosos dramas históricos de tema aragonés, portugués, americano o castellano, en los que dentro de un ambiente realista, veteado de hechos maravillosos, ruido de batallas y coloridas descripciones, proyecta figuras heroicas cuyas acciones responden a una finalidad dramática muy precisa: exaltar unas virtudes nacionales. En estas piezas no es lo fundamental el *drama de la historia,* pues su tema no es la *historia como drama,* como en Shakespeare o, más tarde, aunque a distinto nivel, en Schiller o en Kleist. Lo central en estos dramas es destacar, con ejemplaridad ideal, mediante las situaciones interesantes que la historia suministra, la dimensión heroica del pasado nacional. Por ello, los héroes de este teatro cambian de nombre, pero no de esencia, pues, en realidad, no hay más que un héroe: el heroísmo.

La más famosa y la mejor de las piezas históricas de Tirso de Molina es *La prudencia en la mujer.* Doña María de Molina, protagonista del drama, reúne en sí la triple condición de gran reina, gran madre y gran mujer. El drama es la historia de su triunfo como reina, como madre y como mujer, frente a las intrigas de los poderosos que supeditan su acción política a su ambición de mando. La acción principal del drama está encomendada a dos personajes, que representan dos concepciones diametralmente opuestas del quehacer político: María de Molina y el infante don Juan. María de Molina encarna ejemplarmente la concepción cristiana del poder; don Juan, no menos ejemplarmente, la concepción maquiavélica del poder. Para don Juan el fin justifica los medios. Para lograr el poder no duda en valerse de la calumnia y del asesinato, de la mentira y de la hipocresía. El conflicto resultante del choque de estos dos mundos permite al dramaturgo presentar las dos caras de toda realidad política: la ideal, sustentada por doña María de Molina y los fieles vasallos que la apoyan, y la real, sustentada por el infante don Juan y los nobles que lo secundan. El drama es, a la vez, una lección y una denuncia, una apología y una crítica. Los caracteres están bien conseguidos, sobre todo el de doña María de Molina, cuya personalidad destaca poderosamente.

Tirso de Molina y el nacimiento de Don Juan

En *El burlador de Sevilla y convidado de piedra,* publicada en 1630, nace al mundo del drama don Juan. Será ésta la primera encarnación de uno de los grandes mitos modernos, de inagotable fecundidad en la historia de la literatura occidental. Como ha demostrado Said Armesto [33], al estudiar los orígenes del mito donjuanesco, Tirso de Molina, aprovechando una materia legendaria, crea su obra fundiendo dos elementos de la leyenda: el del joven libertino burlador de mujeres y el de la cena macabra. Ambos elementos son esenciales en la configuración del personaje, pero no son más que elementos de su prehistoria, pues su verdadera historia comienza en el drama de Tirso. Don Juan, el Burlador, y no simplemente un joven libertino o un joven que ha cenado con una calavera, comienza su portentosa carrera de personaje literario en el drama creado por un dramaturgo español del siglo XVII. Luego, cada época, cada país, cada dramaturgo irán descubriendo, una a una, las máscaras con que encubre su rostro el misterioso e inapresable don Juan. Cada una de sus nuevas apariciones será un nuevo intento de apresar un misterio, y tendrá el carácter de un cerco, en el que se utilizarán las más diversas armas, siempre las propias del tiempo que le cerca —desde la más elemental psicología al más complejo psicoanálisis. Don Juan, burlador por esencia, como Tirso le creó, escapará de todos los cercos, siempre en disponibilidad para vivir a la altura de cada tiempo, vestido de capa y espada o de elegante «smoking» o con el pelo revuelto y la camisa abierta.

No es éste el lugar para escribir su historia, sus numerosos avatares, ni para intentar —ni doctoral ni adoctoralmente— definir su esencia o, a lo menos, captarla. Aquí importa sólo estudiar el drama *El Buarlador de Sevilla,* en donde nace, histórica y dramáticamente, don Juan Tenorio.

Esta pieza teatral, como la mayoría de las de Tirso y de los dramaturgos españoles del siglo XVII, responde, estructuralmente, a una concepción dinámica de la acción, aquí consonante con el vivir del protagonista. Don Juan vive vertiginosamente unas aventuras que comenzando en el dormitorio de la duquesa Isabela, en Nápoles, terminan en una iglesia de Sevilla, ante el sepulcro de don Gonzalo de Ulloa. La vida de don Juan transcurre como un relámpago entre el amor y la muerte, entre el goce y el castigo. Américo Castro ha llamado a este drama «vendaval erótico». A través de todo el drama cruza el tiempo —el tiempo vital y el tiempo dra-

[33] La *leyenda de Don Juan,* Madrid, 1908.

mático—, el del personaje y el de la acción —como una ráfaga huracanada. Don Juan corre de aventura en aventura, fiado a los «pies voladores» de su caballo, como la acción corre de situación en situación, en desbocado dinamismo. De esta doble configuración del tiempo, del cual, como es lógico, el único responsable es el dramaturgo, surge el primer elemento consustancial al personaje; don Juan no tiene tiempo que perder, don Juan no puede demorarse, quedarse es renunciar a ser quien es: quien goza y parte para gozar de nuevo. Sin embargo, no es su meta el placer, sino el placer siempre nuevo, y, aún más, el placer hurtado. De la duquesa Isabela a la pecadora Tisbea, de Tisbea a la pastora Aminta, de Aminta a doña Ana de Ulloa, de mujer en mujer, corre don Juan no porque busque a *una* mujer, ni siquiera a *la* mujer. El don Juan Tenorio de Tirso no busca, encuentra. He aquí otro aspecto fundamental del personaje de Tirso: no es el hombre que busca a la mujer para seducirla, gozarla y burlarla, sino el hombre que encuentra, siempre, a la mujer. Instinto y azar, no razón y cálculo, lo constituyen. Cuando se produce el encuentro don Juan burla, utilizando la táctica idónea. Táctica que nace de las mismas circunstancias del encuentro y que nada tiene de premeditada. Don Juan se hará pasar por otro o prometerá lo que no piensa cumplir. Apenas obtenido el placer, parte, no en busca de otra aventura, sino huyendo de la que acaba de vivir. Su tiempo está hecho de una sucesión de presentes o, mejor, es el presente. De ahí su esencial espontaneidad y su dramático ser y no ser. El don Juan de Tirso carece de memoria para el pasado y de imaginación para el futuro. Por eso ni puede arrepentirse, porque el pasado no existe, ni puede temer, porque tampoco existe el futuro. Su «qué largo me lo fiáis» expresa esa incapacidad de don Juan para dotar de existencia al futuro, en cuyo horizonte están la muerte y el más allá. El dramaturgo ha acertado a crear un personaje, único entre los de su especie —Segismundo, Fausto, Hamlet o Don Quijote— cuya esencia estriba en existir en el más puro y radical de los presentes. Don Juan Tenorio sólo cree en el «aquí» y el «ahora», porque su vida es ser «aquí» y «ahora». Todo lo que limite el goce pleno del instante es un obstáculo que hay que saltar o una barrera que vencer. Don Juan se situará al margen de la sociedad, a la que rige un sistema de normas, no aceptando ese sistema, no porque el sistema sea bueno o malo ni porque sea éste o aquél, sino porque limita su individualismo que, por ser vivido como absoluto, considera todo lo que está fuera de su esfera como relativo. Don Juan Tenorio es, tal como Tirso lo crea, un personaje «atípico» [34]. Por ello,

[34] Sobre el personaje «atípico» ver Jean Duvignaud, *Sociologie du Theatre,* P. U. F., especialmente págs. 151-205. Ver también mi libro *Estudios sobre teatro español clásico y contemporáneo, ed. cit.,* págs. 71-96.

para cualquier sociedad don Juan es un escándalo permanente y una amenaza. Pero, y esto hay que recalcarlo enérgicamente, es Tirso de Molina, al insertar al personaje en un mundo social históricamente concreto, regido por un sistema de valores no menos concreto, quien crea esa condición «atípica» del personaje, esencialmente constitutiva de don Juan, la cual le permitirá encarnar, sin perder ni un ápice de su identidad, en cualquier tiempo histórico. Don Juan siempre será contemporáneo, porque su contemporaneidad está en su misma esencia, y ésta se la ha dado Tirso. Pero Tirso no sólo crea a don Juan en conflicto necesario con la sociedad, sino en conflicto con la divinidad. Don Juan Tenorio, el de Tirso, no es ateo, sino creyente. Cree en Dios, pero vive sin contar con Dios. El Dios de don Juan es un fantasma, una pura sombra, que sólo se hace real en el momento de la muerte. Muerte que no es, simplemente, dejar de ser, sino ser castigado. La muerte le llega a don Juan, como el amor, de pronto, sin tiempo para nada, como el castigo de los castigos. La muerte es el último encuentro de don Juan, a quien éste le da una mano, mientras que con la otra la amenaza con una daga:

> Con la daga he de matarte.
> Mas ¡ay! que me canso en vano
> de tirar golpes al aire.

Tirso de Molina, al hacer que don Juan sucumba a la justicia de Dios, imposibilita para siempre que don Juan sucumba a la justicia de los hombres. La última aventura de don Juan le sustrae, radicalmente, al poder del hombre. El don Juan Tenorio de Tirso, en el que nace el eterno don Juan, no burlará a Dios, pero burlará eternamente al mundo, mientras dure el mundo.

Como pieza teatral *El Burlador de Sevilla* no es por su técnica —acción, caracteres, pensamiento y lenguaje— distinta de la pieza-arquetipo del teatro español del Siglo de Oro. Sus servidumbres son las mismas que determinan ese arte teatral fundamentalmente interesado. Sólo que en este drama, como en los dramas clave de esta dramaturgia, la máscara es transparente y nos deja ver el rostro que encubre. En los demás casos sólo vemos máscaras que nada dejan ver detrás, quizá porque nada hay, quizá porque no acertamos a verlo. La máscara del Burlador nos transparenta el rostro de don Juan y en él la esencia de un mito. Este don Juan Burlador de Sevilla, cuya máscara es inconfundiblemente española, cambiará de máscara según el mundo histórico en donde encarne, pero conservará el rostro que el dramaturgo español le ha dado al crearlo. Carece de sentido crítico afirmar la superioridad o la inferioridad del don Juan de Molière, de Goldoni o de Byron, de Puschkin, de Zorrilla o de Montherlant, sobre el don Juan de Tirso. Todas las máscaras de don Juan son valiosas, cada una en relación con su tiempo. El «chovinismo» en la crítica literaria, además de ser antipático y poco inteligente es, por necesidad, una negación de la crítica. La universalidad del drama de Tirso de Molina no está en lo que de español tiene el Burlador, sino en lo que tiene de don Juan. No en la máscara, sino en el rostro.

La «Comedia» y las comedias de Tirso

En *El vergonzoso en Palacio,* doña Serafina, deliciosa mujer y consumada actriz, dotada de una admirable vocación histriónica, dice, enamorada de la «comedia»:

> ¿Qué fiesta o juego se halla,
> que no le ofrezcan los versos?
> En la comedia los ojos
> ¿no se deleitan y ven
> mil cosas que hacen que estén
> olvidados sus enojos?
> La música, ¿no recrea
> el oído, y el discreto
> no gusta allí del conceto
> y la traza que desea?
> Para el alegre, ¿no hay risa?
> Para el triste, ¿no hay tristeza?
> ¿Para el agudo agudeza?
> Allí el necio, ¿no se avisa?
> El ignorante, ¿no sabe?
> ¿No hay guerra para el valiente,
> consejos, para el prudente
> y autoridad para el grave?
> Moros hay si quieres moros;
> si apetecen tus deseos
> torneos, te hacen torneos;
> si toros, correrán toros.
> ¿Quieres ver los epítetos
> que a la comedia he hallado?
> De la vida es un traslado,
> sustento de los discretos,
> dama del entendimiento,
> de los sentidos banquete,
> de los gustos ramillete,
> esfera del pensamiento,
> olvido de los agravios,
> manjar de diversos precios,
> que mata de hambre a los necios
> y satisface a los sabios.

He aquí todo un manifiesto teatral dirigido a la inmensa mayoría. Todos pueden encontrar en la «comedia» lo que buscan, y cada uno satisfacer sus sentidos y su entendimiento. La comedia puede conciliarnos con nuestra tristeza o nuestra alegría y permite a cada espectador, según su peculiar individualidad, evadirse de sí y del mundo o conectar consigo mismo y con el mundo. La «comedia» es, a la vez, compromiso y evasión, testimonio y diversión y su esencia o su raíz la de ser el juego por excelencia, el juego de los juegos.

Las comedias de Tirso responden a esa concepción lúdica del teatro, donde todo es verdad y todo es mentira, en donde las máscaras pasan de la risa al llanto y del llanto a la risa. Suelen distinguir los críticos entre sus comedias la comedia de costumbres y la comedia de intriga. En las primeras destacan los finos análisis psicológicos del comediógrafo, cristalizados en unos cuantos caracteres (el melancólico, el vergonzoso, la hipócrita por amor); en las segundas, la magistral técnica de enredar y desenredar la intriga. Sin embargo, la división responde más a un prurito de métodos que a la realidad misma del mundo cómico creado por Tirso, donde intriga y «psicología» están, a la vez, presentes y funcionan al unísono para crear la realidad teatral de cada pieza. No hay juego psicológico sin intriga ni intriga sin juego psicológico. La técnica y la intención a la que esa técnica sirve es idéntica en esencia y sólo distinta en grado, en comedias como *El vergonzoso en Palacio,* o *Don Gil de las calzas verdes,* o *Marta la piadosa,* o en *La villana de Vallecas,* sea el disfraz que el personaje adopta de índole moral o de índole física. Siempre la acción gira en torno de un personaje que para conseguir sus fines encubre a todos los demás o a unos pocos su verdadera personalidad o en torno a un personaje que, por no encubrirla nunca, fuerza a los demás a desnudarse de sus máscaras. Siempre lo enfrentado conflictivamente es un individuo y un sistema, con el triunfo del primero sobre el segundo, aunque sin castigo para nadie, pues no es la moral, como en Alarcón, sino la ironía y el humor quienes sustentan el juego dramático. Ni los padres avariciosos, autoritarios, interesados y calculadores, ni los galanes engañadores, egoístas o poco escrupulosos, ni las damas tornadizas, interesadas, apasionadas o cerebrales, son castigados al final de la comedia. El comediógrafo, al final de cada pieza, concilia a todo el mundo. Esa conciliación que, a primera vista, nos parece un artificio técnico, una convención propia del género teatral cómico, tiene, en realidad, una función mucho más importante: mostrar la esencial relatividad que sustenta el juego de las conductas sociales. Lo que parecía irreconciliable, por absoluto, es reconciliable, precisamente porque, en realidad, no es absoluto. Los principios que rigen el sistema social carecen, a la postre, de efectividad para los individuos que se esconden detrás de las máscaras, es decir, detrás de los papeles que cada cual representa para los demás y para sí mismo. La teatralización de la vida cotidiana, fijada por el comediógrafo en esquemas que repite con ligeras variantes, le permite mostrar cómo detrás del rígido sistema de principios que, aparentemente, mueve la conducta de los personajes, funciona, en realidad, el juego de los intereses. Toda situación conflictiva se resuelve de golpe y como por encanto. Basta sólo que las apariencias queden a salvo. Los personajes se lo perdonan todo unos a otros, con tal que *queden bien:* la dama perdona al galán sus engaños y sus infidelidades, con tal que éste le dé la mano de esposo; el padre perdona a la hija todas sus mentiras, con tal que ésta quede casada con su galán, que siempre, a última hora, recibe una sólida renta inesperada o un título de nobleza insospechado; las otras damas renuncian fácilmente al hombre al que parecían amar, con tal que otro las despose, y viceversa. La constancia del disfraz como recurso teatral [35], que suministra al comediógrafo ocasiones de inventar situaciones de gran comicidad, pone al descubierto la necesidad de burlar un sistema al que caracteriza la externa rigidez de unas normas. La rigidez de esas normas contrasta con la elasticidad de las conciencias. Pocos personajes aparecen dotados de tan absoluta libertad, dentro siempre de unos límites, como Marta la piadosa o Don Gil de las calzas verdes, arquetipos de deliciosa feminidad y maestros en el arte de la simulación.

Lo que da vitalidad a estas comedias de Tirso y les confiere perenne vigencia no es ni lo acertado de la caracterización, ni el ambiente, en donde con gran fidelidad al espíritu del tiempo es traspuesto el sistema de usos y costumbres, ni la agudeza de ingenio, ni la ironía ni la sátira, elementos valiosos cada uno de por sí, sino la calidad *exclusivamente dramática,* más allá de toda psicología y de toda verdad histórica, del mundo cómico logrado. Cada pieza es un universo cerrado y suficiente en sí mismo, cuya comicidad funcionará siempre eficazmente, a lo menos mientras existan espectadores capaces de percibir el juego dialéctico de cada individuo con el sistema de la colectividad a que pertenece.

6. Quiñones de Benavente y el entremés

Eugenio Asensio, al trazar, en su importante libro ya citado *(Itinerario del entremés),* la historia de este género menor de nuestro teatro desde Lope de Rueda hasta Quevedo, pasando por Cer-

[35] Ver Carmen Bravo-Villasante, *La mujer vestida de hombre en el teatro español (siglos XVI-XVII),* Madrid, Revista de Occidente, 1956.

vantes y Hurtado de Mendoza, señala como características genéricas del entremés las siguientes notas que lo diferencian del género «comedia»:

1. «El entremés acepta alegremente el caos del mundo, ya que su materia especial son las lacras e imperfecciones de la sociedad coetánea y de las mismas instituciones humanas. Si hay moralidad, es accesoria e implícita.»

2. «El entremés da al espectador un sentimiento de superioridad sobre los personajes, con los que sólo pasajeramente se identifica con el subsuelo común de la flaqueza humana. Son personajes vistos desde una lejanía propicia a la risa, más prójimos que próximos.»

3. «En el entremés, la óptica jocosa lo deforma todo, el ambiente cómico quita seriedad al acontecer y al personaje: el dolor y la maldad son presentados esencialmente como resortes de hilaridad, el campo de observación se reduce a las zonas interiores del alma y la sociedad. Ni la ignorancia vejada provoca compasión, ni el engaño victorioso despierta indignación...»

4. «En el entremés, el lenguaje exige la gesticulación, es gesto. El bullicio de los personajes propende a desembocar en danza y canto, naturales complementos de su orientación mímica.»

5. «El entremés es un género inestable, perpetuamente buscando su forma, zigzagueante entre la historieta y la revista, la fantasía y el cuadro de costumbres, se apoya sin escrúpulos en todas las formas asimilables de divertimiento, como el baile, la música, la mascarada...» [36].

Después de Cervantes, nombre capital en la historia del entremés, el autor más importante del siglo XVII es Quiñones de Benavente (1651), no sólo por la abundancia de su producción, sino por la calidad estética de sus entremeses. Ya entre sus contemporáneos gozaba de gran fama. Vélez de Guevara le llama «nuevo Terencio español», y Juan Pérez de Montalbán, en su *Para todos,* escribe de él: «El licenciado Luis de Benavente no ha escrito comedias; pero ha hecho tantos bailes y entremeses para ellas, que podemos decir segurísimamente que a él se le debe la protección y el logro de muchas y el aliño y el adorno de todas; que en esta parte ha sido sólo por la gracia natural, ingenio florido, donaire brioso y agudeza continua con que le dotó el cielo.» Pero lo que da aún mayor testimonio de su fama es el hecho de que en algunas reseñas coetáneas de fiestas en las que se ha representado una comedia o un auto sacramental, se cite también el nombre del autor de los entremeses —cosa no usual— representados como contrapunto cómico de la pieza sacra o como interludios de la pieza profana.

[36] *Itinerario del entremés,* págs. 39-40.

En los entremeses de Quiñones de Benavente triunfa el verso de la prosa como instrumento de expresión dramática, y tienen cabida todas las situaciones capaces de provocar la risa del espectador del siglo XVII. Muchas de esas situaciones, a diferencia de lo que ocurre en Cervantes, ya no nos mueven a risa, pues su comicidad va estrechamente ligada a un contexto social históricamente limitado. Aunque Quiñones de Benavente lleva el entremés a su mayor perfección formal y amplía su cauce temático, teatralizando situaciones variadísimas procedentes de fuentes folklóricas, librescas, de la tradición literaria o de la realidad inmediata, su mundo cómico no alcanza nunca la profundidad del mundo cervantino. Esa menor profundidad está contrabalanceada por la mayor riqueza formal de la ficción teatral. En sus manos el entremés se convierte en una pequeña *summa* cómica donde todos los tipos y temas cómicos, o comificables, de la sociedad española coetánea tienen su puesto: «el hidalgo pobre y ridículo, el que se pudre de todos, el casamentero, el murmurador, las damas del tusón y las pedidoras, los valentones y cobardes, los afeminados, el hablador, el viejo casado con mujer moza, el enamoradizo, las dueñas y rodrigones, la marisabidilla, los maridos flemáticos, los miserables (avaros), los gorrones, etc. Y entre los oficios y profesiones elige preferentemente algunos muy corrientes, como el letrado, el doctor, el soldado, los alcaldes rústicos, bobos y maliciosos; los sacristanes, éstos con gran abundancia; los barberos, boticarios, alguaciles, estudiantes, franceses y gabachos (...); venteros, fregonas, beatas, celestinas» [37]. De entre todos estos tipos cómicos destaca el de Juan Rana, protagonista de numerosos entremeses, encarnado por el gran actor cómico Cosme Pérez. Juan Rana, correlato castellano del Arlequín de la *Commedia dell'arte* italiana, según Eugenio Asensio, tiene su raíz «en la tradición española». Asensio lo describe así: «Juan Rana es el ingenuo poltrón y cobarde, inocente más que malicioso que se siente inmerso en un mundo confuso, cuyas contradicciones acepta sin comprender. Puede ser todo menos heroico.» «Una vez asegurada la permanencia de su núcleo personal, Juan Rana puede variar, se convierte, al igual que Arlequín, en un azogue movedizo: llora, ríe, es tontiloco, bobilisto.» «Esta capacidad de plegarse a las nuevas situaciones, de aceptar todas las posibilidades, de ser cera maleable, le dará la posibilidad de sobrevivir a mil aventuras, siempre abierto y disponible: Y con ella ganará una incomparable popularidad.» «Su plasticidad le permite adaptarse a las más variadas situaciones y oficios: puede ser médico, letrado, poeta, ir a la corte. Dentro de sus variaciones, mantiene una sombra de unidad representando la ingenuidad, las aspiraciones elementales, la

[37] Emilio Cotarelo y Mori, *Colección de entremeses, loas, bailes, jácaras y mojigangas desde fines del siglo XVI,* NBAS, Madrid, 1911, vol. 18.

perplejidad del hombre ante el laberinto de la vida.» «Su traje consistía en la vara de alcalde, la montera o caperuza y el sayo aldeano, sin que llevase carátula como Arlequín, aunque por la fijeza del tipo le asemejamos a las máscaras de la comedia improvisada de Italia» [38].

En 1640 Quiñones de Benavente deja de escribir para el teatro. En sus manos el entremés se ha convertido en un pequeño espectáculo teatral completo, mediante la fusión de palabras, acción, baile y canto [39].

IV. Calderón de la Barca

1. Introducción

Monta tanto, tanto monta

Casi es ya de rigor, por ese gusto y esa necesidad que la inteligencia crítica tiene de los esquemas claros y simples, aproximar a Lope y a Calderón, para que de tal aproximación brote, sin esfuerzo, el contraste entre los dos máximos dramaturgos de nuestro teatro clásico. Contraste entre dos vidas y dos dramaturgias que se afirman así mismas sobre la base fundamental de un mismo estilo nacional que los enlaza en la raíz. Lope y Calderón son como los dos polos de un mismo arte dramático y de una misma corriente histórica. Al Lope volcado hacia afuera, rico de pasión vital, se une, como la otra cara de un mismo torso, el Calderón volcado hacia adentro, rico de pasión intelectual. Junto al Lope, hombre de confesión, esencialmente comunicativo, siempre propicio a hablar de sí mismo, de sus afanes, de sus dolores y alegrías, de sus aventuras, de sus culpas, universal portavoz de sí mismo y de su vida, encontramos a Calderón, hombre de silencio —«biografía del silencio», ha apellidado Valbuena Prat a su vida— nada propicio a hablar de sí mismo, guardador celoso de su propia intimidad, de sus pesares y sus gozos. Lope, gran hablador. Calderón, gran silencioso. La crítica literaria ha explotado, como un rico filón, ese contraste entre dos personalidades, y ha contrapuesto también sus dos dramaturgias mostrando sus diferencias. Tal método de contraposición ha sido fecundo en hallazgos, cuando objetivo, pero pletórico en errores, cuando estribado en un cerril partidismo que dividía a los críticos en capillas, según fueran antical-

[38] *Op. cit.*, págs. 166-171.

[39] Véase también Hannah E. Bergman, *Luis Quiñones de Benavente y sus entremeses,* Madrid, 1965.

deronianos o antilopistas. Hoy, afortunadamente, los críticos literarios han renunciado a la guerra civil, y su lopismo o calderonismo es cuestión de especialización, y no de combate. Sin obnubilar preferencias, podemos afirmar que reina hoy entre los críticos el espíritu del «monta tanto, tanto monta».

La pasión del orden

Cuando Calderón comienza su obra dramática se encuentra con una riquísima herencia teatral, con una formadable máquina en pleno funcionamiento, con unos escenarios y unas compañías de cómicos que trabajan sin cesar, con un público entusiasta e insaciable, con un sistema dramático que deja una gran libertad de elección y de realización al creador, con una constelación de temas, géneros, conflictos y personajes, con una técnica y un lenguaje, con unos gustos y unas normas, en suma, con una tradición teatral viva y espléndida. Calderón abraza esa tradición teatral, la asume e, instalándose en ella, como en un bien propio y, a la vez, comunitario, lleva a la perfección el sistema dramático asimilado, *en tanto en cuanto que sistema.* Por ello, el teatro de Calderón no es sólo otro teatro más que, unido a los de Lope y a los de los demás dramaturgos, completa la dramaturgia del Siglo de Oro, sino, además, la cristalización máxima de un sistema que, como tal, queda constituido de una vez para siempre. El teatro de Calderón es no sólo una prolongación y una profundización de temas y de técnicas ni una depuración de las estructuras dramáticas básicas, sino la etapa final de un proceso en la que el fenómeno teatral al que llamamos teatro nacional llega a tomar conciencia de su propia esencia. En manos de Calderón los distintos procedimientos de expresión teatral, puestos en circulación por Lope y sus seguidores, se convierten en un mecanismo de extraordinaria precisión. Si se nos permite la expresión, el «arte» teatral de Lope se hace «ciencia» teatral en Calderón. Lo que podríamos denominar instinto e inspiración en la dramaturgia de Lope, es lógica y conciencia en la dramaturgia de Calderón.

Los críticos calderonianos señalan tres notas típicas de la pieza calderoniana: orden, estilización, intensificación. La materia dramática, inventada por Calderón o tomada de la tradición teatral anterior, es sometida, mediante una técnica esquemática, rigurosamente lógica, a un orden cuyos elementos constitutivos son: claridad en el planteamiento, el desarrollo y la solución del conflicto, sistematización, por medio de antítesis y paralelismos, de las situaciones dramáticas, sistematización ideológica de los motivos y sentimientos básicos de la «comedia», agrupación jerárquica de los personajes en torno a un personaje clave, formando, generalmente, parejas complementarias o antitéticas. Ese orden conlleva, a su vez, la unificación de la acción y la concentración dramáticas. Todos los críticos ponen de relieve la importancia predominante del protagonista en el drama calderoniano, núcleo y eje de la acción centrada en él. Ese predominio del protagonista, al cual se subordinan acción y personajes, confiere mayor importancia a lo puramente subjetivo. El conflicto se hace interior y, para expresarse, encuentra su mejor instrumento en el monólogo. Monólogo que no sirve ya de vehículo expresivo al sentimiento, como en Lope, donde su función es principalmente lírica. El monólogo calderoniano explicita la dialéctica interior del personaje, el tenso debate de valores contrarios enfrentados en el alma del personaje. El personaje calderoniano, criatura extraordinariamente lúcida, intensamente vuelto hacia dentro de sí mismo, se entrega con pasión al análisis de su propio mundo, dueño siempre de su razón y de su palabra. La razón y su verbo, por medio de sucesivas interrogaciones, encadenadas con rigurosa lógica las unas a las otras, hacen aflorar a la superficie, en ordenada trabazón, las múltiples facies de la problemática interior, cifra de la problemática de la existencia del hombre en el mundo. En cada personaje calderoniano hay, como base de su personalidad, una genial voluntad de orden y de claridad mental que combate hasta sus últimos reductos el desorden y el caos. Esa necesidad de orden es la raíz última de la palabra dramática de los personajes calderonianos. Si son personajes razonadores, lo son por un profundo imperativo de claridad. Su más constante pasión, auténticamente constitutiva de su personalidad, es, sin duda alguna, la pasión del orden.

Valbuena Prat señala enérgicamente dos estilos en Calderón, no sucesivamente cronológicos. En el primer estilo o manera, según el ilustre crítico, «se continúa el sentido realista del drama de Lope y sus recursos escénicos. Calderón añade el estilo conciso, la simplificación de la trama, la perfección técnica; pero marcha, en el fondo, el asunto como en la primera época de nuestro teatro. Se trata del drama de Lope esquematizado». «El segundo estilo —sigo citando a Valbuena Prat— se halla en las comedias religiosas, filosóficas y mitológicas, y en los autos. Se trata de un género nuevo, en que la ideología, la poesía del asunto y exquisita forma poética..., se sobreponen a los demás elementos de la primera etapa» [40].

En el comienzo de su carrera de dramaturgo o ante determinados temas dramáticos Calderón utiliza para decir lo que tenía que decir el instrumento que el público prefería: el de Lope. Pero lo somete a un proceso de depuración crítica. Calderón asimila creadoramente los elementos fundamentales de la dramaturgia vigente, toma pose-

[40] *Literatura dramática española,* págs. 213-214.

sión de ellos, los va moldeando, rechazando unos e intensificando otros —su técnica esquemática es el resultado de una operación selectiva— y los va haciendo aptos para expresar su visión del mundo.

Timantes, Zeuxis y Apeles, o de los tres modos de presentación de la realidad

En el Acto I de *Darlo todo y no dar nada* Calderón escenifica la anécdota de los tres pintores griegos que presentan a Alejandro el retrato que cada uno de ellos le ha pintado. Timantes ha suprimido en el retrato el defecto que Alejandro tenía en un ojo; Zeuxis ha puesto todo su cuidado en mostrar ese defecto; Apeles ha pintado a Alejandro de perfil, con lo cual ni ha suprimido ni ha mostrado el ojo defectuoso. Calderón da un sentido ético-político a esta escena. Alejandro rechaza indignado el retrato de Timantes porque, idealizando la realidad, ha mentido por lisonja, y el de Zeuxis, porque, atrevido, ha pintado demasiado al vivo la realidad, y acepta complacido el de Apeles, porque éste ha pintado la realidad, sin ocultar ni acentuar lo defectuoso de ella.

Cada uno de los tres pintores, puestos ante la misma realidad, la han presentado de diverso modo. Dos de esos modos, el idealista y el naturalista son rechazados como impropios. La presentación idealista de la realidad la falsea al suprimir lo que en ella hay de negativo, y la presentación naturalista de la realidad la falsea también al poner especial trabajo en mostrar lo que de negativo hay en ella. El único modo justo de presentación de la realidad es aquel que, sin caer en el exceso del idealismo ni del naturalismo, sabe ver su belleza sugiriendo su fealdad. Esta tercera manera es la propiamente calderoniana: ni sólo angélica ni sólo monstruosa. Las palabras que Alejandro dice a Apeles podemos aplicarlas al teatro de Calderón:

> Buen camino habéis hallado
> de hablar y callar discreto;
> pues sin que el defecto vea
> estoy mirando el defecto,
> cuando el dejarle debajo
> me avisa de que le tengo,
> con tal decoro, que no
> pueda, ofendido el respeto,
> con lo libre del oirlo,
> quitar lo útil de saberlo.

Como Apeles, Calderón, sin mentir por miedo a la verdad, ni gritarla broncamente, sabrá decirla

> haciendo
> que el medio rostro haga sombra
> al perfil del otro medio.

Calderón, que quiso estar lúcidamente a la altura de su tiempo, en su mismo centro, y no por encima ni aparte, se empeñará, fiel a su arte, en presentar ese difícil perfil de la realidad, eje de luz y sombra, de espíritu y materia, de bien y mal, de tiempo y eternidad. De ahí esa esencial dualidad de su teatro, esa necesidad de la antítesis y del paralelismo, y esa insoslayable y honda vocación interrogativa que atraviesa su teatro. Quien decide situarse en la delgada línea, en el sutil perfil que separa y une los dos rostros de Jano encuentra en la antítesis y en la interrogación sus mejores instrumentos.

Jano, el dios de las dos caras

Sabido es que en la mitología romana se representaba al dios Jano con dos caras vueltas en sentido contrario. Cuando se lee el teatro de Calderón la figura del dios de las dos caras se impone a nuestro espíritu. La realidad que allí se nos representa hecha drama tiene siempre un doble rostro. Los héroes calderonianos se nos presentan a menudo en parejas como el Prometeo y el Epitemeo, de *La estatua de Prometeo,* como el Heraclio y el Leonido de *En esta vida todo es verdad y todo es mentira,* como el Alejandro y Diógenes de *Darlo todo y no dar nada,* como Patricio y Ludovico Ennio de *El purgatorio de San Patricio,* como Eusebio y Julia, los gemelos de *La devoción de la Cruz*..., etc.; o divididos interiormente, centros de gravedad y campos de batalla de dos fuerzas en conflicto, como el Segismundo de *La vida es sueño,* cifra, en carne y hueso, de todos ellos, o como el Hombre de los *autos sacramentales,* símbolo universal de la humana condición, dividido entre la Gracia y la Culpa. El mal y el bien, la luz y la sombra, el sueño y la vigilia, la ilusión y la verdad, la vida y la muerte, el cuerpo y el alma, el hado y la libertad son citados, en cada drama, para dar testimonio con su presencia del imperio que poseen sobre la existencia del hombre en el mundo. Aunque no siempre explícito, nos parece adivinar que lo que verdaderamente se ventila en cada drama, lo que realmente está en juego es el misterio —y no sólo el problema— de la libertad humana. El escenario donde el misterio de la libertad se hace acción es, unas veces, el mundo histórico de los dramas de corte o de aldea, y otras el mundo cósmico de los *autos sacramentales.* En ambos mundos el hombre protagonista encuentra en sí mismo estas dos afirmaciones: la de Dionisio (en *Darlo todo y no dar nada,* Acto I).

> Yo, reino y rey de mí mismo,
> habito solo conmigo,
> conmigo solo contento.

Y la del príncipe don Fernando (en *El príncipe constante,* Acto III).

> Hombre... tú eres
> tu mayor enfermedad.

Son esas dos afirmaciones, raíz de la conciencia de sí mismo, las que dan todo su sentido a la frase que todos los personajes calderonianos gustan decir en los momentos de crisis: «Yo soy quien soy». Es esa frase la que hace posible que se iluminen a la vez las dos caras de Jano.

2. Aspectos de su teatro

Juan de Valdés, en su libro *Ziento y diez consideraciones,* escribe: «Los hombres que reinan en el reino del mundo viven debajo de cuatro crudelísimos tiranos: el demonio, la carne, la honra y la muerte» (Consideración LIII).

A esos cuatro tiranos los encontramos, trabajando al unísono o separados, desnudo el rostro o encubierto, en todas las encrucijadas mayores del teatro calderoniano.

Los dramas-límite del honor

Tres dramas trágicos, unidos estrechamente por su íntima semejanza, representan la expresión más extrema del concepto del honor conyugal. En ellos Calderón plantea y desarrolla hasta sus últimas consecuencias tres casos, tres situaciones límite de la tiranía del honor. Sus nombres son bien conocidos: *A secreto agravio, secreta venganza; El médico de su honra, El pintor de su deshonra.* Hay en estos tres dramas, cuidadosamente calculados en sus situaciones y en los efectos de éstas, un extraño y poderoso enlace entre lógica y monstruosidad que, aun hoy, pese a que el código del honor que los sustenta no tenga vigencia, nos toca profundamente.

Tres esposas son asesinadas por sus maridos, sin que ninguna de ella haya llegado a cometer realmente el pecado de adulterio. Las tres han sido sacrificadas al tremendo dios del honor. Las tres se han unido a sus maridos sin amarlos, forzadas por sus padres, dos de ellas creyendo muerto al hombre que amaban. Y la otra, doña Mencía *(El médico de su honra),* ausente el infante don Enrique, su amante:

> ... mi padre atropella
> la libertad que hubo en mí:
> la mano a Gutierre di,
> volvió Enrique, y en rigor,
> tuve amor, y tengo honor,
> Esto es cuanto sé de mí.

Nosotros, además de esa memoria viva de su amor y de esa no menos viva conciencia de su deber de esposas, que las lleva a rechazar a sus amantes, sabemos también que tienen miedo. El mundo en el que viven, el de su propia casa, y el otro, más terrible y sin rostro, el mundo exterior que las cerca, es un mundo dominado por la desconfianza, un mundo que es todo oídos y obliga al individuo a vigilar sus palabras:

> DON DIEGO:
> Calla, y repara
> en que, si oyen las paredes,
> los troncos ven, don Arias, ven
> y nada nos está bien.

No sólo hay que tener en cuenta esa atmósfera tensa, llena de miedo y de desconfianza que pesa sobre el universo en el que se mueven los personajes, sino también la ausencia de intimidad, de ternura espontánea, de naturalidad que reina en cada hogar. El diálogo entre los esposos, pese a lo florido y cortés de sus palabras y sus conceptos, no es, al cabo, más que palabras y conceptos, las que corresponden al papel que representan, pero nos deja ver la radical oquedad de sentimiento que es su núcleo. Cada uno de ellos nos parece estar cumpliendo con su deber, y ese deber se conforma a lo que el mundo en el que están exige de ellos. Nos es imposible imaginar entre los esposos una verdadera escena de amor, en la que se entreguen uno al otro sin reservas y sin palabras. El diálogo, pues, no sirve para comunicar nada, sino para ocultarlo todo. En esa atmósfera de sigilo, de vigilancia y de ocultación toda situación es forzosamente equívoca. El amante entra en la casa, la esposa lo desengaña, el marido llega y la esposa, en la que el deber acaba de triunfar sobre el amor, no tiene otro recurso que esconder al amante y mentir al marido. A partir de ese momento la verdad ya no será posible. Y el miedo y las sospechas comienzan a producir sus efectos.

La palabra que debiera ser dicha para que la luz de la verdad lo iluminara todo, dando a cada acción su sentido auténtico, no ha sido dicha. A partir de ese instante el gran mecanismo que rige la conducta de los personajes se pondrá en marcha y será imposible pararlo. La mujer se refugiará en la espera, disimulando su terror, y el hombre se refugiará en la soledad de su honor, disimulando sus sospechas. La acción se centrará ahora en la torturada conciencia del marido. La hora de los soliloquios comienza. Cada gesto, cada palabra, cada acción significará lo que no es. Ya tenemos, pues, al hombre a solas consigo mismo, a solas con sus sospechas y con su honor. Una decisión se impone. Una decisión en donde no intervenga la pasión. Los celos y la compasión serán ahogados, rechazados, barridos de la concencia. No hay más interlocutores válidos que la razón y el honor. Don Lope de Almeida *(A secreto agravio...)*, don Gutierre Alfonso *(El médico de su honra)* y don Juan Roca *(El pintor de su deshonra)*, divididos interiormente, llegan a través de las mismas interrogaciones y de las mismas quejas a idéntica decisión: la esposa debe morir y, por supuesto, el amante. No es necesario tener pruebas ciertas. La sospecha basta. Hay que matar. ¿Cómo llega el hombre a esta decisión? ¿Quién y qué le obliga a matar? En los monólogos el hombre se presenta a sí mismo como víctima de la ley del honor. Su razón se rebela contra ella. Su conciencia se queja. Conciencia y razón acusan de bárbara, de injusta, de infame la ley del honor. Sin embargo, la obedecen. Saben que tal obediencia implica alienación de la propia libertad y complicidad con el mal. Oigamos a don Juan Roca:

> ¿Mi fama ha de ser honrosa,
> cómplice al mal y no al bien?
> ¡Mal haya el primero, amén,
> que hizo ley tan rigurosa!
> ¿El honor que nace mío,
> esclavo de otro? Eso no.
> ¡Y que me condene yo
> por el ajeno albedrío!
> ¿Cómo bárbaro consiente
> el mundo este infame rito?

Protesta e interrogación tienen una doble función dramática. De una parte, subrayar la lucidez de la conciencia del personaje; de otro, mostrar el carácter de necesidad del asesinato que va a seguir. No se trata de un crimen pasional, de un crimen privativo, por así decirlo, de ese personaje. Lo que se ventila en el monólogo es la obligación de matar, obligación que trasciende la esfera de lo propiamente individual. Otelo hubiera podido no matar a Desdémona y seguir siendo Otelo. En cambio, los tres personajes calderonianos tienen que matar si quieren seguir siendo quienes son. Protesta e interrogación no abren camino alguno a la elección, no son manifestaciones de la libertad, no expresan la duda de una conciencia libre. Sirven sólo para dar expresión a la impotencia del hombre ante la gran maquinaria en la que se encuentra prisionero y contra la que no puede rebelarse. No sólo tiene que matar, sino que tiene que matar obedeciendo unas normas. El asesinato de la esposa y de su supuesto amante es premeditado fríamente en obediencia a esas normas y tiene, por ello, un carácter impersonal. Es precisamente en la ejecución del crimen donde las categorías de lo lógico y monstruoso aparecen indisolublemente unidas. Ningún dramaturgo ha expresado con tanta intensidad esa conversión de lo monstruoso en lógico. Don Gutierre haciendo sangrar a su esposa hasta la muerte, o don Lope de Almeida incendiando su casa después de matar a su mujer son escenas que difícilmente pueden olvidarse. Y tales crímenes en obediencia ciega a unas leyes, las del honor, por las que se rige el mundo. Pero el dramaturgo no se detiene aquí, sino que va más lejos. Después del crimen vienen las escenas que completan y acaban la monstruosidad de lo ocurrido: los padres de las víctimas y el rey, señor supremo de ese mundo en que tales cosas suceden, aprueban el crimen. Ninguna escena tan extraña ni tan terrible como la final de *El médico de su honra.* El rey, delante del cadáver de doña Mencía, fuerza al asesino a dar la mano de esposo a otra mujer, autorizando, si necesario fuera, volver a lavar con sangre el honor, volver a repetir el mismo crimen.

Nos parece difícil admitir que Calderón aceptara, como lo aceptan sus personajes, ese «bárbaro fuero del mundo», como llama a las leyes del honor otro asesino, el Curcio de *La devoción de la Cruz,* que medita el asesinato de su esposa sabiendo, como él mismo confiesa, que es inocente. Nos resulta difícil pensar que Calderón escribiera estas tres tragedias ejemplares o inventara personajes como Curcio para justificar la casuística del código de honor y en él un orden y un mundo que para subsistir necesita del crimen. Lo que sucede en estas tres piezas ¿no nos está indicando exactamente lo contrario? Fijémonos en la más bárbara de estas tragedias: *El médico de su honra.* Que doña Mencía sea inocente como lo es, que su marido la mande matar del modo que lo hace, que el rey no castigue tal crimen, ¿quiere decir que Calderón da por bueno que muera doña Mencía, que su marido la mate como la mata, y que el rey acepte tal acción? ¿Quiere decir que Calderón acepta el mundo donde tales cosas ocurren? Nadie es en cada una de estas tragedias individualmente culpable, como decíamos más arriba. No son los individuos, sino el sistema que rige las conductas individuales quien resulta así puesto en relieve. Calderón, dramaturgo hasta la medula de los huesos, se abstiene de toda reflexión moral, de toda intromisión personal mediante un juicio de valor. Su papel de dramaturgo consiste en presentar objetivamente un mundo en donde unos personajes viven una acción. Esa acción se desarrolla según unas leyes que le son propias. Cuando el rey de *El médico de su honra,* después de escuchar a Coquín, quien, como «hombre bien nacido», le cuenta su versión de lo acaecido, se dice a sí mismo:

> Gutierre sin duda es
> el cruel que anoche hizo
> una acción tan inclemente.
> No sé que hacer. Cuerdamente
> sus agravios satisfizo.

Se expresa según las leyes del mundo en que el dramaturgo lo hace vivir. ¿No sería ingenuo pensar que es el dramaturgo quien juzga que don Gutierre ha satisfecho «cuerdamente sus agravios»? ¿El dramaturgo que acaba de hacernos asistir a la escena en que don Gutierre ha hecho sangrar a su esposa y está dispuesto a asesinar al médico que le ha servido de instrumento, el dramaturgo que ha inventado esa tremenda escena, puede decir a su personaje: «cuerdamente satisfizo sus agravios»? Yo no puedo pensarlo. En cambio, sí puedo pensar en la formidable ironía trágica con que el dramaturgo escribe esa escena final, de idéntico sentido en las tres piezas, en la que todos los personajes juzgan «cuerdo» el crimen cometido, y dan su parabién al asesino. No es solamente el marido, sino todos los personajes quienes viven debajo de ese crudelísimo tirano que es el honor. Si tal no ocurriera, ¿cómo podríamos tomar conciencia de ese «infame rito» *(El pintor de su deshonra),* de esa «injusta ley» *(El médico de su honra),* de esas «locas leyes del mundo» *(A secreto agravio, secreta venganza),* de ese «bárbaro fuero del mundo» *(La devoción de la cruz)?* Hemos visto una cara del honor. Veamos la otra cara.

El alcalde de Zalamea

Entrar en el mundo de Pedro Crespo después de haber permanecido en el mundo del médico de su honra y de don Lope de Almeida es como pasar de un cuarto tenebroso, donde la atmósfera es irrespirable, a una habitación clara, llena de luz, donde se respira el aire fresco de las aldeas campesinas. No sólo cambiamos de mundo físico, sino de mundo moral. No es la desconfianza, el recelo, el silencio, el desamor ni el miedo quienes poseen la morada del hombre, sino la autenticidad de lo cotidiano y el sentimiento de la dignidad personal, la ternura y la comprensión, la vocación de lo humano y el honor quienes la habitan.

No en vano *El alcalde de Zalamea* goza, junto con *La vida es sueño,* del prestigio de obra maestra. Desde que el telón se levanta hasta que cae por última vez, verdad y sencillez son las dos notas que resplandecen en los caracteres, las situaciones, los sentimientos, las ideas y lenguajes de esta pieza. El dramaturgo no necesita exagerar ni sutilizar. Todo es limpiamente humano en la casa de Pedro Crespo, porque la persona es libre, dueña de sus actos, responsable ante Dios y ante su propia conciencia. El honor no es aquí bárbara ley que imponga una conducta inhumana, sino virtud del alma, enraizada en la conciencia de la dignidad del hombre. La definición que del honor da Pedro Crespo es bien conocida:

> el honor
> es patrimonio del alma
> y el alma sólo es de Dios.

Pedro Crespo es todo un hombre. En paz consigo mismo, conoce lo que debe a los demás y lo que se debe a sí mismo, sabe cuáles son sus deberes y cuáles son sus derechos. Equilibrio, madurez, serenidad, dominio de sí, amor a los suyos, agudo sentido de la realidad, humor y plena conformidad con el puesto que ocupa en el mundo.

La acción se desarrolla durante la breve estancia de una tropa militar en la aldea de Zalamea. Los personajes pertenecen, pues, a dos mundos, el militar y el aldeano. La soldadesca, con su afán de placer y de jolgorio, viene a turbar la paz, el ritmo sosegado de la vida cotidiana de la pequeña comunidad. A través de una serie de escenas, modelo de realismo y de economía dramáticos, Calderón hace presente esa interrupción momentánea de la cotidianeidad, define ese ambiente alterado por la presencia de la milicia. La acción central, núcleo de la tragedia, está enmarcada por esa atmósfera de inacostumbrada agitación, y progresa rectilínea, sin meandros, en creciente intensificación dramática. Don Alvaro de Ataide, capitán de una compañía, a quien le ha tocado en suerte albergarse en casa de Pedro Crespo, deslumbrado por la balleza de Isabel, quiere gozarla. Nos encontramos, una vez más, ante un conflicto caro a nuestros dramaturgos: el caballero, noble y valeroso, rechazado por la villana, hermosa y dotada de una aguda conciencia de su dignidad personal. Alvaro de Ataide, para quien su capricho es norma y tiene valor absoluto, la rapta y la fuerza en el bosque, dejándola después abandonada. Las escenas en que Pedro Crespo corre, en la noche, detrás de su hija para auxiliarla, es atado a un árbol y oye los gritos de angustia de Isabel, impotente para socorrerla, el encuentro entre la hija deshorada y el padre que escucha el relato de la desgracia son de las más intensas y hermosas de nuestro teatro. La reacción de Pedro Crespo no es la inhumana reacción de los padres de los dramas de honor, poseídos de la furia de vengar su honor y vacíos de amor a la hija. Pedro Crespo rompe los rígidos esquemas de la figura tremenda del padre, escapa a las determinaciones del tipo teatral, trasciende el idealismo de las categorías abstractas que rigen el universo de los dramas de honor. Pedro Crespo está hecho de la sustancia de los grandes héroes del teatro universal, idénticos sólo a sí mismos, centros radicales de humanidad individual, configuradores de su propia vida, dotados de libertad. Ese precioso y difícil don de la libertad plena del gran ente de ficción, no siempre virtuoso en nuestro teatro, donde, como en todas las dramaturgias, pesan toda suerte de mecanismos, hacen de Pedro Crespo figura impar dentro de la categoría dramática del padre. Cuando desatado por su hija, después de haberle oído gritar su desventura, que es la suya propia, le dice:

> Álzate, Isabel del suelo;
> no, no estés de rodillas;
> que a no haber estos sucesos
> que atormentan y que aflijan,
> ociosas fueran las penas,
> sin estimación las dichas.
> Para los hombres se hicieron,
> y es menester que se impriman
> con valor dentro del pecho.
> Isabel, vamos aprisa:
> demos la vuelta a mi casa...

no sólo da Pedro Crespo la medida de su valor de persona, sino también de personaje. En ese momento, en esas palabras, se hace patente la profunda libertad de la persona, pero también la profunda libertad del personaje. Esa doble libertad es la que define, en primer lugar, a Pedro Crespo dentro del universo de la pieza y dentro del universo de nuestro drama nacional. La escena en que sucede es, creo, decisiva en la cristalización del héroe y de la acción. Sólo desde esa libertad conseguida alcanza toda su hondura y su universalidad, como también su calidad específicamente dramática, la solución del conflicto: justicia y honor, enraizados en la libertad, actuando armónicamente, fundamentos de un orden necesario. La venganza como única solución del honor ofendido, típica de tantos dramas de honor, queda aquí superada, limpiamente trascendida por el triunfo de la justicia pura.

Cada uno de los personajes del drama ha sido fuertemente individualizado por su autor con la misma economía de recursos que caracteriza la construcción de la pieza. Pero lo admirable no es sólo esa conseguida individualización de los personajes, sino la objetividad con que el dramaturgo mueve a cada uno de ellos, objetividad que resalta en la configuración del mundo dramático. Es esa objetividad del dramaturgo quien da todo su acento de verdad, quien hace verdaderamente real a la acción. Junto al capitán don Alvaro de Ataide, Calderón ha puesto al militar don Lope de Figueroa, unánimemente alabado por los críticos, que han visto en él la nobleza de sentimientos, la campechanería, la dignidad, el honor, la compleja verdad de un carácter admirablemente conseguido. Pero este personaje, además de ser importante por su densidad individual, lo es también por la función que cumple en la estructura del drama. Después de los tres personajes centrales (Pedro Crespo, Isabel, Alvaro de Ataide) es don Lope de Figueroa el más necesario, con necesidad que se origina en la vocación de objetividad que preside la creación de *El alcalde de Zalamea.* Es la otra cara, la noble, la digna, del mundo militar que trae el dolor y el crimen al mundo civil de la aldea, y el único puente posible entre ambos, así como el único capaz de codearse, como representante de otra concepción de la vida, con Pedro Crespo. Calderón nunca se contenta, en sus grandes dramas, con dar una sola cara de la realidad. Su honestidad intelectual, su conciencia de la compleja problemática del vivir y de la condición humanos, su sentido del deber de dramaturgo, que consiste en la objetividad para plantear el conflicto, obligándose a poner de relieve lo bueno y lo malo, lo positivo y lo negativo, en suma, su fidelidad a lo real, mucho mayor en Calderón de lo que se le supone, resplandece ejemplarmente en *El alcalde de Zalamea.*

El alcalde de Zalamea de Lope no sólo es sometido por Calderón a un proceso de reestructuración, sino a un proceso de objetivización.

Tres dramas católicos

En el teatro universal Calderón es el creador de los mejores dramas simbólico-religiosos, los autos sacramentales, de los que hablaremos después. La temática religiosa, traspuesta teatralmente desde una perspectiva católica, es muy abundante en nuestro teatro y da media docena de grandes dramas. Calderón, que en su madurez será el autor más solicitado para suministrar piezas para las fiestas del Corpus, se siente desde el comienzo de su carrera de dramaturgo atraído por la «comedia de santos» y, en general, por las distintas formas del teatro religioso, bien de argumento histórico o bíblico.

De entre los numerosos dramas religiosos calderonianos, de muy desigual valor, elegimos tres representativos de los tres estilos señalados por Valbuena Prat: *La devoción de la cruz* (1623-1625), obra de juventud, *El príncipe constante* (1629), situada por Valbuena en el segundo estilo o de transición, y *El mágico prodigioso* (1637), de la plena madurez estilística.

En *La devoción de la cruz* y en *El mágico prodigioso,* como en otros que guardan relación más o menos próxima con ellos (por ejemplo: *El purgatorio de San Patricio* o *Los dos amantes del cielo),* Calderón plantea el problema o, mejor, misterio —pues como misterio y no como problema es sentido por todos nuestros dramaturgos barrocos— de la salvación eterna. Misterio a cuya esencia va ligada la problemática de la libertad y de la verdad. La técnica teatral, la estructura de la acción, la condición de los personajes, en suma, la dramatización del misterio es muy distinta en una y otra pieza. El protagonista de *La devoción de la cruz,* Eusebio, es un hombre de acción; el de *El mágico prodigioso,* Cipriano, un hombre de estudio y un intelectual. El proceso de conversión que lleva a cada uno a la salvación será, pues, muy distinto en uno y en otro, condicionando así la forma del drama.

Eusebio es no sólo el hombre de acción, sino un caso extremo o límite del hombre de acción: el bandolero, el hombre al margen de la sociedad, liberado de todas sus normas, trabas y barreras y en lucha con ella. Toda su vida gira en torno a un misterio: el de la cruz que lleva marcada en el pecho. Cruz que ha intervenido a lo largo de su existencia salvándole de la muerte en numerosas ocasiones y por la que siente una intensa devoción. No sabe quién es su padre. Desde su nacimiento la cruz es fuente de «prodigios que admiran» y de «maravillas que elevan». El drama nos presenta, con formidable dinamismo, la última etapa de la extraordinaria carrera vital de este hombre. En su existencia de «out-sider» pesan dos fuerzas: una intramundana, que le lleva a vivir como un rebelde; otra supramundana, en donde se esconde el verdadero sentido de su trayectoria vital. La primera de esas fuerzas, que actúa como destino, tiene su origen en la conducta del padre, Curcio, uno de los más tenebrosos personajes del teatro calderoniano. Curcio quiso asesinar a su esposa movido de sospechas en las que él mismo no creía. Ese acto criminal determinó, en buena medida, el carácter anormal de la vida de Eusebio. Desconociendo su origen —sólo sabe que nació al pie de una cruz— se enamoró de Julia, su hermana gemela, y ella de él, parentesco que ambos ignoran hasta el final de la pieza, no pudiendo, por tanto, hablarse de incesto. Curcio se opone a esos amores. Esa oposición es decisiva en la historia de Eusebio. Desafiado por Lisardo, hermano suyo —también desconocen su parentesco —lo mata. Esa muerte separa a Eusebio de Julia, que no dejan de amarse. Desde ese momento Eusebio comienza su vida de bandolero. La tragedia de Eusebio llega a su «clímax» cuando, forzando el seguro del convento donde Julia ha profesado, la seduce. En el instante en que ella se le entrega Eusebio huye horrorizado, porque en el pecho de la amada ha descubierto una cruz idéntica a la suya. Julia, que ha consentido en entregarse a Eusebio, huye del convento y sigue el mismo camino de rebelión y de crimen que Eusebio, incapaz de volver a la casa paterna y a la casa de Dios. Comienza entonces la caza del hombre. Curcio, vengador de la muerte del hijo y de la deshonra de la hija, cerca en el monte a Eusebio, sin sospechar que es su hijo y sin sospechar que, en el origen, él es la causa de la tragedia de toda su familia. La escena de la *anagnórisis,* en la que el padre y el hijo se reconocen, llega demasiado tarde y no puede impedir la muerte de Eusebio. La primera fuerza ha cumplido su misión. La segunda, de carácter sobrenatural, ligada a la cruz, interviene en el último instante. Eusebio puede confesar sus pecados, arrepentirse y ser perdonado, obteniendo la salvación. La dramatización de esta escena capital para el sentido del drama —la salvación del «out-sider»— repugna a nuestra sensibilidad, dominada por el gusto de lo real. Es una escena del «milagro», de intervención de lo sobrenatural, que rompe violentamente todas las barreras de la realidad, barreras, claro está, que no existían para el espectador del siglo XVII ni para el dramaturgo que servía a su público, atentos ambos a la intención religiosa de la fábula dramática y a la posibilidad de lo trascendente en no importa qué situación mundana. Los dos niveles de sentido de la existencia (el temporal y el eterno) podían fundirse en no importa qué momento del tiempo ni en qué lugar del espacio. El ambiente de milagro del final de la pieza se completa con la no menos milagrosa asunción de Julia, que desaparece en los aires antes de que Curcio pueda herirla. Curcio, el asesino, el único culpable de todo el drama, fautor de la tragedia y antifigura del Dios Padre, que salva a Eusebio y a Julia; Curcio, padre según la carne, a quien sólo mueve el sentimiento del honor, según el mundo.

Tenía razón Albert Camus, traductor y adaptador al francés de esta pieza, al nombrarla «extravagante obra maestra». La obra, en efecto, extravaga fuera de su centro mundano, porque ha sido concebida con dos centros: el del «aquí» y el del «más allá». Después de Calderón el secreto de concebir la totalidad de lo real desde dos centros, desde dos puntos de vista, uno temporal e histórico y otro eterno y suprahistórico, simultáneamente, se ha perdido, y con él un tipo de drama simbólico imposible —¿o tal vez no?— de rescatar.

Muy distinto formalmente, aunque idéntico en su sentido último y más hondo, es *El mágico prodigioso.* Aquí ya no es el padre, sino el demonio, personaje de larga historia teatral, quien viene a trastornar, con la permisión de Dios, a cuyos fines providenciales servirá sin saberlo y sin quererlo, el orden inicial en que viven los personajes. El demonio, vestido a la usanza del tiempo, como un habitante más del mundo, viene, con la correspondiente licencia, a tentar a Justina, ejemplar virgen cristiana, en un mundo no-cristiano. Pero antes de llegar a ella topa con Cipriano, joven intelectual, que en día de fiestas huye del ruido de la ciudad para meditar, «en la amena soledad» de los campos, en un intrincado texto de Plinio, que reza:

> Dios es una bondad suma,
> una esencia, una sustancia,
> todo vista, todo manos.

El joven sabio y el demonio se enzarzan en un diálogo lleno de sutilezas y abstracciones, en el que el segundo —¡deliciosa ironía de Calderón!—, menos ducho en las lides de las cuestiones disputadas que Cipriano, lleva las de perder. Es entonces cuando decide realizar un doble trabajo, tentar a Justina y confundir a Cipriano, utilizándolo como instrumento de la tentación. He aquí los proyectos del demonio, que dan origen a la acción subsiguiente:

> Pues tanto tu estudio alcanza
> yo haré que el estudio olvides,
> suspendido en una rara
> beldad. Pues tengo licencia
> de perseguir con mi rabia
> a Justina, sacaré
> de un efecto dos venganzas.

Su proyecto fracasará pues no ha contado con dos elementos muy importantes: el amor a la verdad de Cipriano y el libre albedrío de Justina. Este joven estudioso, que con tanta pasión se entrega al estudio, por invencible vocación de verdad, al ser puesto por el demonio ante la belleza de Justina, la mujer, sentirá con idéntica pasión el deseo de poseerla. Para ello se entregará al demonio, firmando con él un pacto. En este pacto no entra sólo el deseo de adueñarse de la mujer, sino la curiosidad del sabio, que anhela dominar los secretos de la magia. La pasión amorosa no obnubila en Cipriano la pasión del conocimiento. El demonio, sin saberlo, está haciendo el juego a Dios, y, como consecuencia, al mismo Cipriano. Merced, precisamente, al fracaso de la magia, que sólo le lleva a poseer una muerta apariencia de la realidad plena, un fantasma sin vida de la mujer, Cipriano llegará a descrifrar el secreto del texto de Plinio y a alcanzar al Dios-Verdad que buscaba. La trayectoria para elevarse al conocimiento de la verdad viva está clara: no se realiza en la soledad del estudio, encerrado entre libros y apartado del mundo, sino aceptando el riesgo de vivir, hundido en la raíz misma de la existencia, en el amor humano, cuya trascendencia capacita para la posesión de la verdad. A través del amor, sufriendo, y no en los libros, al margen del comercio humano, puede el hombre conquistar la trascendencia y la salvación. Calderón, intelectual, conocía el infinito valor del amor humano y la necesidad del compromiso con la existencia. La carta definitiva, en ese eterno juego entre el bien y el mal, entre Dios y el diablo, la que decide del triunfo o de la derrota, está en la libertad, cuya encarnación es, claro está, Justina. Justina, que, sabiendo vencer de sus sentidos y de su imaginación, estribada en su libre albedrío, vence al demonio en una de las escenas más delicadas e intensas del drama.

El cadalso, en el que mueren mártires Cipriano y Justina, será, como en todo drama cristiano en donde se realiza la economía de la salvación, símbolo de vida y de victoria, y no de muerte y fracaso, superación de la tragedia, triunfo de la verdad y de la libertad. Calderón, sin embargo, no terminará la pieza con una escena de apoteosis y de milagro, como en *La devoción de la cruz,* sino con una escena de genial ironía: el demonio, en una última humillación, salvará para los demás personajes del drama, los que se quedan a seguir viviendo, la fama de los dos amantes. Y, detalle final, los que se quedan a vivir, al ver qué contentos van a morir Cipriano y Justina, comentarán:

> Y mucho más contentos
> los tres a vivir quedamos.

La tercera de las piezas elegidas, *El príncipe constante,* es una pieza ejemplar, cuyo protagonista, como un nuevo Job nada problemático, es modelo de caballero cristiano. El sentimiento del honor, de la fidelidad a la patria y a la religión definen al protagonista, el príncipe don Fernando, y dirigen la marcha de la acción y la estructura de la pieza. Don Fernando es el hombre que ha elegido de una vez para siempre la más alta de las libertades, la de morir por la fe que profesa. Esa elección definitiva le hace aceptar, desde el principio, no sólo el sufrimiento personal, físico, sino la esclavitud a que el enemigo le condena. Esclavitud y sufrimiento no pueden degradarle. Obligado a trabajos forzados, sabe resistir incólume la vida carcelaria, de auténtico campo de concentración, a que le han sometido. Cuando sus miserias y padecimientos llegan al máximo, cuando su cuerpo es una pura llaga, y lo sacan para que tome el sol sobre una estera, bendice al sol como un regalo. Más aún, al rey que le tiene preso le confiesa por señor, al que, como esclavo, debe obedecer. El príncipe don Fernando es, tal como Calderón lo presenta, el santo, pero, precisamente por ello, el hombre máximamente libre. Es el rey que lo ha sometido al régimen concentracionario quien reconoce, justamente, la libertad de su prisionero. La muerte no será sino el último escalón de esta vida ascendente, estribada en la libertad espiritual que lo sitúa, constantemente, más allá de los límites de la condición humana. El príncipe constante es, como todos los santos, el héroe antitrágico por excelencia.

Libertad y destino: Segismundo y Semíramis

Suele establecerse, entre otras, una distinción entre tragedia antigua y tragedia cristiana: la primera sería tragedia de destino; la segunda, tragedia de la libertad. Para Jaspers el universo de la tragedia cristiana está sostenido por el seguro fundamento del más allá y del Dios-Providencia que acoge la totalidad de los seres y cosas en su amor, con lo que lo trágico se extingue frente a la verdad cristiana. Schopenhauer, en cambio, al tratar de definir el verdadero sentido de la tragedia, que, según él, consiste en la comprensión de que lo que el héroe espía no son pecados individuales, sino el pecado original, la culpa de vivir, cita el famoso dístico del monólogo de Segismundo:

> Pues el delito mayor
> del hombre es haber nacido.

Henry Gouhier, retomando la distinción entre tragedia antigua del destino y tragedia cristiana de la libertad, precisa que, en todo caso, se trata más bien de direcciones que de definiciones, precisión que nos parece muy pertinente. Y añade: «La verdadera distinción está en otra parte. Hay obras en donde lo trágico expresa la victoria del destino sobre la libertad y otras en donde lo trágico expresa la victoria de la libertad sobre el destino» [41]. No es éste el lugar para tratar, aunque sólo fuera en síntesis, tema tan interesante y tan rico de implicaciones. Nuestro interés debe restringirse al caso concreto de la tragedia cristiana de la libertad en Calderón, tal como aparece formulada en *La vida es sueño* (1635) y en *La hija del aire* (hacia 1636), representativas ambas de la dialéctica de la libertad y el destino, dialéctica fundamental en nuestro dramaturgo, que aparece una y otra vez como tema principal o secundario en muchas de sus piezas.

---

[41] *Le théâtre et l'existence,* París, Aubier, 1952, págs. 54-55.

Si los estudios sobre *La vida es sueño* son abundantes, aunque no suficientes, falta, sin embargo, un trabajo —y debería haber muchos— sobre el teatro trágico de Calderón [42]. Calderón escribió más de una docena de tragedias, cuya esencia, caracteres y estructura están por definir y plantea en otras muchas piezas conflictos y situaciones trágicos, luego escamoteadas o superadas a lo largo del drama, por razones de muy diversa índole cuyo análisis excedería el espacio y la finalidad de este libro. El conflicto entre libertad y destino es uno de los que más veces roza o toca de lleno Calderón. Los elementos fundamentales del conflicto son siempre los mismos: el héroe trágico (hombre o mujer) es portador de un destino adverso que causa la destrucción de los demás (del rey-padre, del reino, de sus próximos) y (o) de sí mismo. Para evitar que se cumpla el terrible hado anunciado por los astros, el héroe es encerrado e incomunicado. Sin embargo, la sabiduría humana, que ha previsto todo para evitar el cumplimiento del hado, es burlada, y el héroe sucumbe a su destino o bien lo vence mediante un acto soberano de libertad. Ejemplo del héroe trágico que vence de su propio destino es Segismundo, ejemplo del héroe trágico que sucumbe a él es Semíramis. Naturalmente, como ya se ha señalado, son varios los Segismundos, de ambos sexos, en el teatro calderoniano, como son varias las Semíramis, de ambos sexos también. El hado no siempre aparece dialécticamente vinculado a la libertad ni ésta a aquél, sino que aparecen, independientes uno de la otra, en varios dramas calderonianos o, a lo menos, sin constituir el núcleo de la acción dramática.

El esquema de la acción y la situación de *La vida es sueño* es bien conocida. El príncipe Segismundo está encadenado en una torre. No sabe quién es ni por qué carece de libertad. Sabe que sufre, que es infeliz, pero desconoce qué delito ha cometido para merecer tal castigo, a no ser que su único delito consista en haber nacido y su culpa en vivir. Como ser humano, como persona racional se siente disminuido ante las demás criaturas de la naturaleza. Su monólogo, uno de los más famosos de nuestro teatro clásico, es todo él un sistema de interrogaciones dirigidas a sí mismo y a la divinidad, interrogaciones donde la angustia de no entender el sentido de su existencia, el porqué de su estar en el mundo y la esencia de ese estar, se expresan con la más rigurosa y nítida lógica. La pregunta final, recolectiva de todas las anteriores, parece llevar en ella una exigencia de respuesta, que no se cumple. A tantas preguntas la divinidad no

[42] Ver A. A. Parker, «Toward a definition of Calderonian Tragedy», *Bulletin of Hispanic Studies,* XXXIX, 1962, págs. 227-237. Ver también introducciones a mi edición de *Tragedias* de Calderón en Alianza Editorial: *Tragedias*-1, 1967, *Tragedias*-2, 1968 y *Tragedias*-3, 1969.

da respuesta ninguna. La respuesta a su pregunta, pregunta que hace válida para el ser humano:

> ¿qué ley, justicia o razón
> negar a los hombres sabe
> privilegio tan suave
> excepción tan principal,
> que Dios le ha dado a un cristal,
> a un pez, a un bruto y a un ave?

la da, en la escena VI del primer acto, el rey Basilio, padre de Segismundo. Pero su respuesta no va dirigida a Segismundo, sino a sus sobrinos y al pueblo que le acompaña y, principalmente, al público. Clorilene, esposa del rey, soñó, antes de dar a luz a Segismundo,

> ... que rompía
> sus entrañas, atrevido,
> un monstruo en forma de hombre,
> y entre su sangre teñido,
> le daba la muerte...

Lo que vio en sueños se cumplió: Segismundo, al nacer, dio muerte a su madre. Basilio, rey astrólogo, consultando los astros, supo

> que Segismundo sería
> el hombre más atrevido,
> el Príncipe más cruel
> y el Monarca más impío,
> por quien su reino vendría
> a ser parcial y diviso,
> escuela de las traiciones
> y academia de los vicios;
> y él, de su furia llevado,
> entre asombros y delitos,
> había de poner en mí
> las plantas, y yo, rendido,
> a sus pies me había de ver
> —¡con qué congoja lo digo!—
> siendo alfombra de sus plantas
> las canas del rostro mío.
> ....
> Pues dando crédito yo
> a los hados, que adivinos
> me pronosticaban daños
> en fatales vaticinios,
> determiné de encerrar
> la fiera que había nacido,
> por ver si el sabio tenía

en las estrellas dominio.
Publicóse que el infante
había muerto, y prevenido
hice labrar una torre
entre las peñas y riscos
desos montes, ...
....
Las graves penas y leyes,
que con públicos edictos
declararon que ninguno
entrase a un vedado sitio
del monte, se ocasionaron
de las causas que os he dicho.

Las preguntas de Segismundo giraban en torno a un eje: la libertad. La respuesta de Basilio está estribada en el destino. Libertad y destino serán los polos de la tragedia.

Si el rey Basilio cree en el destino, cree también, sin embargo, en la libertad. Y es esta creencia la que hace nacer en él una duda: ¿no habrá dado demasiada fe a su ciencia de astrólogo? Y esa duda provoca en su conciencia una situación conflictiva, radicalmente problemática, que resume en tres puntos: 1.º) Yo, como rey que ama a su pueblo, no puedo darle un monarca tirano; 2.º) para evitar la tiranía, negándole a mi hijo el derecho que, por su sangre, tiene a reinar, no puedo convertirme en tirano de mi hijo; 3.º) tal vez el libre arbitrio de mi hijo pueda vencer su destino, porque:

la inclinación más violenta,
el planeta más impío,
sólo el albedrío inclinan,
no fuerzan el albedrío.

Esa duda decide la acción del drama y lo hace posible. Segismundo será sometido a prueba. Si triunfa, Segismundo habrá vencido al destino; si fracasa, el destino habrá vencido a Segismundo. Inconsciente por el efecto de un narcótico, será llevado de la torre al trono. Basilio se expresa así acerca del resultado de la prueba: Si es

prudente, cuerdo y benigno,
desmintiendo en todo al hado

será rey. Pero si

soberbio, osado, atrevido
y cruel, con rienda suelta
corre al campo de sus vicios,

habré yo, piadoso, entonces
con mi obligación cumplido;
y luego en desposeerle
haré como Rey invicto,
siendo el volverle a la cárcel
no crueldad, sino castigo.

Los datos fundamentales del conflicto están expuestos al terminar el primer acto. La acción presentativa ha alcanzado el nivel de la trascendencia y la intriga está sabiamente anudada para captar la atención del espectador manteniéndole a la expectativa, en tensa espera. Acción trascendente e intriga teatral progresarán en apretada unidad a lo largo del drama apoyándose mutuamente. Calderón atenderá con igual cuidado a la una y a la otra sin permitir, como en otras piezas suyas, que la intriga tire hacia abajo de la acción trascendente, convirtiéndola en puro juego escénico, en simple —aunque perfecta— mecánica teatral. La plenitud dramática de *La vida es sueño,* su vigencia como obra de teatro debe mucho a esa tensa ecuación de intriga y trascendencia. Consigue el dramaturgo que realidad y símbolo estén presentes, a la vez, en cada una de las situaciones que van pautando el progreso de la acción. El espectador vive, simultáneamente, los dos niveles del drama: intriga-trascendencia, realidad-símbolo, realizando espontáneamente su síntesis.

En el segundo acto vemos a Segismundo en palacio, ocupando el trono, donde despierta del soporífico brebaje. Y en el trono Segismundo se comporta tal como los astros lo habían anunciado. La prueba ha terminado. Segismundo ha sucumbido a su destino y vuelve a despertar en su prisión de la torre. Como escribe Henri Gouhier, «si éste fuera el desenlace, la pieza sería trágica, pues ilustraría el determinismo implacable de las leyes que fijan nuestros caracteres: su carácter trágico estaría marcado en las palabras desengañadas del viejo rey:

Pésame mucho que cuando,
Príncipe, a verte he venido,
pensando hallarte advertido,
de hados y estrellas triunfando,
con tanto rigor te ves,
y que la primera acción
que has hecho en esta ocasión,
un grave homicidio sea» [43].

El destino parece haberse cumplido. Basilio piensa que tuvo razón al creer en los hados, que tuvo razón al encerrar a Segismundo,

---

[43] *Op. cit.,* pág. 56.

que tiene razón al volverlo a encerrar. Sin embargo, ahí está su error trágico: pensando que podía vencer al destino, provocó el cumplimiento del destino, lo propició y lo ayudó a realizarse. Negando la libertad a Segismundo, afirmó la primacía del destino. La culpa original está en Basilio, no en Segismundo. He aquí las palabras que Segismundo lanza al rostro de su padre, cuando éste le niega sus brazos:

> Sin ellos me podré estar
> como me he estado hasta aquí;
> que un padre que contra mí
> tanto rigor sabe usar,
> que con condición ingrata
> de su lado me desvía,
> como a una fiera me cría,
> y como a un monstruo me trata
> y mi suerte solicita,
> de poca importancia fue
> que los brazos no me dé,
> cuando el ser de hombre me quita.

Para Segismundo su padre es tirano de su albedrío, culpable, por tanto, de haber atentado contra su libertad. Pero esta acusación no anula la responsabilidad de Segismundo ni justifica sus acciones. Calderón, dramaturgo cristiano, tiene que llevar su tragedia al centro mismo de la libertad, cuya existencia es lo que está en juego. Ese final del cumplimiento del destino, que se burla de la prudencia y del juicio del hombre, mostrando su irrisoria condición, convirtiéndole en aliado y juguete suyo, esa derrota de la libertad, provocada por el hombre que, queriendo evitar la trampa, prepara su caída en ella, podría ser el final de una tragedia cerrada, sin posible apertura a la trascendencia, sin salida posible al reino de la libertad, el final de una tragedia de nuestro tiempo, cuyos finales son la desesperada y lúcida aceptación de la trampa que es el ser. Calderón tiene que ir más allá, a un más allá, núcleo de la condición humana, en donde el hombre, no sometido a determinación humana, pura disponibilidad, pone en acto su potencia de rebelión contra cualquier fuerza ciega, mediante el simple ejercicio de la libertad.

En el tercer acto tiene lugar la jugada definitiva, la única que, en verdad, puede acabar el drama. Segismundo, que al terminar el segundo acto despierta encadenado en su torre, sin saber si ha vivido o soñado, comienza ahora la partida decisiva. Liberado de la torre por el pueblo en armas, vuelve al trono. En el interior mismo de la dialéctica de la libertad y el destino, que ahora alcanza su «clímax» Calderón hace irrumpir la dialéctica de la realidad y el sueño. ¿Lo vivido es real o soñado? Y aún más: ¿cómo es posible saberlo? La fórmula «la vida es sueño», raíz de la conversión de Segismundo, es vivida por el príncipe como la experiencia radical. La esencia de la existencia, su mismo ser, no se deja apresar conceptualmente por el hombre, cuyo máximo acto de libertad consiste en asumirla con toda su capacidad y a pesar de ella. Acto de libertad que es acto de humildad.

Basilio, hasta el último minuto, cree en la fuerza ciega, insoslayable, del destino. Cercado por las tropas de Segismundo, cuando Clotaldo le apremia a huir, responde, convencido de la fatalidad del hado: «¿para qué?». Y cuando está postrado a los pies de Segismundo, tal como los astros lo habían vaticinado, exclama:

> Ya estoy, Príncipe, a tus plantas:
> sea dellas blanca alfombra
> esta nieve de mis canas.
> Pisa mi cerviz y huella
> mi corona: postra, arrastra
> mi decoro y mi respeto;
> toma de mi honor venganza,
> sírvete de mí cautivo;
> y tras prevenciones tantas,
> cumpla el hado su homenaje
> cumpla el Cielo su palabra.

Los astros tenían razón. Ya está el viejo rey a los pies de su hijo. Ese minuto ha sido cuidadosamente preparado por el dramaturgo. Todos los caminos abiertos en el drama conducen a él. Es el «momento de la última tensión», como lo llama Dilthey en su esquema de la estructura de la acción trágica. Sólo que aquí lo que sigue no es la «catástrofe» que cierra la tragedia, sino la liberación que la abre trascendiéndola. «Señor, levanta», dice Segismundo. El férreo círculo de la fatalidad queda roto. Segismundo ha vencido. Del destino. Y de sí mismo. En ese minuto decisivo los tres temas fundamentales de la tragedia: el tema destino-libertad, el tema de «la vida es sueño» o de la realidad-ficción y el tema del «vencerse a mí mismo», fundamentalmente ético, aparecen juntos, a manera de círculos concéntricos, quedando fundidos, en prodigiosa síntesis dramática, en ese minuto de la elección en el que Segismundo, situado en el más puro de los presentes, domina el pasado y se adentra en el futuro.

El telón debería caer aquí, después de los vítores del pueblo:

> ¡Viva Segismundo, viva!

Las ocho réplicas que siguen hasta la caída del telón son innecesarias para la economía de la acción dramática, y sólo sirven para cerrar felizmente la intriga. El dramaturgo cede a la tentación de la mecánica teatral, de la que era maestro indiscutible.

La hija del aire es una tragedia escrita en dos partes de tres actos cada una de ellas. Poco valorada por la crítica del siglo XIX, ha sido Valbuena Prat quien, una vez más, ha sabido romper el muro de silencio que cercaba este espléndido drama y mostrar su importancia y valor, en páginas no menos agudas que entusiastas.

La tragedia es de una gran complejidad tanto temática como escénica. Ejemplo de lo segundo —entre otros— es la extrema libertad con que el dramaturgo, dentro de la ya gran libertad artística en la estructuración dramática del teatro del siglo XVII, construye el espacio o lugar de la acción. En la primera parte hay no menos de nueve lugares escénicos y otros tantos en la segunda, lugares tan variados como: monte con gruta, plaza de una ciudad, sala en una quinta de recreo, salas en el palacio de Nínive, campo, jardín, exterior del palacio de Nínive, salas del palacio de Babilonia, galería de entrada a los aposentos reales, exterior del mausoleo de Nino, cámara del rey, campos de batalla, etc. Todos esos lugares de la acción son, como ya señalamos antes, lugares dramáticos y no sólo físicos, subordinados al dinamismo de la acción.

Las dos partes de la tragedia corresponden a dos etapas de la historia de la protagonista: Semíramis. La primera etapa tiene, como núcleo de la acción, la subida al poder; la segunda, el ejercicio del poder, la lucha por mantenerse en él, y la caída catastrófica de la heroína trágica. Temas fundamentales son el de la dialéctica libertad-destino, enfocado de diversa manera que en *La vida es sueño* y con muy distinta solución; el tema de la ambición, pasión rectora en Semíramis, y, naturalmente, el tema del poder. Éstos, como en *La vida es sueño,* aparecen estructurados como círculos concéntricos que, en los momentos decisivos, se presentan unidos en apretado haz. Los tres, y no uno solo de ellos, determinan el desarrollo de la acción y su sentido. Los caracteres que rodean a la protagonista son más abundantes y más ricos en sustantividad dramática que los que rodean a Segismundo, exceptuado, tal vez, Basilio. Cada uno de ellos —Menón, Nino, Lidoro, Ninias, etc.— es interesante como persona y como personaje, y su papel es importante, no sólo para el desarrollo de la intriga y al nivel de ella, sino para la marcha de la acción dramática. Sin Estrella o Astolfo, personajes de la intriga, seguiría existiendo el drama de *La vida es sueño,* pero sin Menón o Nino o Ninias, o alguno de los demás personajes, dejaría de existir el drama de *La hija del aire*. La función de los «dramatis personae» al nivel de la acción es mucho más importante que los correspondientes de *La vida es sueño*.

La obra comienza con el ritmo alternado y opuesto de dos músicas: «la cítara de amor» y «el clarín de Marte», comienzo que Calderón gustará de repetir en otras piezas, tal vez como signo de la esencial dualidad del mundo, donde incesantemente se afrontan el bien y el mal, dualidad de la que Calderón debió de tener muy aguda conciencia.

Como Segismundo, Semíramis, vestida de pieles, vive encerrada en una gruta, guardada celosamente del contacto con el mundo, para evitar que se cumplan los hados. Tiresias es su guardián. A diferencia de Segismundo, Semíramis conoce su hado:

> que había de ser horror
> del mundo, y que por mí habría,
> en cuanto ilumina el sol,
> tragedias, muertes, insultos,
> ira, llanto y confusión.
> .... Que a un Rey
> glorioso le haría mi amor
> tirano, y que al fin vendría
> a darle la muerte yo.

Si desde su nacimiento se ha doblegado «a la voluntad de los dioses», ha llegado el momento de rebelarse contra esa voluntad, y esto por tres razones: porque su sufrimiento —no hay héroe trágico sin dolor, elemento sustantivo de toda tragedia— le es ya intolerable; porque su ambición, núcleo de su personalidad, no tolera ya traba alguna; porque su entendimiento, libre como es, puede vencer los hados, pues sabe

> .... que impío
> el Cielo no avasalló
> la elección de nuestro juicio.

Además, más imaginativa que Segismundo y, al mismo tiempo, más hambrienta de realidad, dotada de esa incapacidad de vivir a la espera y de esa facultad de «saltar al abismo», de que hablaba Kierkegaard, confiesa:

> ¿no es mejor
> que me mate la verdad,
> que no la imaginación?
> ....
> .... yo no he de volver

a esta lóbrega mansión;
que quiero morir del rayo,
y de sólo el trueno no.

Menón, general de Nino, rey de Siria, será su libertador. Desde el momento en que Semíramis decide desobedecer la voluntad de los dioses, comienza a cumplirse el hado. Tiresias se suicida antes de dar libertad a Semíramis. Menón, que la ha liberado y se enamora de ella, perderá la gracia real y los ojos, que le serán sacados de las cuencas por orden del rey. El rey, enamorado de Semíramis, avasallará como tirano a su más fiel soldado, Menón, forzándole a renunciar a ella, primero, y vengándose en él, más tarde, del modo brutal ya dicho. Semíramis, empujada por su ambición, espoleada por su imaginación que sueña en grandezas, abandona a Menón para unirse al rey, y acceder así al poder. Expresivas de su imaginación desbordante e insatisfecha y de su terrible ambición, son estas palabras suyas ante la vista a Nínive, que ve por primera vez:

Me ha parecido poco.
Mas no me espanto, porque
objeto es más anchuroso
el de la imaginación
que el objeto de los ojos.
Imaginaba yo que eran
los muros más suntuosos,
los edificios más grandes,
los palacios más heroicos,
los templos más eminentes,
y todo, en fin, más famoso.

En cuanto a su amor a Menón, antepondrá su ambición, porquedice:

me corro
que haya de ser mi dueño
quien es vasallo de otro.

En los tres actos de la primera parte de la tragedia asistimos a la rápida ascensión de Semíramis, que, desde la gruta del comienzo del drama, saltará, sin que nada la detenga, al trono real. La última escena es la de la coronación, cuya alegría es ensombrecida por la voz terrible de Menón, quien, vacías las cuencas de los ojos, pero interiormente iluminado por una fuerza superior, lanza su maldición:

Soberbiamente ambiciosa,
al que ahora te constituye
ni vivas, ni reines, ni triunfes,
y en olvido te sepultes,
siendo aqueste infausto día
universal pesadumbre
de los vivientes ....

La primera parte termina con esta maldición, a la que se unen los cielos desencadenando una espantosa tempestad.

Entre la primera y la segunda parte ha transcurrido el tiempo. Tiempo que tiene, como el tiempo transcurrido entre acto y acto, función dramática. Nino ha muerto misteriosamente; Semíramis ha llegado, victoria tras victoria, al ápice de su poder y de su fama. Ninias, hijo de Semíramis, prodigiosamente parecido en el físico a su madre y heredero de la corona, ha sido mantenido apartado del trono. La segunda parte comienza con el sitio de Babilonia, sede de Semíramis, por los ejércitos de Lidoro, rey de Lidia. Los sucesos del tiempo transcurrido nos son narrados desde dos puntos de vista: el de Lidoro, que acusa, y el de Semíramis, que se defiende para pasar en seguida a la ofensiva. Calderón, en este largo diálogo, construido con gran intensidad dramática, presenta, magistralmente, las dos caras de toda realidad humana. Cada uno de los personajes tiene sus razones y éstas pesan igualmente en el ánimo del espectador. La razón política y la razón ética dibujan con su dialéctica la compleja estructura de la realidad. A la lucha dialéctica sucede la lucha militar, de la que Semíramis sale vencedora. Calderón enfoca con gran valentía el arduo problema de la relación entre el vencedor y el vencido. Semíramis, vencedora, castiga a Lidoro, vencido, a esto:

De mí palacio al umbral
atado te he de tener:
allí has de estar; que he de ver
si me lo guardas leal
y vigilante desde hoy;
que si del can es empeño
el ser leal con su dueño,
desde aquí tu dueño soy.

¿Es justa la decisión del vencedor? He aquí las dos respuestas, dada cada una por un general vencedor, Licas y Friso, hermanos diametralmente opuestos, representantes del mito de Jano, el dios de las dos caras, constante en Calderón y rico de encarnaciones dramáticas:

LICAS:
El vencedor
siempre honra al que ha vencido.

FRISO:
El castigo es el vencer.

En cuanto al temple de Semíramis, Calderón nos lo acaba de completar mediante un procedimiento que pone de manifiesto, patentemente, su genialidad de dramaturgo y de hombre de teatro. Al levantarse el telón Semíramis está peinándose delante del espejo. Cuando el combate, que interrumpió su tocado, acaba, mientras el vencido queda atado como un perro en el umbral de la sala del palacio real, Semíramis, del otro lado de la puerta, termina de peinarse delante del espejo.

Y llegamos, hacia el final del primer acto, a la situación de donde arranca la acción principal de la segunda parte de la tragedia. Ninias acaba de llegar a Babilonia y es aclamado por el pueblo, que lo quiere por rey. Semíramis, que sólo vive para el poder, que ha hecho del poder el centro de su vida, renuncia al poder y cede el trono a su hijo. Las escenas que siguen, soberbias todas ellas, construidas con formidable fuerza dramática, muestran una de las más duras críticas al poder que jamás se hayan hecho en el teatro y que, hoy, para el hombre del siglo XX, conserva toda su tremenda vigencia. Calderón —¿dónde está el conformismo que tópicamente se le achaca?— pone al desnudo la mecánica del poder y de su juego. Ninias, en posesión del poder, se apresura a deshacer cuanto Semíramis acaba de hacer. Cuando Semíramis, valiéndose del parecido con su hijo, suplanta a éste en el trono, haciéndose pasar por él, deshace cuanto Ninias acaba de hacer. El resultado es la confusión de todos los vasallos. ¿Cómo es posible que el rey, el representante máximo del poder, mande hoy lo contrario que ayer y ayer lo contrario que anteayer? Este juego político de deshacer lo hecho para volverlo a hacer Calderón lo recalca, con indudable intención crítica, a lo largo del tercer acto. El vencido que viene a buscar la libertad que se le acaba de prometer es encarcelado de nuevo; el general que acaba de obtener el mando supremo de los ejércitos se ve desposeído de su mando, y el general al que se le acaba de quitar todo mando se ve gratificado con el mando absoluto; al pueblo al que se le acaba de prometer la paz se le ordena hacer la guerra; el consejero cuyos sabios consejos acaban de ser alabados se ve humillado y sermoneado por esos mismos consejos. La arbitrariedad y la contradicción del quehacer político, como esencia de la cosa política, queda así evidenciado en estas magistrales escenas calderonianas.

Simultáneamente, dentro del tema del poder, según esta estructura de círculos concéntricos ya señalada, los otros dos temas llegan a su cumplimiento en la acción, en función unos de otros, en apretada síntesis dramática. Los tres niveles temáticos, formando como un frente único, se lanzan sobre el espectador que, con tensa atención, asiste al arrollador avance de la acción trágica, férreamente conducida por el dramaturgo.

Puesta «au pied du mur», como dicen los franceses, ante el hecho consumado de la aclamación popular a Ninias, al que piden por rey legítimo, Semíramis se ve forzada a dimitir. Esa separación del poder, su razón de vida, vale tanto como la muerte, y le produce honda conmoción.

> ¡Yo sin mandar! De ira rabio.
> ¡Yo sin reinar! Pierdo el juicio.
> Etna soy, llamas aborto;
> volcán soy, llamas respiro.

Segunda vez Semíramis, voluntariamente ahora, vuelve a encerrarse en la soledad que quiere inviolable, retiro tenebroso, «sepulcro»

> Adonde la luz del sol
> no entrará por un resquicio.

Es en ese «sepulcro» donde maquinará su resurrección, su vuelta al poder como doble físico, pero nada más que físico, de su hijo. Friso, general fiel a Semíramis, conducido de noche por orden de la reina a un jardín de palacio, la invoca con las palabras densas de poesía del lenguaje de las mejores tragedias antiguas o modernas, palabras que instauran el clima majestuoso de las escenas que siguen. He aquí —vale la pena citarlas— las palabras con que arranca la invocación:

> Confusa, pálida sombra,
> del pasmo, el susto, el pavor,
> madre infeliz, cuyo horror
> atemoriza y asombra,
> dime dónde me ha traído
> mi loca temeridad;
> y a tu atezada deidad,
> diosa del sueño y olvido,
> un templo fabricaré
> de negro jaspe funesto,
> de triste ciprés compuesto
> el altar, y en él pondré

de negro azabache una
imagen tuya, tan bella,
que trémulamente della
sea lámpara la luna...

Semíramis, «de luto, con un velo en el rostro y una luz en la mano», acude a la invocación. Su lenguaje, digno de la invocación, émulo del lenguaje de las mejores heroínas trágicas —¿cómo no pensar, por la simple asociación de otros ritmos, en el lenguaje de Clitemnestra, de Antígona, de Medea o de Lady Macbeth, de Fedra o de Athalie?— acaba de desnudarnos el alma, profunda y compleja, de Semíramis, así como las dos fuerzas —ambición y destino— que la empujan. Ambición que no es una simple pasión del ánimo, sino la esencia misma de su ser. Semíramis no es sólo una criatura ambiciosa, sino la ambición misma configurada en persona de carne y hueso. De su voluntaria prisión dice:

Esta quietud me ofende,
matarme aquesta soledad pretende,
angústiame esta sombra,
esta calma me asusta,
esta paz me disgusta,
este pavor me asombra,
y este silencio, en fin, tanto me oprime
que a un fatal precipicio me comprime.
Yo, pues, no quepo en mí...

Las palabras definitorias de su ser, con serlo éstas, son, sin embargo, las que siguen:

pues vivo sin reinar, no tengo vida.
Mi ser era mi reino,
sin ser estoy, supuesto que no reino.
Mi honor, mi imperio era:
sin él, honor no tengo...

Semíramis volverá a reinar con el nombre y figura de Ninias, a quien tiene encarcelado. La guerra con que da comienzo el Acto I cierra el Acto III y la tragedia. Semíramis será vencida y morirá acribillada de las flechas enemigas. Morirá rodeada de los fantasmas de aquellos a los que asesinó o de cuya desgracia fue culpable. Cuanto ha permanecido oculto, ahora, en la agonía, sale a luz, a pesar de que Semíramis, enloquecida de terror, lo niegue con su palabras:

¿Qué quieres, Menón, de mí,
de sangre el rostro cubierto?

¿Qué quieres, Nino, el semblante
tan pálido y macilento?
¿Qué quieres, Ninias, que vienes
a afligirme triste y preso?
....
Yo no te saqué los ojos,
yo no te di aquel veneno,
yo, si el reino te quité,
ya te restituyo el reino.
Dejadme, no me aflijáis:
vengados estáis, pues muero,
pedazos del corazón
arrancándome del pecho.

Los hados se han cumplido. El destino ha jugado la última baza y ha vencido. Ha vencido porque Semíramis lo ha identificado consigo misma, lo ha hecho suyo pensando vencerlo. Ha vencido porque se ha convertido en sustancia misma del sueño de Semíramis, de su querer ser lo que los hados le anunciaban. En el Acto I, cuando consigue ser enaltecida por el rey Nino, había exclamado:

Altiva arrogancia,
ambicioso pensamiento
de mi espíritu, descansa
de la imaginación, pues
realmente a ver alcanzas
lo que imaginaste...

El destino ha vencido, pero no de la libertad, sino de Semíramis, que conscientemente ha puesto su libertad al servicio del destino. Su muerte es consecuencia de su acción libre. Semíramis no quiso «vencerse a sí misma».

No hay héroe trágico sin libertad, ni en la tragedia antigua ni en la moderna, a no ser en las pseudo-tragedias o dramas melodramáticos, falsos por necesidad, del romanticismo a lo Rivas o a lo Víctor Hugo.

El gran trágico Calderón de la Barca nos deja en estas dos obras, que esquemáticamente he comentado, dos de sus mejores tragedias. Comprensible es la fama de *La vida es sueño.* Incomprensible y escandaloso el desconocimiento de *La hija del aire.*

Dos dramas bíblicos

De entre los dramas bíblicos de Calderón dos llaman poderosamente nuestra atención: *El mayor monstruo del mundo* y *Los cabellos de Absalón.* Debo recordar que hablamos de ellos, no porque sea nuestra intención abordar metódicamente todos los géneros temáticos del teatro de Calderón, sino porque son dos poderosos dramas, de gran calidad y fuerza trágicas. No hablar de ellos sería dejar de lado un aspecto importante de nuestro dramaturgo y una realización lograda del teatro español del Siglo de Oro y, en fin, una aportación valiosa al teatro europeo.

El mayor monstruo del mundo (o, con título más restrictivo, *El mayor monstruo, los celos*) es la tragedia del amor-pasión. Sus protagonistas son Herodes y su esposa Mariene. El amor de Herodes por su mujer, a la que ésta corresponde, es una pasión absoluta, que no deja sitio a ninguna otra y que, en su mismo exceso, lleva la semilla de la destrucción. Herodes quiere ser emperador de Roma para sentirse digno de la belleza que posee, para que ningún hombre le aventaje. Su actuación militar y política, en la que arriesga su vida, no es fruto de su ambición de poder. Sólo quiere el poder para «hacer reina a Mariene del mundo». Herodes se siente más fuerte que el destino, más fuerte que los dioses. Un vaticinio anuncia que «un monstruo, el más cruel, horrible y fuerte del mundo» dará muerte a Mariene y que el puñal que Herodes lleva al cinto dará muerte a lo que más ama en el mundo. De nuevo Calderón enfrenta a su personaje con el hado. En esta tragedia combina el dramaturgo el azar o fortuna, instrumento del destino, con la pasión absoluta que define a Herodes, y con la libertad de cada uno de los personajes, cuyas decisiones personales, cuyas acciones, de las que son plenamente responsables, llevarán al cumplimiento trágico del destino. Lo trágico no es que el destino venza al hombre, sino que el hombre, precisamente porque lo es, haga, con sus actos, que el destino se cumpla. ¿Cuáles son estos actos causativos de la tragedia?: 1) Un retrato de Mariene, caído por azar en manos del César Octaviano, que ha derrotado a su rival Antonio, en cuyo mando militaba Herodes. 2) Una mentira bienintencionada de Aristóbulo, hermano de Mariene. Ese retrato visto en manos de Octaviano, desencadena en Herodes unos celos de calidad tan absoluta como su amor. Prisionero de Octaviano, Herodes sabe que va a morir. 3) Octaviano se ha enamorado del retrato de Mariene, sin saber su identidad, y creyéndola muerta (así se lo ha dicho Aristóbulo para evitar un mal). 4) Una carta escrita por Herodes en su prisión, poseído de su monstruoso amor («el mayor monstruo del mundo» llama él mismo a su amor. Acto I, escena VIII). En esa carta manda que, muerto él, maten a su mujer. 5) La indiscreta curiosidad de una mujer celosa, quien arrebatándosela a su amante, destinatario de la misiva y encargado de cumplirla, es sorprendida por Mariene. El amante se la arrebata y es obligado por la reina a entregársela. 6) Mariene, enterada de su contenido, se siente herida en lo más profundo de su ser y decide castigar, como mujer, la crueldad de su esposo, cuyos celos la han ofendido. Como reina, en cambio, salvará la vida de su esposo, intercendiendo por él ante Octaviano, que le dará la libertad. Mariene castigará al marido retirándose a la clausura de un aposento del palacio, prohibiéndole la entrada. 7) La mentira de un criado, el mismo a quien Herodes destinó la carta fatal, el cual, huyendo del tetrarca, se refugia en la tienda de Octaviano a quien cuenta una mentira para defender su vida. 8) La visita de Octaviano al aposento de Mariene, pensando, a causa de esa mentira, que su vida peligra. 9) La llegada de Herodes, quien acude al ruido. Lucha con Octaviano. Mariene apaga la luz. Herodes, con su propio puñal, creyendo apuñalar al César, mata a su mujer. Toda esta larga cadena de causas, ninguna mecánicamente teatral, ninguna arbitraria, conducen, inexorablemente trabadas, al cumplimiento de los hados. Ningún personaje padece fuerza, todos ellos realizan actos libres, cuyos efectos no pueden prever. ¿Cuál de todas estas causas es la determinante de la tragedia? Octaviano acusa a Herodes de haber dado muerte a Mariene. Herodes responde:

TETRARCA:
Yo no le he dado muerte.

TODOS:
¿Pues quién?

TETRARCA:
El destino suyo,
pues que muriendo a mis celos,
que son sangrientos verdugos,
vino a morir a las manos
del mayor monstruo del mundo.

ARISTÓBULO:
El mayor monstruo, los celos
son siempre.

¿Los celos? No sólo ellos, sino el amor mismo donde se han originado; amor que va más allá de todo límite y que, por su mismo exceso, por quererse absoluto, romperá el orden del mundo. Los personajes de esta tragedia parecen moverse bajo un cielo vacío, abandonados a sí mismos y a su extraña lucidez.

Herodes, cuyos celos han actuado de verdugos al servicio del destino, se vengará de sí mismo con el suicidio. La tragedia de Herodes y Mariene es, posiblemente, la más cerrada de las escritas por Calderón. Los personajes, atrapados en la trampa que ellos mismos han abierto, se precipitarán en ella. Para Herodes y Mariene no hay escapatoria posible. La misma pasión que los une, los destruye.

El argumento de *Los cabellos de Absalón* está basado en los capítulos 13 a 19 del Libro II de Samuel. Sin embargo, es fundamental un pasaje del capítulo 12, en donde Dios, por boca de Nathán anuncia a David, como castigo por el homicidio y adulterio cometidos, esto: «He aquí que Yo suscitaré desgracias contra ti de entre tu misma familia, quitaré tus mujeres ante tus mismos ojos y se las daré a tu prójimo, el cual se acostará con ellas a la luz de este sol. Tú lo has hecho en secreto, pero yo haré esto a la vista de todo Israel y a la luz del sol.» Son estas palabras de Dios las que originan y explican la tragedia. No es, pues, Amón, el violador de su hermanastra Tamar, ni Absalón, el asesino de Amón y el rebelde contra David, sino David, el héroe de esta tragedia, la más parecida de nuestro teatro a la tragedia griega. Del mismo modo que en la trilogía tebana de Esquilo, de la que sólo se conserva *Los siete contra Tebas,* «la culpa se encuentra en el comienzo del terrible suceso acaecido en la casa real de Tebas» (Albin Lesky, *La tragedia griega,* Madrid, Labor, pág. 86), la culpa, en *Los cabellos de Absalón,* se encuentra en el asesinato y el adulterio acaecido en la casa real de Israel. «La maldición que persigue a la casa de Layo a través de las generaciones» *(Ibíd.),* persigue a la casa de David en una sola generación.

La figura de David tiene en la tragedia extraordinaria grandeza. Las dos notas fundamentales de su carácter son su profunda paternidad y su humilde aceptación de la justicia de Dios. Su amor a los hijos es llevado a grados sublimes, pero sin dejar de ser radicalmente humano.

La tragedia se abre con la vuelta de David, victorioso de la guerra, a su palacio de Jerusalén, donde abraza amoroso a sus hijos. Desde esta primera escena comienza va a insinuarse el motivo de la maldición de Dios. Amón, el hijo primogénito de David, el heredero del trono, se encuentra aquejado de una honda melancolía, cuya causa, desvelada gradualmente con magistral dominio dramático, que penetra en la psicología profunda del personaje, radica en su pasión por Tamar. Desde la negación de Amón a dar su verdadero nombre a la pasión que lo llena, y que mantiene oculta, no sólo de los demás, sino hasta de su propia conciencia, hasta su estallido brutal en la escena de la violación, el dramaturgo sigue, paso a paso, el proceso de la pasión y sus efectos en Amón y Tamar. Pero el motivo de la maldición no sólo se revela en la pasión de Amón por Tamar, sino en la ambición de Absalón, segundo hijo de David, que quiere reinar y ve un estorbo en sus hermanos. La maldición se expresa, con precisa concreción, por boca de Teuca, mujer poseída de un espíritu que «anticipa sucesos malos o buenos». Por medio de ella, que vaticina, enloquecida por el espíritu que la posee, el destino de cada uno de los personajes que la escuchan asombrados, Calderón, en una magnífica escena de superposición temporal del presente y el futuro, nos muestra, a la vez, en la actitud de cada uno de los personajes ante su vaticinio, su personalidad básica. El acto termina con la violación de Tamar por Amón. Tenía razón Valbuena Prat al valorar este acto como uno de los mejores, como acto en sí, del teatro universal. Pero, a mi juicio, no la tenía al centrar la obra de Calderón en el incesto de Amón y Tamar. El incesto no es sino la primera de las acciones en que se cumple la maldición que pesa sobre la casa de David.

El segundo acto no es de Calderón, sino de Tirso de Molina. Calderón ha convertido, con ligeros retoques, el tercer acto de *La venganza de Tamar,* de Tirso, en el segundo de su tragedia. ¿Por qué? Yo no encuentro explicación que me satisfaga, como no me satisfacen las explicaciones o, mejor, hipótesis, que otros críticos han dado. El hecho es que Calderón se apropia de un acto ajeno, sin que demos a este plagio la importancia y la gravedad que hoy tendría, dado el distinto sentido de la propiedad intelectual de nuestro tiempo, no vigente en el siglo XVII ni en España ni en los otros países europeos. Este segundo acto es, dramáticamente, inferior a los otros dos, aunque sea un buen acto. En él asistimos al rechazo brutal, después de consumada la violación, de Tamar por Amón, rechazo no arbitrario o gratuito, sino fundado en el odio de Amón a la acción cometida, cuyo vivo testimonio es Tamar. Junto al motivo del rechazo aparecen, sustentando la acción, el planto de Tamar pidiendo justicia a David; el perdón concedido por David a Amón, no sólo porque en el rey pueda más el amor al hijo primogénito que el sentido de la justicia, sino porque en este doloroso suceso revive su propio adulterio y homicidio:

> Homicidio y adulterio,
> siendo tal, me perdonó
> el justo Juez, porque dije
> un pequé de corazón.
> Venció en Él a la justicia
> la piedad, su imagen soy...

Tirso había centrado su obra en el incesto, pero no Calderón. El perdón de Dios a David no eximirá a la casa de David del cumplimiento de la maldición. Por esto tendrá importancia capital en este acto robado, pero internamente conectado su sentido con los actos primero y tercero, la enemistad entre dos de los hijos de David, Adonías y Absalón; la pasión de reinar de Absalón, que llega a su apogeo en la escena en que, solo en el aposento de David, se ciñe la corona real y expresa su intención de matar a Amón, no sólo por vengar el ultraje inferido por éste a Tamar, hermana suya, y no hermanastra, sino por eliminarlo del trono; y su intención de rebelarse contra su padre y matarlo. Y, finalmente, conectado con la maldición, se cumplirá, en este acto, el asesinato de Amón, cuidadosamente preparado por Absalón.

El tercer acto está dedicado a la rebelión abierta de Absalón contra su padre, que le ha perdonado el homicidio de Amón. Es en este acto donde David alcanza la cima de su humana grandeza. Su sumisión a la divinidad, la aceptación de sus sufrimientos, y su amor heroico al hijo rebelde y el perdón otorgado a quienes le han ofendido o desobedecido, hacen de este personaje una de las grandes figuras de la tragedia occidental. Exiliado de Jerusalén para defender su vida del hijo que le busca para matarle, humillado y ofendido por su hijo, que ha mandado entregar las esposas de su padre a los soldados, cercado en el monte por los ejércitos de Absalón, apedreado por Semeí, de la casa enemiga de Saúl, David perdonará. Su perdón a quienes le ofenden tiene su raíz en la plena conciencia de su culpa y en la aceptación plena del castigo divino. A Semeí, que le apedrea, le dice:

> Tira, pague la pena merecida,
> pues apedrearme es justo mi vasallo.

Y a Cusay, fiel vasallo, que quiere castigar la acción de Semeí:

> No lo pretendas,
> y, pues, yo lo perdono, no le ofendas.
> ¡Ah, Semeí!, no de mi vista huyas,
> que palabra te doy de no vengarme
> en mi vida de ti y las iras tuyas.
> Ministro eres de Dios, que a castigarme
> envía, y, pues, que son justicias suyas,
> en mi vida de ti no he de quejarme.

Estas palabras de David explican su conducta y la raíz de su amor al hijo rebelde y a los ofensores. Por ellas las acciones humanas saltan, limpiamente, al nivel de la trascendencia y sitúan el conflicto trágico en esa alta encrucijada en donde el hombre y la divinidad se afrontan.

David no quiere la muerte de Absalón. Cuando éste muera, tal como la había anunciado el espíritu que hablaba en la pitonisa Teuca, David, llegado a la cumbre de su dolor, exclamará:

> ¡Ay, hijo mío, Absalón,
> no fuera yo antes el muerto
> que tú!

El tono final de la tragedia lo darán las palabras con que David, en quien se ha cumplido el castigo anunciado por Dios, cierra la pieza:

> Y, ahora, no alegres salvas,
> roncos, sí, tristes acentos
> esta victoria publiquen,
> a Jerusalén volviendo,
> más que vencedor, vencido.

David, héroe trágico, ha sido vencido por la divinidad, pero esa derrota es su triunfo, en el sentido de la trascendencia, porque ha aceptado la voluntad divina. Calderón, siguiendo la letra y el espíritu de la Biblia, ha conseguido crear una gran tragedia en donde están presentes todas las grandes fuerzas de la eterna tragedia. Como en la tragedia griega, como en la tragedia de Shakespeare, como en la tragedia de Racine, es imposible separar de la acción poesía y trascendencia.

Esta sola obra, a la que pudieran añadirse otras, invalida la afirmación de Ramón Sender, tan extendida entre algunos críticos del teatro español del Siglo de Oro: «en la tradición teatral española no hay una sola tragedia que pueda considerarse como tal» [44].

Los dramas mitológicos

Calderón escribió casi una veintena de dramas mitológicos, la mayor parte después de 1650. Domina en ellos, por el público al que iban dirigidos —el rey y la aristocracia—, por la ocasión en que se representaban —generalmente, fiestas reales— y por los recursos económicos y técnicos para su montaje escénico, la fastuosidad y la

[44] Ramón Sender, *Valle-Inclán y la dificultad de la tragedia,* Madrid, Gredos, 1965, pág. 74. Sobre el problema de la tragedia española del Siglo de Oro, ver C. A. Jones, «Tragedy in the Spanish Golden Age», en *The Drama of the Renaissance. Essays for Leicester Bradner,* Providence, 1970, págs. 100-107; R. R. MacCurdy, «La tragédie néo-sénéquienne en Espagne au XVIIe siècle», en *Les Tragédies de Séneque et le théâtre de la Renaissance,* Editions du C.N.R.S., 1964, págs. 73-85.

riqueza ornamental y plástica. Tan importante como la acción, si no más, son la música y la escenografía. Calderón, sin las trabas materiales que imponían los teatros públicos, y teniendo en mente el gusto dominante en la corte, amante de la riqueza, no sólo en vestuario y decorados, sino en la misma palabra dramática a la que preferían llena de sutilezas conceptuales, de fuerzas emotivas y de lirismo, construye estas piezas como una fiesta para los cinco sentidos. La acción se somete siempre a la intriga, llena de lances sorprendentes, de juegos de salón, en donde los personajes se esconden unos de otros persiguiéndose en el florido laberinto de la escena al aire libre. Calderón, mago de la técnica teatral, no defrauda nunca al espectador curioso de peripecias, de líricos parlamentos, de finezas del sentimiento, de hermosa naturaleza. Escribir teatro en tales circunstancias significa amputar la profundidad de lo dramático para dar la primacía a lo superficial del espectáculo, al que, no obstante, no se le puede negar valor estético, como no se le puede negar a la «fiesta».

Para tales fiestas el dramaturgo encuentra una abundante mina temática en los mitos clásicos donde héroes y dioses compiten en amor y celos, en medio de una espléndida naturaleza. Calderón viste esos mitos a la última moda del siglo XVII y se lanza con formidable fantasía, dominio de lo teatral y entusiasmo lírico a tejer y destejer los floridos lances de una complicada intriga. Pero esa actualización de los mitos no significa, ni mucho menos, una profundización dramática de ellos. Lo actualizado es lo exterior, la simple cobertura, no su esencia ni su sentido trascendente. Algunas veces, como en *La estatua de Prometeo, El hijo del sol, Faetón* o *Ni amor se libra de amor* en donde se «poemizan teatralmente» (admítaseme la expresión), mitos trágicos como el de Prometeo, Faetón o Psiquis, el dramaturgo roza y, a veces, como en la primera de las piezas citadas, encara una interpretación más honda del mito, pero sin llegar nunca a su entraña ontológica, a su compleja simbología, y sin situar el mito en el nivel dramático que le corresponde. Calderón no parece, ni aun en esas ocasiones, llegar a tomar en serio como dramaturgo esos mitos [45]. La interpretación calderoniana del mito de Prometeo, aun a pesar de su mayor densidad de pensamiento *dramáticamente* estructurado, que es lo que hay que tener en cuenta, y no la mayor o menor profundidad y abundancia de las «sentencias», es, con todo, insuficiente. Y no podía ser de otra manera, dado el público y el lugar a que iban destinadas tales piezas.

Ni su intenso lirismo, ni su espléndida escenografía, ni su sabia mecánica teatral bastan para satisfacer lo que exigimos al teatro:

---

[45] Para una distinta interpretación ver W. G. Chapman, «Las comedias mitológicas de Calderón», *Revista de Literatura,* V, 1954, págs. 35-67.

verdad, poesía y trascendencia dramáticas. En cambio, sí satisfacen con creces nuestro gusto por el espectáculo estéticamente valioso.

Del mismo modo las alusiones a los usos, ideas, sensibilidad y valores, tanto éticos como estéticos o sociológicos, de la sociedad contemporánea del dramaturgo, de que están llenas estas piezas, nos interesan, y mucho, históricamente, pero nunca por su específica función dramática.

Una pieza hay, sin embargo, titulada *Céfalo y Pocris,* que nos parece sumamente interesante. Es una obra a manera de farsa mitológica, casi astracán, casi esperpéntica, llena de equívocos, de chistes fonéticos, de situaciones bufas y, en ocasiones, absurdas, con ese absurdo al nivel del lenguaje y de la situación, al estilo del Ionesco de *La cantatriz calva* o de algunas escenas grotescas, casi pantomima, del Beckett de *Esperando a Godot.* Creo que merece la pena, para que no se tomen por arbitrarias o exageradas mis afirmaciones, copiar algunos breves fragmentos del diálogo:

TABACO:
Ven, Pastel.

PASTEL:
¿Mi nombre sabes?

TABACO:
Desde ayer.

PASTEL:
No me acordaba
de que ayer fuimos los mismos
....

GIGANTE:
¿Dónde fueron?

CÉFIRO:
Por ahí.

GIGANTE:
Pues ¿cómo por aquí tardan?

CÉFIRO:
Gigante, mucho preguntas.

GIGANTE:
Esto es más fuerza que maña.
Pena de muerte los cuatro
tenéis.

CÉFIRO:
¿Por qué?

GIGANTE:
Por nada;
y así yo quiero mataros...
Pero ahora no tengo gana.
....

La justicia acaba de prender a algunos personajes sin razón alguna. Uno de ellos intenta huir:

SOLDADO 1.º:
Uno de la red se escapa.

TODOS:
Resistencia.

CAPITÁN:
Tras él yo
iré.

CÉFIRO:
¡San Martín me valga!

CAPITÁN:
No valdrá.

CÉFIRO:
Si hará.

CAPITÁN:
¿Por qué?
Di.

CÉFIRO:
Porque Dios ve las trampas.
(Húndese por un escotillón)
....

FLORA:
¿Cantarán?

FILIS:
Sí
y tú...

FLORA:
¿Qué?

FILIS:
Espúlgame aquí,
porque sirva de algo el sol.

Todavía podrían citarse otros fragmentos de diálogo en el mismo estilo de los anteriores, entre los cuales uno presenta en ritmo de farsa, donde lo pantomímico y lo grotesco inciden, una escena trágica: el envenenamiento de una hija por su padre. En esta pieza, tomando como pretexto argumental un mito clásico, Calderón somete al desenfoque de la farsa no sólo técnicas teatrales usadas por él y por el teatro contemporáneo, sino situaciones, personajes y temas fundamentales del drama nacional. Y todo ello con un sentido radicalmente actual —de nuestra actualidad— del diálogo y de la situación dramática.

Los mundos cómicos y su mecánica teatral

Para completar esta exposición, limitada forzosamente por el espacio y por el carácter propios de este libro, dediquemos algunas líneas al Calderón comediógrafo, cuyas comedias son tan abundantes como sus dramas.

En sus comedias, Calderón lleva al máximo de estilización formal y de complejidad escénica los temas propios —típicos y tópicos— de ambiente cortesano, urbano o rural, y de intención éticamente ejemplar o finamente costumbrista, específicos de la comedia de «capa y espada» o comedia de «ingenio», tan solicitadas por los directores de compañías teatrales para satisfacer el hambre de diversión del público y su gusto por la pieza de intriga donde ocurren incontables lances, se suceden las más equívocas situaciones, se manejan similares conceptos sobre el amor, el honor y la sociedad, se utiliza la palabra como instrumento lírico tanto como dramático, se anuda y desanuda con gran habilidad el enredo y se llega al mismo, o semejante, final feliz, alegre y despreocupado.

Como escribe Valbuena Prat, «es el género más convencional de Calderón». Lo principal, como enseñara Lope de Vega, es mantener en suspenso, hasta la caída definitiva del telón, el ánimo del espectador. Calderón convierte cada una de sus comedias en una especie de tablero de ajedrez donde cada uno de los personajes, con función de pieza, se mueve según las reglas del juego. La combinación, matemáticamente calculada, del juego de las distintas piezas, dibuja la intriga, fundamento de la comedia. «Los personajes —escribe Micheline Sauvage— son como reabsorbidos en el juego, los actores en una acción que no tiene otro fin que ella misma» [46].

[46] *Calderon, dramaturge,* París, 1959, pág. 120.

La vigencia teatral de estas comedias no reside, para el espectador de hoy o de mañana, ni en la significación de los conflictos, ni en la psicología de los personajes, ni en el interés de su temática, ni en ningún otro elemento del contenido, sino en su pura forma teatral, en lo que en ellas es juego teatral químicamente puro, es decir, teatro puro. En el juego de oposición o conjunción de los móviles de los personajes no nos interesan esos móviles en sí, sino su «puesta en juego». Al sociólogo, al historiador le interesa, sin duda, y mucho, la imbricación del mundo político, social, cultural, ideológico, contemporáneo del dramaturgo, en el mundo de la comedia. Pero al espectador que asiste, por ejemplo, en el Teatro Español de Madrid, en 1965 ó 1975, a la representación de *La dama duende* o de *Casa con dos puertas, mala es de guardar,* de Calderón, no son ni las ideas, ni los sentimientos del galán y de la dama, del padre y del gracioso, del noble y del villano, lo que le mantiene clavado en su butaca, suspenso el interés, pronta la sonrisa o la risa y apercibido el aplauso, sino la perfección del juego puramente teatral. Ni las razones conceptuosas del amor del galán y la dama, ni las sutilezas de los celos, ni la severa tiranía de los padres, ni las susceptibilidades de los caballeros, ni el ingenio de los jóvenes para romper las trabas que oponen al triunfo de sus pasiones leyes estereotipadas, ni cuanto en la comedia constituye su dialéctica pueden interesarnos de verdad ni conseguir nuestra participación afectiva, ni, menos aún, mental. Sólo lo que en la comedia es realidad dramática, sustancia teatral, representación escénica, plenitud lúdica mueve nuestro ánimo y conquista nuestra participación. Al asistir a una comedia nos convertimos en el espectador químicamente puro de teatro, más allá de todo compromiso ideológico o más acá de él. Lo movilizado en nosotros y llevado a su cabal cumplimiento es nuestra potencia de ser espectadores sin más. La «comedia» actualiza nuestra disponibilidad para ser «el espectador» de ese mundo, trasunto salvado del juego mismo del gran teatro de nuestras vidas, en el que todo ha cristalizado, de una vez y para siempre, en el más puro —ontológicamente— de los juegos: aquel que nos salva de sentirnos personalmente en juego.

Calderón se distingue entre sus contemporáneos por la perfección de la mecánica teatral con que construye sus mundos cómicos, donde ni un solo cabo de la intriga queda suelto, ni un solo nudo sin desenlazar.

V. Ciclo Calderón de la Barca

1. Rojas Zorrilla

Comparado con los demás dramaturgos del Siglo de Oro, Rojas Zorrilla, a quien la muerte le sorprendió de repente a los cuarenta y un años, murió joven, apenas alcanzado el primer momento de la madurez. Sin embargo, dejó una obra representativa de su facundia y de su genio. Por ella podemos suponer que, de haber llegado a la plena madurez creadora, tal vez hubiera escrito algunas piezas maestras de donde hubieran desaparecido los defectos que encontramos en alguno de los que hoy consideramos sus mejores dramas.

La crítica distingue unánimemente dos mundos bien diferenciados en la obra del dramaturgo toledano: uno trágico y otro cómico. Asimismo, están acordes los críticos en afirmar la intensidad dramática de ambos mundos. En los dramas trágicos es puesta de relieve la potencia trágica de Rojas, su comprensión de los recursos estructurales de la tragedia, su concepción poderosa del fenómeno trágico, llegando a decir Valbuena Prat que «Rojas es uno de los autores del teatro nacional que más ha comprendido la dignidad del coturno griego». Por otra parte, es uno de los pocos dramaturgos de nuestra literatura áurea que ha suscitado un libro dedicado, íntegramente, al estudio de sus tragedias [47]. Como autor de mundos cómicos ha merecido también las más unánimes alabanzas, por la intensidad de su comicidad, por los caracteres creados, por su dominio de la técnica y por su originalidad. Originalidad. He aquí el calificativo crítico que se le asigna tanto al tragediógrafo como al comediógrafo. Originalidad que consiste, primariamente, en su actitud ante algunos temas fundamentales del drama nacional y en el planteamiento dramático y la solución de los conflictos originados por esos temas. Rojas, escribe Valbuena Prat, «llega a una nueva solución de los conflictos de honra. Frente al poder omnímodo y déspota del marido, aparece una dirección, que pudiera llamarse feminista, en que la mujer se coloca en el centro de la escena, conviertiéndose en la vengadora de los agravios del honor». Ya Américo Castro había puesto de relieve la postura del dramaturgo ante la mujer, más libre y liberalmente tratada, postura que hacía proceder, en su fondo ideológico, de las ideas de Erasmo. En ese nuevo sentido de lo temático,

---

[47] Raymond R. MacCurdy, *Francisco de Rojas Zorrilla and the Tragedy*, The University of New Mexico Press, 1968.

en esa nueva sensibilidad para algunos de los conflictos del teatro nacional, Rojas manifiesta su vocación de originalidad, que le aparta de las soluciones tópicas, y su voluntad de novedad. Y ello, claro está, da un gran interés a la figura de este joven dramaturgo.

Ahora bien, lo importante, al enjuiciar objetivamente la obra de un dramaturgo, no reside sólo en la originalidad de su temática, ni en la novedad de sus soluciones, ni en lo inédito de sus ideas, sino en la realización dramática, en el nivel dramático alcanzado por el autor. Realización y nivel que hay que ir a buscar, como es de Pero Grullo, en sus dramas. Cuando así lo hacemos nos damos cuenta de que Rojas ha creado espléndidas comedias, pero no espléndidas tragedias. Si algunas de sus comedias, como *Entre bobos anda el juego, Donde hay agravios no hay celos* o *Lo que son las mujeres,* sobre todo la primera, son verdaderas piezas maestras del teatro cómico, en cambio, ninguna de sus tragedias, entre las cuales se cuentan como las mejores *Del rey abajo, ninguno, El Caín de Cataluña* o *Los áspides de Cleopatra,* puede considerarse seriamente como pieza maestra del teatro trágico, ni español, ni, menos aún, universal. Sabemos que esta afirmación puede causar escándalo entre los críticos, especialmente en lo que se refiere a las dos primeras, y no es por causarlo, sino por decir lo que nos parece la verdad, por lo que hacemos tal afirmación.

Rojas, trágico

Valbuena Prat clasifica las tragedias de Rojas, fijándose en los motivos esenciales, en tres grupos: 1) grupo de acciones clásicas (obra representativa: *Los áspides de Cleopatra);* 2) grupo de honor conyugal (obra representativa: *Del rey abajo, ninguno);* 3) grupo de conflictos deber-paternidad (obra representativa: *El Caín de Cataluña).*

Dediquemos nuestra atención a las dos mejores tragedias: *Del rey abajo, ninguno* y *El Caín de Cataluña.*

Del rey abajo, ninguno (otros títulos suyos: *García del Castañar, El labrador más honrado* o *El conde de Orgaz),* está configurada por el conflicto entre el honor y la lealtad debida al rey, en cuanto éste posee la realeza y ésta es de origen divino. El protagonista es García del Castañar, labrador rico que encubre su origen noble. El antagonista es no el rey, sino un poderoso cortesano, don Mendo, a quien García del Castañar toma por el rey. Desde el punto de vista interior al conflicto trágico vivido por el protagonista, el verdadero antagonista es, pues, el rey. Pero no así desde el punto de vista del espectador, que sabe que el antagonista no es el rey. El conflicto del personaje central adquiere así, para el espectador, un valor ejemplar, pero, a la vez, no tiene para él todo el sentido socio-político de *La Estrella de Sevilla,* de Lope, por no citar más que un ejemplo. El punto de vista del héroe trágico y el del espectador, están, pues, disociados en un aspecto: el público sabe que el ofensor, el que usa, o pretende usar injustamente del poder, no es el rey. Para el espectador, el rey no está puesto en causa, en ningún momento, como lo estaba en la pieza de Lope. En este sentido Lope se atrevió a ir mucho más allá de lo que va Rojas y su obra entraña una actitud comprometida mucho mayor que la de Rojas. En la pieza de Lope el público veía en acción la injusticia del rey; aquí no. Lo que es válido para el público no lo es, sin embargo, para el protagonista. Al nivel de la protagonía la autenticidad y la intensidad del conflicto es igualmente válida en García del Castañar que en Sancho Ortiz de las Roelas.

El primer acto del drama presenta una situación muy semejante a la de *El villano en su rincón,* de Lope, y rasgos en la caracterización del ambiente y del personaje muy próximos a los de *Peribáñez,* de Lope, o *La luna de la sierra,* de Vélez de Guevara; sólo que aquí, bajo la capa de labrador, se esconde un noble, no un villano. La caracterización del ambiente y de los esposos García y Blanca es tan rica en poesía y en naturalidad como la de las obras citadas. El tema del «beatus ille», tan caro a nuestros clásicos, adquiere gran belleza, no sólo lírica, sino dramática, en Rojas Zorrilla. El verdadero conflicto comienza cuando el rey y don Mendo visitan de incógnito a García del Castañar. Éste ha recibido un aviso del conde de Orgaz, en el que le dice que podrá conocer al rey por una banda roja que le cruza el pecho. Pero en el camino el rey ha dado la banda roja a don Mendo. García cree, pues, que don Mendo es el rey. Don Mendo se enamora de Blanca, quien con exquisito tacto y firme dignidad rechaza sus avances.

En el segundo acto don Mendo vuelve al Castañar para seducir a Blanca, aprovechando que García está cazando en el monte. La escena en que Blanca espera al esposo es muy hermosa, como admirable es la escena siguiente, en la que Blanca y García, que ha regresado de la caza antes de lo previsto, se declaran mutuamente su amor en versos de hermosa intensidad poética. A esta escena del dúo amoroso, espléndido canto de amor matrimonial, que cuentan entre los mejores de nuestro teatro, sigue la escena del encuentro entre García y don Mendo, que ha escalado el balcón del aposento de Blanca. Es el primer «momento conmovedor» (sigo la terminología de Dilthey) de la tragedia, que comienza aquí. Para García el rey pretende a su esposa. Su honor exige la muerte del ofensor, pero su lealtad al monarca impide la satisfacción de su honor. El monólogo del protagonista conduce ascendentemente la acción trágica desde ese primer «momento conmovedor» hasta «el punto culminante». El arranque del monólogo —monólogo que funciona como núcleo del conflicto, a la manera de Calderón— sitúa la acción trágica en el plano de la trascendencia:

> ¡Cansada estabas, Fortuna,
> de estarte fija un momento!
> ¡Qué vuelta diste tan fiera
> en aqueste mar! ¡Qué presto
> que se han trocado los aires!
> ¡En qué día tan sereno
> contra mi seguridad
> fulmina rayos el Cielo!

El resto del monólogo, vuelto García hacia dentro de sí mismo, desarrolla la dialéctica entre el honor de esposo y el deber de vasallo. La solución a que llega es la decisión de matar a Blanca, aun sabiendo que es inocente. Debate y solución tiene lugar en un plazo de tiempo breve como el relámpago. En el debate están presentes el amor del marido, el honor del caballero y la fidelidad del vasallo. El lenguaje tiene fuerza dramática. Nada se le puede reprochar al monólogo en sí, antes al contrario hay que poner de relieve su maestría como tal monólogo dramático. Sin embargo, algo muy importante falla, algo que atenta contra la estructura misma de la acción trágica: el «tempo», el ritmo necesario a la tragedia, el tiempo trágico. Éste es escamoteado por el dramaturgo. La decisión del protagonista surge súbita, fulminante, sin suficiente preparación, en brutal contraste con la escena anterior, en brutal contraste con la pasión amorosa del héroe. Para que nos conmueva tenemos que realizar un salto mental, tenemos que aceptar las leyes del honor, y aun así nos asombra más que nos conmueve. La verdad humana del conflicto, la universalidad de la situación trágica, su densidad y su capacidad de configurar una situación vital válida, se esfuman ante la particularidad de las leyes del honor que presiden la construcción de esta escena. Se me dirá que, precisamente, hay que aceptar tal convención de las leyes del honor, para juzgar —y conmoverse— de la situación trágica creada por el dramaturgo. Aun admitiendo esto, lo cual conlleva una limitación a la fruición del espectador y una relativización del valor trágico absoluto de esa escena, cuya tragicidad queda constreñida a un tiempo histórico concreto, difícilmente recuperable en cuanto a su vigencia, aun admitiendo como único punto de vista válido el del espectador español del siglo XVII (que no es ya el del espectador francés o inglés del mismo siglo), quedaría en pie la objeción de principio: la negación del «tempo» necesario al desarrollo del conflicto trágico. La decisión de matar a la esposa procede de un sistema ideológico no estructurado dramáticamente. La situación vivida por el personaje, lógica desde el sistema ideológico manejado por el autor, es ilógica como estructura dramática, al ser insuficiente el proceso interior del personaje.

El error del dramaturgo consiste en haber dado la primacía a la categoría de lo «ideológico» y no a la categoría de lo «dramático», menoscabando la verdad humana del personaje y de la situación. García del Castañar nos parece, en ese minuto trágico decisivo, menos un héroe que un autómata. A no ser, claro, que el dramaturgo hubiera querido hacer resaltar ese automatismo como móvil primario de la acción trágica.

En el tercer acto el asesinato fallido de la inocente Blanca a manos de su marido nos es narrado por la misma esposa. La sustitución de la acción directa por la acción narrada está justificada por la mayor intensidad dramática que la acción adquiere al ser revivido por la propia víctima. El dinamismo y la belleza de los versos de Blanca nos hacen vivir, esta vez de verdad y con plenitud dramática, la trágica situación de los dos esposos. A través de las palabras de Blanca se nos transparenta toda su alma hasta lo más profundo y todo el horror, matizado por el miedo, el asombro, el amor, la ternura, el dolor de quien lo cuenta, de la escena evocada. Aquí Rojas sí consigue crear una escena de intensa y auténtica tragicidad, que nos da la medida, raras veces alcanzada por el dramaturgo, de su genio trágico.

La solución o desenlace de la acción trágica tiene lugar en el palacio real. Hasta el último momento García vive creyendo ser don Mendo el rey, lo que da lugar a escenas en que siguen combatiendo en el alma del protagonista la lealtad y el honor. Cuando descubre la verdadera identidad del ofensor de su honor, lo apuñala. La acción, magníficamente conducida a lo largo de este acto, queda interrumpida por una larga narración de García del Castañar, en la que da cuenta al rey de su noble ascendencia y de las peripecias de su vida, así como del porqué ha ocultado su identidad. Esa interrupción de la acción constituye otro grave defecto de construcción dramática. La función de tan larga tirada consiste no sólo en el reconocimiento o anagnórisis en ella implícita, sino en evitar el castigo del rey. La necesidad de la autoidentificación viene motivada por el apóstrofe del rey: «Ten, villano», le dice a García cuando éste mata al noble don Mendo, a lo cual contesta aquél:

> No soy quien piensas, Alfonso;
> no soy villano.

¿Qué hubiera pasado si García fuera, en verdad, villano, como el Peribáñez de Lope, o el Antón de Vélez de Guevara? En este aspecto, mediante el «truco», como le llama Valbuena Prat, de sustituir al rey por don Mendo, y la posesión de la nobleza bajo el sayo del labrador, Rojas se muestra menos osado que los dos dramaturgos citados. Su drama, ejemplar socio-políticamente, carece de la dimensión crítica de los anteriores. Claro está que no le vamos a juzgar por lo que no quiso escribir, sino sólo por lo que escribió.

Los errores de construcción dramática ya señalados nos impiden afirmar que es «una de las cumbres más altas de todo el teatro español», como escribe Sainz de Robles. El mismo Valbuena Prat, después de señalar al paso un par de «lunares» y «el convencionalismo del honor», lo tiene por «uno de los primeros de nuestra escena», lo cual significaría que todos nuestros primeros dramas tienen, por lo menos, dos o más lunares. Ruiz Morcuende, que también ve en este drama, magníficamente editado por él, «uno de los más acendradamente espléndidos de nuestra literatura», escribe «*Del rey abajo, ninguno,* refleja insuperablemente el pensamiento de los españoles de los siglos XVI y XVII» [48]. Admitiendo como verdad absoluta esta afirmación, es necesario tener en cuenta que en un dramaturgo lo insuperable debe ser, no sólo el reflejo «del pensamiento», ni primordialmente, sino el reflejo *dramático* de... la vida humana, en cualquiera de sus formas históricas.

Del rey abajo, ninguno, es un drama de grandes calidades, con escenas de superior intensidad trágica o lírica, pero no una obra maestra del teatro.

El Caín de Cataluña, de la que afirma Sainz de Robles, entusiasta voceador de cumbres, «ser la cumbre trágica del teatro español de la época», es una tragedia superficial, efectista e insuficiente, tanto en nivel, profundidad y caracteres trágicos como en construcción dramática. Precisamente es esta pieza un claro ejemplo de los defectos del Rojas trágico. En parte, esos defectos tienen su origen, como en casi todos los trágicos del siglo XVI, en la búsqueda del efectismo y de la ejemplaridad moral, impuestas y no nacidas de la misma acción, y en la insuficiente profundización de los caracteres, que responden a esquemas abstractos, bastante simplistas, y no a rasgos esenciales del hombre y su destino, individualizados en situaciones concretas, en donde se exprese «la vivencia de la totalidad de la vida», según frase certera de Lukács. De otra parte, esos defectos tienen su raíz en el mismo proceso de creación de la obra teatral, en donde se da mayor importancia a la intriga que a la acción, resul-

[48] Prólogo a su edición de la pieza de Rojas Zorrilla, *Teatro,* Madrid, Espasa-Calpe, Clásicos Castellanos, 35, 1944, pág. XLIII.

tando más decisivos para la estructura de la tragedia los lances que las situaciones. El dinamismo de estas tragedias se origina, así, en las peripecias —siempre exteriores y accidentales—, y no en la misma acción ni en los caracteres. Lo que sucede en el drama podría muy bien no suceder o suceder de otra manera, porque no existe relación sustantiva ni necesaria, dramáticamente, entre lo que los personajes son y lo que hacen.

El conflicto, en *El Caín de Cataluña,* nace de la envidia de Berenguel (Caín) a su hermano Ramón (Abel), hijos del conde de Barcelona. Berenguel es el segundón y Ramón el primogénito. La envidia nace tanto de resentimiento social como de mala condición personal. A medida que avanza la tragedia caracteres y conflicto muestran la ingenua simplificación que los sustenta: Berenguel es el malo por excelencia y Ramón el bueno por antonomasia. Y así Berenguel no obrará más que maldades y Ramón sólo sabrá ser bueno. Berenguel será mal hermano, mal hijo y mal esposo. Una intriga amorosa ocupará el centro de atención del dramaturgo y del espectador, intriga en la que tendrán papel decisivo dos graciosos, cuya rivalidad ocupará tanto espacio y tiempo como el de los hermanos protagonistas. Los enredos de los graciosos y las intrigas de amor culminarán en la muerte de Ramón por Berenguel. Muerto Ramón, Berenguel, cuando se le pregunta por su hermano, responde, mecánicamente, como el Caín bíblico, sin haber alcanzado nunca ni la grandeza ni la fuerza trágica de Caín. El último acto tendrá como núcleo de la acción esta pregunta: ¿un padre que es, además, juez, deberá castigar al hijo homicida o perdonarlo? El conde de Barcelona, dudoso entre ser padre o juez, aunque sin entrañar el conflicto ni vivirlo en el modo radical de la tragedia, matará dos pájaros de un tiro: lo condenará como juez, según pide el pueblo y la justicia, y le dará al hijo las llaves de la torre donde lo ha encerrado, para que escape. Como la tragedia tiene que terminar ejemplarmente un guardia, por error, matará a Berenguel cuando éste escale el muro del jardín.

Del Rojas trágico quedarán escenas y parlamentos sueltos y, sobre todo, intenciones, pero no realizaciones válidas dramáticamente, que es lo que importa en el arte. Rojas será ese dramaturgo que esboza el ademán trágico, sin llegar a completarlo. No dudo que haya «comprendido la dignidad del coturno trágico», pero le faltó demostrárnosla con tragedias vivas, que es, en definitiva, lo decisivo. ¿Se lo impidió la muerte? Nunca lo sabremos.

Rojas, cómico

En cambio, como creador de mundos cómicos, Rojas no se queda en el ademán ni en la intención prometedora, sino que consigue espléndidas realizaciones. Su sentido para lo grotesco, sus dones de preciso observador de los aspectos cómicos de la realidad, su habilidad para tramar enredos, su capacidad de síntesis en la plasmación de situaciones, la riqueza de sus análisis psicológicos, el dominio de la mecánica teatral, y su palabra dramática rica de equívocos y de agilidad, hacen de él un magnífico comediógrafo. Posiblemente el rasgo fundamental de su genio cómico sea su poderosa capacidad de abstracción cómica que, partiendo de situaciones e individuos de la realidad circundante, desemboca en la creación de tipos, universales como tales tipos, concretos como tales individuos. Ejemplo de esto son su don Lucas y don Luis de *Entre bobos anda el juego,* «primera comedia de figurón conocida», como escribe Ruiz Morcuende. Estas dos «figuras» o tipos son, sobre todo el primero, dos de las grandes creaciones cómicas del teatro español, a la que se unirá, más tarde, el estupendo «lindo» don Diego, de Moreto. Como es de rigor en la configuración del tipo, los rasgos exteriores del don Lucas de Rojas serán esenciales al personaje, y no puramente accidentales. Don Lucas de Cigarral, según escribe el «gracioso» Cabellera:

> es un caballero flaco,
> desvaído, macilento,
> muy cortísimo de talle,
> y larguísimo de cuerpo;
> las manos, de hombre ordinario;
> los pies, un poquillo luengos,
>
> ....
>
> zambo un poco, calvo un poco,
> dos pocos verdimoreno,
> tres pocos desaliñado,
> y cuarenta muchos puerco...

Don Lucas, caricaturesco y ridículo, astuto e ingenuo, interesado y puntilloso, engañado desde el comienzo al fin de la comedia, sabrá levantarse por encima de la acción vivida en la pieza, convirtiendo su derrota en victoria. Derrotado cono galán y presunto marido de la bella Isabel, triunfará como tipo cómico, idéntico siempre a sí mismo.

En esta o en otras comedias, como en *Donde no hay agravios no hay celos,* Rojas consigue unir, para dar profundidad a su mundo cómico, el rasgo patético con el rasgo bufonesco. Como don Lucas, los mejores héroes cómicos de Rojas pasan del tipo a la persona, y de ésta a aquél, en una oscilación que es la raíz, no sólo de la profunda comicidad del personaje, sino de la densidad misma del mundo cómico configurado por el dramaturgo.

2. Moreto, o el triunfo de la abstracción cómica

Moreto es, cronológicamente, el último de los grandes dramaturgos del teatro barroco español. Una anécdota, citada siempre para mostrar la dependencia de Moreto respecto a la herencia teatral recibida, y para señalar sus procedimientos de construcción de la pieza teatral, nos parece suficientemente significativa para traerla a colación. Jerónimo de Cáncer, secretario de la Academia Castellana, entidad literaria a la que pertenecía Moreto, escribe en su *Vejamen:* «... reparé que don Agustín Moreto estaba sentado; y revolviendo sus papeles que, a mi parecer, eran comedias antiquísimas, de quien nadie se acordaba, estaba diciendo entre sí: 'ésta no vale nada. De aquí se puede sacar algo. Este paso puede aprovechar.' Enojéme de verle en aquella flema cuando todos estaban con las armas en las manos, y díjele que por qué no iba a pelear como los demás, a lo que me respondió: 'Yo peleo aquí más que ninguno, porque aquí estoy minando al enemigo.' 'Vuesa merced —le repliqué— me parece que está buscando qué tomar de esas comedias viejas.' 'Eso mismo —me respondió— me obliga a decir que estoy minando al enemigo; y échelo de ver en esta copla:

> que estoy minando imagina
> cuando tú de mí te quejas,
> que en estas comedias viejas
> he hallado una brava mina'».

Lo significativo en esta anécdota no es el hecho, sistemático en Moreto, y habitual en todos los demás dramaturgos contemporáneos, de entrar a saco en las comedias ajenas, buscando fuentes de inspiración, argumentos, escenas y personajes, sino la actitud, a la vez crítica y distanciada, de Moreto respecto al teatro anterior, el de Lope, Guillén de Castro, Mira de Amescua, Tirso de Molina... Ese teatro anterior, esas comedias viejas «de quien nadie se acordaba», se ha convertido para Moreto en material de trabajo, aprovechable o no aprovechable, material mostrenco al que es necesario poner al día, dándole forma y sentido nuevo, acordes con la nueva sensibilidad. Esa anécdota revela, pues, no sólo el valor del plagio como método de trabajo, sino la conciencia crítica del «nuevo» dramaturgo, el hecho aceptado de la distancia que lo separa de lo anterior.

Moreto cultiva distintos géneros de «comedia» que van desde la «comedia de santos» a la comedia de «figurón», pasando por la de intriga o de costumbres. Sus dos obras maestra son *El lindo don Diego* y *El desdén con el desdén,* que son, precisamente, las dos piezas en que Moreto ha llevado a su mayor perfección el proceso de *actualización formal* del material recibido. No se trata, simplemente, de una refundición, sino de una radical revitalización, de una original recreación dramática. Moreto no copia, no repite, como hará la nube de refundidores de fines del siglo XVII y principios del XVIII, sino que crea, hace teatro nuevo, original, como lo hará Terencio, a quien se le ha comparado, con el teatro aristofanesco.

Lo creado por Moreto en estas dos piezas suyas no es un argumento, ya preexistente y del que parte, sino un universo dramático inédito: el de la pieza *(El lindo don Diego* o *El desdén con el desdén)* por él configurada, a la que constituye en entidad dramática inexistente antes. Ni el mundo, como tal mundo dramático, ni los personajes, ni las situaciones de *El desdén con el desdén* son el mundo, los personajes ni las situaciones de *Los milagros del desprecio* y *La vengadora de las mujeres,* de Lope, fuentes de la obra moretiana, ni los de *El lindo don Diego* son los de *El narciso en su opinión,* de Guillén de Castro. No se trata de una simple superación del modelo, en el sentido de la conocida frase «robo seguido de asesinato», que legitima el plagio, sino de un cambio de sustancia, en el mismo sentido de transustanciación de la realidad bruta operada en la obra de arte, con la particularidad de que aquí la realidad bruta es otra obra de arte.

¿Cuáles son las cualidades definitorias del mundo cómico creado por Moreto en sus dos obras maestras? Creo que pueden esquematizarse así: 1) abstracción cómica de la realidad individualizada genéricamente en una «figura» o «tipo» teatral, protagonista y motor de la cción. 2) La comicidad de las situaciones dramáticas no se origina, primariamente, en la intriga, sino en el «tipo», en torno al cual se radicaliza la intriga. 3) La intriga y sus personajes sólo existen para hacer patente el «tipo». Su función consiste en posibilitar la explicación de las virtualidades del «tipo», suministrándole ocasiones para ello. 4) Las situaciones que van configurando la acción ponen al desnudo los dos sistemas de valores enfrentados por el dramaturgo. 5) El puente o lazo de unión entre ambos sistemas está encomendado al gracioso, que adquiere máxima importancia como personaje dramático y dignidad máxima como persona del drama. Como personaje, porque es más que «figura del donaire» y más que contrafigura del galán, como persona del drama porque actúa decisivamente sobre el destino de las otras «dramatis personae», en virtud de sus dones personales: inteligencia, experiencia de la vida, audacia y conocimiento del corazón humano.

En *El lindo don Diego* la situación inicial es bien conocida. Doña Inés, que ama a don Juan y es amada por él, deberá casarse con don Diego, su primo, porque así lo ha decidido el padre. La importancia de esta situación en la estructura de la comedia no reside en la puesta en relieve de la relación autoritarismo paterno-obediencia filial. Esa relación, temáticamente tópica en el teatro del Siglo de Oro, sirve de ocasión a la presentación del tipo: el lindo don Diego. Presentación, primero indirecta, por boca del gracioso Mosquito, que sirve para preparar la entrada del «lindo». Don Diego es, como personaje, el resultado de la abstracción cómica de una realidad social, la propia del «lindo» (el petimetre del siglo XVIII), individualizada genéricamente en él. Don Diego es, como tipo universalmente válido, «el lindo» y como individuo aquel cuya historia nos cuenta el dramaturgo. La intriga, cuyos distintos lances tienden a evitar la boda de don Diego con doña Inés, se anuda y desanuda mediante situaciones cuya causa final es don Diego. Cada situación, pensada, desde el nivel de la intriga, para impedir la boda, funciona, desde el nivel de la estructura dramática, para poner en movimiento, es decir, en acción, todas las características contenidas virtualmente en el tipo cómico de don Diego. Los dos mundos enfrentados en el drama son, de un lado, el constituido dialécticamente por el padre y la hija (autoritarismo-obediencia) y por la hija y su amante (amor); del otro, por don Diego. Don Diego, cuyo narcisismo es absoluto, no se rige por ninguna de las normas que regulan la conducta social del caballero: ni el sentimiento del honor, ni la dignidad personal, ni la cortesía hacen mella en él. El vencimiento de don Diego quedará encomendada al gracioso, quien, actuando con entera libertad y ajeno al sistema de valores que rigen el mundo social del galán y de la dama, derrotará al «lindo» del único modo posible: sirviéndose de la vanidad de don Diego. El engaño del gracioso servirá, en una sucesión de escenas de gran comicidad, para actualizar los contenidos psicológicos del tipo cómico virtualmente patente en la presentación indirecta del primer acto.

En *El desdén con el desdén* Moreto realiza una curiosa transposición del mito de Diana, la diosa que, encerrada en el bosque de su castidad, se aparta del hombre, al que desprecia. La Diana de Moreto será lo que hoy llamaríamos una «intelectual» que, movida por su amor al estudio y estribada en la conciencia del valor de su inteligencia, encuentra razones para despreciar al hombre y oponerse al amor. Los galanes que pretenden su amor se comportarán de modo radicalmente distinto al habitual en el tipo de galán de la «comedia».

En lugar de rivalidad y celos, desafíos y susceptibilidad, regirá sus relaciones el más puro de los espíritus deportivos. La conquista y rendimiento de la desdeñosa y esquiva dama será vivido en espíritu «fair play». La derrota final de Diana como tipo será su triunfo como mujer. La feminidad acabará rompiendo la máscara cómica del tipo. La pieza teatral girará en torno a esa lucha, que constituye al personaje, entre feminidad e intelectualidad. A lo largo de la obra se desarrollará, con fina dialéctica dramática, algo así como un curso de teoría del amor donde late ya, en palabra, ademán y gesto, un sutil ambiente de salón dieciochesco. Los lugares de la acción —jardín, gabinete, salón— están más cerca del ordenado primor del espacio teatral del rococó que del abundante desorden del espacio teatral barroco.

En el mundo cómico de Moreto son más decisivos el fino análisis introspectivo, la abstracción de la realidad y la meticulosa estructura del esquema dramático, que la fuerza, la riqueza y la vitalidad de la acción y de los caracteres.

VI. El auto sacramental

1. Introducción

Siempre resulta arriesgada y, a la postre, parcial, por incompleta, la definición de un género literario. Del auto sacramental se han dado varias definiciones con intención de captar su esencia o de destacar alguno de sus aspectos o caracteres fundamentales. Bruce W. Wardropper, en su libro *Introducción al teatro religioso del Siglo de Oro* [49], libro capital sobre la historia de la evolución del auto sacramental desde sus orígenes hasta 1648, reúne varias de esas definiciones. La primera de ellas es la muy conocida de Lope de Vega:

> Y ¿qué son autos? —Comedias
> a honor y gloria del pan,
> que tan devota celebra
> esta coronada villa,
> porque su alabanza sea
> confusión de la herejía
> y gloria de la fe nuestra,
> todas de historias divinas.

[49] Madrid, Revista de Occidente, 1953.

Por su parte, Calderón, en su mejor definición del auto sacramental, escribe:

> Sermones
> puestos en verso, en idea
> representable cuestiones
> de la Sacra Teología,
> que no alcanzan mis razones
> a explicar ni comprender,
> y al regocijo dispone
> en aplauso de este día.

Como escribe Wardropper: «En las definiciones de Lope y Calderón se aíslan y describen los rasgos principales del género. Los críticos posteriores sólo tuvieron que añadir algunos detalles.»

Valbuena Prat, que junto con Alexander A. Parker figura entre los más importantes críticos e historiadores del auto sacramental, sobre todo calderoniano, escribía en 1924 una definición que alcanzó gran prestigio y cuya formulación actual es: «una obra en un acto, alegórica y referente al misterio de la Eucaristía».

Parker, en su libro *The Allegorical Drama of Calderon* [50], insistiendo en la distinción calderoniana entre el «asunto» y el «argumento» de un auto, escribe, sin querer dar una definición: «El *asunto* de cada auto es... la Eucaristía, pero el *argumento* puede variar de uno a otro: puede ser cualquier 'historia divina' —histórica, legendaria o ficticia—, con tal que arroje algo de luz sobre alguna faceta del *asunto*» [51].

Ordenemos en apretada síntesis, siguiendo a los críticos antecitados, algunos de los elementos capitales del auto sacramental en tanto que género dramático y fenómeno teatral rigurosamente hispano.

Marco festival

La representación del auto sacramental formaba parte de la celebración de la festividad del Corpus Christi, que de costumbre local pasó a ser universal en la segunda mitad del siglo XIII por expresa declaración del Papa Urbano IV. El «centro vital del día» (Wadropper) lo constituía la procesión, celebrada con extraordinaria pompa, y en la cual era excepcionalmente importante, por su relación con el drama, su simbolismo. El Corpus Christi era, a la vez, «una fiesta

[50] Oxford-Londres, 1943.
[51] Cito por la traducción española del capítulo de Parker publicada en *Escorial,* Madrid, abril 1944, págs. 163-219.

solemne y alegre». (Ídem.) «En las procesiones, pues, el santo pavor ante el milagro de la transustanciación se mezcla con expresiones de alegría por la gracia de la redención perpetua concedida por Dios a través de la Sagrada Hostia, elemento principal de la procesión. Las dos emociones difícilmente pueden compenetrarse. En la práctica quedan separadas e imprimen en la procesión el contraste medieval entre lo sublime y lo grotesco. Después de arrodillarse humildemente cuando la Hostia pasaba delante de sus ojos, los espectadores, en tiempos de los autos, se entregaban a la risa o al desenfado cómico al ver la tarasca (figura fantástica y grotesca, 'medio sierpe y medio dama', según Quiñones de Benavente)... Según los entendidos, tendría algún sentido alegórico, por no decir sacramental. Era el signo visible de lo invisible.» (Ídem.) En ese marco festival, en donde lo religioso y lo profano se fundían en extraña y pintoresca simbiosis, tenía lugar la representación de los autos sacramentales.

La representación

Si en un principio se representaban los autos en el interior del templo o ante el pórtico de la iglesia, ya en el siglo XVII solían representarse en la plaza pública utilizando carros, cada vez más perfectos y complicados, que trasladaban decorados, actores y vestuarios hasta el lugar (o lugares) donde estaba montado el tablado, que llegó a alcanzar hasta casi veintitrés metros de largo, y al cual se ensamblaban los carros. Según Wardropper, al que seguimos, «había en la capital dos de estos carros grandes en la primera mitad del siglo XVII, y en la segunda mitad cuatro». «Los carros pertenecían al Ayuntamiento.» «A veces eran estructuras muy complejas», especialmente en tiempos de Calderón, cuyas acotaciones escenográficas nos parecen hoy de complicadísima y difícil ejecución técnica.

El vestuario de los actores llegó a adquirir un lujo y una fastuosidad inusitada, pues, era costumbre tradicional del Corpus «vestir a los comediantes siempre de trajes nuevos y costosos», dignos del drama divino que se representaba. Al empezar el siglo XVII era costumbre que el autor (o empresario) de la compañía nombrada para hacer los autos pagara la cuenta de la modista, y que los trajes se renovasen todos los años.» Los gastos de vestuario debieron de ser, pues, muy costosos. Esto, sin embargo, debió de dar al espectáculo teatral una noble riqueza de colorido y un subido valor estético del que el espectador obtendría un intenso placer para los ojos.

Las representaciones estaban sometidas a una minuciosa reglamentación que obligaba a los municipios a hacer prodigios de organización para que el espectáculo transcurriera según las normas establecidas.

Si «en Castilla es verosímil que los primeros actores de los autos y farsas sacramentales eran sacerdotes», ya a partir de la segunda mitad del siglo XVI fueron actores profesionales, quienes, superiores a los aficionados, pronto se los consideró imprescindibles. «Es probable —sigo citando a Wardropper— que fuera por sus excelentes servicios en los autos sacramentales por lo que los actores españoles gozaran siempre de buena fama entre las autoridades eclesiásticas», lo cual explicaría que no se los persiguiera, «como en otros países de Europa, por su manera de ganarse la vida» y que se tolerase en España «la salida de mujeres al tablado». Cierto es que muchos criticaban el que los comediantes, que llevaban una vida no muy moral, interpretaran papeles divinos en los autos. Sin embargo, hay testimonios de conversiones fulminantes de actrices que de las tablas, por influencia del papel sacro que representaban, pasaran al convento. El caso más resonante, dramatizado luego por varios dramaturgos, fue el de la conversión de la actriz Francisca Baltasara.

Un problema que ha llamado la atención de todos los investigadores ha sido el de la asistencia masiva del público, sin distinción de clase ni educación, a la representación de los autos sacramentales. Siendo éstos complejas construcciones intelectuales que exigían conocimientos teológicos nada comunes en el pueblo espectador —pues pueblo era y no público especializado— asombra el entusiasmo y la asistencia masiva al espectáculo sacro-dramático. Ya vimos al estudiar a Sánchez de Badajoz cómo el dramaturgo educaba a su público para ver correctamente el espectáculo. Pero las farsas sacramentales del dramaturgo extremeño eran de una gran simplicidad de contenido comparadas con las piezas sacramentales de Calderón, por ejemplo. «La teoría del 'pueblo teólogo' —escribe Wardropper— es la única que se ajusta a los hechos históricos.»

Pero creemos que no hay que olvidar la importancia de la experiencia que ese público de las fiestas barrocas, donde tan usual era el uso de la alegoría, generalmente muy complicada, incluso en la pura ornamentística, tenía del lenguaje alegórico visualizado en adornos y emblemas [52]. Ni tampoco hay que olvidar la fascinación que para los sentidos y la imaginación tenían el montaje teatral (escenografía, vestuario, música, tramoya) y la magia rítmica del verso y de la declamación, así como el gusto de ese público popular por el sensacionalismo (apariciones y desapariciones de personajes divinos y diabólicos) y por los milagros. Si, además, pensamos que la representación de los autos sacramentales estaba inclusa en un marco festival en la que el pueblo tomaba parte activa, poseído por el espíritu

---

[52] Ver Richard Alewyn, *L'univers du Baroque,* París, Gonthier, 1959.

radical de la fiesta, en el sentido más absoluto de ésta, la teoría del «pueblo teólogo» no es más que una parte de lo que podríamos llamar la teoría de la «fiesta total», que moviliza en el espectador, en tanto que masa y en tanto que individuo, la totalidad de sus disponibilidades para el espectáculo, que es diversión y acto cultural, solemnidad religiosa e ilusión teatral. En este aspecto —unión de lo religioso y lo festivo— el público español del auto sacramental podría ponerse en relación psicológica con el público del teatro griego.

El sentido alegórico

Ya Valbuena Prat, en su definición del auto sacramental, recalcó la importancia de la alegoría como elemento caracteriológico del auto. Y como han demostrado Parker y Wardropper la alegoría es, práctica y teóricamente, la condición *sine qua non* de la comunicación dramática de la materia sacramental, esencial en la estructura del contenido del auto. Para que el dramaturgo pueda comunicar al público los contenidos teológicos del auto sacramental y, aún más, para que pueda convertir en categoría dramática, en drama, la teología sacramental, núcleo y síntesis de toda la teología católica, no dispone de otro procedimiento de transposición que el propio de la técnica alegórica. Como acertadamente escribe Wardropper, «cualquier tratamiento literario de los sacramentos... tiende a emplear el mismo leguaje que la teología sacramental: el de los signos, o sea, la alegoría». Y añade después: «Desde el momento en que el dramaturgo se propone escribir una pieza sobre un tema dogmático, más bien que sobre uno histórico, nacen en su fantasía personajes alegóricos.» He aquí, por su parte, lo que escribe Parker: «El dogma de la Redención comprende varias ideas: la pérdida de la gracia por el hombre, su sujeción al pecado, su imposibilidad de reconquistar el favor de Dios por sus propios medios; lo inadecuado, por tanto, del judaísmo y de toda otra religión precristiana como medio de salvación; la Encarnación; el sacrificio propiciatorio por Cristo. Por tanto, para que el dogma pueda ser dramatizado, la humanidad, la gracia, Satán, el pecado, el judaísmo, el paganismo y Dios mismo habrán de convertirse en personajes dramáticos.» Es decir, concluye Wardropper, «la estructura alegórica del auto sacramental armoniza perfectamente con la naturaleza del mundo de los sacramentos».

De otro lado, la transposición alegórica del mundo sacramental conlleva, como reflejo obligado, la atemporalización propia del auto sacramental, cuya «historia» dramática transcurre fuera de todo tiempo histórico. «Los poetas de los autos sacramentales (Wardropper) comprendían perfectamente la independencia del tiempo histórico que caracteriza el sacramento cuando desechaban en sus obras las convenciones de la historia, cosa que ignoran los críticos neoclásicos cuando se burlan de los anacronismos del género sacramental.» A lo que hay que añadir que esos críticos neoclásicos —Moratín a la cabeza— desconocieron, por un falso e inadecuado sentido de lo real, el simbolismo poético del auto sacramental que instauraba un *realismo simbólico* de la más pura calidad poética.

Parker ha señalado también distintos simbolismos en el auto sacramental calderoniano: «el simbolismo pictórico», «la utilización simbólica de la escenografía» y «el simbolismo expresado por medio de la agrupación y movimiento de los personajes».

La tesis de Marcel Bataillon

El ilustre hispanista francés, en un artículo memorable [53], atacó la tesis tópica de que el auto sacramental había nacido como arma de la Contrarreforma para luchar contra la herejía protestante. En este artículo mostró, de una vez para siempre, que el auto sacramental no surgió como arma antiprotestante, sino como un fruto directo e inmediato de la Prerreforma y Reforma católica española. Al mismo tiempo, señaló la importancia del auto sacramental en el desarrollo del teatro profano. Al final de su artículo escribía estas palabras que me parece importante citar:

> ... no habrá verdadera historia del auto sacramental mientras se razone acerca de las variedades del teatro religioso español desde un punto de vista meramente formal, o nos contentemos con invocar en bloque el sentimiento religioso del pueblo español y de sus dramaturgos. Es toda una política de los espectáculos lo que será preciso mostrar en acción, en el caso particular del Corpus, manteniendo la balanza equilibrada entre la sed popular de diversiones y las exigencias austeras del espíritu reformador. Es a toda la organización económica del teatro a la que habrá que pedir razón no sólo de la importancia tomada por el auto sacramental, sino también de la prodigiosa floración del teatro profano. Cada uno de estos dos desarrollos está al nivel del otro. No tienen parangón en la Europa de su tiempo... El auto sacramental (...) es una de las claves de la historia de ese doble teatro profano y religioso.

[53] Publicado en *Bulletin Hispanique,* XLII, 1940, págs. 193-212, reimpreso en *Varia lección de clásicos españoles,* Madrid, Gredos, 1964, págs. 183-205.

2. El auto sacramental en Lope y su ciclo de dramaturgos

Antes de llegar a manos de Lope el auto sacramental recorre un largo camino evolutivo en el que se va configurando como pieza propiamente sacramental, perdiendo caracteres dramáticos y de contenido que le son accidentales y adquiriendo y desarrollando aquellos que le darán su perfil definitorio. Wardropper, guía imprescindible en toda faena de describir esquemáticamente tal evolución, rastrea los orígenes del auto sacramental en las representaciones pastoriles de Juan del Encina y Lucas Fernández, estudiando después sus avatares en Diego Sánchez de Badajoz, en los dramas sacramentales anónimos de la segunda mitad del siglo XVI y en Juan de Timoneda, para seguir su historia en Lope y su ciclo de dramaturgos y en Valdivielso, hasta el momento en que Calderón da comienzo con sus autos a la etapa de plenitud, llena de obras maestras, de la pieza sacramental.

He aquí las conclusiones de Wardropper, que no pondremos entre comillas, avisando desde ahora que le seguiremos literalmente.

Los primeros gérmenes del auto sacramental se encuentran en un tipo especial de pieza pastoril navideña de principios del siglo XVI a la que se le han añadido modificaciones para realizar determinados propósitos eucarísticos. En ellas están contenidos los gérmenes del auto sacramental: atemporalidad, tipos universalizados, un mundo sobrenatural, el cumplimiento de profecías, reflejos litúrgicos.

La primera pieza del Corpus en que se encuentran temas eucarísticos, una figura alegórica y discusión dogmática es la anónima *Farsa sacramental* (1521), que, aunque dista mucho de ser un auto sacramental, representa una etapa importante en el desarrollo del género eucarístico.

Se llega a otra etapa significativa en la *Recopilación en metro,* de Diego Sánchez de Badajoz, quien combina en una serie de farsas diversas todos los elementos esenciales que encontramos en los autos sacramentales posteriores. Su habilidad alegórica no sólo en crear caracteres, sino también en inventar argumentos, puede compararse con la de los grandes poetas del siglo siguiente. Pese a sus posibilidades es posible que Diego Sánchez no escribiera nunca una pieza alegórica para el Corpus. La *Farsa de la Iglesia,* si es verdaderamente eucarística, podría ser la realización de su talento oculto de autor sacramental; pero como la pieza carece de trascendencia no sirve para impulsar el movimiento hacia la fórmula sacramental.

Las composiciones del *Códice de autos viejos* son, en general, inferiores a las de Sánchez de Badajoz. Sus desconocidos autores siguen marchando en la dirección señalada por el extremeño: alegorizan la pieza del Corpus e intensifican la parte dogmática. La unión de la alegoría con la pieza navideña ya está consumada.

Es al valenciano Timoneda a quien le toca depurar y regularizar las obras anónimas, poco refinadas estéticamente, y perfeccionarlas conforme a los cánones artísticos del Renacimiento. Demuestra lo que puede un escritor profesional con una forma literaria tosca y desigual. Después de Timoneda es natural que un autor con experiencia teatral se encargue de las representaciones del Corpus.

En Castilla el auto pasa a manos de los grandes dramaturgos profanos: Lope, Tirso, Vélez, Mira. Cada uno aplica su talento dramático y su experiencia de autor teatral a los nuevos problemas creados por los autos. Sin embargo, pocos debían de sentir una verdadera vocación para escribirlos. Aun Lope de Vega, el mejor de ellos, da cierta impresión de intranquilidad. No siempre logra amoldar su genio a la limitación espacial y temática de los autos. Con todo, la mayoría de edad del teatro eucarístico corresponde a esta época de profesionales. Las ciudades principales compiten entre sí para conseguir los servicios de los mejores escritores y empresarios. En Madrid, donde era municipal la celebración del Corpus, se convierte en nacional. Desde este momento la suerte del auto sacramental queda vinculada a la del teatro profano. La prosperidad y la solvencia económica del uno dependen del otro; las modas estilísticas y técnicas son parecidas en los dos géneros teatrales.

Aunque Lope escribió un crecido número de autos, muchos de ellos perdidos, no es en este género dramático donde consigue sus mejores obras. Como escribe Valbuena Prat, «el auto, en manos de Lope, aunque supone un gran esfuerzo respecto a sus antecesores en riqueza poética, no tiene trabazón suficiente en sus partes... Los autos de Lope suelen componerse de escenas sin íntima estructura dramática, en la que la alegoría no se hermana con la inspiración poética y el sentido humano de los personajes; en que el sentimiento se impone a la idea...» Los autos de Lope interesan, especialmente, por la belleza lírica de algunas escenas o por la intensidad dramática de algunos fragmentos y, claro está, por el nivel poético del lenguaje. Pero fracasa en muchos de sus autos a causa del imperfecto uso de la técnica alegórica. Como observa Wardropper, «Lope maneja mejor la alegoría cuando la encuentra ya hecha, sea en las invenciones de Jesucristo, sea en el simbolismo abundante de la poesía hebrea, sea en la adaptación directa de temas populares... Rara vez se aventura a subir a regiones alegóricas remotas de las fuentes predilectas. Cuando lo hace... produce una alegoría extravagante e inaceptable». Su mejor auto, precisamente por su fino lirismo y su sencillez alegórica, es, según consenso general de los críticos, *La siega.*

De los cinco autos que se le atribuyen a Tirso, sólo dos, según

Wardropper, merecen el título de auto sacramental: *El colmenero divino* y *Los hermanos parecidos*. Ninguno de ellos es una obra maestra del género. Tirso «no avanzó en el auto sacramental por no comprenderlo, por confundirlo con la comedia divina. El punto central de los autos no es el hombre, sino un hombre, sea santo o pecador. Sólo el talento dramático de Tirso —estructura compacta, lenguaje conceptista, conciencia social— distingue sus obras eucarísticas de las de sus predecesores». Las bellezas que poseen algunos fragmentos de *El colmenero divino,* ya destacadas por Valbuena Prat, entre otros, hay que cargarlos a la cuenta del gran poeta dramático que era Tirso y no del autor de piezas sacramentales.

Considera Valbuena Prat que «el tipo de auto en Mira es el que, en general, domina en la época de Lope. La trama es sencilla, no hay absoluta compenetración del símbolo con lo representado y no responde el desarrollo de la acción a la magnitud de la idea». En sus autos se pueden encontrar los mismos defectos que en sus dramas: falta de unidad y exceso de episodios accidentales. Comparándolo con sus contemporáneos ve Valbuena en Mira «una mayor seguridad teológica, un deseo por unir la alegoría con la historia, y hasta un cierto empleo de algunas personificaciones que han de quedar en el *auto tipo*». Su papel en la historia del género sacramental no pasa de ser la de un precursor del auto calderoniano. Como concluye Wardropper, «es un puente entre los dos mayores dramaturgos del Siglo de Oro... Es importante como precursor, no como creador.»

El autor más interesante de piezas sacramentales en la etapa precalderoniana es Josef de Valdivielso, cuya importancia ha sido puesta de relieve por Wardropper, quien en el capítulo XIX de su libro, profusamente citado en las páginas anteriores, analiza espléndidamente los autos del sacerdote toledano.

Sus *Doce autos sacramentales y dos comedias divinas* fueron publicados en Toledo en 1622, diez años antes de que Calderón escribiera su primer auto sacramental. Valdivielso, que fue muy amigo de Lope y de Cervantes, que sólo trató temas religiosos, tanto en su teatro como en su poesía, gozó de gran fama en su tiempo como escritor de autos sacramentales.

Para Wardropper, «aun cuando en ciertos aspectos —el uso de la poesía y juegos y danzas tradicionales, la versión a lo divino de elementos profanos, la belleza lírica...— el teatro de Valdivielso puede colocarse al mismo nivel que el de Lope, su destreza y alcance como poeta, como dramaturgo y como evangelista, resultan tan superiores a los del Lope de los autos que logra hacer lo que Lope no puede: desarrollar una de las fórmulas perfectas para el drama eucarístico».

He aquí algunas de las notas de la obra de Valdivielso destacadas y estudiadas por Wardropper:

1. Repristinación del sentido de las expresiones y experiencias de los escritos religiosos, a las que da una explicación universal. «Una frase o situación usada en cierto contexto específico de la Biblia, en manos de Valdivielso, se adapta a un contexto nuevo, de resultas de lo cual una frase que se marchitaba por exceso de familiaridad no sólo vuelve a adquirir su significado primitivo perdido, sino también un sentido nuevo que depende de la nueva situación a la cual ha sido trasladada.»

2. Impregnación del lenguaje y de los ritmos bíblicos «que contribuyen a hacer resaltar la significación poética del asunto».

3. Su concepto de Jesucristo, que no es ya el Cristo justiciero de las piezas del siglo XVI, sino el Dios de misericordia y de amor, que «se parece más al de los Evangelios, al Cristo que perdona siempre y que encomienda a sus discípulos que hagan igual... En Valdivielso, Cristo está siempre predispuesto a perdonar; lo único que hay que hacer es pedirle perdón». «Valdivielso es un escritor ascético. Como resorte dramático se vale más bien de la vida devota que de la especulación teológica.»

4. «El estilo poético inimitable.» «Uno de sus grandes méritos es que sabe recurrir a todas las modas poéticas de su tiempo y dominarlas todas.»

5. Su maestría en el uso de la técnica alegórica. «La alegoría de Valdivielso es mucho más compleja que la de sus contemporáneos. Cada situación, cada pormenor, rebosan de significación espiritual. No hay una palabra superflua. Extrae de su ficción todo el jugo religioso. Su originalidad consiste en intensificar la alegoría, que, dejando de ser una convención literaria, se convierte en medio de convicción intelectual y sentimental.»

6. Su maestría en la construcción dramática del acto único del auto sacramental, en virtud de un poderoso instinto de economía dramática. «... la acción para él es un proceso continuo que conduce inevitablemente a una crisis final resuelto por la Eucaristía. En la acción hay unidad: no admite detalles ni palabras extraños; explota plenamente las situaciones sin ceder a la tentación de multiplicarlas indebidamente».

Al comparar el arte de Valdivielso con el de Calderón escribe Wardropper: «El drama eucarístico de Valdivielso llega a la cumbre de la perfección... Calderón sólo puede elevar más el género cambiándole, hasta cierto punto, la esencia. Los autos de los dos máximos exponentes son dos especies distintas del mismo género.» Y concluye: «Si Calderón es un teólogo dramático, Valdivielso es un asceta dramático.»

Creemos, sin embargo, que la diferencia entre ambos dramaturgos no es sólo una diferencia de solución al problema estético del auto sacramental, sino una diferencia de *nivel simbólico,* mucho más profundo y de más radical trascendencia, tanto poética como dramática, en Calderón que en Valdivielso. El mismo Wardropper reconoce que Calderón «produce una fórmula nueva de una envergadura inconcebible en tiempo de Valdivielso».

Lo que es indudable es que la lectura de sus autos sacramentales, especialmente los cuatro mejores *(El hospital de los locos, El hijo pródigo, El peregrino* y *La amistad en peligro)* constituye una apasionante experiencia para el lector de teatro del siglo XX. Me permito recomendar a ese lector un curioso experimento: leer un drama a continuación del otro, el *Marat-Sade,* de Peter Weiss y *El hospital de los locos,* de Joséf de Valdivielso.

3. Calderón y la plenitud del auto sacramental.

Los autos que con toda seguridad, según Valbuena Prat, pertenecen a Calderón son unos setenta. De ellos en nuestro tiempo apenas si se representan, más o menos esporádicamente, media docena. ¿Acaso —como escribe Micheline Sauvage [54]— el público contemporáneo ha perdido la sensibilidad teatral para el auto sacramental? ¿Acaso la complejidad intelectual y lo abstruso de las síntesis teológicas calderonianas exigen del público actual una estructura mental que ya no posee y un esfuerzo que no está dispuesto a hacer? ¿Acaso al sacarlo del marco festival que le era propio disminuye su eficacia y su valor dramático? ¿Acaso su técnica alegórica nos resulta extraña? El hecho es que hoy los autos sacramentales de Calderón son leídos por una minoría y constituyen el territorio de los especialistas, a quienes apasiona la profundidad y riqueza teológica, poética y dramática de este género teatral. Sin embargo, tal situación nos parece totalmente injusta, pues el auto sacramental calderoniano sigue siendo teatro vivo y con plena vigencia dramática, precisamente en nuestro tiempo, que aplaude o discute un teatro —llámese teatro del absurdo, teatro existencial o teatro de protesta y paradoja— en cuya estructura interna metafísica y símbolo son elementos radicales, quiérase o no y sea cual sea su lenguaje y su técnica teatral.

Calderón, por sus autos, ha sido llamado el dramaturgo del es-

---

[54] *Calderon, Dramaturge, ed. cit.*

colasticismo, el dramaturgo teólogo o teólogo dramático, etc. En efecto, lo es. Pero también es el dramaturgo del simbolismo. Ya Pfandl escribía: «Los *autos* son los únicos dramas verdaderamente simbólicos de la literatura universal.» Y Valbuena ha destacado también la importancia de su arte simbólico. Y Micheline Sauvage, con lenguaje de nuestro tiempo, ha escrito frases que merecen citarse: «El resorte del teatro alegórico de Calderón es una comprehensión simbólica de las formas universales y de su encadenamiento.» «Los personajes simbólicos del *auto* son fuerzas, fuerzas cuyo juego anima la gran, la dolorosa aventura de la creación. La dialéctica se ha hecho teatro. La articulación de las ideas se ha hecho juego escénico.» «El auto sacramental capta el juego (la aventura de los hombres) en su fuente ontológica, fuera de la Historia, en su intemporal desnudez... Calderón no pinta ni cuenta, pone en escena los papeles del Gran Juego.»

En el auto sacramental Calderón desnuda de sus máscaras —lo accidental— a sus personajes para revelarnos las esencias que son los verdaderos protagonistas de su teatro. Teatro en que los tres grandes protagonistas son el hombre, Dios y el diablo, cada uno con sus aliados y sus antagonistas, su coro y su anticoro, representando sobre el tablado del mundo la aventura interior y la aventura cómica de la condición humana desde una perspectiva radicalmente cristiana. En ese universo del drama simbólico figura la nómina completa, como escribe Micheline Sauvage, «del Gran Teatro del mundo: el poder, la sabiduría, el amor; el primer y segundo Adán; la gracia y la culpa; la inocencia, el demonio y la malicia; la sombra, el sueño, la muerte, la vida, la naturaleza y las cuatro estaciones; el alma y el cuerpo, el placer y el dolor; la Iglesia y la herejía... Y están personificadas las partes del alma, sus potencias: el entendimiento, la voluntad, el albedrío, la memoria; sus virtudes: la fe, la esperanza, la caridad, la humildad, la pureza, la penitencia; y sus debilidades: el deseo, los cinco sentidos, la sensualidad, el orgullo, la vanidad, la idolatría...

»Se tendrá una idea de esta proliferación, siempre artísticamente armoniosa y simbólicamente coherente, si se sabe que sólo el personaje del segundo Adán, Cristo, es sucesivamente reconocido y encarnado en Jasón, el peregrino; Cupido, el príncipe; Emmanuel, el sembrador; el mercader, Pan; el sol o Febo, el pastor..., Perseo, Orfeo... Podrá verse, con su prontitud para descubrir en todo símbolos cristianos, la incansable potencia de variación y de renovación de la imaginación calderoniana...»

Carece de sentido exagerar o negar el valor humano de estos personajes, buscando si están o no construidos según el principio de individuación. Como escribe Parker: «las abstracciones dramáticas de Calderón no son ni humanas ni inhumanas, no son vivas ni individualizadas; son creaciones poéticas y dramáticas». No sólo cada una de esas «dramatis personae», sino la acción representada y el universo configurado por esa acción tienen valor de símbolo. Quienes se mueven sobre el tablado del auto sacramental no son ni ideas ni hombres de carne y hueso, sino *personajes* que trascienden toda psicología y encarnan desnudamente aspectos esenciales de la vida humana.

Distínguense dos grandes grupos de autos calderonianos: el historial-alegórico y el fantástico-alegórico. En los primeros, escribe Valbuena Prat, «lo que persiste es el estudio de los personajes, la pasión, lo humano, la parte esencialmente historial»; en los segundos, «la belleza de la forma, y la idea, el símbolo: lo teológico».

Las dos obras maestras del género sacramental calderoniano son *El gran teatro del mundo* y *La vida es sueño* (segunda redacción, 1675).

El gran teatro del mundo, representada en 1649, pero escrita unos años antes (según Valbuena, 1633) es la más universal dramatización del símbolo del «teatro del mundo». El drama que es la vida humana, representado en el teatro del universo, tiene como autor a Dios (a la vez invisible espectador) y como actor al hombre, cuya misión consiste en representar bien su papel, siendo lo fundamental no el papel, sino el cómo se representa. En los cinco momentos que estructuran internamente la acción asistimos: 1) al diálogo entre Dios-autor y el mundo, en donde se hace la exposición del tema; 2) a la convocación de los actores, a quien su autor reparte los papeles mientras que el mundo proporciona a cada uno lo necesario para representar su papel; 3) a la representación de la comedia en la que cada actor, como en un psicodrama, improvisa el papel que le ha sido encomendado, ante la mirada del espectador invisible 4) a la terminación de la comedia representada, en que el mundo-muerte retira a cada actor cuanto le dio para representar; 5) al juicio de los actores por el autor espectador.

En *La vida es sueño,* Calderón, aprovechando la fábula del drama de Segismundo, escribe el más hermoso poema dramático de la historia teológica del hombre: su creación, su instauración en el estado de gracia, su caída y su redención.

Junto a estos dos grandes poemas dramáticos son también de gran belleza: *La cena de Baltasar, Los encantos de la culpa, El divino Orfeo, Sueños hay que verdad son, El veneno y la triaca.*

CAPÍTULO IV

El teatro del siglo XVIII y primer tercio del XIX

Entre los últimos dramaturgos originales, aunque menores, del ciclo barroco de Calderón y los primeros dramas románticos de fines del primer tercio del siglo XIX coexisten polémicamente en el panorama teatral español formas dramáticas diversas, estribadas cada una de ellas en concepciones o pseudo-concepciones distintas del teatro y apoyadas por públicos diferentes. Junto a la desintegración y agónica persistencia del teatro barroco que se resiste a desaparecer durante la primera mitad del siglo XVIII y las formas de un teatro popular mayoritario nacidas de él por un proceso de degeneración formal y de contenido durante la segunda mitad del siglo, teatro en el que es fundamental lo que éste tiene de diversión espectacular, nace un teatro neoclásico, fruto de una nueva ideología, preocupado por las reglas a la vez que por la finalidad educativa en sentido amplio, que aspira a convertirse en instrumento de reforma cívica y moral al servicio de una transformación de la sociedad, transformación, por otra parte, no desinteresada, sino estribada en una política coherente y dirigida desde arriba. Teatro que contará con el apoyo oficial, aunque carezca de un público tan entusiasta y numeroso como el que aplaude las varias formas del teatro popular, y cuyos hitos teóricos extremos son la *Poética* (1737) de Luzán y la *Poética* (1827), de Martínez de la Rosa, con sus interesantes *Anotaciones*.

El lento avance de este teatro «según el arte» le llevará a rebasar los límites cronológicos del siglo XVIII y penetrar aguas adentro del XIX, admitiendo en su seno elementos prerrománticos y persistiendo, como antes el drama barroco, en plena época romántica, en la cual se anegará.

Esta época teatral estará, pues, marcada por la desaparición del público como entidad colectiva unitaria y por la división de la concepción del hecho teatral. Al mismo tiempo se caracterizará por la ausencia de grandes dramaturgos y, por consiguiente, de obras maestras. Sin embargo, no hay que pensar que sea una época muerta para la historia del teatro. Se escribe mucho, se piensa y se discute mucho, se aspira a mucho y, desde luego, se fracasa una y otra vez. Por lo que quiso e intentó, y no sólo por la calidad de lo realizado, debe juzgarse este periodo esencialmente polémico de nuestra historia dramática.

En él las agrias polémicas que marcan profundamente el desarrollo del teatro desbordan siempre el marco de la estética y remiten a una compleja estructura en cuyas bases se fragua e intenta abrirse paso una revolución ideológica que hace de nuestro siglo XVIII un apasionante periodo de la historia española. Sólo no perdiendo de vista la base ideológica de tales polémicas, pueden entenderse las querellas en cadena que culminan en 1765 con la prohibición oficial de las representaciones de autos sacramentales, muchísimo menos por razones de carácter estético que de política moral y cívica, de reforma de la religiosidad y de la psicología popular, la cual, según señala Andioc no es sino «uno de los múltiples aspectos de una misma política que apunta a hacer del pueblo un instrumento perfectamente adaptado a las necesidades del momento».

Durante estos últimos años se ha producido en el campo de la historiografía un cambio radical en el estudio del siglo XVIII y en su interpretación, cambio que en el campo de la historia de su literatura y en el más concreto de su teatro, que es el que aquí específicamente nos interesa, ha dado nacimiento a libros y estudios fundamentales de los cuales hay que partir [1].

1. La agonía del teatro barroco y las formas del teatro popular

Después de más de un siglo de éxito popular de la fórmula dramática que Lope de Vega había hecho triunfar y que Calderón y su ciclo de dramaturgos había depurado, es lógico que se resistiera a desaparecer, sobre todo habida cuenta que no había ninguna otra que pudiera oponérsele y sustituirla. Al comenzar el siglo XVIII era el único espectáculo que podía divertir a un público numeroso, acostumbrado a ver sobre los tablados lances sorprendentes, intrigas complicadas, efectos escénicos asombrosos y a escuchar versos sonoros, metros variados, imágenes brillantes. Ni el arte importaba, ni tampoco el pensamiento ni los caracteres ni la verosimilitud del argumento o de las situaciones, como no habían importado a lo largo del siglo precedente. Sólo que en el siglo precedente había arte y pensamiento, porque había conciencia dramática y genio poético en los creadores del espectáculo. Pero ahora los dramaturgos eran simples herederos empobrecidos, incapaces de revitalizar ni formal ni temáticamente ni ideológicamente el instrumento dramático recibido.

[1] Ver en la bibliografía los libros de Merimée, Cook, MacClelland y Andioc.

Su labor consistía, casi exclusivamente, en refundir, sin capacidad para recrear, el haber dramático heredado. Poseían tan sólo un mecanismo de construcción teatral, una habilidad técnica y unas formas teatrales al servicio de una temática estereotipada y desustanciada. Podían repetir combinando, pero no crear nada nuevo. De entre estos repetidores, para los cuales escribir teatro era un acto puro de mimetismo mecánico, destacan dos que aún conservan cierta dignidad dramática: Antonio de Zamora (1660-1728) y José de Cañizares (1675-1750)[2], cuya producción llenará, prácticamente, la primera mitad del siglo XVIII.

Antonio Zamora cultiva, fundamentalmente, tres tipos de comedia de la escuela de Calderón, o, mejor, de tragicomedia: 1) tragicomedia histórica, de asunto nacional y extranjero. Aunque siguiendo en ellas el sistema dramático barroco, puede percibirse en algunas obras huellas de Shakespeare y de Esquilo, así como ciertos contactos con el teatro clásico francés, que influye, aunque sólo sea ligeramente, en la construcción de la pieza; 2) tragicomedia religiosa o fantástica, pues lo sobrenatural actúa por lo que tiene de fantástico más que por sus contenidos religiosos, en donde consigue su mejor pieza, *No hay plazo que no se cumpla ni deuda que no se pague, o el convidado de piedra,* nueva versión del drama de Tirso de Molina. Aunque en ella se haya volatizado toda profundidad teológica, es interesante por la vitalización de la figura de don Juan, menos burlador que conquistador, cuya trayectoria vital anuncia, en parte, el don Juan popular del romanticismo. Además de estos géneros dramáticos escribe «comedias de figurón» y «entremeses», no carentes de gracia y con agudo sentido para los aspectos grotescos de la realidad cotidiana.

De sus «comedias de figurón» fue muy celebrada *El hechizado por fuerza,* en donde Zamora se propuso, al parecer, burlarse de los hechizos del rey Carlos II, para lo cual intensificó los rasgos caricaturescos del protagonista. Todavía en el primer tercio del siglo XIX recordaba con cierta aprobación esta comedia y su género dramático Martínez de la Rosa, quien en su *Apéndice sobre la comedia española* escribía: «Esa comedia y otras semejantes, llamadas comúnmente de figurón, encerraban una gran ventaja cual era la de tomar el sesgo propio de la comedia, divirtiendo al público con argumentos festivos en que se presentaban a la burla a personas y acciones que la merecían...»[3].

José de Cañizares, refundidor por antonomasia, cultivó los mismos géneros dramáticos que Zamora.

---

[2] A. V. Ebersole, *José de Cañizares, dramaturgo olvidado del siglo XVIII,* Madrid, 1975.
[3] *Obras,* BAE, 150, pág. 252.

Muy aplaudidas fueron su comedia histórica *El picarillo de España, señor de la Gran Canaria* y su comedia de figurón *El Dómine Lucas.* De ésta escribía el mismo Martínez de la Rosa: «¿Quién olvidará en su vida como la haya visto una sola vez, la ejecutoria con las dos luces del *Dómine Lucas,* o habrá conservado la seriedad al oír tan donosas burlas de la nobleza de la Montaña, y de la pedantería de nuestros antiguos abogados?» Y añadía a renglón seguido: «Aún más ingeniosa y divertida me parece otra composición de Cañizares, *De los hechizos de amor la música es el mayor, o el montañés en la corte,* muy acreditada también en nuestro teatro, y de las que más descubren las muchas prendas de buen cómico que poseía este escritor; ingenioso para urdir la trama, hasta el punto de recordar en esa comedia a Calderón, hábil para pintar caracteres ridículos (como el entonado asturiano, o el de la mojigata con pujos de casorio), liberal para las burlas, lleno de fuerza cómica, castizo y chistoso en el habla, suelto en el diálogo, fácil en la versificación...» Teniendo en cuenta los tres cuartos de siglo transcurridos cuando Martínez de la Rosa escribe lo anterior, así como su ponderada estética neoclásica, no dejan de ser significativos los citados juicios sobre los dos autores postbarrocos, parte de cuya obra siguió manteniéndose en los escenarios hasta los tiempos en que Martínez de la Rosa escribe, según él mismo reconoce, aunque no tanto por las razones que él aduce, sino mucho más por el tratamiento espectacular que daban a los asuntos por ellos tratados y por su acomodación a la sensibilidad y a las aspiraciones de las clases populares.

También cultivó Cañizares un género teatral que iba a tener larga descendencia a todo lo largo del siglo XVIII y contra el que nada podrían las diatribas y censuras, ciertamente justificadas, de los neoclásicos: la comedia de magia. Famosísima fue su *Marta la Romarantina,* representada una y otra vez durante la segunda mitad del siglo XVIII y durante todo el primer tercio del XIX. El *Memorial Literario* (I, 1784, pág. 112), refiriéndose a las representaciones de esta comedia del 14 al 24 de febrero de ese año, escribe: «El tiempo en que se suelen representar estas infernales visiones es o el de la Natividad o de Carnestolendas; tiempo en que es costumbre que vayan a los teatros las criadas, los sirvientes, los niños y otras gentes de la más descuidada educación.» Sea cual fuere la índole del público que asiste a ver las comedias de magia, llenas de abracadabrantes escenas, como los famosos vuelos por los aires de Marta, lo cierto es que persiste su popularidad año tras año, representándose todavía en Sevilla, por ejemplo, en 1817, 1818, 1819, 1822, 1825, 1831, 1834 [4].

---

[4] Ver Francisco Aguilar Piñal, *Cartelera prerromántica sevillana. Años 1800-1836,* Madrid, CSIC, 1968, pág. 32.

Tan populares como la obra de Cañizares lo serán otras como *Juana la Rabicortona,* o la abundantísima serie de los «mágicos» y «mágicas» *(El mágico de Serván, El mágico de Salermo, El mágico Brancanelo, El mágico de Astracán, La mágica de Nimega, La mágica Florentina,* etc.). Decisivos para el éxito de este género son los espectaculares efectos escénicos que excitan la imaginación popular sirviendo su gusto por lo extraordinario mediante asombrosas mutaciones y rápidos cambios de decorado, apariciones y desapariciones extrañas y espantosos monstruos, furia de los elementos, transformaciones y fantásticos encantamientos. A la riqueza y variedad de decorados y a la compleja maquinaria perfeccionada para la espectacular puesta en escena de la comedia de magia se une la creciente importancia que la música irá adquiriendo hasta hacer de tales obras una especie de espectáculo total en el que culmina, como ha demostrado en páginas magistrales René Andioc, «la tendencia al *espectáculo completo»* que caracteriza al público mayoritario de la segunda mitad del siglo XVIII [5].

Esta pasión por lo espectacular no será privativa, ni mucho menos, sólo del vulgo ni del público inculto, como así lo hace ver la afición entusiasta de las clases más elevadas por la ópera y sus fastuosos montajes, que encantaba tanto el sentido de la vista como el del oído.

El mismo gusto por el teatro espectacular explica el auge y popularidad de la «comedia heroica» y el drama de batallas de la escuela de Comella y Zabala y Zamora, género satirizado por Moratín, hijo, en *La comedia nueva o el café.* No sólo el escenario, sino también el patio de butacas, se convertía en formidable palestra donde evolucionaban tropas, se ejecutaban asaltos, se pasaban vistosas revistas militares, sonaban fanfarrias, arcabuzazos, bombardas, se ejecutaban matanzas, ondeaban flámulas y gallardetes, representado todo ello con técnica que buscaba pintar al vivo y del modo más real posible los lances más espectaculares, sin escamotear los medios para lograrlo. A todo lo largo del último cuarto del siglo XVIII se sucederá en los escenarios, siempre con éxito de público, el ciclo de teatro de batallas, comedias heroicas o comedias militares, verdaderos *seriales* escénicos, protagonizados por los Carlos XII de Suecia, los Luises XIV el Grande, los Federicos II de Prusia, los Pedro el Grande de Rusia, los Solimanes, Catalina II de Rusia, héroes que, fuera del teatro, gozaban de gran popularidad y de los cuales sus incansables productores destacan todas aquellas cualidades morales o sentimentales que los aproximan a los gustos del público [6].

[5] *Súr la querèlle du théâtre au temps de Leandro Fernández de Moratín,* Bordeaux, 1970, pág. 90, cuyo capítulo I es fundamental para entender a nueva luz el teatro popular en la segunda mitad del siglo XVIII.

[6] Ver Andioc, *Op. cit.,* p6gs. 172 y ss.

Estos dos géneros del teatro popular, como ha demostrado brillantemente Andioc, tienen el sufragio de un amplio público no sólo a causa del placer estético que, por su variedad y espectacularidad producen, sino porque con él «ofrecen al espectador la ilusión de una realización total de su ser, de una expansión que le *rehúsa el orden social existente*», dándole, a la vez una una fuerte ilusión de poderío que le hace trascender su mediocre condición ayudándole a evadirse de ella como de las leyes sociales que constriñen sus más hondas aspiraciones y a identificarse cierto que por vía de enajenación, con los héroes-magos o grandes generales —que el dramaturgo popular ofrece a la admiración de su auditorio [7].

En cuanto al teatro barroco propiamente dicho —el de Calderón, Lope, Moreto o Rojas Zorrilla—, aunque siga representándose durante la segunda mitad del siglo XVIII, deja de ser popular y de sentirse como teatro vivo, es decir, con vigencia, como lo demuestra la curva decreciente de representaciones, de permanencia en cartel y de asistencia del público, con la importante particularidad de que aquellas piezas que siguen representándose, lo son menos por sí mismas —tema y significación— que por sus posibilidades de ser espectacularmente escenificadas [8].

En los últimos años del siglo XVIII y primera década del XIX varias obras del teatro del Siglo de Oro serán «arregladas», es decir, refundidas y reconstruidas según las reglas, por convencidos neoclásicos como Trigueros o Rodríguez de Arellano, acomodando no sólo su forma, sino su asunto y contenido, a los gustos nuevos y a los nuevos intereses.

2. La tragedia neoclásica

La historia de la tragedia neoclásica es, desde el punto de vista de los valores literarios, la historia de un fracaso. Fracaso al que concurren numerosos factores, que podríamos resumir así: 1) excesivo y paralizante mimetismo de sus cultivadores españoles que, faltos de una concepción suficientemente vitalizada de la tragedia, se someten a una radical servidumbre de los modelos galo-clásicos; 2) primacía de los aspectos puramente formales de la tragedia; 3) ausencia de sentido teatral en la construcción de la pieza dramática, escrita como está por escritores, y poquísimas veces por hombres de teatro, es decir, por dramaturgos, que llegan al teatro desde niveles estéticos puramente teóricos, exteriores al hecho teatral mismo, siempre complejo; 4) inexistencia de una tradición y de un público.

[7] Andioc, *Op. cit.*, págs. 113 y ss.
[8] Andioc, *Op. cit.*, capsí I y II.

El intento de creación de una tragedia, más o menos pura, por muy aguda y enconada que fuera la polémica en torno a sus derechos, sus fines y su naturaleza y por muy legítimas que fueran las aspiraciones e ideas estéticas de sus cultivadores, tropezó desde el primer momento y a lo largo de su precaria historia con los factores antedichos. Cuando se recorre la lista de tragedias publicadas en España a todo lo largo del siglo XVIII queda uno realmente impresionado por su número. Buena parte de ellas son traducciones y adaptaciones de tragedias francesas de los siglos XVII y XVIII que debían servir como modelos y ejemplos para quienes las cultivasen en España. En la intención de traductores y adaptadores vemos, sobre todo, una voluntad de crear un ambiente literario propicio al género neoclásico y una vocación de renovar el teatro español, elevando el nivel estético y moral del público que, en su gran mayoría, se solazaba con las formas decadentes del teatro barroco. La reacción contra esta forma tradicional del teatro español, reacción en sí justificada, lleva a tomar posturas radicales e intransigentes ante la obra de los dramaturgos españoles del siglo XVII, cuyas producciones son sometidas a una crítica sistemáticamente negativa, fundada no sólo en principios teóricos formales, sino en consideraciones morales y religiosas y en razones fundamentalmente ideológicas estribadas en un sistema de pensamiento que busca prácticamente la reforma de las costumbres y de las mentes, reforma planeada desde arriba, desde la clase dirigente, y secundada por la mayoría de los autores de tragedias neoclásicas.

Aunque hoy juzguemos, en cuanto a la construcción de la pieza se refiere, las realizaciones de los escritores de tragedias como frutos de una concepción formal retrógrada del teatro y nos inclinemos, por nuestra propia concepción del fenómeno teatral, a juzgar en conjunto su obra como un retroceso respecto al drama nacional del Siglo de Oro, sin embargo, vista la tragedia en conexión con su tiempo histórico, es indudable que en sus autores más responsables el intento de creación de una tragedia pura y lo más cercana a la perfección tenía mucho de revolucionario, pues comenzaba por enfrentarse, más o menos tajantemente, con una tradición teatral de casi dos siglos y, lo que es aún más importante, con el sistema de ideas y creencias y con el espíritu global que la sustentan. Lo que ellos intentaban, a lo menos en el nivel de las aspiraciones, constituía, estéticamente, algo inédito, pese a los antecedentes, bastante magros, de los trágicos del siglo XVI, e ideológicamente un empeño radicalmente nuevo. En todo caso, la vocación de una forma genérica pura, el imperativo de una disciplina y de una claridad formal es una postura que merece nuestro respeto y, desde luego, nuestra comprensión.

En la historia de nuestra tragedia neoclásica debe prestarse especial atención al ensayo de crear una tragedia original española temáticamente nacional, cuyo primer espécimen no aparece hasta el último tercio del siglo XVIII. Antes de la *Hormesinda* (1770), de don Nicolás Fernández de Moratín, cabe destacar los intentos de don Agustín Montiano y Luyando en favor de la tragedia neoclásica. En 1750 publica *Virginia,* que acompañaba su primer *Discurso sobre la tragedia española,* a la que seguirá en 1753 otra tragedia, *Ataúlfo,* también acompañada de un *Discurso.* Del autor y de su obra comentaba Martínez de la Rosa en su *Apéndice sobre la tragedia española*[9]: «... con razón puede considerarse como el principal restaurador de la tragedia en España; pero en sus obras manifestó cuánta distancia media entre alcanzar las dotes que se adquieren con la instrucción y poseer las que son fruto espontáneo del genio: erudito, juicioso, grave, Montiano enseña con cordura, crítica con sensatez, sabe a fondo su arte, pero así que se presenta, por decirlo así, en las tablas se descubre el buen humanista, pero no el poeta trágico...»

Sólo diez años después, en 1763, se publican la *Jahel, Tragedia sacada de la Sagrada Escritura,* de López de Sedano, y la *Lucrecia,* de Moratín, padre.

A las traducciones e imitaciones de las tragedias francesas de Corneille, Racine o Voltaire, no todas felices, la producción original española apenas puede oponer un pequeño grupo de obras que avanza penosamente desde 1770, aunque consiguiendo algunos éxitos estimables, como el de la *Numancia destruida,* de Ayala y, sobre todo, el de la *Raquel,* de García de la Huerta. Todavía, sin embargo, en junio de 1786 se decían en el *Memorial Literario* cosas como las siguientes: «En vano en este siglo quisieron renovar las Tragedias, don Agustín Montiano, don Nicolás Moratín, don Josef Cadalso, don Ignacio López de Ayala, don Vicente García de la Huerta. Para el vulgo de los espectadores y cómicos significaba esta voz Tragedia una cosa bárbara, fiera, inhumana, digna de los antropófagos, caribes y hotentotes (...) De aquí es que las Tragedias francesas que se tradujeron para representar en los Reales sitios se tenían, como extranjeras, por cosa de moda. De aquí es que la declamación a la francesa usada en aquellas tragedias era también de moda, y vino a ser ridiculizada en nuestros teatros en varios sainetes y particularmente en la Tragedia burlesca *Manolo* (de don Ramón de la Cruz)» (VIII, página 247). Y de las tragedias francesas, tachadas de frías, mal traducidas y mal recitadas, se concluía: «¿Cómo ha de gustar al pueblo esta mistura e impropiedad?» *(Ibíd.,* pág. 248). No obstante, se decía un poco más adelante (pág. 250): «No hay causa, pues, por qué negar a los españoles el talento trágico, ni por qué suprimir este espectáculo en las representaciones: sólo falta dar ánimo a nuestros

---

[9] *Op. cit.,* pág. 145.

genios, docilidad e instrucción a nuestros actores, interés a nuestros dramas, decoración y aparato correspondiente a las escenas, y actividad en todo a todos.»

No era nada fácil la situación de estos escritores españoles de tragedias, que se encontraban sometidos, en general, a la oposición de una parte numerosa del público, y a la censura, muy exigente, de la crítica, así como al poquísimo entusiasmo de actores y empresarios por el género trágico «original». Vale la pena citar, para tomar conciencia de esa difícil situación, otro texto posterior en algunos años a los antecitados, texto que se encuentra en la «Advertencia» que la malagueña María Rosa Gálvez de Cabrera puso al frente de sus tragedias [10]: «Hasta ahora casi se puede decir que no tenemos una gran tragedia perfecta; pero ¿cómo las ha de haber en una nación que recibe con poco gusto estos espectáculos y cuyos actores huían no hace mucho al sólo nombre de tragedia de exponer al público este género dramático? A la verdad, en estos últimos tiempos parecía que iba mejorando la suerte de la tragedia en España; se han representado algunas con aceptación; pero, por desgracia, no podemos hacer gloria de ella, porque sólo se han aplaudido las extranjeras.» Y después de hacer una crítica de esas tragedias de importación, añade: «pero al miserable español que se atreve a escribir una tragedia, ¡triste de él! (...), se le critica, se le satiriza; en una palabra, se le hace escarmentar, o acaso maldecir la negra tentación en que cayó de escribir original, y no traducción. De ahí es que hay un diluvio de traductores, y por milagro un ingenio (...). La misma nación, los mismos compatriotas del ingenio español están contagiados de esta epidemia de predilección a los extraños y desprecio de los propios». En ese clima, impopular para la tragedia original, de favor para lo extranjero y de desinterés para lo propio, nace, se desarrolla y muere, la tragedia original española.

Los límites cronológicos de esta tragedia, único tipo temático que tiene interés para nosotros, a la que sus autores solían llamar tragedia original española para distinguirla de los otros tipos temáticos (clásicos, bíblico, de tema oriental o americano) puramente imitativos, van, nada menos, de 1770 a los albores del romanticismo, aunque todavía podríamos extenderla más allá del triunfo del drama romántico.

En el fondo, lo que impulsaba a estos autores a buscar temas de la historia nacional era el deseo de hacer popular la tragedia. Pero la elección del tema histórico nacional obedecía también, además de a causas estéticas y de pedagogía nacional, a una causa netamente enraizada con una ideología oficial, en conexión, más tarde, con

---

[10] *Obras Poéticas,* Madrid, 1804, 3 vols.

ideas que procedían de la Revolución francesa, especialmente en aquellas tragedias cuyo asunto es la lucha de la libertad contra la tiranía. Godoy, buscando las causas de las ideas que habían llevado a algunos exaltados a tramar la revolución de 1791, destaca la propaganda republicana y la historia nacional, y escribe esto: «Nuestros propios anales, desde el tiempo mismo de los godos, ofrecían ejemplos peligrosos, y no tan lejos de nosotros la deposición de Enrique IV, las comunidades de Castilla y las germanías de Valencia en los días de Carlos V, junto con todo esto los prestigios de la antigua constitución de Aragón, las turbaciones de aquel reino en tiempos de Felipe II, y los recuerdos dolorosos de los fueros destruidos bajo aquel reinado. Tales memorias fermentaban en algunas cabezas y pasaban a proyectos» [11].

Los héroes del pasado histórico que más veces alcanzan la protagonía de este grupo de tragedias son héroes del sacrificio, como Guzmán el Bueno, o héroes que encarnan la pérdida de la libertad de España, como Rodrigo, o que simbolizan la pasión de la libertad, como Pelayo, la viuda de Padilla o Lanuza. Junto a ellos encontramos las heroínas del amor, pintado como pasión culpable cuyo exceso conduce a un desenlace fatal (la condesa de Castilla) o a una autoinmolación en aras de un ideal (Florinda, Zoraida...).

Su misión sobre el tablado es la de servir como modelos, al servicio de una ética menos individual que pública, cargada, por tanto, de connotaciones políticas. Desgraciadamente, según ya indicamos, sus autores no consiguen cumplir eficazmente sus propósitos, no a causa de las reglas ni tampoco de los temas o del pensamiento expresado ni del lenguaje, sino a causa de su falta de genio dramático y de su carencia de habilidad técnica para construir una acción interesante como tal acción, independientemente de la carga ideológica en ella albergada. Es lo que ocurre, con la excepción de la *Raquel,* con las tragedias más representativas del último tercio del siglo XVIII y primerísimos años del XIX: *Hormesinda,* de Nicolás Moratín; *Sancho García,* de Cadalso; *Munuza (Pelayo),* de Jovellanos; *Numancia destruida,* de I. López de Ayala; *Zoraida* y *La condesa de Castilla,* de Cienfuegos, o *Pelayo,* de Quintana. De superior valor dramático son las tragedias posteriores a la guerra de la Independencia: *La viuda de Padilla* y *Morayma,* de Martínez de la Rosa, y *Aliatar, Lanuza o Arias Gonzalo,* del duque de Rivas [12].

Dejando aparte la *Raquel,* de García de la Huerta, que analizaremos al final, destaca, por su conexión ideológica con el presente en que fueron escritas, el grupito de tragedias de la libertad. Pue-

[11] Cita tomada de Richard Herr, *España y la revolución del siglo XVIII,* Madrid, Aguilar, 1964.
[12] Ver para las fechas de publicación o estreno el Apéndice 2.

den agruparse en dos periodos: uno que va desde 1770 hasta la guerra de la Independencia y otro que comprende obras escritas entre 1812 y 1827. En el primer grupo domina el tipo de tragedia abierta, que finaliza siempre con el triunfo del héroe de la libertad. En ellas se opone la idea de la libertad y la idea de la tiranía. El tirano es siempre el extranjero, que domina la patria, cayendo en culpa por uso injusto del poder. El tirano es siempre castigado y paga su tiranía con la muerte. El juego dialéctico libertad-tiranía es siempre muy elemental y no alcanza nunca profundidad dramática. En tres piezas *(Hormesinda, Munuza* y *Pelayo)* sobre el mismo tema y con los mismos héroes, (Aliazar, tirano; Pelayo, héroe de la libertad; Hormesinda, hermana de Pelayo), es interesante observar la dignificación progresiva del tirano, que de ser una malvado, como en la tragedia de Moratín padre, pasa a ser hombre lleno de nobleza de alma, pero cegado por la pasión amorosa, como en la tragedia de Quintana. Al mismo tiempo, la mujer, de víctima inocente de la pasión del tirano, pasa a convertirse en heroína trágica, desgarrada entre su fidelidad a la patria y su inclinación amorosa al tirano. En el segundo grupo, mucho más interesante dramáticamente, domina el tipo de tragedia cerrada. En ella el héroe de la libertad sucumbe siempre y triunfa la tiranía. El ideal del héroe no es sólo la libertad, sino la libertad estribada en la ley. El tirano o déspota es identificado con el rey y le caracteriza el despotismo, la arbitrariedad, la alianza con la religión (Inquisición) como fuerza de opresión, cuyos aliados naturales son el fanatismo y la ignorancia. El conflicto no lo es ya entre el héroe de la libertad nacional y el tirano extranjero, sino entre dos fuerzas nacionales, entre dos bandos que se enfrentan en guerra civil. La libertad es enraizada en la tradición del pueblo y aparece en estado de sitio. El héroe se autoinmola suicidándose *(La viuda de Padilla,* de Martínez de la Rosa) o subiendo al cadalso, en voluntaria renuncia a la vida que se le ofrece *(Lanuza,* del duque de Rivas). Su muerte por la causa de la libertad es vivida como ejemplo para una futura España libre. A la desesperanza de que triunfe la libertad en el presente se aúna el sueño esperanzado de una libertad futura, que es la que da sentido a la autoinmolación. La conexión de pasado-presente-futuro es obvia en este grupo de tragedias. El pasado nacional, en los casos dramatizados, es una lección de libertad y de justicia para el presente, y se proyecta lleno de esperanza hacia el futuro. Esta afirmación de la libertad como tradición del pueblo puede, sin duda, ponerse en conexión con el tipo de constitucionalismo historicista de ensayistas políticos como Argüelles o Martínez Marina. Naturalmente, son estas tragedias, en cierto modo, tragedias comprometidas, fuertemente politizadas, verdaderos instrumentos de propaganda de unas ideas y no meros ejercicios retóricos de resurrección del pasado. Enfocadas así cobran, me parece, un vivo interés, ya que nos muestran una toma de conciencia de la propia circunstancia histórica por parte de sus autores.

Andioe [13], estudiando el grupito de tragedias españolas de la época de Aranda (ampliamente comentadas desde otros puntos de vista por Cook y MacClelland), ha señalado tanto en la *Hormesinda* de Moratín, como en la *Numancia destruida,* de López de Ayala, y el *Sancho García,* de Cadalso, ese mismo carácter de obras fuertemente politizadas al servicio de un muy concreto ideario señalado por nosotros (ya en 1967) para las tragedias posteriores, aunque de signo opuesto en unas y en otras.

Queda, por último, analizar el caso de la *Raquel,* de García de la Huerta, estrenada en Barcelona en 1775 y en Madrid el 14 de diciembre de 1778. La obra fue compuesta en Orán en cuyo presidio fue confinado su autor en 1768, siendo estrenada allí por primera vez en 1772 [14]. La tragedia de Huerta tuvo un gran éxito. Los críticos la han reputado casi unánimemente como la mejor tragedia neoclásica española del siglo XVIII. El asunto, que aparece en varias crónicas medievales, había sido ya dramatizado por Lope de Vega *(Las paces de los reyes y judía de Toledo),* por Mira de Amescua *(La desgraciada Raquel y rey don Alfonso),* por Diamante *(La judía de Toledo)* y tratado por Luis de Ulloa en su poema en octavas reales, *La Raquel.* García de la Huerta, utilizando como fuentes el poema de Ulloa y la comedia de Diamante, que manejará con gran independencia y originalidad, escribirá en endecasílabos heroicos una tragedia formalmente neoclásica en donde se respetan las unidades de lugar, tiempo y acción, más la unidad de interés y el decoro y consistencia de los caracteres. Dentro de este molde rigurosamente neoclásico insufla su autor numerosos elementos de tono y de estilo procedentes del drama nacional áureo.

El tema central de la tragedia es la oposición de los nobles ricoshombres castellanos a la privanza de la bella judía Raquel, amante del rey Alfonso VIII, elevada por éste a un alto estado, y asistida por los consejos de su confidente, también judío, Rubén, que la utilizará como instrumento de su ambición. Conjurados los nobles contra Raquel. a la que juzgan, duramente, como indigna ramera y como causa de los males del reino, conseguirán del rey, por boca del noble Hernán García, el decreto de destierro para Raquel. Destierro que no se cumplirá, pues, combatido el rey por su pasión, revocará el edicto de destierro, en la patética escena de la despedida, por la concesión de mayor poder a Raquel, a la que sentará en el

[13] *Op. cit.,* cap. VII.

[14] Ver Jean Cazenave, «Première representation de *Raquel*», *Les Langues Neo-Latines,* 1951, núm. 118 (citado por Andioc).

trono para que reine en su lugar. Rubén, el personaje taimado de la obra, movido por su ambición y por su odio a los conjurados, influye en Raquel para que castigue duramente a los nobles y al pueblo con nuevos tributos. Los ricos-hombres deciden matar a Raquel, encabezados por Alvar Fáñez, a lo que se opone Hernán García, celoso del respeto que al rey se debe. No pudiendo desviar el intento de Alvar Fáñez, consigue que se retarde la sentencia de muerte hasta el momento en que Alfonso parta a la caza. Junto a las actitudes representadas por Hernán García y Alvar Fáñez, Garcerán Manrique, otro rico-hombre, adopta la del adulador, dispuesto a secundar los caprichos del rey, sin tener cuenta del bien del reino. Partido a la caza el monarca, los conjurados, secundados por el pueblo, acuden al palacio para asesinar a Raquel, no sin que antes Hernán García, fiel a su amor y respeto al rey, intente salvarla brindándole la huida, que ella rechaza. Raquel será asesinada, no por mano de los castellanos, sino de Rubén, a quien se le ha prometido salvar la vida si mata a Raquel. El rey llegará, cuando ya todo está consumado, para ver morir en sus brazos a Raquel y oír sus últimas palabras de enamorada:

> Sí, yo muero; tu amor es mi delito;
> la Plebe quien le juzga y le condena.
> Sólo Hernando es leal. Rubén, ¡qué ansia!,
> me mata. Yo por ti muero contenta.

El rey matará a Rubén, quien morirá confesando ser castigado por sus maldades, pero perdonará a los nobles castellanos reconociendo la razón de la petición de Hernán García, cifrada en este verso:

> Mirad, Señor, que el Cielo los disculpa.

Las últimas réplicas de la tragedia parecen remitir a una dualidad de significado de la acción representada, pues las palabras del rey:

> Yo tu muerte he causado, Raquel mía;
> mi ceguedad te mata; y pues es ella
> la culpada, con lágrimas de sangre
> lloraré yo mi culpa y tu tragedia.

contrastan con las de Hernán García, que cierran la obra:

> Escarmiente en su ejemplo la soberbia,
> pues cuando el Cielo quiere castigarla,
> no hay fueros, no hay poder que la defiendan.

¿Es Raquel víctima de su amor al rey —«tu amor es mi delito»— o víctima de su soberbia, que el Cielo castiga?

Comentando los versos de Hernán García, escribía Martínez de la Rosa: «Pensamiento digno y grave; pero que dista mucho de la adusta energía que muestra este otro de Ulloa, alusivo igualmente a la muerte de Raquel: *Es víctima sangrienta de villanos / ¡Esto acontece, y duermen los tiranos!*» Y añade, criticando el comportamiento del rey, que del furor y el deseo de venganza pasa a la calma y al perdón: «... el que un momento antes saca frenético la espada para acometer a los castellanos no es posible que se calme tan pronto (con sólo lo que le representa Hernán García en cuatro versos)...» [15].

Pensamos que García de la Huerta no ha conseguido fundir dramáticamente los dos propósitos que determinan la construcción de la acción y la configuración de los caracteres: crear una tragedia ejemplar en donde se castiga con la muerte a una persona —utilicemos las palabras de Martínez de la Rosa— «ambiciosa y vengativa; ...desvanecida con su loca prosperidad» [16] y crear, al mismo tiempo, una acción patética en donde se pinta el desdichado final de una mujer bella y enamorada, cuyas —de nuevo citamos a Martínez de la Rosa— «juventud..., gracias..., ternura para con el monarca, le granjean hasta cierto punto el afecto de los espectadores y la libran de excitar su odio».

Desde Menéndez Pelayo y Cotarelo y Mori los críticos han solido destacar lo que de común con el drama nacional del Siglo de Oro tenía la *Raquel:* honor, galantería, apasionados sentimientos expresados en versos floridos y ampulosos... La postura extrema la representa Cotarelo, quien escribía de la *Raquel:* «Y esto es lo único que tiene de clásico esta composición: el armazón, el esqueleto. En todo lo demás, argumento, ideas, sentimientos, caracteres, versificación es indígena; es un drama del siglo XVII» [17]. Restando los prejuicios anti-neoclásicos de Cotarelo y su extremosidad, la crítica más reciente, mucho más matizada, ha insistido en semejante dirección, aludiendo, incluso, al compromiso entre expresión barroca y sentimentalismo romántico o entre estructura neoclásica y espíritu heroico y caballeresco nacional, o insistiendo en la familiarización de Huerta con «gran parte del viejo repertorio teatral español..., familiarización que le permitió no sólo remedar su tono y estilo, sino también sus artificios retóricos, sus fórmulas, sus tópicos, etc.» [18].

---

[15] *Apéndice sobre la tragedia española, op. cit.,* pág. 160.

[16] *Op. cit.,* pág. 161.

[17] Emilio Cotarelo y Mori, *Iriarte y su época,* Madrid, 1897, pág. 191.

[18] Joseph G. Fucilla en su estudio y edición de *Raquel,* Salamanca, Anaya, 1965, pág. 18.

Cook, aunque reconoce lo mucho que por sus sentimientos puede tener en común la obra con el teatro del Siglo de Oro, recalca su forma ultra-neoclásica [19] y la señora J. L. MacClelland, admitiendo lo que Huerta debe a la técnica de la comedia heroico nacional, destaca e insiste en su carácter neoclásico [20]: Es, sin duda, Andioc el que ha roto con tal corriente crítica. El investigador francés dedica un largo capítulo de su libro [21] a demostrar con numerosos ejemplos la significación política de la tragedia, que, según él, reflejaría una corriente de pensamiento antiabsolutista y una estrecha relación con los sucesos del motín de 1766, resultado de los esfuerzos de la nobleza y de su instrumento, el pueblo, para derrocar al ministro Esquilache. Imposible nos es aquí resumir todas las razones aducidas por Andioc para demostrar su tesis, así como señalar las objeciones que nos ocurren. De todos modos, pensamos que la interpretación de Andioc es de gran importancia y que habrá que tenerla muy en cuenta para futuros estudios sobre la *Raquel* de García de la Huerta.

Para terminar, dediquemos unas páginas a poner de relieve, especialmente en las tragedias del primer tercio del siglo XIX, la antinomia patente en ellas entre forma y contenido.

Muy pocas de nuestras tragedias «originales» son absolutamente neoclásicas. Frente al neoclasicismo formal (monometría, observación de las unidades escénicas) encontramos siempre elementos estilísticos (epitetación), elementos tonales y de contenido (primacía del sentimiento sobre la razón, ausencia de fines moralizadores, importancia mayor de la belleza poética de los caracteres que de la belleza moral, tratamiento del hecho histórico, estilo sincopado de algunas escenas, rapidez de diálogo, erizado de exclamaciones e interrogaciones puramente afectivas) que las avecinan al romanticismo, cuyas huellas, bien que débiles o asistemáticas, están ya presentes. En un dramaturgo como María Rosa Gálvez, que publica siete de sus tragedias en 1804 podemos ya, al igual que en Quintana *(El duque de Viseo* o *Pelayo),* en Cienfuegos *(Zoraida* o *La condesa de Castilla)* e, incluso, en Jovellanos (en su *Pelayo:* escenografía, movimiento escénico, alusión reiterada a la *fuerza del destino,* acto III, escenas V y IX, visión de romántico sabor de la escena IV del acto V), percibir claramente los primeros síntomas de romanticismo. En su tragedia en un acto, *Safo,* encontramos versos como éstos, en donde la naturaleza en libertad aparece como Naturaleza-testigo de las angustias del alma:

---

[19] John A. Cook, *Neoclassic Drama in Spain,* Dallas, 1959.
[20] *Spanish Drama of Pathos,* 1750-1808, Liverpool, 1970, 2 vols. (Ver vol. I, página 6).
[21] *Op. cit.,* págs. 275-370.

Noche desoladora, fiel imagen
de mis continuos bárbaros tormentos...
... el hórrido silbido de los vientos...
... El ronco son del pavoroso trueno
halaga un corazón desesperado...
... Mas tú te calmas: ¿eres insensible
a mi fatal plegaria, a mis lamentos?
¡Espantosa quietud! Todo enmudece
y al tormentoso horror sigue el silencio.
Las negras furias que mi amor persiguen
me privan hasta el bárbaro consuelo
de ver el orbe vacilar al choque
de los embravecidos elementos...
... Yo, que en mi triste corazón alvergo [*sic.*]
las implacables furias del abismo.

Las acotaciones escénicas, muy matizadas en esta autora, indican: «En el foro mar tempestuoso. La acción empieza de noche. Se oyen algunos truenos...» En la misma tragedia hace una defensa del amor libre, no sujeto a lazos morales ni sociales:

Preferí ser su amante, a ser su esposa,
que amor de libres corazones dueño
huye un lazo que impone obligaciones.

En otra de sus tragedias, *Blanca de Rossi,* el último acto transcurre en un panteón, donde la heroína morirá sobre la tumba de su amado. Asimismo, a su tragedia *Zinda,* cuya acción localiza en el Congo, y en donde se hace un alegato contra el colonialismo de los blancos, no la llama su autora tragedia, sino drama trágico en tres actos. También su tragedia, que lleva el tremendo título de *La Delirante,* sobre la reina Isabel de Inglaterra, podría relacionarse, en algunos aspectos de construcción de acción y caracteres, con la *María Estuardo,* de Schiller, salvando, claro está, las distancias.

Pero donde encontramos ya multitud de elementos claramente románticos es en la tragedia del duque de Rivas.

En *Aliatar* destacan la expresión intensa de los afectos, las pasiones exacerbadas de los personajes, la importancia del estilo interrogativo y exclamativo que intenta reflejar la apasionada andadura de la acción, construida con gran soltura. En *Lanuza* abunda la epitetación romántica («ronca furia», «pavoroso estruendo», «horrísonas prisiones», «lóbrego recinto»), se rompe la unidad de lugar (como en el *Pelayo* de Jovellanos) en contraste con la rígida observación de la unidad de tiempo (del amanecer a la puesta de sol), nos encontramos con parlamentos plenamente románticos (discurso de Lanuza en el acto III) o con antinomias inconfundibles como la de

Lanuza en el acto I: «o muerte o libertad». Toda la tragedia es un formidable canto a la libertad y un continuo ataque al *despotismo,* palabra que aparece desde el primero al último acto. En intenso momento del acto III exclama Lanuza:

> ¡Orden! ¡Moderación! ¡Prendas divinas
> que los astutos déspotas profanan!
> Orden a la quietud de los sepulcros
> y a la degradación de siervos llaman.
> Moderación al sufrimiento indigno
> con que el esclavo a su señor acata.

Pero es en la tragedia *Arias Gonzalo* donde este proceso interior de romantización de la tragedia formalmente neoclásica alcanza su cima. En ella es plenamente romántica la figura de Gonzalo Arias. He aquí algunos versos que lo definen como personaje dramático:

1)
Huir de lo que adoro es mi destino
y mi pasión ahogar en el silencio (Acto II, Esc. 1).

2)
Siempre angustiado, taciturno... (II, 2).

3)
Pero muy pronto
marcó tu frente al angustioso sello
de honda tristeza, y velador cuidado,
a tu pesar, tus ojos descubrieron (II, 4).

4)
Mas crece, al par tu atroz melancolía..., etc.

Puro sabor romántico tiene toda la escena 4 del acto II, en que Gonzalo Arias descubre su amor a la infanta. Y no menos romántico es el monólogo de la infanta en el acto V:

> .... Gonzalo viva,
> viva y perezca el Universo... ¿Acaso
> sin él puedo existir?... En él tan
> sólo concentro el mundo todo.

O su declaración, al final de la tragedia, de que «todo lo iguala el amor». Este último acto, llevado todo él con excelente pulso dramático, tiene fuerza e intensidad trágica. Es justo reconocer calidades literarias y sentido teatral a estas tragedias prerrománticas de Martínez de la Rosa y del duque de Rivas, sobre las que, a mi juicio injustamente, los críticos han proyectado la sombra de los dramas románticos que estos dos dramaturgos escribieron después. Del mismo modo hay que afirmar enérgicamente el acierto de estos dramaturgos en el uso del endecasílabo como instrumento único de expresión dramática, no por otra razón que por la unidad de ritmo a que obedecía su uso, siempre consciente y nunca caprichoso. La polimetría en el teatro no es en sí un valor, ni superior, por tanto, a la monometría, sobre todo si ésta responde a una conciencia dramática para quien la voluntad de unidad en la pieza teatral es tan viva como en los dos citados. Que había una conciencia dramática muy viva y una concepción sólida y coherente del fenómeno teatral lo muestra, por ejemplo, las *Anotaciones* de Martínez de la Rosa a su *Poética* (1827). Se ha solido destacar lo que en ella hay de neoclásico en un tiempo en que ya funcionaban en Europa, y aun en la misma España, preceptos de construcción dramática sustentados en la idea de la libertad artística; pero no se ha insistido suficientemente en los espléndidos análisis que Martínez de la Rosa hace de la estructura de la acción trágica de piezas tanto del teatro griego como del teatro francés de los siglos XVII y XVIII. Esos análisis muestran cómo la tragedia formalmente neoclásica del primer tercio del siglo XIX obedecía a una teoría del drama coherente y profunda en sus supuestos básicos, teoría que estribaba en una voluntad de progreso y no de estancamiento, en una voluntad de superación y no de fría imitación. Justamente el *Edipo* (1828) de Martínez de la Rosa, valiosa versión del mito clásico, es ejemplo palmario de la dignidad y altura dramáticas a que podía llegar nuestra tragedia neoclásica.

3. La comedia neoclásica. Moratín

No fueron muy felices los intentos de creación de una comedia según las reglas, muy relativamente cumplidas o de modo forzado, antes de Moratín el Joven. Mencionaremos, a título de inventario, *La Petimetra* (1762), de Moratín, padre, que su propio hijo, con razón, juzgaba así: «Esta obra carece de fuerza cómica, de propiedad y corrección de estilo; y mezclados los defectos de nuestras antiguas comedias con la regularidad violenta a que su autor quiso reducirla, resultó una imitación de carácter ambiguo y poco a propósito para sostenerse en el teatro, si alguna vez hubiera intentado representarla.» Hacia 1770 escribe Jovellanos *El delincuente honrado,* comedia en prosa y en cinco actos, pero no sujeta a las unidades de tiempo y lugar, perteneciente al tipo de drama sentimental o «comedia lastimera», cuya finalidad suele ser la defensa de una tesis —en este caso la contradicción entre la ley que prohíbe el duelo y el código social del honor—, tesis al servicio de unos ideales humanitarios. La pieza de Jovellanos enlaza con el drama sentimental-urbano ilustrado europeo del siglo XVIII, uno de cuyos modelos representativos franceses es *Le fils naturel, ou les épreuves de la vertu* (1757), de Diderot, y al que seguiría, años después, *Le philosophe sans le savoir* (1765), de Michel-Jean Sedaine, contra la práctica del duelo, y cuyo antecedente estaba en *Le préjugé a la mode* (1735), de Nivelle de la Chaussée, reputado como el padre de la «comédie larmoyante», obra que había traducido en 1751, al español, Luzán con el título de *La razón contra la moda.* De 1784 son tres piezas: *La cautiva española,* de Forner, *Los menestrales,* de Trigueros, y *Las bodas de Camacho el Rico,* de Meléndez Valdés, premiadas las dos últimas en un concurso y representadas ese mismo año. Forner, años después, estrenará con éxito en 1795 otra comedia, *La Escuela de la amistad o el Filósofo enamorado.*

De destacar, como antecedente más inmediato de la comedia moratiniana, son las piezas teatrales del famoso fabulista Tomás de Iriarte (1750-1791). Entre 1769 y 1772 tradujo por encargo oficial varias obras del teatro francés *(El malgastador, La escocesa, El mal hombre, La pupila juiciosa,* etc.), dos de las cuales, traducidas en verso *(El huérfano de la china,* de Voltaire, y *El filósofo casado,* de Destouches), las incluyó en su *Colección de obras en verso y prosa* (1787). Su primera comedia original, *Hacer que haces* (1770), no estrenada, la imprimió bajo el seudónimo-anagrama de Tirso Imareta. De 1773 es *El señorito mimado,* crítica de la educación de los jóvenes, no estrenada hasta 1788, de la que Moratín diría, a vuelta de otros juicios desfavorables, ser «la primera comedia original que se ha visto en los teatros de España, escrita según las reglas más esenciales que han dictado la filosofía y la buena crítica». En ese mismo año de 1788 escribe *La señorita mal criada,* estrenada en 1791, y en 1789 *El don de gentes,* no impresa hasta 1805 [22].

Leandro Fernández de Moratín (1760-1828) fue el único de nuestros dramaturgos neoclásicos que consiguió crear una forma valiosa de comedia, la que lleva su nombre, resultado de la armonización de la comedia urbana, de sátira de costumbres. En ella convergen, aunándose, dos actitudes: una crítica, de raíz intelectual, que estructura la exposición y el nudo de la comedia, poniendo de relieve, mediante procedimientos estilísticos y de enfoque propios de la sátira «vicios y errores comunes de la sociedad»; otra sentimental, de raíz puramente afectiva, que estructura el desenlace de la pieza, mediante la cual son destacadas «la verdad y la virtud» que sustentan el auténtico comportamiento humano.

Moratín definió así la comedia: «Imitación en diálogo (escrito en prosa o verso) de un suceso ocurrido en un lugar y en pocas horas entre personas particulares, por medio del cual, y de la oportuna expresión de afectos y caracteres, resultan puestos en ridículo

[22] Ver Cotarelo y Mori, *Iriarte y su época, op. cit.,* caps. IV, XV y XVI.

los vicios y errores comunes en la sociedad y recomendadas, por consiguiente, la verdad y la virtud.» Esta definición, como toda definición de un género literario hecha por el autor que lo cultiva, no tiene, claro está, más que un valor relativo y es siempre sobrepasada en la práctica, como así ocurre en Moratín. Sin embargo, no es nunca gratuita y conviene tenerla en cuenta, no tanto para entender la obra literaria del autor, sino en tanto que confesión de propósitos e intenciones. Es indudable que para Moratín es fundamental la finalidad docente de la comedia y que esa finalidad preside, a nivel de la intención, la estructura de la pieza y la elección del tema.

En los comentarios —verdadera fundamentación— a los diversos conceptos de su propia definición de la comedia, todos ellos de gran interés, escribe: «Debe, pues, ceñirse la buena comedia a presentar aquellos frecuentes extravíos que nacen de la índole y particular disposición de los hombres, de la absoluta ignorancia, de los errores adquiridos en la educación y en el trato, de la multitud de leyes contradictorias, feroces, inútiles o absurdas, del abuso de la autoridad doméstica y las falsas máximas que la dirigen, de las preocupaciones vulgares o religiosas o políticas, del espíritu de corporación, de clase o de paisanaje, de la costumbre, de la pereza, del orgullo, del ejemplo, del interés personal; de un conjunto de circunstancias, de afectos y de opiniones que producen efectivamente vicios y desórdenes capaces de turbar la armonía, la decencia, el placer social, y causar perjudiciales consecuencias al interés privado y al público.» Si me permito citar este extenso texto es para que el lector pueda comprobar con su sola lectura la amplia, rica y profunda función que la comedia debía cumplir en relación a la sociedad y a sus individuos, y, consiguientemente, tomar conciencia del complejo nivel en que operaba la mente de su autor y de su exigente dramaturgia. Más adelante, añade en el mismo Prólogo: «Su propia observación le dio a conocer que si el arte es suficiente para evitar el error, no basta él sólo para producir los aciertos: éstos nacen de otro origen: no los aprende el poeta, los halla en sí: no los adquiere a fuerza de instrucción, la naturaleza se los da» [23]. Ni el arte solo, ni sola la inspiración, sino la conjunción de ambos, son necesarios a todo auténtico dramaturgo. De que Moratín lo fue, y de modo original, dan fe sus propias comedias y su vívido ritmo dramático.

El tema fundamental de Moratín es la inautenticidad como forma de vida. Para expresarlo dramáticamente se vale de tres asuntos: los conciertos matrimoniales [*El viejo y la niña* (1790), *El barón* (1803) y *El sí de las niñas* (1806)], la educación de las jóvenes

---

[23] Éste y los otros textos citados en *Obras,* edición de la Real Academia de la Historia, Madrid, 1930, t. III, parte primera, págs. XLIII, LII y LIV, respectivamente.

[*La Mojigata* (1804)] y la comedia popular de su tiempo [*La comedia nueva o el café* (1792)]. La estructura es siempre la misma, y resulta de la fusión de las dos actitudes, sentimental y crítica, arriba apuntadas.

El viejo y la niña, primera comedia de Moratín, aunque escrita ya en 1786, año en que la leyó a la Compañía de Manuel Martínez, no subirá a las tablas hasta mayo de 1790, obteniendo con ella un halagüeño éxito. Escrita en romance octosílabo y dividida en tres actos, transcurre su acción en un sólo lugar y en el espacio de una mañana, y está centrada en la crisis que surge en el seno del matrimonio del viejo setentón, don Roque, viudo tres veces, y su joven esposa Isabel, casada con él sin amor, víctima de las mentiras de su tutor, que la hizo creer que don Juan, su novio, la había abandonado para casarse con otra. La crisis se produce cuando aparece don Juan. El núcleo significativo de la acción dramática se centra no en los celos y el honor del viejo marido, sino en el conflicto de Isabel entre su amor vivo por don Juan y sus deberes sociales y morales de esposa. La lucha de la protagonista se resuelve a favor del deber, pero esa victoria moral conlleva la destrucción de su felicidad personal y, claro está, la ruptura de una situación inauténtica como era su matrimonio con un viejo al que nada verdadero la unía. Isabel se retira, como un mal menor, pero mal, a la clausura de un convento, solución que don Roque aceptará no sin antes declararse culpable de todo lo ocurrido, «pues yo —dice— por mi ligereza//he sido causa de todo». Final ciertamente infeliz, en donde la virtud y la moral social triunfan, pero a costa de la destrucción de unas vidas personales y de su felicidad, que llevaba a Paul Mérimée a englobar la pieza «en el marco de la tragedia burguesa, entonces llamada generalmente comedia lacrimosa» [24].

El barón, estrenada en 1803, era una segunda versión de una zarzuela del mismo título escrita por Moratín en 1787 para ser estrenada en representación particular en casa de la condesa viuda de Benavente [25]. Escrita también en romance octosílabo y dividida en dos actos, transcurre la acción en un sólo lugar y durante las cinco horas que van desde las cinco de la tarde a las diez de la noche. Desenmascara en ella Moratín los interesados manejos de un falso barón, quien, escudado en sus apariencias nobiliarias, pretende hacerse con el dinero de la rica lugareña doña Mónica, casándose con su hija Isabel, enamorada de Leonardo, joven de su misma condición

---

[24] «El teatro de Leandro Fernández de Moratín», en la obra colectiva *Moratín y la sociedad española de su tiempo. Revista de la Universidad de Madrid,* IX, 1960, núm. 35, pág. 738.

[25] Sobre las significativas diferencias entre las dos versiones, ver Andioc, *Op. cit.,* págs. 197-273.

social. La víctima es doña Mónica, quien culpable por su vanidad y por sus apetencias de ascender de clase, saliéndose —como dice don Pedro, su hermano, que encarna la recta razón y el sentido común— «de aquella//humilde esfera en que estabas», se opone a los amores «naturales» de Isabel y Leonardo. Desengañada al final, denunciada la falsedad del barón, consentirá y autorizará el matrimonio de los dos jóvenes, restaurándose así la unidad familiar y la unión natural —en sentido social (boda entre iguales) y sentimental (matrimonio de afecto y no de interés)— y quedando incólume el principio de autoridad encarnado en la madre ya desengañada y vuelta al camino de la razón, según ha recalcado Andioc[26].

La mogigata, escrita ya en 1791, no se representará hasta 1804. También en romance octosílabo, y en tres actos, con unidad de lugar y tiempo (de diez de la mañana a cinco de la tarde), presenta los casos paralelos y contrapuestos de dos primas, Clara e Isabel, educadas con severidad la primera y con razonable libertad la segunda. La severa educación que don Martín ha dado a su hija, corrigiendo inflexiblemente sus más pequeñas faltas, desvió «sus excelentes prendas», obligándole a enmascarar su auténtica naturaleza y a comportarse hipócritamente para conformarse al «modelo» impuesto por el padre. Tal educación tiene como consecuencia haber desarrollado en Clara una segunda naturaleza que ha venido a convertirse en permanente, deformando así su primigenio ser. Isabel, profundamente natural, espontánea y auténtica, dará una espléndida lección de caridad y de generosidad. Aunque Clara, la mogigata fingida, resulte castigada, debiéndose casar con el botarate cazadotes don Claudio, el verdadero culpable, según queda claro desde la primera escena de la obra, es don Martín, representante de un sistema de educación y de una mentalidad social y moralmente errónea.

Las dos piezas representativas del teatro de Moratín y de la comedia neoclásica son, sin embargo, *La comedia nueva o el café* y *El sí de las niñas,* su obra maestra.

En el prólogo a *La comedia nueva* escribe esto: «De muchos escritores ignorantes que abastecen nuestra escena de comedias desatinadas, de sainetes groseros, de tonadillas necias y escandalosas formó (el autor) un don Eleuterio; de muchas mujeres sabidillas y fastidiosas, una doña Agustina; de muchos pedantes erizados, locuaces, presumidos de saberlo todo, un don Hermógenes; de muchas farsas monstruosas, llenas de disertaciones morales, soliloquios furiosos, hambre calagurritana, revista de ejércitos, batallas, tempestades, bombazos y humo, formó *El gran cerco de Viena;* pero ni aquellos personajes ni esta pieza existen.» Los críticos literarios han descubierto

---

[26] *Op. cit.,* pág. 204.

qué personas reales sirvieron de modelo a Moratín para la caracterización de los personajes satirizados. Y aun ha habido alguno que ha censurado al autor por la crueldad con que ha tratado al buen Comella, supuesto retratado en don Eleuterio, así como no ha faltado crítico que rompa una lanza por el tipo de comedia censurado, alegando que Moratín sólo tuvo en cuenta sus peores logros. Esta postura no tiene nada que ver, claro está, con la crítica literaria. Los personajes y el mundo que Moratín satiriza en su comedia muestran ante todo la radical inautenticidad de sus vidas. Ni don Eleuterio es auténtico dramaturgo, ni don Hermógenes auténtico erudito y humanista ni doña Agustina auténtica fémina. Los tres viven en falso, pretendiendo ser lo que no son y su vida es una pura mentira, un vivir en hueco. Moratín, me parece, va más allá de la simple sátira literaria o, si se quiere, más adentro, pues lo puesto de manifiesto no es sólo lo disparatado de un género dramático y lo erróneo y monstruoso de un estilo de ser dramaturgo, o erudito o mujer doctora y sabihonda, sino la radical falsedad e inautenticidad de una vocación que no es tal y de unas vidas. Con ello la sátira de un mundo, o mejor, mundillo literario cala más hondo, pues penetra hasta la raíz misma de la persona. Don Eleuterio y doña Agustina, convictos y confesos de inautenticidad, al final de la pieza se redimirán de ella aceptando vivir según lo que son. Sólo don Hermógenes quedará sin redimir, encastillado en su inautenticidad. La «crueldad» de Moratín se convierte en honda piedad por sus criaturas en cuanto éstas, puesta por el fracaso en una situación-límite, se reconocen a sí mismas como lo que son. De ninguna manera es *La comedia nueva* «la obra de un resentido» como afirma —no sabemos por qué— Valbuena Prat [27], sino, por el contrario, la obra de un escritor que poseía no sólo fina inteligencia crítica y exquisita sensibilidad, mas también un profundo sentido ético de la realidad y de la condición humana. No es buen camino explicar por el resentimiento, ni menos por el anticatolicismo o la incredulidad, gratuitamente afirmados, la obra ni la problemática situación, dentro de la compleja realidad española, de los llamados afrancesados, ni aporta nada a la objetiva comprensión crítica el insulto ni el exabrupto.

El sí de las niñas es la obra maestra de Moratín por varias razones: 1) porque inteligencia y sentimiento, o razón lógica y razón afectiva, o visión crítica y visión cordial, actúan armónicamente fundidas desde el principio, y no sucesivamente como en *La comedia nueva* o en las otras piezas moratinianas, de donde resulta un mundo cómico y unos personajes dotados de unidad y, por consiguiente, de más rica humanidad; 2) por el ritmo teatral perfecto que enlaza

[27] *Historia del teatro español,* Barcelona, 1956, pág. 469.

unas situaciones con otras; 3) por la natural y no forzada ni mecánica adecuación de las unidades escénicas. El tiempo y el espacio intensifican la unidad de acción, en vez de estorbarla o hacerla artificiosa. Como pieza teatral adquiere su perfección estilística no a pesar de las unidades escénicas, sino gracias a ellas, y 4) por naturalidad y eficacia dramáticas del diálogo, las cuales no consisten en otra cosa sino en la adecuación entre palabra y carácter, palabra y situación. El lenguaje no está en función de sí mismo, sino en función de la acción representada por los personajes.

La situación dramática básica de la pieza que reúne a los personajes en una posada, de cuya reunión resulta la acción, estriba en un concierto matrimonial fundado en la inautenticidad. En efecto, doña Irene, la madre, se comporta inauténticamente, pues no es el amor a la hija ni el deseo de su felicidad, sino su propia tranquilidad y apetencia de bienestar, quienes motivan su comportamiento; doña Paquita, la hija, aunque inocente, es incapaz de manifestarse con autenticidad, por culpa de una educación de la que es responsable la sociedad, que ha convertido en crimen lo que es en sí natural y legítimo: su amor; en cuanto a don Diego, el futuro marido, con sus cincuenta y ocho años entre pecho y espalda —Paquita tiene dieciséis— es un hombre que se engaña a sí mismo, como lo hace ver Moratín a través de la reacción de Simón, el criado de don Diego, y en la preocupación del viejo porque tal concierto matrimonial permanezca secreto, y de ahí su prisa por despachar de la posada al sobrino. Finalmente, cuando don Diego, descubierto el amor de Paquita y don Carlos, toma conciencia de la inautenticidad de la situación a que le ha llevado su miedo a la soledad terrible de la vejez, sólo declarado, justamente, después de esa toma de conciencia, mediante la cual conecta auténticamente consigo mismo, el conflicto, montado por un juego recíproco de engaños y autoengaños, se soluciona felizmente, porque cada uno de los personajes puede vivir la realidad con autenticidad, es decir, según lo que cada uno es. La sociedad, representada por los personajes de la comedia, queda convicta y confesa de inautenticidad. Quien triunfa, ejemplarmente, no es este o aquel personaje, sino la verdad, es decir, la naturaleza, que no es sólo racional ni sólo sentimental.

El sí de las niñas representa plenamente por su forma, por la estructura de su contenido y por su finalidad la comedia neoclásica moratiniana. En cuanto a la melancolía que los críticos han destacado siempre, resultado de la sutil fusión de ironía y ternura, más que anuncio de romanticismo es para mí cabal revelación de la personalidad básica del hombre Moratín.

Después de 1806 no vuelve a escribir Moratín ninguna pieza original. Nos deja, en cambio, dos refundiciones de Molière: *La es-*

cuela de los maridos (1812) y *El médico a palos* (1814). En 1796 publicó una traducción directa del inglés del *Hamlet* de Shakespeare, a quien leyó en Londres durante su estancia en 1792-93. En carta a su amigo Melón, fechada en Bolonia, agosto de 1794, escribía: «¡Qué tragedia inglesa, intitulada *Hamlet,* tengo traducida de pies a cabeza!» [28]. La tragedia de Shakespeare le entusiasmó, pero no le convenció el sistema dramático. No porque Shakespeare le viniera ancho, como escribe Valbuena Prat, sino porque Moratín estaba justo a la altura de su tiempo, y éste no estaba maduro para mayor altura. Hay que decir, sin embargo, que Moratín fue el único que en su tiempo —¡1794!—, siendo latino y no germánico, supo traducir a Shakespeare, en lugar de asesinarlo mediante una refundición al gusto neoclásico. Ya es ésta prueba suficiente de admiración y de respeto y, desde luego, de conciencia profesional.

En la *Advertencia* que precede a su traducción escribía Moratín estas palabras que juzgamos ejemplares: «Basta decir, que para traducirla bien, no es suficiente poseer el idioma en que se escribió, ni conocer la alteración que en él ha causado el espacio de dos siglos, sin identificarse con la índole poética del autor, seguirle en sus raptos, precipitarse con él en sus caídas, adivinar sus misterios, dar a las voces y frases arbitrariamente combinadas por él la misma fuerza y expresión que él quiso que tuvieran, y hacer hablar en castizo a un extranjero...» [29].

Además de los valores literarios y dramáticos propios de la comedia moratiniana, que hacen de ella lo mejor que teatralmente produce la dramaturgia neoclásica española, su importancia en la historia del teatro español moderno es excepcional, pues como forma dramática rebasa la vigencia de la época neoclásica y sigue actuando como modelo estructural de la comedia a lo largo de todo el siglo XIX, manteniéndose viva, en tanto que fórmula dramática, durante el Romanticismo e influyendo a los comediógrafos de la «alta comedia». La comedia moratiniana supuso, pues, no sólo la plenitud de la comedia neoclásica, sino una fórmula dramática cargada de futuro.

Muy pronto, entre sus propios contemporáneos, la imitaron otros escritores de comedia, destacando entre ellos María Rosa Gálvez de Cabrera, que, además de sus tragedias, compuso algunas comedias *(Un bobo hace ciento, El egoísta, Los figurones literarios, La familia a la moda),* la mejor de las cuales *(Los figurones literarios),* con su pedantón don Panuncio o sus figurones don Cilindro y

---

[28] Citado por Ruiz Morcuende en su prólogo a la edición del *Teatro* de Moratín, Madrid, Clásicos Castellanos, 1955.

[29] *Obras, ed. cit.,* t. III, págs. 206-207.

don Epitafio y don Esdrújulo, es una feliz imitación de *La comedia nueva.*

Entre los cultivadores de la comedia neoclásica durante el primer tercio del siglo XIX, en quienes actúa como modelo Moratín, debemos destacar dos autores nada vulgares ni mostrencos: Martínez de la Rosa y Manuel Eduardo de Gorostiza (1789-1851), nacido en Veracruz, hijo de padres españoles, educado en España y representante de México cuando éste se declara independiente. El primero escribió cuatro comedias: *(¡Lo que puede un empleo!, La niña en casa y la madre en la máscara, Los celos infundados o el marido en la chimenea* y *La boda y el duelo)* de escuela neoclásica, estrenada la primera en 1810, en Cádiz, y publicada la última en 1839, aunque escrita años antes, en cuya «Advertencia» la define su propio autor como «de la escuela de Moratín» [30]. En cuanto a Gorostiza, sus cinco comedias originales, escritas entre 1818 y 1833 *(Indulgencia para todos,* 1818; *Las costumbres de antaño,* 1819; *Tal para cual o las mujeres y los hombres,* 1819; *Don Dieguito,* 1820, y *Contigo pan y cebolla,* 1833, en prosa ésta), pertenecen también a la escuela neoclásica, aunque en la última, sátira de una joven dama romántica, rompa con las unidades de lugar y tiempo, pero conservando carácter neoclásico en su propósito moral y en su estilo [31].

La influencia de la fórmula moratiniana será también decisiva en el más importante comediógrafo de la época romántica, Bretón de los Herreros.

4. Don Ramón de la Cruz (1731-1749) y el sainete

Don Ramón de la Cruz comienza su carrera literaria profesando los ideales estéticos de la escuela neoclásica, fiel discípulo de la *Poética* de Luzán. Su labor dramática es, fundamentalmente, la de traductor. Traduce tragedias de Racine *(Bayaceto),* del italiano Zeno *(Sesostris),* de Metastasio *(Aecio, Talestris),* de Shakespeare arreglado por Ducis *(Hamleto),* y comedias de Voltaire *(La escocesa)* y de Beaumarchais *(La Eugenia).* Además de traducir, refunde, o mejor, «arregla» piezas del teatro barroco y escribe zarzuelas. Su entusiasmo por la estética neoclásica, que no fue demasiado intenso, decrece rápidamente y es sustituido por una actiutd contraria, de manifiesta oposición al teatro neoclásico. En 1765 la ruptura con los neoclásicos es completa. Ramón de la Cruz se dedica por entero a escribir sainetes, forma dieciochesca del entremés, y si vuelve a la tragedia

[30] *Obras, ed. cit.,* t. 149, pág. 9.

[31] Para la escuela neoclásica del siglo XIX, ver Cook, *op. cit.,* págs. 384-412 y 428-478.

es para parodiar, como en *Manolo* (1769) o en *El Muñuelo* (1792).

Los sainetes, piezas teatrales cómicas cortas, escritas en verso octosílabo, con canciones intercaladas, es el género teatral más popular de la segunda mitad del siglo XVIII. Don Ramón de la Cruz, defendiendo sus sainetes, escribió de ellos: «Pintura exacta de la vida civil y de las costumbres de los españoles.» «No hay ni hubo más invención en la dramática que copiar lo que se ve, esto es, retratar los hombres, sus palabras, sus acciones y sus costumbres... Los que han paseado el día de San Isidro su pradera, los que han visitado el Rastro por la mañana, la Plaza Mayor de Madrid la víspera de Navidad, el Prado antiguo por la noche, y han velado en las de San Juan y San Pedro..., en una palabra, cuantos han visto mis sainetes, reducidos al corto espacio de veinticinco minutos de representación..., digan si son copias o no de lo que ven sus ojos y de lo que oyen sus oídos; si los planes están arreglados al terreno que pisan, y si los cuadros no representan la historia de nuestro siglo... Yo escribo, y la verdad me dicta.» Si tenemos en cuenta que esa verdad es de muy corto vuelo y de ninguna trascendencia y que esa historia es superficial costumbrismo tendremos una imagen bastante exacta del mundo de los sainetes, de su técnica y de su alcance.

En unos sainetes presenta, captando lo típico y lo pintoresco, escenas de la vida callejera madrileña, bien con técnica de retratista, que no pasa más allá de la superficie de lo retratado (*La pradera de San Isidro, El Retiro por la mañana, La Plaza Mayor por Navidad,* etc.), bien con técnica satírica, de no muy hondo calado, como en *El fandango del candil.* En otros sainetes nos lleva a los interiores de clase media, con la pretensión de mostrarnos cómo se comportan, a solas o en compañía, sus representantes (*El sarao, Las tertulias de Madrid,* etc.). El «retrato» de esta sociedad es elemental y atiende siempre mucho más que a su ser a sus apariencias. Lo captado por el retratista es, desde luego, lo exterior. Finalmente, en otros sainetes nos introduce en los barrios bajos para intentar divertirnos con escenas de la vida de algunos de sus tipos, un sí no es retratados con su poco de pimienta y su poco de sentimentalismo (*Las castañeras picadas, La cesta del barquillero, Los aguadores de Puerta Cerrada,* etc.).

Ni el madrileñismo, ni el costumbrismo, ni el ser «documentos de época», ni el tipismo ni el popularismo salvan a estas piezas cortas de ser lo que son: teatro vulgar, de baja calidad dramática, de pobre comicidad. Tal vez interesantes para el cronista de la villa de Madrid; hoy, como teatro, apenas significan algo. Quien siga el consejo de Menéndez Pelayo, que escribía: «Quien busque la España del siglo XVIII, en sus sainetes la encontrará, y sólo en sus sainetes», quedará defraudado, pues de la España del siglo XVIII no hay más que cáscaras. Don Ramón de la Cruz, retratista de plaza y calle, pensando «retratar los hombres», retrató vestidos y pelucas.

La España retratada por Don Ramón es la que corre de 1762 a 1792, época a que se extiende su abundantísima producción de sainetes. De esa España, la que lleva la mejor parte es la popular, cuyos tipos son tratados con simpatía, reservando el sainetero su sátira para la clase media, mientras nunca la dirige contra la aristocracia.

Dueño Ramón de la Cruz de los escenarios madrileños, pronto surgirán imitadores de sus sainetes, con menos gracia y menos méritos literarios, destacando por encima de todos el gaditano Juan Ignacio González del Castillo (1763-1800), que no conseguirá en vida ser estrenado en Madrid, feudo de Don Ramón, y que, pese a su no muy larga vida, escribió cuarenta y cuatro sainetes, amén de tres comedias y una tragedia *(Numa,* 1799). Localizados sus sainetes en la Andalucía gaditana, reserva, como Cruz, su sátira contra la clase media, especialmente contra los tipos del tutor, el médico, el abogado o el petimetre y su simpatía para los tipos populares, majos y majas incluidos. Entre sus mejores sainetes pueden citarse *El café de Cádiz, La casa de vecindad,* en dos partes, *La inocente Dorotea* o la serie de *El soldado fanfarrón,* en cuatro partes [32].

[32] Ver *Obras Completas,* edición de la Real Academia de la Lengua, Madrid, 1914, 3 vols.; y el estudio y catálogo de sus obras por Nicolás González y R. Gómez de Ortega en *Bulletin of Spanish Studies,* I, 1924, págs. 135-140, y II, 1924, págs. 35-50.

Capítulo V

El teatro del siglo XIX

I. El drama romántico

El drama romántico aparece y se impone en España con algunos años de retraso respecto a Inglaterra, Alemania, Francia e Italia. en donde el pleno romanticismo ha dado ya sus mejores frutos cuando en España triunfa sobre los escenarios el *Don Alvaro o la fuerza del sino* (1835), del duque de Rivas, pieza clave de nuestro teatro romántico. El año anterior el público madrileño pudo asistir a la representación de *La conjuración de Venecia,* de Martínez de la Rosa, y de *Macías,* de Larra, que inauguraban el periodo romántico del drama, cuya duración sería efímera, pues en 1849, en que se estrena *Traidor, inconfeso y mártir,* de Zorrilla, puede decirse que acaba la vigencia del teatro romántico. Lo primero que destaca, pues, en la historia del drama romántico español es su tardía aparición y su corta duración. El retraso con que aparece tiene que ver mucho con la situación política de España durante los años clave de absolutismo y censura literaria del reinado de Fernando VII, que crea un clima adverso a la libre creación artística, mantiene en el exilio a los intelectuales españoles e impide que encuentren su natural cauce expresivo las ideas, creencias y actitudes que fermentan en la *inteligencia española.* Si el romanticismo como actitud vital puede ya rastrearse en la sociedad española desde las Cortes de Cádiz, como ha señalado Julián Marías, su cristalización en un estilo literario idóneo sólo se producirá con el regreso de los liberales emigrados, muerto ya Fernando VII. Pero además de la circunstancia política retardativa del triunfo literario del romanticismo, debe también tenerse en cuenta, como factor importante, el peso de la educación literaria neoclásica en la generación de Martínez de la Rosa y el duque de Rivas, generación que debiera haber sido desde su juventud la que realizara la revolución literaria en España y que, en cambio, sólo la hizo y, en cierta manera, parcialmente, en plena madurez, y menos por necesidad interna que por impregnación e imitación de las literaturas inglesa y francesa. Así, la literatura romántica española lleva en su propio seno, desde un principio, los gérmenes de su descomposición, dado que hay en ella mucho más de postura conscientemente adoptada, de respuesta a una moda, de acomodación a un estilo, que de crecimiento orgánico en virtud de necesidades espirituales insoslayables. De ahí ese *crear en hueco,* ese énfasis formal y esa retórica y poco profunda sustancia intelectual que caracteriza a las más de las producciones románticas hispanas, aquejadas de ausencia de auténtica trascendencia por falta de auténtica problemática, ya que nuestros románticos, con honrosas excepciones (Larra, por ejemplo), no llegan a vivir de verdad, y desde adentro, conflictivamente, su propia existencia. Son, en cierta medida, herederos de problemas importados. No han tenido que buscar soluciones a problemas nacidos espontáneamente y en serio en su propia existencia, problemas que estén ahí acuciándolos, obligándolos a darles respuesta, enraizados en lo más hondo de la conciencia. Por ello, el romanticismo y sus géneros literarios pasa pronto en España y rara vez cala hondo ni alcanza el mismo nivel de trascendencia ni igual riqueza espiritual que en otros países europeos. El romanticismo español padece, en general, de una radical incapacidad para la introspección.

Sólo en conexión con cuanto acabo de apuntar puede entenderse que en el drama romántico español y, en general, en nuestra literatura romántica, sea mucho más relevante la belleza y riqueza de forma que la profundidad, originalidad y autenticidad de contenido, y que encontremos sus mejores valores en aquélla que en éste.

Tampoco hay que olvidar que el drama romántico no triunfó nunca plenamente ni mereció unánime aceptación, ni siquiera en los años de su mayor esplendor. Durante sus escasos quince mejores años, los que van del 35 al 50, la polémica de «clásicos» y «románticos» llena con sus apasionados acentos el ambiente literario y las Revistas de la época, entre las que destaca, junto con *El Artista* (1835-1836), *No me olvides* (1837-1838), *El Liceo Artístico y Literario* (1838) y otras muchas [1], el *Semanario Pintoresco Español* (1836-1837), fundado en 1836 por Mesonero Romanos, autor, entre otros artículos de sátira del romanticismo, del estupendo, por la gracia de la parodia, precisamente, *Romanticismo y románticos,* publicado en 1837, el mismo año del estreno de *Los amantes de Teruel,* de Hartzenbusch, que seguía al *Don Alvaro* (1835) del duque de Rivas y a *El trovador* (1836), de García Gutiérrez. Durante esos mismos años de encendida polémica, los representantes de la escuela «clásica» y los de la escuela «romántica» estrenan sus obras, sin que

[1] Ver Peers, E. A., *Historia del movimiento romántico español,* Madrid, Gredos, 1954, 2 vols.

los unos logren derrotar a los otros, aparecen los partidarios de la escuela «ecléctica» y se producen fugas y retornos en el interior de los partidos literarios extremos y no pocos compromisos.

1. Caracteres generales del drama romántico

a) En buena medida los elementos formales que lo caracterizan responden a la voluntad de romper con la estructura del drama neoclásico, oponiendo a la monocorde unidad de aquél, y a su disciplinada construcción la libertad como principio artístico. Libertad que no tiene su fundamento en la imitación de la «naturaleza», como en el teatro del Siglo de Oro, sino en una teoría del arte que rechaza cuanto es norma y regla, en nombre, precisamente, del arte mismo, que se convierte a sí mismo en razón suficiente. Se rompen las fronteras que separaban y delimitaban los géneros dramáticos, mezclando lo trágico con lo cómico en busca no tanto de reflejar «verosímilmente» la realidad, cuanto de expresar lo grotesco de ella, nuevo valor esencial descubierto, por medio del contraste entre los valores positivos y negativos de la existencia, y esto desde una óptica fundamentalmente idealista. A la mezcla de lo trágico y lo cómico, acompaña la mezcla de prosa y verso, aunque tal mezcla sólo se da en pocas piezas, y no llega a triunfar, estribada como estaba más en un prurito de originalidad que en sólidas y coherentes razones artísticas, ya que no dramáticas, pues desde una perspectiva exclusivamente teatral tal mezcla constituye más bien un error que un acierto, y tiene más de artificioso que de natural, ya que ni en el *Don Alvaro,* ni en *El Trovador,* ni en *Los amantes de Teruel,* obras donde se da tal mezcla de prosa y verso, pueden descubrirse razones internas, inherentes a la esencia misma de lo dramático, que las justifiquen, pues el paso de prosa a verso, y viceversa, es totalmente caprichoso. Por ello, por su misma arbitrariedad, una vez pasado ese primer momento en que los dramaturgos se entregan con pasión al placer de romper con toda regla y toda norma, como colegiales en vacaciones que se afirman en la pura y gratuita indisciplina, desaparece tal híbrido y se escribe sólo en verso, con rica polimetría, como en la dramaturgia del siglo XVII, aunque sin la adecuación conseguida por los grandes dramaturgos barrocos entre verso y situación dramática.

Se rompen las unidades de tiempo y de lugar. La variedad de lugares escénicos y la predilección por algunos de estos lugares (panteón, paisaje abrupto y solitario, mazmorra) son típicos del drama romántico. Los frecuentes cambios de lugar responden a la estructura dinámica de la acción, o mejor, a la complicada intriga propia de estas piezas en las que el héroe parece estar siempre impulsado por una insoslayable necesidad de cambio.

Frente a la ausencia de acotaciones escénicas características del teatro neoclásico, abundan en el drama romántico tanto las que se refieren a la escenografía como a las actitudes de los personajes. Frente a la atemporalidad y carácter abstracto del espacio en la tragedia neoclásica, el drama romántico se caracteriza por la fuerte temporalización y la espesa concreción del espacio teatral. La acción aparece siempre cuidadosamente localizada, inclusa en una concreta circunstancia espacio-temporal. La escenografía no es un simple marco de la acción, sino que, bastantes veces, cumple una función dramática importante.

El número de actos varía entre tres, cuatro y cinco. A veces, como en *Don Alvaro* o *El Trovador,* se les da el nombre de jornadas, con clara manifestación de entronque con el teatro nacional del Siglo de Oro. Y, a veces también, cada acto lleva un título significativo del sentido o esencia de la acción o de la situación. He aquí un par de ejemplos: *El Trovador* (Jornada I: El duelo; II: El convento; III: La gitana; IV: La revelación; V: El suplicio). *Don Juan Tenorio* (Primera parte, I: Libertinaje y escándalo; II: Destreza; III: Profanación; IV: El diablo a las puertas del cielo. Segunda parte, I: La sombra de doña Inés; II: La estatua de don Gonzalo; III: Misericordia de Dios y apoteosis del amor).

b) Si de los elementos formales pasamos al estudio de los personajes, destaca inmediatamente la personalidad del protagonista tanto masculino como femenino: el héroe y la heroína románticos. Rasgos definitorios del primero son el misterio y la pasión fatal; de la segunda: la dulzura e inocencia y la intensidad de la pasión. El héroe romántico aparece a los demás como un ser misterioso, de oculto o desconocido origen; es portador de un destino aciago que atrae la desgracia sobre aquellos que le aman y a los que ama; es hermoso, con una belleza tanto física como espiritual, en donde, a la vez, hay algo de angélico y de diabólico; ama la libertad por encima de cualquier otro valor de la existencia, y sólo con ese amor compite el amor al amor, cuya encarnación es la mujer; como el viento hincha la vela del barco y lo empuja, así el ideal sopla sobre el alma del héroe y lo impulsa hacia adelante, ebrio de infinito y de belleza; es, por excelencia, el hombre interesante, y el hombre que vive en perpetua tensión nunca satisfecho, el hombre de los extremos que de la cima del placer se despeña al abismo del dolor; buscador de la felicidad, le busca a él la desgracia; capaz de vivir intensamente la vida, la muerte le acompaña y le saltea, o se le esconde cuando él la busca. He aquí un ejemplo de *Traidor, inconfeso y mártir,* que vale por otros muchos que pudieran aducirse:

GABRIEL:

.... un ser soy
que infesto el lugar que habito,
que cuanto toco marchito
y asolo por donde voy.

CÉSAR:

¿Qué me importa? El horror mismo
del misterio que hay en vos,
de sí me arrebata en pos,
y ciego voy a su abismo.

En medio de la borrascosa existencia del héroe romántico, inundando de claridad y frescor la oscura melancolía y la encendida tristeza que acongojan su corazón, brota, como un «ángel de luz», la delicada figura de la mujer, toda ternura y fidelidad, capaz del mayor heroísmo y del más hermoso sacrificio, pura y sensitiva, y predestinada, desde el momento en que ama, al dolor y a la muerte. Nacida para el amor, para el amor vive y por el amor muere.

Alrededor de ellos los demás personajes, cada uno movido por su pasión, parecen existir para oponerse al cumplimiento del amor de la pareja protagonista o para asistir impotentes a la destrucción y a la catástrofe final.

c) El tema fundamental es, naturalmente, el amor. Un amor absoluto, más allá del bien y del mal, que por su condición de absoluto no admite pacto ni compromiso alguno con el mundo, siempre relativo; y si el pacto llega a establecerse, si uno de los amantes, por cumplir con las leyes del mundo (piedad filial, honor), cede, cosecha sólo dolor y muerte. El amor es concebido solamente «sub specie tragoediae». Los amantes aspiran a realizar la esencia misma del amor, la unión perfecta y total en esta tierra, con afán de trascender todo límite. Su empeño es un imposible metafísico y lleva en él mismo, como única solución, la muerte. Lo dramatizado es, pues, la esencia misma del amor humano en su pretensión de hacer verdad lo que no puede ser vivido más que como conato y aspiración. A primera vista parece como si esta pareja humana, destinada a la inmolación, padeciera la muerte sin culpa, víctimas de un sino o azar ciego. Desgraciadamente, el sino o el azar funciona casi siempre mecánicamente, como un elemento teatral más que dramático, al servicio de la intriga más que de la acción. Rara vez alcanza la categoría de destino o fatalidad, quedándose en pura casualidad. Los dramaturgos españoles parecen lanzar a sus héroes a una carrera de obstáculos que se van oponiendo sistemáticamente a la realización de su amor. La primacía de la intriga sobre la acción impide, las más de las veces, que el amor, como tema fundamental, logre la dimensión auténtica trágica. La falta de profundidad dramática es compensada o sustituida por la habilidad con que construyen una complicada intriga, llena de lances, y por la intensificación, en las escenas claves, del elemento lírico.

Formando constelación con el tema del amor aparece el tema de la libertad, despojado, generalmente, de las implicaciones políticas que le eran inherentes en la tragedia neoclásica. Lo que allí era idea de la libertad es aquí sentimiento de la libertad.

d) Un elemento de origen clásico, que recibe un tratamiento efectista en varios de los más importantes dramas románticos, es la *anagnórisis* o reconocimiento. Debiendo funcionar en la estructura de la acción como intensificador del clima trágico, es utilizado melodramáticamente para producir sorpresa y horror, y suele tener más de truco o golpe teatral que de legítimo elemento dramático. En *El Trovador* descubrimos que Manrique es hermano de quien acaba de mandar decapitarle. En *Traidor, inconfeso y mártir* la heroína resulta ser hija de quien ha enviado a la muerte a su amado. O en *La conjuración de Venecia* Ruggiero, condenado a muerte por delito de conspiración contra el poder establecido, es hijo de quien más ha hecho para que sea enviado al cadalso. Una vez más la voluntad de crear una intriga compleja y sorprendente que mantenga en vilo al espectador y le procure emociones truculentas priva sobre las necesidades internas, puramente dramáticas, de la acción.

e) La mayoría del teatro romántico pertenece al género del drama histórico, del que en Alemania fue su máximo representante Schiller, que, a su vez, fue quien consiguió más profunda y perfecta realización. Nuestros dramaturgos toman muchos de los elementos del drama nacional del Siglo de Oro, intensificando especialmente la pasión amorosa, convertida en núcleo dramático en torno al cual ordenan todos los demás valores. Rara vez llevan a cabo una auténtica dramatización de la historia, la cual aparece como simple telón de fondo, como decoración o marco exterior de la acción. De la historia captan la anécdota, el detalle pintoresco, pero no su esencia ni su sentido. Es un puro pretexto para poner en pie sobre el escenario unos personajes —vestido, voz y ademán— que no en su raíz, sino en su superficie, están puestos en conexión con la historia. No hay que buscar, pues, en los dramas históricos románticos el drama de la historia ni la historia como drama. Todo lo más que llegaremos a percibir será una localización histórica de la acción y unas situaciones dramáticas condicionadas por la historia, en donde cristaliza el conflicto romántico entre la libertad individual y la presión social. Frente al individuo y sus aspiraciones el mundo opone sus deberes, sus prejuicios y sus compromisos. El desenlace del conflicto será siempre el mismo: la destrucción del individuo por el mundo. El orden del mundo, estribado en la materia, no tolera el triunfo de la individualidad que, estribada en el espíritu, pretende instaurar un orden trascendente en donde la belleza y la virtud fueran los valores rectores.

2. Autores y obras representativas

En el umbral del drama romántico: Martínez de la Rosa (1789-1862).

Durante su destierro en Francia compone Martínez de la Rosa dos dramas históricos: *Aben Humeya o la rebelión de los moriscos* y *La conjuración de Venecia.* El primero lo estrenará en francés en el Teatro de la Porte St. Martin de París, en julio de 1830, con éxito de público y crítica. El segundo en Madrid, el 23 de abril de 1834, con éxito también. Con estos dramas en prosa se inicia en Madrid el ciclo de representaciones del drama romántico español. En ninguna de estas dos piezas ha roto del todo el autor con la tragedia histórica del periodo anterior, en la que, dentro de una forma neoclásica, apuntaban diversos elementos prerrománticos. La forma anuncia ya el drama romántico: uso de la prosa, ruptura de las unidades de lugar y tiempo; la escenografía y los personajes, y la construcción de la intriga —sobre todo en *La conjuración de Venecia*— son también románticos, con un romanticismo atenuado por ese sentido de la disciplina y del orden típicos de la concepción estética del teatro de Martínez de la Rosa, concepción —nada improvisada, siempre fruto de la reflexión— que va más allá de la estética neoclásica y permanece, en lo sustancial, más acá de la estética romántica.

El tema de estas dos piezas es el mismo: la lucha por la libertad. Si no tiene las implicaciones directamente políticas de las tragedias neoclásicas de la libertad, sí guarda una relación muy directa con la situación espiritual del exilado político que, condicionado por ella, se siente atraído por aquellas situaciones históricas en que la existencia queda polarizada por la causa de la libertad, causa que está perdida de antemano. Lo que seduce al dramaturgo en exilio es no tanto la libertad como el fracaso de la libertad, pues en la dramatización de ese fracaso puede dar expresión a su propia experiencia. Así estos dos dramas son, sobre todo, la creación de un hombre desilusionado, llegado ya a la madurez, que escribe desde la nostalgia y el recuerdo, antes que desde la esperanza y la fe en el futuro. Por eso la dialéctica de la libertad tiene más de elegía que de himno. Lo mejor y más auténtico de estos dos dramas es lo que en ellos hay de canto a esa libertad, supremo ideal, que se sabe, por experiencia, condenada al fracaso. En *Aben Humeya* la libertad, desde un principio, está llamada al fracaso, porque quienes se levantan para conseguirla están ya divididos entre sí y combaten, más que por la libertad pura y simple, por el poder personal. La libertad como ideal encubre la ambición del poder. Lo puesto en evidencia es el juego de las ambiciones personales y, en consecuencia, la impureza de la libertad ondeada como bandera. El héroe de la libertad, idealmente sentido, Aben Humeya, es vencido no por el tirano, sino por Aben Abó y Aben Farax, promotores de la rebelión que, a su vez, según deja adivinar el final del drama, se destruirán uno a otro. Entre la libertad y la tiranía no hay fronteras, pues en la primera se encuentran ya en germen la segunda. La rebelión sólo deja unos cuantos cadáveres y un reguero de sangre. Las últimas palabras, antes de que el telón caiga, son claras: «Mira, ¿ves este reguero de sangre? Ese es el camino del trono.»

En *La conjuración de Venecia* —para la que se documenta cuidadosamente— la complejidad de la intriga es mayor que en *Aben Humeya* y, en primer término, destacan Ruggiero y Laura, prototipos de la pareja romántica, cuyo amor sucumbirá al mismo tiempo que la libertad. Martínez de la Rosa busca mantener suspenso el ánimo del espectador, no ya por la densidad de la palabra dramática ni por el sentido de la acción, sino por los sorprendentes y patéticos lances de la intriga. A pesar del patetismo de algunas escenas en ningún momento logra el autor crear un clima trágico, por una razón obvia: la ausencia total de conciencia de lo trágico en los personajes del drama. Y bien sabido es que no hay tragedia sin conciencia. Ni la escena de amor del acto segundo en el panteón de la familia Morosini, a la luz de una antorcha, con acompañamiento de sepulcros y emblemas fúnebres; ni el movimiento escénico del acto cuarto en que los conjurados pasan a la acción durante el día de carnaval, con profusión de máscaras y disfraces; ni el tribunal de justicia del acto quinto, en donde Ruggiero descubrirá, ¡demasiado tarde!, la identidad de su padre y, por tanto, el secreto de su misterioso origen, pueden salvar para nosotros esta obra que guarda ya sólo un valor de época; y como tal, representativa de un gusto y de una estética, y sólo como tal, puede interesarnos.

Macías, de Larra

Igual sucede con el *Macías,* de Larra, estrenado pocos meses después de *La conjuración de Venecia.* Con el agravante de que Larra, extraordinario escritor en prosa, es un pésimo versificador; y, agudo crítico teatral, carece como autor de sentido teatral. Su *Macías* tiene, como obra de teatro, muy poco interés. Lo único que interesa en esta pieza es, justamente, lo extradramático: la transposición del drama amoroso personal del hombre Larra, encarnado en el trovador Macías. Fuera de esta identificación y del carácter confesional de algunas escenas, todo el resto es materia muerta, simple arqueología. Macías, héroe dramático, convertido en prototipo de héroe romántico, no le llega a Larra a la suela del zapato. Si Larra, al escribir esta obra, se hubiera olvidado de la historia y hubiera tenido sólo presente su íntima historia, la suya propia, nos habría dejado un hondo y auténtico drama: el de un hombre de carne y hueso de la España de carne y hueso de su tiempo. Si son muchos los escritores que salen ganando al transponer a mito literario su historia personal, con Larra sucede, justamente, lo contrario: su historia personal, su drama de hombre, es infinitamente superior a su mito literario: el Macías teatral y el novelesco de *El doncel de don Enrique el Doliente.*

Los dos grandes dramas románticos del duque de Rivas

Don Álvaro o la fuerza del sino

La noche del 25 de marzo de 1835 se estrenó en Madrid *Don Álvaro.* Para la historia de la literatura ese estreno significa el triunfo del Romanticismo en España y esa obra el prototipo del gran drama romántico español. ¿Cómo debemos nosotros enfrentarnos con este drama? ¿Tendría sentido tratar de verlo con los ojos del espectador de 1835? Y aun si tuviera sentido, ¿nos sería hacedero? ¿Cómo saltar, en efecto, desde nuestro mundo al mundo romántico? Si lo miramos con ojos sólo de nuestro tiempo, ¿habremos visto el drama que escribió el duque de Rivas en el exilio y que luego volvió a escribir, en prosa y verso, de regreso ya en España? ¿Qué significa para nosotros la tragedia de don Álvaro, qué nos dice?

Don Álvaro es un hombre cuyo origen nadie en el drama conoce exactamente. De él nos llegan sólo rumores, rumores que corren de boca en boca entre las gentes del pueblo. Para Preciosilla, la gitana, hembra joven, es don Álvaro «el mejor torero que tiene España», «muy buen mozo», «gallardo» y «generoso y galán». Le leyó las rayas de la mano y éstas no anunciaban muy buenaventura. Para el majo, hombre de pelo en pecho, don Álvaro «es todo un hombre», realmente «un hombre valiente». El tío Paco, aguador, que tiene su aguaducho a la entrada del puente de barcas de Triana, a quien le gusta escuchar cuanto hablan sus parroquianos, ha oído de unos que don Álvaro «había hecho sus riquezas siendo pirata», a otro que «era hijo bastardo de un grande de España y de una reina mora», a otros que era inca. Pero el tío Paco tiene su filosofía concreta de la vida: para él cada hombre es hijo de sus obras, en lo que coincide con Don Quijote; lo importante, y eso lo es don Álvaro, es ser «buen cristiano y caritativo». Don Álvaro, pues, reúne en su persona las cualidades que pueden hacerlo admirable al pueblo. Si subimos de capa social, nos encontramos con un oficial para quien don Álvaro es, ante todo, por su conducta y por sus modales, un perfecto caballero y, además, hombre riquísimo. En todo caso, todos estos personajes están de acuerdo en afirmar que don Álvaro vale mucho más que la aristocracia sevillana, representada por el marqués de Calatrava, lleno de pergaminos, de vanidad... y de pobreza. El canónigo, amigo de esa aristocracia empobrecida, y conservador, como es natural, nos entera que don Álvaro «ha venido de Indias hace dos meses», trayéndose «dos negros y mucho dinero». Por lo demás, ¿quién puede asegurar que es un caballero? Por tanto, bien ha hecho el marqués de Calatrava en negarle la mano de su hija Leonor. La cosa no es tan grave: ella olvidará su capricho, y él, don Álvaro, no tendrá sino buscarse otra novia. Si don Álvaro no renuncia, ahí están los dos hijos del marqués, don Carlos, el militar, «de los oficiales más valientes del Regimiento de guardias españolas», y don Alfonso, el estudiante, «más espadachín que estudiante», que no le va en zaga en valentía y pundonor a su hermano. Todo esto según el canónigo. Para terminar sólo nos resta oír lo que dice ese habitante de Sevilla, al que imaginamos sin rostro o con el rostro de todos los ciudadanos: «es un ente muy misterioso». Este coro de múltiples voces nos dice, pues, mucho y nada de don Álvaro. ¿Quién es don Álvaro?

«Empieza a anochecer y se va oscureciendo el teatro.» Y justo en ese momento en que descienden sobre la escena las primeras sombras, aparece don Álvaro. «Sale —¿de dónde?— embozado en una capa de seda, con un gran sombrero blanco, botines y espuelas; cruza lentamente la escena mirando con dignidad y melancolía a todos lados, y se va —¿hacia dónde?— por el puente». Nosotros seguimos preguntándonos: ¿quién es don Álvaro?

En las escenas VII y VIII —penúltima y última— del primer acto, don Álvaro, que viene a buscar a Leonor para hacerla su esposa, tiene el primer encuentro con su sino, sino cuyo rostro es el del más puro y absurdo azar. La pistola que don Álvaro había arrojado al suelo, a los pies del marqués de Calatrava, que ha irrumpido en escena justo para impedir la huida de don Álvaro y Leonor, se ha disparado sola y la bala ha herido de muerte al marqués. He aquí el principio de la tragedia. Una tragedia —a lo menos en su origen— donde no hay responsables. ¿Quién, en efecto, tiene la culpa de que la pistola se haya disparado sola y de que la bala haya encontrado en su trayectoria un punto vital del cuerpo del marqués? Ese suceso, en el mismo, carece de explicación, se ha producido porque sí. Hasta llegar ahí todos los sucesos se encadenan lógicamente. Don Álvaro ha tirado la pistola al suelo para mostrar al marqués que se entregaba a él inerme. En don Álvaro tal gesto nace de su nobleza de alma: si el marqués debe castigar a alguien es a él, y no a Leonor, que es inocente. El marqués, a su vez, provoca ese gesto de don Álvaro porque adopta la actitud del padre ofendido en su honor, un honor ciertamente anacrónico que le lleva a tratar a don Álvaro de advenedizo y aun a negarle la condición de caballero. Si ha entrado en escena es porque el canónigo le avisó del posible rapto de Leonor. Si, a su vez, Leonor hubiera huido con don Álvaro apenas llegado éste el marqués hubiera llegado demasiado tarde. Pero Leonor vaciló, no supo estar a la altura de las circunstancias. Todo se encadena perfectamente: la vacilación de Leonor, la pertinente impertinencia del canónigo, el honor y el prejuicio social del marqués, la nobleza de alma de don Álvaro. Y, sin embargo, nada de eso es causa de la bala que mata al marqués. ¿Quién, pues, mata al marqués? ¿Quién maneja, invisible, pero presente, esa pistola? Una fuerza ciega, llamada sino, es la respuesta romántica. Pero ¿quién es el sino? No es, desde luego, una deidad que, actuando como una providencia al revés, persiga implacable e inmisericorde, por no sabemos qué razones ocultas e indescifrables, a sus víctimas. ¿O si lo es? Tratemos de descifrar su misteriosa personalidad —si es que hay misterio— para lo cual nada mejor que ver cómo actúa, qué catástrofes provoca con su intervención. Ordenamos los hechos resumiéndolos cuanto nos sea posible, así como sus consecuencias.

a) La pistola se dispara al caer al suelo y mata al marqués. Consecuencia: la sangre del marqués abre un abismo entre don Álvaro y doña Leonor.

b) Don Álvaro está en Italia buscando la muerte en los campos de batalla. En lugar de encontrar la muerte encuentra la fama. Y encuentra a don Carlos, el hijo primogénito del marqués, al que salva la vida. Éste, a su vez, salvará poco después la de don Álvaro. Entre ambos, que desconocen su identidad verdadera, surge un sentimiento de mutua admiración y de recíproca amistad. Hasta que —segunda intervención del sino— descubren cada uno quién es el otro, y don Álvaro, provocado, mata en duelo a don Carlos, después de descubrir que Leonor, a quien creía muerta, vive. Consecuencia: la sangre hace más profundo el abismo entre don Álvaro y doña Leonor.

c) Don Álvaro vive retirado en un convento entregado a la penitencia y al amor de Dios. Don Alfonso, el segundo hijo del marqués, que durante varios años ha viajado por América en busca de don Álvaro para vengar la muerte de su padre y su honor mancillado, llega a la celda de don Álvaro, le insulta y le provoca a duelo. Don Álvaro trata de vencerse a sí mismo, se humilla, pero sin resultado. Finalmente, abofeteado, cediendo a la furia, hiere de muerte a don Alfonso. La escena del duelo tiene lugar en un paraje de impresionante grandeza, hiriente y desnudo como la misma muerte. El cielo, cruzado de relámpagos y truenos, colabora a lo terrible de la escena final. El horror llega a su apoteosis cuando Leonor, que allí vivía como penitente encerrada en una gruta, acude a los gritos de don Álvaro, ignorante de la identidad del penitente, y es apuñalada por su hermano al acercarse a socorrerlo. Don Álvaro, llena de desesperación su alma, se lanza al abismo desde lo alto de un risco, enloquecida su razón.

Ni en la ciudad ni en el campo de batalla ni en el convento, ni como civil, ni como soldado, ni como religioso, ni en la paz ni en la guerra, ni en la oración, ni en el mundo ni fuera del mundo ha encontrado la felicidad que buscaba. La fuerza del sino ha ido a buscarle adondequiera que se encontrara. ¿Qué crimen ha cometido? ¿Cuál es su culpa? No hay crimen ni hay culpa. A no ser que su crimen y su culpa sea haber nacido... Aunque no *haber nacido* sin más, sino *haber nacido «en signo terrible»*. Pero ¿quién, entonces, le ha hecho nacer en signo terrible? La respuesta que, lógicamente, acude es: Dios. Sólo que Dios no tiene papel en el drama. El Dios trágico es siempre un Dios presente y ausente a la vez, un Dios terrible, exigente, pero nunca un Dios arbitrario, ni caprichoso, ni empedernido en su crueldad. La deidad que aquí actúa no tiene sentido; es más, no es nadie. La fuerza del sino es la fuerza de nadie. El sino no es aquí, en este drama, un *quién.* Todo lo más es un *qué,* un algo oscuro, irracional, cuya función es destruir. El sino es el azar puramente mecánico, ni humano ni divino, porque no es nadie, no es persona. Don Álvaro es la víctima, sin culpa alguna, de un azar sin sentido. Terminado el drama nos parece salir de una pesadilla, pero una pesadilla sin conexión con la realidad, sin entronque alguno con la existencia, una pesadilla provocada, artificial, que nos deja vacíos, sin que nada profundo en nosotros haya sido removido ni, menos, transfigurado. Una pesadilla provocada por una droga, no por la contemplación de la esencia trágica de la condición humana. No hay en esta tragedia nada que desencadene en nosotros horror ni conmiseración, terror ni piedad, de nada nos purga, porque sólo la verdad es capaz de auténtica *catarsis.* El mundo en que se mueve don Álvaro nada tiene que ver con la realidad del mundo. Es una pura abstracción, en la que la mecánica teatral hace el papel de destino, un *flatus voci* rellenado de acontecimientos en donde unos personajes realizan los grandes gestos del amor, del dolor y de la muerte, del bien y del mal, sin entidad suficiente para ser verdaderamente humanos. En este sentido el mundo de don Álvaro sí es arquetípico del mundo del drama romántico español: todo en él es ademán. Detrás de los ademanes no hay realidades, sino huecos O si se quiere, la única gran realidad es la oquedad absoluta. Nuestros dramaturgos, en términos generales, son grandes maestros en el arte de teatralizar la oquedad. Debajo de cada grito no hay dolor, sino viento. Parafraseando a Antonio Machado, podríamos decir que cada voz no es una voz, sino un eco. Si nos limitamos a creer en la belleza de los ecos, creeremos en la belleza del drama romántico. Si debajo o detrás del eco buscamos la voz, nos quedaremos con las manos vacías.

Don Álvaro o la fuerza del sino es la gran tragedia de los ecos: el eco del amor y el eco de la angustia, el eco del dolor y el eco de la fatalidad, el eco del honor y el eco de la muerte y, como raíz de tanto eco, el eco del misterio. Perdido entre tanto eco don Álvaro, el protagonista, no consigue alcanzar esa trascendencia, raíz de la verdad y de la universalidad de todo gran personaje dramático. Su valor hay que buscarlo en su intensa teatralidad, en su genial capacidad de gesticulación, que hacen de él uno de los mejores personajes teatrales, ya que no dramáticos, de nuestra escena romántica. Su verdadero reino no es la trascendencia ni la verdad ni la profundidad, sino el puro y desnudo juego teatral.

No creemos que en *Don Álvaro* exprese el duque de Rivas su concepción del mundo, entre otras cosas porque no hay, en rigor, mundo. En cambio, creemos que lo que sí está expresado es su concepción del mundo romántico en tanto que invención literaria de un mundo. *Don Álvaro o la fuerza del sino* es, en el mejor sentido de la palabra, literatura, no vida. El héroe romántico del drama romántico español es un personaje de «drama», no la encarnación del drama de una persona.

El desengaño en un sueño (1842)

El duque de Rivas escribe al final de su carrera de dramaturgo un interesante drama simbólico, caracterizado por él de *drama fantástico.* Valbuena Prat, que ha sabido valorarlo con agudeza, señala el entronque de esta pieza con *La vida es sueño,* de Calderón, y con la dramaturgia de Shakespeare, especialmente con *La tempestad.* A estas dos obras, con las que tiene indudable relación, habría que añadir *La prueba de las promesas,* de Ruiz de Alarcón, dada la estrecha similitud entre las situaciones respectivas que originan el núcleo de la acción, aunque el sentido de ésta y la finalidad dramática sean disímiles, como es disímil la problemática en ellas inclusa.

Este drama del duque de Rivas muestra, como casi todos los suyos, la maestría teatral del autor, su genio para crear una acción interesante, a partir de situaciones bien desarrolladas y con un lenguaje siempre eficaz, capaz de belleza.

El desengaño en un sueño es un drama de despedida, en el que nos parece ver el testamento literario de su autor, escrito con esa serena melancolía de las penúltimas horas, en las que a la desilusión y el desengaño, nacidos de la experiencia vital ya colmada, se unen la aceptación y la renuncia. En cierto modo es el drama de la conciencia romántica española que, en la última revuelta del camino, descubre la impostura del mundo, o, más precisamente, de *su* mundo, y encuentra la verdad en la soledad interior. También en cierto modo podemos aproximarlo a la parábola del hijo pródigo que en el hogar paterno, del que partió a la conquista del mundo, y al que regresa herido por el mundo, encuentra la paz. Con una diferencia importante: el héroe bíblico partió de verdad y recorrió de verdad el mundo, mientras que el héroe romántico vivió la realidad del mundo en el sueño, tomando éste por aquélla.

Lisardo, el protagonista del drama, vive con su padre, el mago Marcolán, en soledad, retirado del mundo. La soledad se le antoja una prisión y sueña con el ancho mundo, por lejano y desconocido, lleno de promesas. Su situación viene expresada por estas décimas, que Valbuena Prat cita para mostrar la relación con las de Segismundo en la torre:

¿Es vida, ¡triste de mí!,
es vida, ¡cielos!, acaso
aquesta vida que paso
con sólo mi padre aquí?
Si condenado nací
y sin esperanza alguna,
a que este islote mi cuna,
mi estado, mi único bien
y mi tumba sea también,
maldigo yo la fortuna.
Si tal mi destino fue,
que es imposible lo fuera,
¿para qué un alma tan fiera
dentro de mi pecho hallé?
¿Con qué objeto, para qué
arde esta insaciable llama,
que toda mi mente inflama,
de buscar, dándome anhelo,
aun a despecho del cielo,
oro, amor, poder y fama?

Esa llama insaciable, símbolo de la inquietud humana y del ansia de infinito que atormenta al héroe romántico, le empuja hacia el mundo para conquistar en él riqueza, amor, poder y gloria. El sentimiento de la propia impotencia para hacer realidad el deseo le lleva a la tentación del suicidio. Marcolán le salva y, durmiéndolo, decide hacerle vivir en sueño la experiencia del mundo. Esa experiencia constituye la acción principal del drama, resuelta teatralmente con extraordinaria pericia dramática y con gran riqueza de escenografía. Lisardo vive la experiencia del amor, de la riqueza, del poder y de la gloria. Cada una de ellas, en lugar de un ascenso, significa un descenso, una caída. El mundo es el reino del mal. Vivir en el mundo es cosechar el dolor, la angustia, el crimen. Cada nueva posesión es el eslabón de una cadena y cada elección una nueva culpa. Lisardo, acosado por los demás y por su conciencia, perdido en la oscura soledad del mundo, llora con nostalgia la perdida soledad luminosa de la casa paterna. La experiencia ha terminado. Marcolán lo despierta de su sueño. El mundo es una horrible pesadilla. Lisardo no abandonará ya la preciosa isla donde florece la inocencia.

El drama, aunque de contenido simbólico bastante elemental, me parece muy interesante, no sólo por las indudables bellezas formales, sino porque es la expresión del fracaso del hombre romántico puro, cuya inadaptación al mundo no es, en el fondo, otra cosa —así, a lo menos, me parece verlo en esta obra— que una imposible voluntad de permanencia en la eterna juventud. El mundo al que renuncia Lisardo es, justamente, el mundo de los adultos, y su sueño de ese mundo el sueño de un joven. La solución del drama no es tal solución, sino una fijación al mundo de la infancia, en cuya soledad, protegida por la figura mágica del padre, no hay ni hombres ni problemas, sino la beatitud de la inocencia. Vivir será, para siempre, soñar el sueño que nos gusta.

El duque de Rivas tiene cincuenta y un años cuando escribe este drama. No podemos identificar al hombre maduro que es el duque de Rivas con el héroe inmaduro —ésa es la esencia de su personalidad— que es Lisardo, ni menos superponer el mundo del autor con el mundo del protagonista. Esta pieza supone una distancia del autor respecto al universo del drama. Drama de despedida lo hemos llamado antes. Ahora podemos precisar del todo: de despedida del mundo romántico. *Don Álvaro* fue el drama de salutación. El sueño romántico del mundo que comenzó en *Don Álvaro* termina en *El desengaño de un sueño.* Todo el proceso del romanticismo español del duque de Rivas está contenido en estas dos obras dramáticas.

En la historia de la literatura española el romanticismo fue mimética elección, no destino natural, si se me permite la expresión. Esto, creo, puede explicar lo que escribí al principio de este capítulo.

García Gutiérrez: entre *El Trovador* y *Juan Lorenzo*

De la abundante producción dramática de García Gutiérrez, resultado de una dedicación casi exclusiva al teatro, tres obras son las destacadas unánimemente por la crítica: una, *El Trovador* (1836), que señala el comienzo de su carrera de dramaturgo; otras dos, *Venganza catalana* (1864) y *Juan Lorenzo* (1865), que la terminan. Durante esos treinta años ha crecido, se ha desarrollado y ha muerto el ciclo del drama romántico y ha recorrido una parte de su camino la generación de los dramaturgos de la «alta comedia».

El Trovador obtuvo un éxito clamoroso, mucho mayor que el *Don Álvaro.* Las juventudes aplaudían entusiasmadas noche tras noche, e incluso Larra le dedicó un elogioso artículo. El drama está sustentado por dos sentimientos fundamentales, comentados por Larra: la venganza y el amor. Manrique, el trovador, víctima de la venganza y héroe del amor, es un *hermano espiritual* de don Álvaro, noble y apasionado, y desventurado y, como él, destinado al holocausto, aunque su Leonor es un «ángel consolador» con más decisión y menos prejuicios de clase que la Leonor de don Álvaro. La Leonor de Manrique muere en los brazos de su amante, confesándole su amor, dicha que le será negada a don Álvaro. La vida de don Álvaro es una acumulación de tiniebla sobre tiniebla, la de Manrique una armoniosa combinación de luz y sombra. *El Trovador* es una historia de amor con escenas de amor; *Don Álvaro* una historia de amor en soledad sin escenas de amor. Los dúos líricos de amor y el mundo caballeresco que los sustenta, así como la intriga novelesca de la pieza y la juventud de los amantes tenían, forzosamente, que arrebatar a un público ansioso de lo extraordinario. Todo en el universo de este drama —personajes, acción, lugar y tiempo, palabra y sentimiento— rompía las trabas de lo cotidiano e invitaba no a la desesperación de don Álvaro, sino a la tristeza y a la melancolía. Muy inferior como drama al *Don Álvaro,* ofrecía, sin embargo, al espectador un mundo sentimental más accesible y amable. Manrique y su historia eran más convivibles que don Álvaro y su sino.

Los dramas que siguieron —*El paje, El rey monje, Las bodas de Doña Sancha, El tesorero del Rey*— muestran que García Gutiérrez tenía muy poco que decir. Esa falta de pensamiento dramático se compensa —sin que tal compensación signifique un valor capaz de dar pervivencia a su teatro— con una intensificación y una mayor complejidad de la intriga. Si alguna vez acierta a escribir una pieza interesante, como *Simón Bocanegra* (1842), su acierto se debe más a la maestría técnica que a densidad dramática o ideológica. Su teatro es un teatro de fórmula, sin trascendencia alguna, difícilmente resucitable. Bien domine la intriga, bien domine el choque de pasiones, ni aquélla ni éstas van más allá de un puro juego teatral.

En 1864 *Venganza catalana* obtiene un éxito clamoroso, y unos meses después, en 1865, el público aplaude *Juan Lorenzo*. La primera es una tragedia épica, escrita en buenos versos, exaltación, a escala nacional, de los gloriosos hechos de armas de Roger de Lauria y sus catalanes. El núcleo fundamental de la tragedia lo constituye la muerte del héroe, víctima de la envidia, la traición y el odio racial. La fuerza dramática que la tragedia alcanza en sus escenas principales, cuando el autor se ciñe a la acción fundamental, queda contrarrestada por el exceso de intrigas, más novelescas que dramáticas, que irrumpen en la acción principal deteniéndola o desvirtuándola. *Juan Lorenzo* es, tal vez, la más ambiciosa de las creaciones dramáticas de García Gutiérrez, a lo menos aquella en que intenta decir más directamente lo que difusamente había venido expresando en sus otras piezas. La idea principal, en torno a la cual se organiza la acción, es ésta: la revolución en nombre de la justicia y de la libertad se convierte en instrumento de muerte en manos de la ambición, el resentimiento y la envidia. Juan Lorenzo, el revolucionario puro, teórico entusiasta de la libertad y de la justicia, pretende conseguir sin violencia la liberación de la plebe y la supresión de toda tiranía. Pero es un hombre demasiado puro y, sobre todo, demasiado sentimental y, desde luego, nada hombre de acción. Llegado el momento de actuar se vuelve atrás horrorizado al comprobar que ni el mundo ni el hombre son como él los había pensado, pensamiento que tiene más de sentimentalismo que de idea. En el fondo, es un soñador que, fiado en la bondad del corazón humano, tiene miedo de la revolución que él ha ayudado a desencadenar. Él será la primera víctima. La pieza, pese al tema, no tiene nada de drama social. Le falta un mínimo de realismo dramático y de verdad, y le sobra sentimentalidad e intriga. El autor ha planteado un problema y no ha sabido resolverlo honradamente, refugiándose en soluciones que no son otra cosa que tópicos y lugares comunes. Una vez más la intriga, en lugar de servir a la acción, le perjudica.

Este autor ejemplifica mejor que ningún otro la patológica incapacidad para la introspección y la ausencia de actitud meditativa y contemplativa que caracteriza, en general, al Romanticismo español.

Hartzenbusch (1806-1880)

En la noche del 17 de enero de 1837 Hartzenbusch, joven escritor hasta entonces desconocido, estrenaba en el Teatro del Príncipe, de Madrid, un drama histórico titulado *Los amantes de Teruel.* El éxito de la obra fue enorme y Larra escribió un elogioso artículo.

Desde algunos siglos atrás era tradición en la ciudad aragonesa de Teruel creer que en el siglo XIII vivieron en ella, en carne y hueso, dos amantes llamados Isabel y Diego. En un mismo túmulo yacen dos cuerpos momificados que una tradición constante identifica con los de esos dos tiernos y desdichados amantes. Hartzenbusch recogió el tema ya tratado por Rey de Artieda en el siglo XVI, y por Tirso de Molina y Pérez de Montalbán en el XVII y, enriqueciéndolo con nuevos episodios de carácter morisco, hizo de él una versión dramática traspasada toda ella por el genio específico del Romanticismo. La versión de Hartzenbusch supera la de sus modelos anteriores. Las dos claves dramáticas de esta «tragedia» romántica son el tiempo y la fatalidad, hábilmente utilizadas por el autor, aunque con función claramente mecánica. El dramaturgo acumula obstáculo tras obstáculo para que Diego, ausente de Teruel, de donde partió seis años antes en busca de fortuna, no pueda regresar a tiempo para desposarse con Isabel. Cuando, al fin, llegue será ya demasiado tarde. Isabel, para salvar el honor de su madre, acaba de casarse con don Rodrigo de Azagra. Diego, al no poder unirse a Isabel, única razón de su vida, muere en escena, no de otra cosa sino de puro amor. Y lo mismo le sucede a Isabel. Los amantes, víctimas del tiempo y de la fatalidad, se unen así en la muerte. Naturalmente lo que se quiere expresar en esta tragedia es una concepción trágica del amor humano, encarnada en dos amantes para quienes vivir es amar, amar es vivir. Por desgracia, el autor, para expresar esa visión de la condición trágica del amor humano, se sirve de la invención de una intriga en donde acumula todos los trucos que la nueva técnica del drama romántico ponía a disposición del dramaturgo. Lo trágico queda así encomendado a un simple mecanismo teatral en donde la fatalidad no pasa de ser un grosero «deus ex machine». En lugar de la necesidad funciona sólo el automatismo. Si queremos disfrutar de las bellezas de este drama es necesario cerrar los ojos a esa automatización de la acción trágica y dejarnos arrastrar por las peripecias de la intriga, a través de las cuales asistimos a la labor destructora del tiempo homicida.

Hartzenbusch, después de este éxito de público y de prensa, siguió cultivando el drama histórico sin que ninguna de las piezas posteriores, escalonadas desde 1838, en que estrena un tremebundo dramón titulado *Doña Mencía o la boda de la Inquisición,* aporten nada definitivo a la historia del teatro romántico español. Ni siquiera puede considerarse como excepción a esta radical mediocridad de este teatro, esencialmente falso y efectista, *La jura de Santa Gadea* (1845), a la que algún crítico considera su obra cumbre. En ella, como en las demás, tanto los personajes como el mundo histórico en que se mueven son sometidos a un proceso de superficialización radical, de topificación sistemática, en la que la primacía corresponde a una intriga voluntariamente complicada.

Hartzenbusch alterna la composición mecánica de sus dramas históricos con las adaptaciones de piezas del Siglo de Oro y la traducción y refundición de dramas de Alfieri, Voltaire, Dumas, Scribe..., etc. Completa su labor la escritura de «comedias de magia», como *La redoma encantada;* teatro infantil, como *El niño desobediente,* y comedias medio asainetadas, medio vaudevillescas, como *La visionaria* o *Juan de las Viñas*. Después de 1850 sus dramas históricos han dejado de interesar al público. Desde entonces Hartzenbusch ocupa, como dramaturgo, su puesto en ese vasto museo del teatro español, del cual me parece realmente difícil sacarlo.

Zorrilla y el genio de la teatralización

La virtud fundamental del teatro zorrillesco estriba en la poderosa capacidad de teatralización de su autor. Lo que de vivo hay en su teatro no hay que buscarlo ni en la verdad ni en la profundidad de su universo dramático ni en la universalidad de sus personajes ni en el «mensaje» romántico de sus creaciones, ni en la expresión poética, ni en la autenticidad de una toma de conciencia de la realidad. La única verdad, con valor de pervivencia, de su teatro es su propia teatralidad, su esencial teatralidad. Zorrilla, en su obra capital *Don Juan Tenorio* (1844), ha conseguido lo que ningún otro dramaturgo romántico: seguir vivo en los escenarios. De sobra es conocida la reposición de su *Don Juan Tenorio* todos los años en los teatros españoles, prueba suficiente de su vitalidad como pieza teatral.

¿Por qué sigue representándose *Don Juan Tenorio?* ¿En qué consiste el atractivo de esta pieza de nuestro teatro romántico? ¿Cuál es el secreto de su vitalidad escénica? Sería ingenuo pensar que su presencia en los tablados españoles se debe a densidad humana del personaje, en tanto que cristalización o encarnación de un aspecto de la condición humana, o la belleza de las situaciones dramáticas o a la universalidad del mensaje, cualquiera que éste sea, de que es portadora la pieza. Tampoco ni las aventuras de Don Juan, su historia en sí, ni su psicología, ni la salvación por amor, ni cuanto de ideología romántica encontramos en la obra son suficientes a explicar el secreto de su vitalidad. Don Juan burlador, libertino, irresponsable, matón, enamorado, cínico, valiente, superficial, profundo, irreverente... ni cuantos matices caracteriológicos podamos sumar a su personalidad, tal como se nos aparece en el drama zorrillesco, bastan a explicar lo que constituye su esencia. Zorrilla no interpreta el mito de Don Juan con mayor profundidad o con mayor riqueza que otros dramaturgos anterrománticos, románticos o posrománticos, desde Tirso de Molina a Unamuno, desde Molière a Montherlant, desde Puschkin a Lenormand, y otros muchos a quienes ha tentado el mito del Burlador, sin contar los psicólogos y psicoanalistas, los historiadores y críticos literarios. En la larga cadena de interpretaciones la de Zorrilla no es la más original ni la más sugestiva ni la más honda. En cambio, sí es la más teatral, y esto no sólo en sentido cuantitativo, sino, sobre todo, cualitativo. Zorrilla ha sabido captar y expresar, y en eso consiste su genio, no esta o la otra significación de Don Juan, no este o aquel o todos los aspectos del mito, no este o aquel o los mil rostros del Burlador, sino su secreto de ente escénico, su esencial y genial teatralidad. Porque a Don Juan, para serlo, no le basta ser esto o lo otro, eso o aquello, ni esto, eso, lo otro y aquello a la vez, sino serlo teatralmente. Don Juan es el personaje teatral por excelencia. Zorrilla ha sabido encarnar esa pura teatralidad de Don Juan. Su Don Juan Tenorio habla teatralmente, siente teatralmente, piensa, las raras veces que le ocurre, teatralmente, escribe teatralmente su carta en la posada, cuenta teatralmente su historia de libertinaje, enamora teatralmente, maldice teatralmente, siente angustia y pavor teatralmente, son pura teatralidad sus desplantes a los vivos y a los muertos, a la Muerte y a Dios, y se salva teatralmente. Don Juan Tenorio es Don Juan Tenorio a fuerza de ser teatral. El acierto de Zorrilla está, pues, en haber recalcado con máxima intensidad la teatralidad de Don Juan como forma propia de vida, en haber elevado la teatralidad a modo de existencia. Cuando en el teatro nosotros, tan alejados de la sensibilidad y de la concepción del mundo de los románticos, aplaudimos *Don Juan Tenorio* no aplaudimos otra cosa que la plenitud del absoluto teatral que es el don Juan zorrillesco; es decir, una categoría: la categoría de lo teatral hecha personaje. Convenía subrayar enérgicamente esto antes de entrar en el análisis de la pieza.

El drama está dividido en dos partes. La acción de cada una de ellas transcurre en una noche. Entre las dos noches han pasado cinco años. Esta división del tiempo no es arbitraria, como escribe Charles V. Aubrun [2], sino que responde a la estructura de la pieza. Esa estructura no puede ser más lógica. La acción se concentra en dos noches para conseguir el máximo de dinamismo, impidiendo todo hueco o vacío escénico, subrayando algo esencial al personaje: su formidable dinamismo. Ese dinamismo es la ley de construcción de

[2] *Histoire du theatre espagnol,* París, P.U.F., 1965.

la pieza: personaje y acción se apoyan y corroboran mutuamente. El espacio temporal entre las dos partes tiene también una función dramática: justificar el lugar de la acción de la segunda parte (el palacio de Don Diego Tenorio convertido en magnífico cementerio) y la calidad del amor de Don Juan por Doña Inés, vencedor del tiempo. Sin ese tiempo que juega entre las dos partes ni valoraríamos la permanencia del amor en Don Juan, que justifica la acción de esa segunda noche al justificar la conducta del personaje, ni, en pura lógica, aunque innecesaria, nos explicaríamos tan suntuoso cementerio, espléndido museo escultórico al aire libre. Nada menos arbitrario, pues, que la división del tiempo en la pieza de Zorrilla.

La primera parte está dividida en cuatro actos en los que por medio de un hábil encadenamiento de situaciones teatrales resueltas cada una de ellas con gran economía dramática, Zorrilla despliega, como un abanico, el ciclo completo de aventuras donjuanescas: el pasado (relación cínica de sus aventuras italianas) enlaza con el presente (cita con don Luis Mejía en cumplimiento de una apuesta, ruptura de don Juan con Don Gonzalo de Ulloa, el padre de doña Inés, y con su propio padre, nueva apuesta con don Luis), todo ello en el primer acto, con fondo de carnaval. En este primer acto toda la acción de la primera parte está ya en germen, pronta a realizarse. Don Juan ganará la apuesta a Don Luis y dejará preparado el rapto de Doña Inés (acto segundo), raptará del convento a Doña Inés (acto tercero). En el acto cuarto cada una de las acciones realizadas en los dos anteriores dará sus frutos (duelo con Don Luis, muerte de Don Gonzalo de Ulloa que vendrá a buscar a su hija), después que Don Juan haya vivido su gran aventura, la fundamental, la que le transformará interiormente, cambiando de raíz su destino: el amor profundo y puro por Doña Inés, símbolo de la virtud y la inocencia femeninas. Toda la segunda parte del drama será la consecuencia de esta experiencia radical, nueva e inédita, de Don Juan Tenorio. Si en esta primera parte Don Juan se enfrenta con los vivos afirmando su personalidad frente a todas las leyes (sociales, familiares, morales, religiosas), en rebelión contra toda norma establecida, en la segunda parte se enfrentará con los muertos, con su conciencia y con Dios. Don Juan, rebelde contra los poderes de la tierra y contra los poderes del cielo, permanecerá fiel a sí mismo hasta el último momento, aquel en que, al ir a caer el último grano en el reloj de su vida, teatralmente hincará las rodillas en el suelo y levantará al cielo la mano que la estatua del Comendador le deja libre. En la balanza, la piedad de Dios pesará más que la maldad de Don Juan. El duelo entre Dios y Don Juan será resuelto por la intercesión de Doña Inés o el Amor. Esta segunda parta transcurre en dos planos que se entrecruzan y confunden sus fronteras: el plano de la sobrerrealidad (rigurosamente no se puede hablar de sobrenaturalidad en sentido teológico) y el plano de la conciencia, siendo las apariciones signo de ambos. Zorrilla ha mixtificado con teatral genialidad ambos planos, y es esa mixtificación la que da toda su eficacia y su poder escénico a esta segunda parte. Lo que menos importa, creo, es el ingenuo sistema de ideas teológicas manejadas por Zorrilla, sistema fundamentalmente superficial y no del todo ortodoxo, y que no resisten, claro está, el menor conato de crítica. En cambio, su eficacia teatral es de todo punto innegable. La salvación romántica por amor de Don Juan carece de importancia considerada, *sensu stricto,* en sí misma, y tiene extraordinaria importancia considerada como hecho teatral, como punto final del fenómeno de teatralización del mito Don Juan. No es el mundo sentimental ni el mundo ideológico del romanticismo, proyectado por Zorrilla en sus personajes y en la motivación de las acciones, lo que cuenta a la hora de explicarnos el secreto de la pervivencia escénica de *Don Juan Tenorio,* sino la condición teatral, único valor absoluto, de esos personajes y de esas motivaciones. Cada autor, fiel a su época, podrá escribir *su* Don Juan, revelando así un rostro más del inagotable don Juan-mito. El de Zorrilla permanecerá vivo mientras exista un tablado y un actor y un público que ame —rito, juego y existencia— el misterio teatral, no por lo que Don Juan Tenorio tiene de romántico ni de español, sino por lo que tiene de criatura teatral. Don Juan Tenorio o el personaje teatral.

Además de *El zapatero y el rey* (1840-1841), *El puñal del godo* (1842) y *Sancho García* (1846), que destacan de entre su abundante producción, el drama de Zorrilla, que junto con el *Don Juan Tenorio* conserva plena vigencia escénica, es *Traidor, inconfeso y mártir* (1949), cuyo protagonista es, al lado de Don Juan y Don Álvaro, el más interesante prototipo del héroe romántico español. Todo el drama gira en torno a la misteriosa personalidad de Gabriel. ¿Quién es, en realidad: el pastelero de Madrigal o el rey don Sebastián? Concentrando diálogo y acción en esa pregunta Zorrilla da una esplédida lección de construcción dramática, donde, una vez más, queda patente su genial capacidad de teatralización.

II. Entre neoclasicismo y romanticismo

Actitud idéntica o semejante a la representada por Martínez de la Rosa, el duque de Rivas o Gorostiza en el primer tercio del siglo XIX encontramos durante el periodo de aparición y crisis del drama romántico, en un grupo de dramaturgos, todos ellos, menos la Avellaneda y, en parte, Gil y Zárate, de importancia secundaria, que o bien militan en las filas neoclásicas pasándose provisionalmente a las románticas para regresar, modificándolo, al punto de partida o bien aceptan desde el comienzo la estética del drama romántico, aunque en su forma atenuada, pigmentada de neoclasicismo, cultivando además otros géneros no muy frecuentados por los románticos, o bien, finalmente, permanecen fieles al espíritu del teatro neoclásico, aunque aceptando algunos de los elementos formales del romanticismo que los llevan a relajar o atenuar, por ejemplo, la sujeción a las unidades de lugar y tiempo y a admitir la variedad métrica, incorporando así nuevos elementos a la fórmula neoclásica moratiniana y creando una forma nueva, más libre, de teatro. Incluso en dramaturgos menores románticos, puede siempre encontrarse alguna obra que denuncia el peso de su educación estética neoclásica, como es, por ejemplo, el caso de Espronceda (*Ni el tío ni el sobrino,* 1834, comedia neoclásica e, incluso, de *Blanca de Borbón,* tragedia romántica, pero escrita en romance endecasílabo) o de Patricio de la Escosura (*El amante novicio,* 1833). Igualmente en dramaturgos mayores románticos pueden rastrearse también piezas de raigambre neoclásica. Ejemplos: *La visionaria* (1840) y *La coja y el encogido* (1845), de Hartzenbusch.

1. Gil y Zárate y Gertrudis Gómez de Avellaneda

En la primera etapa de su producción, Gil y Zárate (1793-1861) escribió comedias (*El entremetido,* 1825; *Cuidado con las novias o escuela para jóvenes,* 1826; *Un año después de la boda,* 1826) y tragedias (*Rodrigo,* 1827, y *Blanca de Borbón,* 1829, aunque prohibida por la censura eclesiástica, no se estrenaría hasta 1835) de factura neoclásica. En 1837, enrolándose en el bando romántico, estrena un drama superromántico, *Carlos II el Hechizado,* en el que cae en los excesos del neófito no bien convertido que pretendiera disimular con el exceso los defectos de su profesión de fe. Su propio autor la repudiará más tarde. Las obras que siguen acusan el peso de la escuela neoclásica, como sus comedias de costumbres, *Don Trifón o todo por el dinero* (1841) y *Un amigo en candelero* (1842); muestran un compromiso entre elementos románticos y neoclásicos, como sus dramas *Rosmunda* (1839), *Matilde* (1841) y *Cecilia la cieguecita* (1843). La actitud ecléctica, que combina formas moderadas del drama romántico con formas evolucionadas del teatro neoclásico, caracteriza las obras de esos mismos años: *Don Álvaro de Luna* (1840), *Masanielo* (1841), *Un monarca y su privado* (1841), *Guillermo Tell* (1843), *El gran capitán* (1843) y *La familia de Falkland* (1843). En 1847 estrenará su obra maestra, *Guzmán el*

Bueno, más cercana, por su concepción de la acción y los caracteres, de la tragedia neoclásica que del drama romántico, aunque admitiese de éste la variedad métrica.

Idéntico compromiso entre clasicismo y romanticismo representan autores muy secundarios como José María Díaz (1800-1888), colaborador de Zorrilla en *Traidor, inconfeso y mártir,* autor de dramas románticos *(El cura de Albornoz,* 1836, o *Gabriela de Berry,* 1836) y de tragedias eclécticas *(Julio César,* 1841; *Lucio Junio Bruto,* 1844, o *Jefté,* 1845); o Juan Ariza (1816-1870), autor de dramas históricos de moderado romanticismo *(Alonso de Ercilla,* 1848, o *Hernando del Pulgar,* 1849) y de una tragedia clasicista con elementos románticos *(Remismunda,* 1854).

Muy por encima de los anteriores dramaturgos destaca la escritora cubana Gertrudis Gómez de Avellaneda (1814-1875). Romántica por su vida apasionada e impetuosa y por su sensibilidad [3], su teatro no responde todo él, ni enteramente, a la fórmula típica del drama histórico-romántico español, pues aunque denso de una visión romántica de la existencia, sustentada en la propia experiencia vital tan rica de incidentes, siempre aparece en la construcción de sus mejores dramas un agudo sentido de disciplina y de contención en la composición de la acción y en el estudio de los caracteres. Cuatro años después de su llegada a España, conocida ya como poetisa, estrena en Sevilla en 1840 su primera obra dramática, *Leoncia,* que, según Carmen Bravo-Villasante, «encierra ya en germen los rasgos distintivos del estilo de la Avellaneda: forma clásica heredada de su maestros Quintana y Alfieri, y romanticismo desaforado de Dumas, Víctor Hugo y los recientes triunfadores: García Gutiérrez, duque de Rivas, Hartzenbusch y Zorrilla» [4]. Presenta en ella, *ex exuberancia cordis* y con declamatorios acentos, el caso de la mujer víctima de la sociedad, condenada a vivir al margen de ella. En 1844, ya en Madrid, estrena su tragedia *Alfonso Munio* (refundida en 1868 con el título de *Munio Alfonso),* del que su autora, en la dedicatoria del drama, escribía, entre otras cosas, relativas a su índole genérica: «Es un drama que se halla consignado en una antigua crónica de Toledo y que, por dicha, he encontrado también en los archivos de mi familia, que cuenta al protagonista entre sus antecesores... A pesar de ser hoy casi general la opinión de que la sencillez severa de las formas clásicas se aviene poco con los asuntos y caracteres sacados de la Edad Media, me he aventurado a ensayar una tentativa que, con buen éxito, hubiera desmentido aquella aserción, en mi concepto muy falsa... *Al-*

---

[3] Ver Carmen Bravo-Villasante, *Una vida romántica. La Avellaneda,* Barcelona, Edhasa, 1967.

[4] *Op. cit.,* pág. 63.

fonso Munio es tragedia porque no es comedia; ni le permiten la sencillez de su argumento, la regularidad de su acción y la inmutabilidad de su metro (Avellaneda utiliza el romance endecasílabo de la tragedia clásica) aspirar a la clasificación de *drama* romántico» [5]. La tragedia culmina con la muerte de Fronilde por su padre Alfonso Munio, asesinato al que siguen los remordimientos de conciencia y el arrepentimiento del violento e infeliz padre, cuya función, según una reseña coetánea, es la de presentar «los efectos morales que los hechos producen en los espectadores» [6]. Final que, como la métrica y la ausencia de lances e intrigas secundarias, contrasta con el patrón estructural del drama romántico, aunque coincida con él en la violenta expresión de las pasiones y en la importancia, no sólo temática, sino dramática, del sino y la fatalidad. Después de haber estrenado un drama no muy feliz *(El príncipe de Viena,* 1844) y publicado otro drama trágico, *Egilona* (1845), de exasperado romanticismo en la expresión de los afectos, pero con un final en que, al igual que en el *Alfonso Munio,* pretende mostrar en el sacrificio y la renuncia la purificación moral de esas mismas pasiones románticamente acentuadas, pero «clásicamente» dominadas, estrena en 1849 su tragedia bíblica *Saul.* Escrita en 1846 y fracasado el intento de su autora de estrenarlo en París, inaugurará con ella el Teatro Español de Madrid. Nacida la idea de escribir *Saul* después de haber leído las tragedias de Alfieri y Soumet, según confiesa la Avellaneda, se diferencia de ambas —sigue escribiendo en la advertencia introductoria a su obra— «en cuanto que —renunciando a la severa observancia de las unidades— abraza un periodo mucho mayor de la vida del protagonista común, a quien yo tomo desde el momento en que, llegando al apogeo de su gloria y de su orgullo, atrae su cabeza la reprobación divina, y no lo dejo sino cuando sucumbe a la suprema voluntad, que cumple sus designios con majestuosa calma y por maravillosas vías» [7]. Carmen Bravo-Villasante ve en ella la tragedia de la soberbia y de la envidia y señala la presencia de lo que le parece el tema obsesionante de la Avellaneda, la fatalidad del parricidio. Saul, creyendo matar a David, a quien envidia, matará a su propio hijo. Escrita también en un sólo metro —el romance endecasílabo—, su final, en el que Saul se arranca la corona para entregarla a David, tiene el sentido de ejemplaridad moral, por la honda lección que entraña, propia de la tragedia neoclásica. La fatalidad ciega y destructora en lugar de ser exaltada al final, como en el drama romántico, queda orgánicamente

[5] El texto en Domingo Figarola-Canedo, *Gertrudis Gómez de Avellaneda,* Madrid, 1929 págs. 43-44.
[6] Citado por C. Bravo-Villasante, *op. cit.,* pág. 112.
[7] Citado por C. Bravo-Villasante, *op. cit.,* pág. 161.

enlazada con la finalidad aleccionadora que preside, con mayor hondura dramática que en la tragedia neoclásica, la construcción de la acción y de los caracteres.

En 1858, tras obras de menor importancia (*Recaredo,* 1851; *Glorias de España, La verdad vence apariencias, Errores del corazón, El donativo del diablo, La hija de las flores,* las cinco de 1852, y *La sonámbula,* 1854, o *La hija del Rey René* y *Oráculos de Talía,* o *Los duendes de la camarilla,* ambas de 1855) estrena su obra maestra, el drama bíblico *Baltasar,* pocas semanas después del estreno de un drama menor, *Los tres amores.* En la carta dedicatoria escrita por la Avellaneda al Príncipe de Asturias, don Alfonso de Borbón, encontramos un interesante análisis de su propio drama. Dice, entre otras cosas, haber compuesto *Baltasar* intentando expresar en él un «gran pensamiento filosófico»: el hundimiento «de una civilización gastada y corrompida», anuncio de la ruina «del mundo antiguo» y de una «sociedad idólatra». Vale la pena, por su interés indudable, citar estas líneas: «Elda y Rubén representan, en este pequeño cuadro, los dos seres más débiles y abyectos de la sociedad antigua: la mujer y el esclavo, rehabilitados sólo por el Cristianismo. En aquéllos dos seres encuentra, sin embargo, el déspota oriental, el límite invencible de su poder tiránico. Baltasar, el alma devorada por el hastío de la vida entre todos los goces materiales y todas las pompas de la vanidad humana; el alma sin Dios, que no se satisface con recibir de la tierra las adoraciones que ella le niega al cielo; el alma soberbia, que se imagina sin semejante entre los hombres, encuentra en la mujer y en el siervo la primera revelación de la dignidad humana y de la pequeñez de las potestades terrestres. El cetro del dios mortal de Babilonia se estrella en la virtud de dos corazones fieles, y en balde les pide al amor y la felicidad, de que se halla desheredado en la cumbre solitaria de su grandeza egoísta. Ciego Baltasar con la impotencia de su primer deseo, venga su desventura de hombre con su tiranía de déspota; huella la virtud que ha negado en su escepticismo, y que encuentra y reconoce para su castigo. La virtud, negándole la dicha, le deja el remordimiento; comprende, en la desesperación de su soledad, que existen para el alma goces purísimos que Dios no rehúsa a las más bajas condiciones sociales, pero sí al soberbio que desconoce a sus semejantes en la tierra y a su infalible Juez en el cielo. Siente, en fin, el vacío inmenso de un alma sin fe ni amor, y quiere ahogar, en vano, entre los vapores de la orgía, el grito de aquel dolor profundo, expiación providencial del orgullo» [8].

Escrita en variedad de metros, nos parece *Baltasar* obra de sin-

---

[8] Cito por Domingo Figarola-Canedo, *op. cit.,* págs. 65-66.

gular mérito que la sitúa entre las mejores producciones dramáticas españolas del siglo XIX. Pero, además de su valor histórico, queremos destacar en ella, sobre todo, la creación de un espléndido carácter dramático, el de Baltasar, en el que sorprendemos algunos rasgos —especialmente su lúcida desesperación y su no menos lúcida crueldad, su conciencia de la impotencia y su hastío, su soledad y su desolado pesimismo, así como lo que en él hay de indeferencia y de rebelión— que reaparecerán, sustentados en muy distinta visión del mundo y del hombre, claro está, y con significación antípoda, en algunos héroes del teatro de nuestro tiempo. Recuérdese, por ejemplo, el Herodes de Kaj Munk *(Un idealista,* 1928) o el *Calígula* de Camus.

Las tragedias de Gertrudis Gómez de Avellaneda representan en el teatro español de los años centrales del siglo XIX lo mejor, literaria y dramáticamente, de esa corriente a la vez romántica y clásica, cuyo autor más importante en el género de la comedia será Bretón de los Herreros.

2. La comedia de Bretón de los Herreros (1796-1875)

Bretón de los Herreros, con su extensa obra (más de 100 piezas originales, amén de 62 traducciones) representa suficientemente ese periodo de indecisiones y aspiraciones en el que la comedia, siempre en busca de un público, ese público, ente problemático, por cuya identidad se preguntaba Larra, se desplaza desde el polo estilístico y temático de la comedia neoclásica moratiniana hasta la «alta comedia» de la segunda mitad del siglo.

Suelen distinguirse dos etapas o épocas en la producción bretoniana: una primera, de tendencia neoclásica, iniciada con su primera comedia original, *A la vejez, viruelas,* estrenada en 1824 (aunque escrita en 1817), y cerrada en 1831 con el estreno de *Marcela, o ¿a cuál de los tres?,* etapa en la que destacan otras dos piezas, *Los dos sobrinos* (1825) y *A Madrid me vuelvo* (1829), y una segunda, con la que comienza una forma original de comedia, la llamada «comedia bretoniana», en la que nuestro comediógrafo rompería con la escuela moratiniana y crearía —escribe Narciso Alonso Cortés— «una comedia propia, exclusiva, más conforme a los usos y a los ideales de su tiempo» [9], larga etapa que comprende las mejores piezas de Bretón, entre las que destacan la ya citada *Marcela, ¡Muérete y verás!* (1837), *El pelo de la dehesa* (1840) y *Escuela del matrimonio* (1852).

[9] En el «Prólogo» a su edición de *Teatro* de Bretón de los Herreros, Madrid, Clásicos Castellanos, 1928, pág. XIII.

Otra corriente rechaza que pueda establecerse en la producción bretoniana tan categórica distinción, y sustenta la persistencia en la comedia de Bretón de una concepción fundamentalmente neoclásica del teatro, que no rompe en lo fundamental con la fórmula moratiniana. Esta es la opinión de Cook [10], o de José Hesse. Este último escribe: «... Bretón no logró desprenderse nunca de su sedimento neoclásico, y aunque es cierto que a lo largo de su carrera teatral va dando entrada a elementos nuevos, su dependencia de Moratín, más o menos acentuada, permaneció inalterable» [11].

Según se desprende de la lectura de los artículos de crítica teatral publicados por Bretón asiduamente en *El Correo Literario y Mercantil* [12] entre 1831 y 1833, años en que se produce el mentado cambio en *Marcela...,* las ideas dramáticas de nuestro autor siguen siendo sustancialmente neoclásicas. Taboada y Rozas destacan como ideas dramáticas claves en Bretón el principio de la verosimilitud, el fondo moral de la comedia, la ley de las tres unidades y señalan la importancia dada a la comicidad —«importancia, escriben— que suele llegar en sus críticas hasta atenuar su intransigencia por la verosimilitud» [13]. En cuanto a sus ideas sobre la versificación y a la rima, «significan una cierta renovación, que le acerca a los románticos [14]. En estos años inmediatamente anteriores a la explosión del romanticismo en la literatura dramática española, la estética bretoniana está fundada en principios clasicistas: «reverencia a los preceptistas, posibilidad de principios inviolables, buen gusto, leyes de la naturaleza, es decir, el juicio humano que controla la obra de arte por la razón, el gusto y la naturaleza. Estos principios —concluyen ambos editores— están situados dentro de la ideología de la Ilustración» [15].

Su postura ante el drama romántico —que él mismo cultivará provisionalmente y de modo ecléctico en *Elena* (1834), *Don Fernando el Emplazado* (1837) o *Bellido Dolfos* (1839)— será más bien reticente y dominada por juicios mucho más decididamente adversos que favorables a él, practicando en su propio teatro un clasicismo libre, evolucionado, nunca cerrado, cuyos principios seguirán siendo los antes señalados. Principios que, al igual que en Moratín, no serán nunca el resultado de un rígido «preceptivismo», limitado a la ciega aplicación de leyes ni normas teóricas, sino que aparecerán

---

[10] *Op. cit.,* págs. 497-505.

[11] «Introducción» a su edición de *Marcela, o ¿cuál de los tres?,* Madrid, Taurus, 1969, pág. 15.

[12] Pueden verse reunidos por J. M. Díez Taboada y J. M. Rozas en su excelente edición de *Obra dispersa,* vol. I, Logroño, 1965.

[13] *Op. cit.,* pág. 19.

[14] *Ibíd.,* pág. 20.

[15] *Ibíd.,* pág. 18.

realizados dramáticamente siempre en armonía con un sentido práctico del fenómeno teatral. Quiero decir con ello, que Bretón, dotado de un agudo sentido para lo teatral, adecuará su «teoría» del género dramático a las necesidades internas —situación, caracteres, lenguaje, ambiente— de la pieza concreta, sin que los «principios» impidan, desvíen o constriñan artificialmente y desde fuera la naturalidad y la verdad dramáticas de la pieza teatral.

La comedia bretoniana, sin distinción de épocas, suele ser una cala superficial, rara vez profunda, en la sociedad contemporánea, cuya burguesía y clase media es irónicamente —con ironía nunca agresiva— reflejada por nuestro autor. Mediante una acción generalmente simple —y ello por convencimiento estético y no por pobreza—, y una técnica teatral inteligente siempre, nos introduce en un mundo de reducidas dimensiones que si, a veces, nos da la impresión de haber sido previamente deshumanizado y reducido a puro juego teatral, donde situación y palabra son fruto de una elemental situación, y en el que unos personajes, apenas individualizados, caricaturizan los modos vigentes de la convivencia, por lo general, sin embargo, es rico en elementos costumbristas y en personajes cuidadosamente observados en conexión con el ambiente en que se mueven, ambiente a cuya expresión dramática atiende el comediógrafo. Hartzenbusch veía en el teatro bretoniano: «Una dilatada galería de cuadros que representan a la clase media española en tres épocas diferentes, marcando con exactitud las diferencias que han ido sucediéndose en ellas: desde 1824 hasta 1835 ofrecen un aspecto de homogeneidad: en los diez años siguientes resalta la agitación y trastorno de un pueblo en lucha: desde 1843 la agitación va sosegándose.»

Cierto que, como atinadamente observa Hesse —quien cita el texto de Hartzenbusch— «son sólo las manifestaciones exteriores de aquellos agitados períodos lo que vamos a encontrar en las obras de Bretón, y el doloroso drama que vivió nuestra patria durante aquellos años se va a reflejar por medio de alusiones y detalles anecdóticos» [16]. Bretón, al igual que la mayoría de sus coetáneos románticos, o que los posteriores dramaturgos de la «alta comedia» o que, incluso, los sucesores de éstos, padecerá del mismo mal endémico de todo nuestro teatro decimonónico —con la honrosa excepción de Galdós: su falta de profundidad en el reflejo de la sociedad, por ausencia de una visión coherente y de un pensamiento valioso y de cierto nivel intelectual.

En *Marcela, o ¿a cuál de los tres?*, delicioso juguete cómico, tres pretendientes (el poeta, el militar y el elegante) rivalizan por la

---

16 *Op. cit.*, pág. 19.

posesión de la mano de Marcela, que, después de entretener a los tres, les da calabazas. Cada uno de los pretendientes es una caricatura de un tipo social, y la pieza, a su vez, una caricatura de una situación social tópica: la petición de mano. Marcela, único personaje no tratado caricaturescamente, es, como figura teatral, un acierto de gracia y finura femeninas y, burla burlando, un ejemplo de autenticidad en un mundo radicalmente inauténtico. El tema de los pretendientes lo repetirá Bretón en no menos de seis comedias. La crítica contemporánea (Larra, en 1833) le había censurado repetir el mismo tema. Alonso Cortés, al afirmar la originalidad de la comedia bretoniana frente a la moratiniana, señalaba una diferencia fundamental entre ambas: Bretón presenta situaciones concretas de la sociedad contemporánea, Moratín busca poner al desnudo las causas éticas que determinan dichas situaciones. Para González López [17], la diferencia estriba en el diferente enfoque de la materia social: sátira en Moratín, ironía romántica en Bretón. Ahora bien, esta ironía más que ironía romántica es, específicamente, ironía de «lo romántico». Bretón no enfoca irónicamente tanto la sociedad como la visión romántica de esa sociedad constituida en moda literaria. Su ironía es una ironía de segundo grado. Sus personajes no salen inmediatamente de la realidad social, sino mediatamente, a través de una literatura. Lo puesto de relieve por este procedimiento, que roza en ocasiones la parodia, es el desnivel entre la sociedad real de la España romántica y la sociedad romántica de la literatura coetánea. Ese procedimiento constituye, por ejemplo, el resorte de la comicidad de *Muérete ¡y verás!* Si nos reímos es, precisamente, a costa del romanticismo. Bretón de los Herreros, que había nacido en 1796, y que, contaba, por tanto, casi cuarenta años cuando el romanticismo triunfa en el teatro, escribe siempre con una clara conciencia de la distancia que de él le separa.

En *El pelo de la dehesa* contrapone el mundo de don Frutos, puro espécimen antirromántico, cuya filosofía básica se resume en la frase «al pan, pan; y al vino, vino», con el convencional y artificioso de la marquesa y su hija, representantes de un romanticismo de importación, sin médula ni sustancia alguna de verdad. En la escena I del acto III, don Frutos exclama:

> Y yo, ¿qué tengo
> que ver con Europa?

Sin embargo, la gran paradoja de este teatro es que, gracias a esa distancia que el autor toma para enfocar el «mundo romántico», podemos asistir al delicioso espectáculo de una sociedad burguesa

[17] *Historia de la literatura española. La edad moderna,* Nueva York, 1965.

que se pone a vivir a tono con el nuevo estilo romántico, como quien se pone a tono con la moda. Por eso, es a través del teatro de Bretón, y no del teatro romántico tipo don Álvaro, como accedemos al corazón mismo de la España romántica.

Como dramaturgo, o mejor aún, como autor teatral, aparte su carencia de profundidad o de auténtica trascendencia en la representación de la sociedad de su tiempo, es necesario señalar como virtudes principales su notable sentido del diálogo teatral, su extraordinaria capacidad en el uso de la versificación y la riqueza de su léxico, propiedades éstas puestas ya de relieve por Narciso Alonso Cortés.

No queremos terminar sin aludir a la importante labor llevada a cabo por Bretón en sus traducciones y adaptaciones tanto del teatro francés coetáneo (Scribe, al que siempre admiró, Delavigne, y otros de menor importancia) como a sus refundiciones del teatro español del Siglo de Oro (Lope, Alarcón, Tirso o Calderón), en el que siempre supo ver sus mejores cualidades.

La comedia bretoniana tuvo, como es natural, imitadores y seguidores, ninguno de los cuales alcanzó ni la maestría teatral ni la gracia expresiva del maestro. Entre éstos cabe nombrar, en los años anteriores al romanticismo, a Flores Arenas, autor de la comedia *Coquetismo y Presunción* (1831), criticada, y no muy favorablemente, por el mismo Bretón; y, en años muy posteriores, a un autor de comedias de costumbres, Narciso Serra, sin más pretensiones que las de «entretener y divertir» [18]. De la extensa producción de Serra pueden destacarse, siguiendo a Alonso Cortés, aquellas comedias de ambiente y costumbres militares, entre las cuales sobresale *¡Don Tomás!* (1867).

III. La «alta comedia» y el «nuevo realismo» dramático

Los dramaturgos de la segunda mitad del siglo XIX, creadores de la «alta comedia», género teatral adscrito, temáticamente, a la alta burguesía, quisieron liquidar la estética romántica, intentando un nuevo realismo que reflejara críticamente el estado de la sociedad contemporánea. El teatro debería desenmascarar las fuerzas que movían la compleja mecánica de la conducta del hombre, del hombre

[18] Ver Narciso Alonso Cortés, «El teatro español en el siglo XIX», en *Historia general de las literaturas hispánicas*, Barcelona, IV, segunda parte, página 301.

en sociedad, mostrando, a la vez, profundas verdades del alma humana. Los diversos géneros teatrales del romanticismo, desde el drama histórico a la comedia de costumbres, fueron sometidos a tratamiento y acomodados a la nueva óptica teatral. El momento de transición del teatro romántico al teatro realista ve proliferar las etiquetas genéricas con las que se intenta definir las nuevas piezas teatrales, que no son otra cosa que un compromiso bastante desgraciado entre un pseudo-romanticismo y un pseudo-realismo. Ese teatro, constitutivamente «pseudo», suele llamarse teatro posromántico. Su más prolífico representante se llamó Rodríguez Rubí (1817-1890). He aquí algunos de sus pseudogéneros teatrales: comedia político-moral, drama moral-sentimental, comedia sentimental-moral, comedia histórica, comedia de costumbres andaluzas...

Aunque Rodríguez Rubí, hábil fabricante de piezas que gozó de no poca fama en su tiempo, sea un mediano dramaturgo, le cabe, sin embargo, el mérito histórico de haber sido el iniciador de varios de esos géneros híbridos en que abunda el teatro decimonónico entre la década del 40 y la del 60, abriendo así el camino a esa vasta producción teatral entre pseudo-romántica y pseudo-realista que abastece durante veinte años los escenarios españoles con piezas, por lo general, de escaso valor literario. En 1843, con *La rueda de la Fortuna,* inaugura la comedia político-moral, género en el que reincidirá, con una segunda parte, en 1845, y en el que sería seguido por otros autores y por numerosas obras, entre las que sólo vale la pena citar *Don Francisco de Quevedo* (1848), de Eulogio Florentino Sanz, y *Un hombre de Estado,* de Adelardo López de Ayala, a la que nos referimos después. En 1846, siguiendo su gusto en abrir nuevos cauces a la escena española, estrena con gran éxito *Borrascas del corazón,* inaugurando la comedia moral-sentimental en cuya vena hipersentimental e hipermoral daría en sucesivos años otras piezas, como *La trenza en sus cabellos* (1848) o *La escala de la vida* (1857). También aquí le seguirán autores mediocres, entre los cuales alcanzarían éxitos resonantes Francisco Camprodón con *¡Flor de un día!* (1851), que tuvo su segunda parte, Luis de Eguilar autor, entre otras, de *La cruz del matrimonio* (1861), Pérez Escrich *(El cura de aldea,* 1858), Luis Mariano de Larra, hijo de Larra el grande, que también en 1858 estrena *La oración de tarde,* a la que siguen *Los lazos de familia* (1859) y *Flores y perlas* (1860).

De entre esa tupida selva de pseudo-géneros cuya terminología ha catalogado L. García Lorenzo[19], surgirá «la alta comedia» cuyos máximos representantes serán López de Ayala y Tamayo y Baus, con Ventura de la Vega como precursor. Cada uno de estos autores

[19] «La denominación de los géneros teatrales en España durante el siglo XIX y primer tercio del siglo XX», *Segismundo,* IV, 1967, págs. 191-199.

escribirá, además, dramas históricos. Tamayo y Ventura de la Vega escribirán también sendas tragedias. Tanto las tragedias como los dramas históricos responderán en la construcción de los caracteres y de las situaciones a las nuevas exigencias del realismo dramático.

1. Ventura de la Vega (1807-1865), precursor del «nuevo realismo»

Si por su fecha de nacimiento forma parte de la generación de los dramaturgos románticos (tiene un año menos que Hartzenbusch, seis más que García Gutiérrez, diez más que Zorrilla), por su obra dramática se sitúa fuera del movimiento romántico e inicia el comienzo del nuevo realismo de la «alta comedia». Su única contribución al drama histórico, *Don Fernando de Antequera* (1817), desborda el universo teatral romántico estructurado por el conflicto de pasiones violentas, monolíticas, poco matizadas. El autor, preocupado por la verdad psicológica de los caracteres y por la adecuación de éstos y sus acciones al mundo histórico en que se mueven, construye un drama poco intenso, en el que los conflictos no llegan a alcanzar suficiente tensión dramática. Tanto don Fernando de Antequera como San Vicente Ferrer dan la impresión de haber sido sacados de un manual de historia, lo mismo que el ambiente en que se mueven. En cierto modo, podemos afirmar que el tratamiento filorrealista a que Ventura de la Vega somete el drama histórico romántico le ha conducido a una desteatralización de éste.

Su mayor acierto como dramaturgo está en *El hombre de mundo* (1845), comedia en cuatro actos y en verso, primer espécimen puro de la «alta comedia». Sus personajes pertenecen a la alta burguesía. Su número es reducido, frente a su generosa abundancia en el drama histórico. El lugar escénico es uno sólo, un interior de casa madrileña, bien amueblada. El ancho mundo se concentra escénicamente en el pequeño mundo doméstico que, a su vez, tiene valor de cifra del gran mundo de la burguesía madrileña de mitad de siglo. Desaparecen los grandes gritos y los grandes gestos del hombre víctima de grandes pasiones; desaparecen también los lances cómicos y las explosiones de sentimentalismo de la comedia «romántica». El autor nos hace penetrar en el santuario de las buenas formas, de las palabras mesuradas. Ventura de la Vega, menos «ideólogo» que sus sucesores, con un sentido más fino de la ironía y del juego puramente teatral, nos dejará en *El hombre de mundo* una pieza de enredo, en el que la intriga que sostiene la acción está magníficamente calculada para producir situaciones de la mejor comicidad: aquella que dimana de la acción misma y no de la palabra o de los golpes teatrales. El sermón, con su contenido ideológico, está, por suerte, reducido a sus mínimas proporciones y no llega a pesar demasiado. Aunque los personajes nos interesen muy poco como representantes de una sociedad bastante superficial e ininteresante, consiguen, sin embargo, divertirnos como personajes teatrales. No es, pues, el ambiente social reflejado en la comedia lo que mantiene viva para nosotros la pieza, sino sus excelentes calidades dramáticas, que la sitúan en la mejor tradición del teatro cómico español. Desde el punto de vista teatral esta pieza de Ventura de la Vega será el ejemplar más puro de la «alta comedia», que en manos de Ayala y Tamayo, como veremos, bordeará unas veces y entrará de lleno, otras, en el mundo, dramáticamente inferior, del melodrama. Su última consecuencia será una parte del teatro de Echegaray.

Con *La muerte de César* (1863), Ventura de la Vega vuelve a tocar en el hermoso endecasílabo heroico de las tragedias de nuestros neoclásicos, el tema de la libertad, que tan caro había sido a nuestros dramaturgos del siglo XVIII y principios del XIX. La utilización de ese verso es el único punto de contacto con la tragedia de corte neoclásico. El enfoque y la técnica teatral son muy distintos. Ventura de la Vega no trata ya de plantear el conflicto entre libertad y tiranía, sino, a nivel más hondo, el problematismo de la posibilidad de la libertad. Los dos héroes de la tragedia son César y Bruto. César, partiendo de una situación política establecida, quiere, desde el poder en él encarnado, hacer feliz al pueblo, sin preocuparse de hacerlo libre. Y esto no porque sea un tirano ni apetezca la tiranía, sino porque cree que el pueblo, tal como realmente es, no sabría ser libre de verdad. Darle la libertad sería entregarlo en manos de los ambiciosos, de los políticos sin escrúpulos. Su razón fundamental está en estos versos:

> ¡La libertad murió! Turbas hambrientas,
> tendidas en los pórticos, aguardan
> los desperdicios de opulenta mesa;
> y el libre voto, que a los altos puestos
> de la suprema dignidad eleva,
> a precio vil en los comicios venden.
> Roma degenerada se prosterna
> a las plantas de Mario, o bajo el hacha
> de Sila tiende la servil cabeza.
> ¿Y en tales manos su salud, su gloria
> pudiera yo fiar? Bruto, desecha
> tu mentida ilusión; los ojos abre:
> mira a Roma cual es, y no cual era...

¿Hay que dar la libertad a un pueblo que no sabría usarla? Bruto, hombre puro, que lleva en la sangre la pasión de la libertad, responde rápidamente, sin titubear:

No puede ser feliz un pueblo esclavo.

Para César el único modo de salvar al pueblo es conservar el supremo poder. Si él abdica, como Bruto se lo pide, comenzará la verdadera tiranía y la patria se hundirá en el caos. La libertad habrá servido para hacer infeliz al pueblo. Contra César se levanta un grupo de conjurados, no por amor a la libertad, sino por el poder que la libertad les dará. En el fondo, ninguno de ellos ama al pueblo. Bruto se unirá a ellos, después de un combate consigo mismo, ya que ama a César. El amor a la libertad podrá más que el amor a César. La predicción de César se cumple: la libertad traerá a los nuevos tiranos. El crimen de Bruto habrá sido inútil. Esta tragedia, mucho más interesante que las neoclásicas o las prerrománticas, tiene, sin embargo, un defecto grave: una intriga secundaria, en la cual nos enteramos que Bruto es hijo de César. Esa intriga da lugar a una serie de escenas totalmente innecesarias en las que el papel principal corresponde a Servilia, la madre de Bruto. Este tipo de intriga procede del drama romántico. No había llegado todavía la hora en que los autores podrían prescindir de toda carga sentimental. Durante mucho tiempo aún la literatura portaría en su seno el peso muerto del contrabando sentimental.

2. Los dos dramaturgos de la «alta comedia»

Entre 1855 y 1880 siete piezas teatrales, tres de Tamayo y Baus [*La bola de nieve* (1856), *Lo positivo* (1862), *Los hombres de bien* (1870)] y cuatro de Ayala [*El tejado de vidrio* (1856), *El tanto por ciento* (1861), *El nuevo don Juan* (1865) y *Consuelo* (1878)] representan lo mejor de la «alta comedia». Tratemos de describir este mundo dramático que conquistó a la burguesía madrileña a lo largo de casi veinticinco años. Nos encontramos en el corazón mismo de la mejor sociedad, dos de cuyos más conspicuos representantes son el libertino, azote de la institución del matrimonio y de la familia, y el hombre de negocios, adorador del interés y del tanto por ciento. El dramaturgo, defensor del matrimonio y de la familia frente al poder destructor del libertino, y de los valores espirituales (nobleza de alma, generosidad y desinterés, idealismo moral) frente al positivismo materialista (egoísmo, cálculo, pasión del dinero) se convierte en portavoz de los principios éticos que deben regir toda sociedad cristiana y hace papel de director de conciencia que, denunciando el mal que gangrena la sociedad, sermonea a su público. La «alta comedia» parece proponerse como misión el desenmascarar a los enemigos de la sociedad y el inquietar, en la medida de lo posible, la buena conciencia de la sociedad burguesa del patio de butacas. No son ya las grandes pasiones individuales del romanticismo, sino las oscuras pasiones que mueven la mecánica social quienes sacuden a los personajes. En cada comedia notamos el cuidado que el dramaturgo ha puesto en la construcción del plan, en el estudio de la psicología del personaje, en la ambientación escénica, en la sistemática de las motivaciones, en la «verdad» de la palabra y de la acción. Todo ello —basta leer las notas de Ayala— revela una voluntad de realismo dramático, un acercamiento entre el mundo de la escena y el mundo de los interiores burgueses, una intención de disminuir las distancias entre la literatura y la vida. Sin embargo, la impresión que nos deja este mundo de la «alta comedia» es de falsedad e irrealidad. Conflictos, problemas y personajes suenan a hueco. El dramaturgo, demasiado preocupado en la moraleja de la fábula dramática, simplifica groseramente las realidades en conflicto, bien haciendo triunfar a los buenos de los malos, como en *Lo positivo* y *El tanto por ciento,* bien haciendo que el malo reciba el castigo como resultado de sus propias acciones (los celosos en *La bola de nieve,* el seductor en *El tejado de vidrio,* la mujer ambiciosa e interesada en *Consuelo);* bien, finalmente, haciendo fracasar a los buenos, triunfar a los malos y castigar a los que no son ni buenos ni malos, como en *Los hombres de bien.*

Un teatro donde lo fundamental es expresar una ideología, a la cual se supeditan conflictos y personajes, de tal modo que lo más importante son las respuestas y no las preguntas, puesto que el autor lo tiene ya todo solucionado antes de escribir su obra, escrita, precisamente, en función de la respuesta, no puede sobrevivir a la ideología que lo sustenta. Una vez que la vigencia de ésta cesa, muere como teatro. Es, exactamente, lo que le ha pasado a la «alta comedia».

Estos dos dramaturgos que decían querer presentar la verdad de una sociedad y de unos individuos representativos de sus más hondos problemas y tendencias, comienzan por tomar partido, asumiendo la *defensa sentimental* de unos ideales morales. Ése es su más grave error como dramaturgos, pues este enfoque sentimental priva a su teatro de toda objetividad y de toda eficacia. Los personajes y los conflictos están hechos a la medida de la tesis sustentada por sus autores. En lugar de intentar entender en toda su complejidad el mundo de los valores y fuerzas en lucha, se limitan a negar, por definición, unos y afirmar los otros. La realidad es así fijada en esquemas simplistas, mediante una dialéctica pobre en ideas y rica en sentimentalismo. El nuevo mundo de los negocios es encarnado por personajes radicalmente negativos, cerrados al sentimiento y ciegos para las cosas del espíritu, construidos según un patrón fijo. Sus oponentes, que encarnan el viejo mundo del sentimiento y del espíritu, donde el honor y la amistad tienen todavía fuerza de ley interior, no encuentran mejor base de sustentación para defenderse y atacar que un vago idealismo sentimental. La lucha de dos mundos y de dos concepciones de la vida dentro de una sociedad en transformación hubiera podido dar materia dramática para excelentes piezas de teatro si los dramaturgos hubieran sido capaces de plantearse en serio los problemas y actitudes que proyectan sobre la escena. Pero no fue así. En cada una de estas piezas la intención satírica, el cuidado por lo psicológico y la atención a los detalles realistas quedan invalidados por la raíz melodramática que sustenta la acción. Estos dos dramaturgos de la «alta comedia» quisieron escribir un teatro realista, pero no lo consiguieron. Y no lo consiguieron porque no supieron mirar la realidad. El mundo dramático de la «alta comedia» es falso, producto de una óptica muy poco inteligente. Sus conflictos entre el hombre de negocios y el hombre ético, entre el enamorado del dinero y el enamorado del ideal son tremendamente triviales. Claro está que cada sociedad tiene, seguramente, el teatro que se merece.

López de Ayala había empezado su temprana y fecunda carrera dramática cultivando algunos de los géneros típicos del teatro «pseudo» posromántico, estilo Rodríguez Rubí. El repertorio teatral de esta su primera época apenas si va más allá del mediocre teatro de Rodríguez Rubí y de su escuela. La única excepción es un drama histórico de contenido ético-político titulado *Un hombre de Estado* (1851), en cuatro actos y en verso, cuyo protagonista es Rodrigo Calderón, privado del duque de Lerma. Es el drama íntimo del ambicioso, que sacrifica el amor y la felicidad a su ambición de poder y que, al final de su carrera política, descubre, como única lección vital —y es ésta la moraleja de la pieza—, que sólo «in interiore homine habitat veritas». El protagonista sabe morir dignamente, con auténtico heroísmo espiritual, estribado en la verdad descubierta. Menos afortunado como drama es *Rioja* (1854). El protagonista, el célebre poeta andaluz es presentado como el héroe de la abnegación. Renuncia al amor y a un alto puesto por cumplir con una deuda de gratitud. Es un drama ejemplar, pero malo.

Tamayo y Baus, hijo de actores, autor de extraordinaria fecundidad, comenzó traduciendo y arreglando piezas extranjeras, como *Genoveva de Brabante* o *Juana de Arco,* arreglo de *La doncella de Orleáns,* de Schiller. Casi todos los géneros teatrales del siglo XIX están representados en el amplio repertorio de Tamayo y Baus: desde la tragedia «clasicista» al drama «romanticista» y desde la comedia de costumbres tipo Bretón a la comedia sentimental tipo Rubí. De entre su enorme producción, digna de mejor causa, los críticos e historiadores han destacado tres obras: *Virginia* (1853), tragedia, *Locura de amor* (1855), drama histórico y *Un drama nuevo* (1867).

De *Virginia* se suele decir, con esa constancia del tópico en nuestras historias literarias, que es la mejor tragedia clasicista española del siglo XIX, superior al *Edipo* de Martínez de la Rosa y a *La muerte de César,* de Ventura de la Vega. Sin que éstas dos sean, ni mucho menos, grandes tragedias, *Virgina* es inferior a ellas. Como teatro es un producto híbrido de neoclasicismo y neorromanticismo, con la particularidad de que en el compuesto cada uno de los componentes destruye la virtud que pudiera tener el otro. No sabemos por qué Tamayo reduce al mínimo el papel del marido de Virginia, dándosela al padre, siendo así que lo lógico, vital y dramáticamente, era dárselo al marido. Igualmente absurdo, y aún peor, convencional, es todo el debate del acto final, cara a la galería, lleno de mala retórica y de latiguillos entre el tirano y el héroe de la libertad, coronado por la teatralera muerte de Virginia. En el prólogo que el autor antepuso a su tragedia escribió: «he sentido estremecer mis entrañas al clavar en su pecho el hierro homicida». Nosotros, en cambio, no nos estremecemos, precisamente porque es el autor —no mentía al escribir esa frase—, y no sus personajes, quien clava «el hierro homicida» en el pecho casto de Virginia. Ella y los demás personajes son instrumentos en manos del autor, utilizados para llegar al gran momento de la muerte de Virginia. Como tragedia le sobra neorromanticismo; como drama trágico, le sobra neoclasicismo. Y en cuanto al «pensamiento», o «sentencia», de que hablaba Aristóteles, no brilla, precisamente, ni por su hondura ni por su originalidad. No entendemos, pues, en qué se basan los críticos que afirman ser *Virginia* la mejor tragedia clasicista española del siglo XIX.

Locura de amor es un drama histórico cuya protagonista es la reina doña Juana la Loca. El dramaturgo centra el drama en la figura de la desgraciada reina a quien el amor y los celos, patéticamente vividos, llevan a la locura. Pieza teatral con «escenas conmovedoras» bien estructuradas, es como el canto de cisne de un teatro romántico que se resiste a desaparecer, pero que en el fondo está ya herido de muerte.

La obra maestra de Tamayo y Baus es *Un drama nuevo,* en donde funde con originalidad escénica el tema del «teatro dentro del teatro» con el tema de adulterio. La acción dramática está estructurada mediante la fusión de la historia personal de Yorik, actor de la compañía de Shakespeare, que, por primera vez, va a representar un papel trágico, con el papel que se le ha encomendado. El paralelismo entre su vida real de hombre, engañado por su joven esposa, y su papel de marido celoso que debe matar, en la tragedia que representa, a la esposa infiel, culmina en la escena final con la identidad entre el mundo real y el mundo de la ficción. Para Yorik, actor, se borran los límites entre realidad y ficción. Hombre y actor, verdad y representación se funden en una nueva unidad, sustancia y raíz del «drama nuevo».

Un drama nuevo, pieza teatral importante en la historia del teatro español es, a la vez, el punto final de una trayectoria dramática, que había comenzado en el romanticismo, y el punto inicial precursor de un modo de entender el teatro cuyos frutos maduros aparecerían en los escenarios europeos del siglo XX.

3. Hacia un teatro social: Enrique Gaspar

Enrique Gaspar (1842-1902) es, tal vez, el autor más importante en el lento avance del teatro español hacia el realismo. Mérito indiscutible de su teatro es la nueva técnica del diálogo que lo sitúa a igual distancia del retoricismo hiperpasional de Echegaray que del vulgar prosaísmo de Eugenio Sellés. El lenguaje dramático de Enrique Gaspar, literariamente valioso y teatralmente eficaz, significa una importante conquista en la historia del realismo español. Enrique Gaspar acierta en su teatro escrito en prosa a desentimentalizar el lenguaje y a desconvencionalizarlo, lo cual no es pequeña hazaña.

Su teatro, el que comienza con *Las circunstancias* (1867), supone un considerable avance respecto al mundo de «la alta comedia». No sólo por su lenguaje y por la técnica del diálogo, sino por la preocupación social, y no sólo ya moralizadora, que en él asoma. En *La levita* (1868), *Don Ramón y el señor Ramón* (1869) y, sobre todo, *El estómago* (1874), Enrique Gaspar hace subir a escena otras clases sociales que la típica de la alta burguesía, única que hasta entonces llenaba tópicamente los salones y gabinetes de la «alta comedia». Lo fustigado no son sólo unos vicios, sino una mentalidad, cuyas falsas estructuras son puestas de relieve. Este teatro, que llevaba en germen la posibilidad de trascender los estrechos límites del enfoque moral de las «cuestiones sociales» y que anunciaba una nueva óptica realista, surgida al calor del espíritu de la Revolución del 68, quedó frenado casi en seco por la Restauración. La sociedad «restaurada» rechaza la tímida problemática social, protagonizada por la clase media, e impide el desarrollo de una dramaturgia al servicio de una ideología revisionista que aspira a una nueva toma de conciencia de la realidad social. Cuando Enrique Gaspar vuelva a la carga, sus personajes y los conflictos vividos por ellos estarán desocializados. En plena Restauración tres piezas constituirán la mejor aportación del dramaturgo: *Las personas decentes,* sátira de la burguesía madrileña, que, en cierto modo, conecta con el teatro de Bretón de los Herreros, *La huelga de hijos* (1893) y *La eterna cuestión* (1895), sobre el adulterio y sus funestas consecuencias. La mejor es, sin duda, *La huelga de hijos,* cuya protagonista, Henny, es un delicioso personaje femenino, arquetipo de la «nueva mujer moderna», emparentada con la Nora de *Casa de muñecas,* de Ibsen, aunque, claro está, sin su libertad. Henny sabe defender su felicidad individual venciendo el sistema de presiones sociales que rigen las relaciones de padres e hijos. Henny renuncia, con plena conciencia de sus actos, al papel de víctima que la sociedad impone a la mujer-hija y se rebela contra el mito social de la obediencia fatal de los hijos a sus padres. Henny es, en la historia del teatro español, la primera de las heroínas de la rebelión contra la autoridad paterna. El drama significa, en cierta manera, el triunfo de los derechos de los hijos frente a los derechos de los padres y la desmitificación del *deber social* de la obediencia.

El teatro de Enrique Gaspar es el que más vitalidad dramática conserva dentro del panorama del teatro de la Restauración, excluidos Dicenta y, sobre todo, Galdós. Tiene plena razón Narciso Alonso Cortés cuando escribe «que se adelantó lo menos en un cuarto de siglo a las modernas orientaciones de la comedia española».

IV. Los dramaturgos de la Restauración y el final del teatro decimonónico

1. Echegaray y el drama-ripio

Al tratar de definir el teatro de Echegaray, mejor que las denominaciones de drama neorromántico o de melodrama social que utilizan los críticos, me parece la de drama-ripio, pues esta denominación capta, sin más, su esencia. Su teatro, no importa cuál sea su asunto, es, radicalmente, ripio. En cualquiera de sus niveles: vocabulario, sentimiento, pensamiento, acción... En ese «panorama de fantasmas» que según Ortega fue la Restauración, el teatro de Echegaray es, por excelencia, teatro fantasmagórico, puro *flatus voci,* en el que cada personaje, sin distinción de sexo, es, en sustancia y en sus accidentes, una pasión inútil, hueca de toda verdad. La «retórica del corazón», de que habla uno de estos personajes (*Dos fanatismos,* acto I, escena VII), no es, ni siquiera en el más peyorativo de los sentidos, mala retórica, sino simple verborrea. Jamás ningún teatro, ni aun el peor teatro romántico o posromántico, ha alcanzado como el de Echegaray el privilegio de atentar tan desaforadamente y a conciencia contra el sistema nervioso del espectador. Contra todos los universales del sentimiento, y no digamos del pensamiento, este teatro, estribado exclusivamente en los universales del ripio, golpea inmisericorde los nervios del público mediante una palabra y una acción que nunca alcanzan los linderos de lo real. El dramaturgo tiene el genio innegable de inventar situaciones dramáticas constitutivamente falsas. Dentro de ese mundo dramático falso, con falsedad esencial, los personajes gritan, rugen, sufren, lloran, ríen, gesticulan, estallan, se mueren, se vuelven locos, se suicidan, sin que ninguna de sus pasiones rocen, ni de cerca ni de lejos, eso que, formal o informalmente, llamamos lo humano.. Las fuerzas en conflicto en cada uno de estos dramas son no sólo tópicos, sino tópicos vaciados de toda sustancia real, tópicos superlativamente falseados, desrealizados, deshumanizados. Ningún método peor para explicar estos dramas que hablar de sus temas o de sus conflictos, pues, forzosamente, al hablar de ellos hay que manejar términos de sentido universal como amor, honor, deber, religión, locura, calumnia, sociedad, hipocresía, envidia, celos, siendo así que estos términos están deformados, no tienen consistencia, no tienen relación alguna con lo que realmente significan. Decir, por ejemplo, como escribe Armando Lázaro Ros[20] que en *La muerte en los labios* está planteado el conflicto entre el fanatismo religioso, el deber y el amor, es decir una verdad aparente, pues ni el fanatismo, ni el deber ni el amor son reales, con humana realidad, sino ripios. Como son ripios —es imposible emplear honradamente otro vocablo— el fanatismo neocatólico de Lorenzo Cienfuegos y el fanatismo ateo de Martín Pedregal, y el conflicto entero —palabras, personajes, situaciones— en *Dos fanatismos;* y la «santidad» de Lorenzo Avendaño y el conflicto entero en *Locura o santidad;* y la locura, el amor y el egoísmo e hipocresía social e individual de Gabriel, de Fuensanta y de los parientes de ésta en *El loco Dios;* y la sociedad contemporáena de *El gran galeoto,* y la tesis de la herencia en *El hijo de don Juan...* Puro ripio dramático es, igualmente, el conflicto de *Mancha que limpia,* de *La duda,* de *En el puño de la espada,* etc. Toda pasión, cualquiera que ésta sea, es sometida por Echegaray a un sistemático proceso de falseamiento, de medular vaciamiento de su verdad hu-

[20] «Prólogo» al *Teatro Escogido* de Echegaray, Madrid, Aguilar, 1964[4].

mana. Todo lo que le pasa a sus personajes —entes huecos rellenados de gritos—, y les pasan muchas cosas, cosas tremendas, escapa a todo código racional y sentimental de expresión de la vida humana. ¿Cómo establecer, pues, una valoración de un teatro que rompe toda conexión con lo que llamamos vida, verdad, psicología, instinto, sentimiento, razón, naturaleza, sociedad?

Aconsejaba Valbuena Prat «valorar a Echegaray a la distancia en que se encuentra, y sin dejarnos llevar de la superficial reacción de la generación que le siguió»[21]. Sin embargo, yo no creo superficial la reacción de esa generación que es, primero, la del 98, y, luego, la del 27; no la creo superficial, sino única posible ante un teatro que mediante una palabra poco menos que epiléptica o sentimental y racionalmente convencionalizada presenta con radical falsedad una realidad radicalmente falsa y ripiosa. Lo que pudiéramos llamar momentos lúcidos apenas existen en este teatro y cuando existen están apresados en un contexto que invalida del todo su precaria lucidez.

Y sin embargo... sí, sin embargo, no se puede anular un hecho insobornable, a la vez de carácter literario y sociológico: que entre 1875, fecha de estreno del «drama trágico» *En el puño de la espada,* y 1904, fecha del Premio Nobel, Echegaray es aclamado fervorosamente, aplaudido con extraordinario entusiasmo por el público español de la Restauración, que se siente sacudido, conmocionado en un grado tal como no se había dado desde los tiempos del drama nacional del Siglo de Oro. Es más, para ese público delirante Echegaray es el heredero insigne y el continuador indiscutido de Lope de Vega y de Calderón de la Barca. Echegaray, no obstante, no escribe para un público convencido de antemano, sino para un público al que tiene que conquistar obra a obra, un público de reacciones extremas, no de términos medios, que o le silba y le patea como cuando, por ejemplo, en 1878 estrenó *Algunas veces aquí* o en 1879 *Mar sin orillas* o en 1903 *La desequilibrada;* o le aplaude hasta el paroxismo como sucedió, por ejemplo, en 1879 con *En el seno de la muerte,* o en 1892 con *Mariana,* o en 1895 con *Mancha que limpia,* para no hablar de éxitos clamorosos como, entre los muchos, el de *El loco Dios* y *El Gran Galeoto,* considerada su obra maestra.

Todo esto son hechos que se dieron cuando el teatro era un fenómeno cultural de primera importancia en el seno de una sociedad, cuando el teatro era una realidad viva que apasionaba a las minorías y a las mayorías, al hombre culto y al inculto, cuando el teatro reunía y concentraba en sí el entusiasmo y las energías emo-

---

[21] *Historia del teatro español,* Barcelona, 1956, págs. 541-542.

cionales que hoy están diversificadas entre el cine, la TV. y los deportes. No cabe duda que el teatro, sociológicamente, si no literariamente, vivía una innegable época áurea. ¿Por qué —nos preguntamos— ese éxito del teatro de Echegaray?

Si nos volvemos del lado de la sociedad que le aclamaba, ¿qué es lo que encontramos? Nadie lo ha descrito con mayor profundidad, capa por capa y globalmente, como Galdós en sus *Novelas Contemporáneas*. Cuando las hemos leído todas y meditado lo que en ellas se nos dice y se nos muestra, nuestra conclusión, sin entrar, naturalmente, en detalle ni en pormenorizados análisis por nuestra parte, podría ser ésta: se trataba de una sociedad a la que aquejaba una honda falta de vocación para la verdad y la autenticidad. Bien conocidas son también las aseveraciones de Ortega y Gasset sobre esa sociedad de la Restauración, cuyos rasgos fisonómicos resumía así: «el amor a la ficción jurídica, a la pomposidad, a la exterioridad, a contentarse con la apariencia», así como «convencionalismo, simplismo», la «corrupción organizada» y «como más característico que todo esto, como más pernicioso, como raíz y origen de todo lo dicho, el fomento de la incompetencia», concluye Ortega [22]. Es la sociedad para quien Valle-Inclán inventará el esperpento como forma *ad hoc* para expresarla, aunque como es bien sabido, el significado y la función del esperpento trascienda tal propósito. Años, pues, esos en que Echegarary triunfa, de radical ceguera para los problemas reales y de vacío existencial de una sociedad. Son, en frase popular, los «años bobos de la Restauración».

De las sesenta y pico de piezas teatrales escritas por Echegaray para esa sociedad, el género dramático más abundantemente cultivado por nuestro dramaturgo fue el drama trágico, no el sainete o cualquiera de las formas populares del teatro cómico. ¡El drama trágico! Un teatro, por tanto, que pretendía ser serio, grave, no materia de diversión. ¿Cuáles eran los elementos definitorios de tal teatro serio y cuál su finalidad y su función sociales? ¿Acaso despertar la conciencia adormecida del público, obligándolo a meditar? ¿Tal vez sacudir e inquietar la sensibilidad pública? ¿Quizá proponer una visión del hombre y del mundo, una concepción ética o metafísica de la existencia? Y si ninguna de estas cosas, ¿qué entonces?

Los críticos hablaban de la «manera» de Echegaray, de su estilo dramático. «Cierta vez —escribe Martínez Olmedilla en un libro dedicado a nuestro autor [23] para un reportaje periodístico, le preguntaron cómo hacía sus dramas y dio la respuesta en un soneto:

---

[22] *Obras Completas,* I, Madrid, Revista de Occidente, 1966[7], págs. 282-283.
[23] *José Echegaray,* Madrid, 1949, págs. 258-259.

Escojo una pasión, tomo una idea,
un problema, un carácter, y lo infundo,
cual densa dinamita, en lo profundo
de un personaje que mi mente crea.

La trama al personaje le rodea
de unos cuantos muñecos, que en el mundo
o se revuelcan por el cieno inmundo,
o resplandecen a la luz febea.

La mecha enciendo. El fuego se propaga,
el cartucho revienta sin remedio
y el astro principal es quien lo paga.
Aunque a veces también en este asedio
que al Arte pongo y que el instinto halaga...,
¡me coge la explosión de medio a medio!»

Dejemos sin comentario, pues se comenta por sí mismo, el hecho de que el Destino o la fuerza trascendente —cualquiera que sea— que gobierna el universo del drama, quede reducida en el vocabulario artillero usado en el soneto a una simple carga de dinamita encendida por el autor al nivel de la trama, y que la destrucción del héroe se produzca mecánicamente como consecuencia de la intriga, es decir, por necesidad puramente teatral, y no por ningún otro tipo de necesidad de sentido trascendente y universal, y preguntémonos por la pasión, la idea, el problema o el carácter elegido por el dramaturgo como núcleo motor del drama. Para responder a nuestra pregunta vamos a elegir dos obras de Echegaray, aquéllas que fueron más aplaudidas y que traducidas a otras lenguas le dieron fama en mayor grado aún que otras piezas suyas. Me refiero a *O locura o santidad,* drama trágico en prosa (22 enero 1877) y *El gran Galeoto,* drama trágico en verso (19 marzo 1881).

O locura o santidad

Don Lorenzo de Avendaño, al que los demás personajes llaman sabio, «todo un sabio», sin que el espectador llegue a saber por qué, tiene una hija, Inés, que está enamorada de Eduardo, hijo de la duquesa de Almonte, que le corresponde en su amor. La duquesa parece que se opone a consentir la boda de su hijo con una muchacha que no pertenece a la nobleza. El médico y amigo de la familia Avendaño afirma que si la boda no se realiza, Inés, criatura hipersensible, puede morir del disgusto (no es Inés en este teatro la única heroína supersensitiva y, al parecer, aunque no se diagnostique, enferma del corazón). Para lograr la felicidad de su hija y evitar su muerte, don Lorenzo consiente en humillar su orgullo pidiendo a la duquesa apruebe la boda. Pero todo hace esperar que no será necesaria tal humillación, pues la duquesa, por amor a su hijo, está dispuesta a dar el consentimiento y va a venir a casa de don Lorenzo a pedirle la mano de su hija. Pero, entretanto, don Lorenzo, avisado por su médico de que está agonizando Juana, una antigua y vieja criada de la familia, despedida de la casa hace muchos años por supuesto robo de un collar, la ha traído a que muera junto a él. Juana agonizará a lo largo de los actos I y II, pero no sin antes revelar a Lorenzo que es, no una criada, sino su verdadera madre, y ello en una serie de escenas erizadas de exclamaciones por el estilo de las de « ¡Madre mía! », « ¡Hijo mío! ». Don Lorenzo, en continuo clima de paroxismo, renuncia a una herencia y a una posición que no le pertenecen, pues es hijo de una criada pobre. La prueba de su identidad es un papel que Juana tiene. La consecuencia es que don Lorenzo dice a la duquesa que la boda de Inés y de Eduardo es imposible. He aquí, como botón de muestra, el final del acto I:

LORENZO:
... Señora duquesa de Almonte, ese matrimonio es imposible.

DUQUESA:
(Sintiéndose herida y retrocediendo un paso)
¡Ah!

INÉS:
¿Qué dices?... ¡Padre!... ¡Imposible!

LORENZO:
¡Imposible, sí! . Porque no soy Avendaño; porque mis padres no eran mis padres; porque esta casa no es mi casa; porque no puedo darte, hija de mi alma, más que un nombre escarnecido y manchado; porque soy el más infeliz de los hombres y no quiero ser el más miserable.

INÉS:
¡Padre! ¡Padre! ¿Por qué me matas?*(Cae en un sillón.)*

ÁNGELA:
¿Qué has hecho, insensato?

LORENZO:
¡Inés!... ¡Inés!... ¡Venciste, Dios mío; pero ten compasión de mí! *(Todos rodean a Inés.)*

TELÓN

Don Lorenzo, pues, acaba de cumplir con su deber. Juana, horrorizada por las consecuencias de su revelación, quemará, siempre agonizante, el «funesto papel», sustituyéndolo por uno en blanco, que es el que don Lorenzo guardará como prueba. Al final del acto II, después de negar ante los demás que es la madre de Lorenzo, pero con apartes desgarradores al hijo de sus entrañas, morirá estrujada entre los brazos de éste, después de gritarle: «¡Hijo de mis entrañas *(con voz moribunda y al oído)*» y de decir: «¡A... diós...!»

En el acto III, reunidos todos los personajes principales, amén del doctor Bermúdez, y de Braulio y Benito, que están allí por si don Lorenzo se desmanda, tiene lugar, después de unas escenas erizadas de admiraciones de horror, de angustia y de mortal dolor, la escena cumbre: don Lorenzo va a presentar la prueba de que no está loco, sino que cumple con su deber. Saca el papel... y el papel, como ya sabemos —¡pero él no lo sabe porque no lo ha vuelto a mirar!— está en blanco. Ello provoca, como es natural, un superadmirativo y superpuntisuspensivo y superentrecortado monólogo de don Lonrenzo, que acaba con esta acotación: «*(Envía un beso con grito horrible de desesperación)*». Los loqueros salen para llevárselo. Padre e hija se abrazan, pugnando porque no los separen. Pero, entre los gritos de los demás personajes, logran separarlos, claro está que «a viva fuerza», como señala el autor. El telón cae definitivamente sobre esta última réplica y última acotación:

> LORENZO:
> ¿Qué podrás tú..., hija mía..., si Dios no me salva? *(Queda cerca del gabinete, entre los loqueros, Eduardo, don Tomás y Bermúdez, que le sujetan. Inés, contenida por las mujeres y en primer término, tendiendo hacia él los brazos. Telón.)*

El gran Galeoto (drama en tres actos y en verso, precedido de un diálogo en prosa). El *diálogo en prosa* nos presenta al escritor Ernesto, *sentado a la mesa y como preparándose* a escribir. Hoy nos suena a grotesca parodia del acto de la creación literaria. He aquí su comienzo:

> ERNESTO:
> ¡Nada!... ¡Imposible!... Esto es lucha con lo imposible. La idea está aquí: bajo ardorosa frente se agita; yo la siento; a veces luz interna la ilumina, y la veo. La veo en su forma flotante, con sus vagos contornos, y, de repente, suenan en sus ocultos senos voces que la animan, gritos de dolor, amorosos suspiros, carcajadas sardónicas... ¡todo un mundo de pasiones que viven y luchan..., y fuera de mí se lanzan, a mi alrededor se extienden, y los aires llenan!...

Y he aquí su final:

ERNESTO:

... Francesca y Paolo, ¡válgame, vuestros amores! *(Sentándose a la mesa y preparándose a escribir.)* ¡Al drama!... ¡El drama empieza! Primera hoja: ya no está en blanco...; ya tiene título. *(Escribiendo)* «El gran galeoto.» *(Escribe febrilmente).*

Entre el principio y el final, Ernesto, en conversación con Julián, nos entera de la idea de su drama: el protagonista, El gran Galeoto, es la colectividad, la totalidad de las gentes, la sociedad contemporánea.

Sospechamos, sin que tengamos pruebas para afirmarlo, que este *Diálogo* fue escrito después del drama para dejar bien sentada la idea que en él quiere expresar su autor, por si acaso no quedaba bastante clara. Su función es explicativa de intenciones y por ello y por su propio contenido fundamentalmente antidramática o extradramática.

El drama en tres actos y en verso tiene por protagonistas, además de a la colectividad representada por los malvados, estúpidos e hipócritas, doña Mercedes, don Severo y Pepito, a las víctimas Teodora, don Julián, su marido, y Ernesto, el protegido de don Julián, amado como un hijo por Teodora y por don Julián. El Eduardo escritor, que aparece en el *Diálogo* y el Eduardo actor del drama son la misma persona.

¿Qué es lo que pasa? Que el trío representativo de El gran Galeoto murmura de que Ernesto viva en casa de don Julián y de Teodora, que es mucho más joven que su marido y de la misma edad que Ernesto. Ernesto, para atajar las murmuraciones, quiere irse de la casa. Pero Julián no lo quiere dejar ir, porque considera indigno que trabaje y porque considera indigno hacer caso de calumnias. Pero, en el fondo, sin querer, empieza a sospechar de Ernesto y de Teodora. La calumnia hace su camino. Don Julián enferma. Ernesto y Teodora descubren, horrorizados, que se aman. Don Julián, en una escena tremenda del acto III, enfebrecido y moribundo, descubre ese amor, sin que sirva para nada la lealtad de Ernesto ni la inocencia de Teodora. Don Julián muere, aunque, por esta vez, en su cuarto, fuera de escena. Teodora grita: «¡Él!... ¡Julián!... ¡Mi Julián!... ¡Muerto! *(Dice esto retrocediendo en ademán trágico y cae desplomada en el suelo.)*» Don Severo, hermano de don Julián, manda arrojarla de la casa. Ernesto le llama «¡Cruel!», luego pide: «¡Piedad!», finalmente, se rebela contra el gran Galeoto, levanta a Teodora del suelo, la sostiene en sus brazos *(«en este momento o en el que el actor crea conveniente»*, según reza la acotación) y contesta a quienes le llaman «¡Infame!» y «¡Miserable!»:

ERNESTO:

Todo.

¡Y ahora tenéis razón!... ¡Ahora confieso!...
¿Queréis pasión?... Pues bien: ¡pasión, delirio!
¿Queréis amor?... Pues bien: ¡amor inmenso!
¿Queréis aún más?... Pues más: ¡si no me espanto!
¡Vosotros a inventar!... ¡Yo, a recogerlo!
¡Y contadlo!... ¡Contadlo!... ¡La noticia
de la heroica ciudad llene los ecos!
Mas, si alguien os pregunta quién ha sido
de esta infamia el infame medianero,
respondedle: «¡Tú mismo y lo ignorabas,
y contigo las lenguas de los necios!»
¡Ven, Teodora! La sombra de mi madre
posa en tu frente inmaculada un beso.
¡Adiós!... ¡Me perteneces! ¡Que en su día
a vosotros y a mí nos juzgue el Cielo!

Sobre estos inflamados versos cae el telón. Definitivamente y para siempre.

Si los dramas neorrománticos de Echegaray son una grotesca deformación del drama romántico y los melodramas sociales una no menos grotesca deformación de la realidad social, sus dramas de locura, como *El loco Dios* o *El hijo de don Juan* son una deformación del mundo dramático de Ibsen, cuya lectura impresionó a Echegaray. Al cambiar ese mundo dramático de la clave ibseniana a la clave echegarayana la consecuencia es el sacrificio de toda realidad, de toda verdad y de todo símbolo dramáticos en beneficio de una hueca, grandilocuente y desorbitada escenificación de casos clínicos.

Todo ello, sin embargo, no nos impediría valorar a Echegaray en la distancia a que se encuentra, como pedía Valbuena Prat, si no fuera porque el lenguaje en que están escritos estos dramas constituye la razón absoluta que lo condena irremisiblemente como teatro. A pesar, desde luego, del Nobel.

2. Tres dramaturgos menores: Cano, Sellés, Felíu y Codina

Castellano el primero, andaluz el segundo y catalán el tercero, estos tres autores teatrales representan, cada uno con personalidad propia, algunos de los aspectos principales del mediocre teatro que abastecía los escenarios de fin de siglo. De esa mediocridad serán excepciones Dicenta y Galdós, cuyos dramas tendrán una dignidad literaria y un contenido dramático muy superior al resto de la dramaturgia finisecular. Aparte también, figura señera del teatro catalán, destaca, poderosamente Ángel Guimerá, de cuya obra no nos ocuparemos por ser su lengua el catalán.

Cano y Sellés comenzaron escribiendo teatro dentro de la órbita del drama estilo Echegaray, saliendo pronto de ella tanto por la intención, más o menos social de su teatro, como por el lenguaje dramático utilizado. Felíu y Codina, que escribió casi todas sus piezas en castellano, está vinculado tanto a la esfera de influencia del ciclo de escritores catalanes como a la esfera de influencia de Echegaray.

Leopoldo Cano (1844-1934) cultiva un tipo de teatro impregnado de cierta tintura social al que, objetivamente, resulta difícil encasillar plenamente dentro del drama social. Ni los problemas del momento, que escenifica en su teatro, pasan de ser temas circunstanciales ni la visión dramática de esos problemas posee suficiente hondura. Su cala en la materia social contemporánea no supone análisis previo y es siempre parcial, dando a su teatro un aire panfletario. Es, en cierto modo, un teatro urgente, nacido para denunciar un estado de cosas, una situación insatisfactoria de la cual sólo se capta lo más superficial con un lenguaje que no logra echar por la borda el contrabando sentimental que aqueja a la mayor parte de nuestro drama decimonónico. Como ya observaba Alonso Cortés, la servidumbre de la construcción de la acción dramática al desenlace da un tono esencialmente arbitrario a toda esta dramaturgia. Su particularismo es demasiado escandaloso para que produzca efecto más allá del contexto sociopolítico en que nació. El éxito de un drama como *La Pasionaria* (1883), que enfrentó a eclesiásticos y militares, tiene poco que ver con la estética y los valores literarios. En el fondo, esta pieza teatral rebasa difícilmente la categoría del melodrama social con su tópica división del mundo en malos y buenos, en héroes nobles y antihéroes mezquinos. La sátira social, latente en el teatro de Cano, no va nunca más allá de un superficial y genérico desenmascaramiento de la hipocresía, la vanidad y el egoísmo constitutivos de toda mecánica social. Desde *La opinión pública* (1878) hasta *Mater dolorosa* (1904) el teatro de Cano, con un pesimismo que nos suena a pesimismo de encargo, no consigue crear dramas valiosos, bien derive hacia el realismo naturalista o hacia el realismo simbólico, bien adopte como escenario el medio rural o el medio cortesano.

Eugenio Sellés (1844-1926), que comenzó escribiendo dramas históricos, estrena en 1872, en el Teatro Apolo de Madrid, un drama en tres actos y en verso, titulado *El nudo gordiano,* en el que inicia un tipo de «drama social» en el que «lo social» brilla, en rigor, por su ausencia. Su tema es el del adulterio, o mejor, el de la infidelidad de la esposa, y el divorcio, pero enfocados asocialmente.

El divorcio, o a lo menos la separación del marido y la mujer culpable, única solución social del conflicto planteado, es juzgada inadmisible por el marido, que prefiere tenerla encerrada a dejarla marchar de casa, pues lo último significaría deshonra pública. No hay más solución que la muerte, pues, según razona el marido ultrajado, el nudo del matrimonio «sólo en sangre se disuelve». Un pistoletazo acaba solucionando el problema. El marido lo justifica así ante el hermano de la muerta, asesinada en la calle cuando iba a huir con su amante:

¿Qué hicieras tú? Se fugaba:
mi nombre en la calle estaba
¡y en ella la recogí!
¡Cerca, un coche; en él, su amante;
ella hacia él; la vi, cegué,
tiré, cayó, la besé
y, en mis brazos expirante,
la satisfacción primera *(Con deleite feroz)*
de mis celos vi apagada,
¡que así su última mirada
fue para mí toda entera!
¡Y dióme orgullo y terror
ver cómo, al espanto abiertos,
miran unos ojos muertos
a un honrado matador!

Estos espantosos versos hablan por sí mismos, no sólo de la pésima calidad dramática del producto, sino de la inexistencia de todo vínculo con el drama social.

Idéntica baja calidad dramática tiene su teatro en prosa, cuyo lenguaje, más natural, menos fantasmagórico que el de Echegaray, apenas si alcanza categoría teatral. Los diálogos «realistas» de este teatro son de una perfecta vacuidad y están más cerca, por su espíritu y su materia, de los debates de café o de saloncillo que del diálogo propiamente dramático.

El autor se declara partidario del arte realista frente al arte idealista que, sin embargo, coinciden en ser moralizadores. La misión del arte idealista o arte viejo consiste en enseñar «lo que debe hacerse»; la del arte realista o nuevo en enseñar «lo que debe evitarse». Este arte nuevo adopta la técnica de «la fotografía, el procedimiento negativo» (Prólogo a *Las vengadoras,* Madrid, 1892). En efecto, sus piezas en prosa son reproducciones fotográficas, en negativo, de vicios de la sociedad pública contemporánea: en blanco y negro y sin reproducir más allá de las superficies. Pero, claro está, no fotografías sin más, aunque sean malas, al servicio de la realidad, sino al servicio de una tesis. En *Las esculturas de la carne* (1883) «retrata» a un individuo que, insensible al mal ajeno, cosecha el castigo a causa de esa indiferencia. En *Las vengadoras* (1884) muestra cómo las queridas vengan a las esposas. El prólogo antes citado nos deja asomar, entre otras cosas, a lo pue pudiéramos llamar la pacatería nacionalista del público bien pensante de los teatros de la Restauración. Vale la pena citar este párrafo: «La Venus de guante blanco se ha domiciliado en la corte. Su concha, convertida en abierto milord, que arrastran yeguas inglesas en vez de palomas o cisnes blancos, pasa a todas horas por delante de nosotros.» Sin embargo, hay que decir que estas «Venus de guante blanco» albergan un corazón de buenas burguesas, cuyo sueño ideal, pero imposible, es el de ser madres: «el amor sin carne». En *La vida pública* (1885), publicada también con un prólogo justificatorio, «retrata» la menuda vida política del país. Es interesante en ese prólogo lo que su autor escribe acerca de lo que constituye «la escuela de la verdad» del público. «Con esa masa de caracteres que son casos patológicos, de acentos que son casi tempestades, de espectáculos que casi tocan en la magia, ha formado el oído y dispuesto los ojos de manera que acostumbrados a mirar ciertos colores, padecen ya de un daltonismo crónico.» Sellés, queriendo huir de ese teatro que critica, no consigue crear un producto que pueda sustituirlo eficazmente. El diagnóstico es certero, pero no da con la medicina que pueda curar ese «daltonismo crónico».

Felíu y Codina (1847-1897) se especializa en temas regionales. El ambiente rural, lleno de hablas realistamente trasladadas al lenguaje escénico, sirven de fondo a unos personajes que rezuman sentimentalidad por todos sus poros. El honor y el sacrificio juegan un papel de primera importancia. En *La Dolores* (1892), inspirada en la copla que ha hecho famosa a esta moza aragonesa, la desgraciada protagonista, deshonrada por su antiguo novio, indefensa para vengarse y a merced de la calumnia, es vengada por un seminarista que se revela hombre de pelo en pecho, buen matador de toros y hondo amador. Otro de sus dramas regionales, esta vez con fondo costumbrista de huerta murciana, que como el anterior conoció un gran éxito, incluso en Francia, fue *María del Carmen* (1896), cuyo protagonista femenino es un modelo de la virtud de la abnegación. Que la acción transcurra en Aragón o en Murcia, en la Alcarria o en Andalucía, la heroína es siempre la moza pueblerina, honra del campo y ejemplo de virtudes femeninas. La reunión de regionalismo costumbrista, de idealismo sentimental y de exaltación popularista de la mujer —joven, hermosa y buena— hacen de cada una de estas piezas un excelente libreto de zarzuela. Ahí está, si no, *La Dolores,* con música de Bretón.

3. El sainete del último cuarto de siglo

Durante la Restauración prolifera en los escenarios esta forma teatral del género chico, cuyo espíritu y personajes invaden el mundo dramático de la comedia y el melolírico de la zarzuela. Los más famosos saineteros de la época son Ricardo de la Vega, Javier de Burgos, Tomás Luceño y José López Silva. Los ambientes madrileños barriobajeros o de clase media, con sus tipos populares, su habla desgarrada, sus desplantes, su cursilería o su sal, pueblan la escena. La lengua viva de la calle, las actitudes castizas y la gracia, gruesa o fina, del vivir cotidiano se instalan en los escenarios de Madrid. Junto al sainete dramático triunfa el sainete musical.

Ricardo de la Vega hace subir, incansable, a la escena los tipos de barrio bajo madrileño o los paletos de los pueblecitos de los alrededores de Madrid. El maestro Bretón pone música a *La verbena de la Paloma* y el maestro Barbieri a *Luis el zumbón o el despacho de huevos frescos.*

Javier de Burgos alterna los sainetes de ambiente madrileño con los de ambiente gaditano. Su obra más famosa será *El mundo comedia es, o el baile de Luis Alonso.*

Tomás Luceño se especializa en los ambientes de clase media y presenta, satíricamente, tipos profesionales, literarios o políticos.

José López Silva, casi siempre en colaboración con otros saineteros, emplea su ingenio y sus dotes de hábil versificador en presentar las chulapas y chulapos madrileños. Sus mejores sainetes madrileños son los que escribió en colaboración con Carlos Fernández Shaw, como *Las bravías* o *La Revoltosa,* con música de Chapí.

Si el conjunto de esta producción menor supone, de una parte, una especie de cura del lenguaje teatral y una desintoxicación de mala retórica, por la otra significa un achabacanamiento de la escena y una vulgar limitación de la realidad y de los medios expresivos dramáticos. Nada añaden de dramáticamente valioso Ramos Carrión ni Vital Aza y sus disparates cómicos.

4. Joaquín Dicenta y la aurora del «drama social»

Joaquín Dicenta (1863-1917), a diferencia de Cano y Sellés, y de otros oscuros escritores —que son escritores por puro accidente— es, ante todo, dramaturgo y no sólo panfletario al servicio de una urgente ideología de combate para quien el teatro es sólo instrumento de presión y no creación literaria. Su figura ha quedado ligada al nacimiento del drama social español, en cuya estructura —y eso le da un carácter muy específico en el panorama del teatro social europeo— los contenidos éticos juegan un papel predominante, hasta el punto de que el eje en torno al cual giran los conflictos tiene una función dramática directamente moral e indirectamente social. El choque de clases, cada una con su problemática socioeconómica es, en realidad, menos un choque de clases, *sensu stricto,* que un choque de personas morales. Los representantes de las clases sociales, conflictivamente enfrentados, representan mucho menos una clase social que un individuo moral. Las motivaciones de la acción tienen su raíz no en la conciencia de clase, sino en la conciencia de la propia individualidad. Y esta conciencia es fundamentalmente ética, como ya observó Torrente Ballester [24].

Comienza Dicenta escribiendo una serie de dramas en verso en los que se muestra como simple heredero o epígono del retoricismo pasional del teatro posromántico y echegarayesco, con títulos tan significativos como *El suicidio de Werther* (1888) o *La honra y la vida* (1889). En 1895, después del drama en prosa *Luciano* (1894), tímidamente realista, estrena en el Teatro de la Comedia de Madrid *Juan José.* A éste seguirá *El señor feudal* (1897), cerrando este grupo de piezas parasociales el drama de ambiente minero *Daniel* (1906). El último drama de Dicenta, sin relación alguna con la materia social, será *El lobo* (1913), cuyo protagonista es un criminal transfigurado por el amor.

Dediquemos nuestra atención a *Juan José* y a *El señor feudal,* ya que *Daniel* no pasa de ser un un melodrama proletario, como otros muchos de comienzos de siglo.

Juan José, protagonista del drama, es, como personaje, hermano del villano con conciencia de honra y de dignidad personal del teatro de Lope de Vega, sólo que vestido de proletario y habitante no de la aldea, sino de la ciudad. Frente a él, como antagonista, se levanta no ya el noble que abusa injustamente del poder, sino el «señorito» patrono, sólo que su función dramática es menos la de patrono que la de rival con dinero. Entre ambos, Rosa, la hembra de Juan José, actúa como manzana de la discordia. Del lado de Juan José están Perico, que sueña con la libertad, e Ignacio y Andrés, que no creen en nada, y que soportan la situación en que se encuentran, sin que se les pase por las mientes cambiarla. Completan el panorama Toñuela, la mujer de Andrés, fémina honrada y sufrida, y la vieja Isidra, tipo celestinesco, buena bebedora y codiciosa de dinero, al servicio de los intereses amorosos del «señorito» Paco. *Juan José* es un drama de pasiones individuales (honra, amor y celos) inserto en un medio proletario. La causa que genera la tragedia es, como

[24] *Teatro español contemporáneo,* Madrid, Guadarrama, 1957, pág. 64.

reiteradamente observan los personajes, el carácter de Juan José, y no fuerza alguna social. La «realidad social» no tiene más función dramática que servir de ocasión para que se produzca el desenlace. Juan José se queda sin trabajo y, al no encontrarlo, roba y es encarcelado. Pero tales hechos están al servicio no de una mecánica social, sino de una mecánica dramática, y sirven para hacer posible la escena final. El dramaturgo, tal como ha planteado su obra, necesita para el desarrollo de la acción, realistamente construida —quiero recalcar que me refiero sólo a la construcción— que Rosa se quede sola —y por eso enviará a Juan José unos meses a la cárcel— para convertirse en la amante de Paco, que, por otra parte, se porta con ella como un hombre enamorado y que nada tiene de monstruoso. La situación final está, pues, dramáticamente preparada. Juan José escapará de la cárcel y matará al rival (no al patrono) y a la amada infiel. La situación de paro,de hambre, la imposibilidad de encontrar trabajo, el robo como única salida y la cárcel tienen, primariamente, función dramática. La «cuestión social», como la llama García Pavón [25], sirve al drama, y no el drama a la «cuestión social». Lo social no es *ni siquiera* como escribe García Pavón un coadyuvante o condicionante del conflicto, sino un simple elemento del drama. Cierto que Juan José se queja con violencia de no encontrar trabajo, pero los responsables de tal situación no tienen papel alguno y no aparecen, como no aparecen insertas en la acción las causas de tal situación. No hay protesta ni denuncia ni apenas conciencia social en ninguno de los personajes. El impacto del drama sobre el espectador y su relación con el drama social estriba en la nueva dignidad dramática —palabra y actitud— del personaje proletario, en la dignidad individual de las «dramatis personae», pero no en su significación social. Dicenta dignifica el *papel* del proletario como personaje, pero no socializa la materia dramática.

En *El señor feudal,* aunque la situación de socialización de la materia dramática es mayor que en *Juan José,* personajes y conflicto siguen girando en torno al problema de la honra personal, eje fundamental de la acción. Como escribe Torrente Ballester «en su argumento se repite el esquema inventado por Lope: una moza campesina engañada por un señorito, vengada por su hermano». El mismo crítico señala la aparición de «una mentalidad nueva y curiosa» y de «un personaje *nuevo*», el de Jaime, obrero de una fábrica que sueña en la redención por el trabajo. Pero esta mentalidad nueva no alcanza en el drama suficiente objetivación. El dramaturgo no consigue convertir la nueva mentalidad, patente en la palabra del personaje, en fuente directa y determinante de la acción, como ocurre,

---

[25] *Teatro social en España,* Madrid, Taurus, 1962.

por ejemplo, en *Los tejedores* (1892) de Hauptmann. El drama social se queda a mitad de camino entre la nueva mentalidad de carácter social y la vieja mentalidad tradicional de carácter moral e individual. «No es la *conciencia de clase,* sino la *conciencia moral»* (Torrente Ballester), la que determina el desenlace y, por tanto, el sentido último del drama. Dentro de la vocación de realismo que anima al dramaturgo, realismo conseguido al nivel de la palabra, todavía persiste la vieja almendra del romanticismo, decisivo aún en la estructura misma de la acción y en la psicología de los personajes.

5. Galdós, dramaturgo

En 1902, en el prólogo que antepone a su drama *Alma y vida,* atacando el concepto que los críticos tenían del teatro como síntesis, concepto puramente externo, escribe Galdós: «Síntesis es, ciertamente, el teatro; pero no seamos tan sintéticos que se nos vean los sesos. Demos espacio a la verdad, a la psicología, a la construcción de los caracteres singularmente, *a los necesarios pormenores que describen la vida* (la cursiva es mía) siempre dentro de límites prudentes...» Desde que en 1892 estrena en el Teatro de la Comedia la adaptación teatral —o arreglo, como él la llama— de su novela *Realidad,* obra con la que comienza el ciclo dramático galdosiano, escribirá Galdós una veintena de dramas, de los cuales siete *(Realidad, La loca de la casa, El abuelo, Casandra, Gerona, Zaragoza* y *Doña Perfecta)* serán adaptaciones de novelas. Pérez de Ayala, admirador entusiasta del teatro galdosiano, escribía: «Don Benito Pérez Galdós llega a un antro (el teatro coetáneo) poblado de sombras y de ficciones, desde el universo de realidades vivas que la luz acusa de bulto. El dice: «Aquí no se ve. Que abran más la puerta.» Y los de dentro dicen: «Con esa luz cruda no se ve. Que cierren la puerta» [26]. Pérez de Ayala tenía razón. El teatro galdosiano hace subir a los escenarios españoles un «universo de realidades vivas» que contrasta poderosamente con la limitada y convencional problemática y con la pobreza de pensamiento del teatro decimonónico fin de siglo. Es indudable que Galdós dramaturgo significa una renovación de la temática teatral y una subida de nivel del contenido del drama español. La escena española, anquilosada en unos pocos mitos dramáticos caseros, se puebla de personajes y conflictos en los que la realidad adquiere mayor densidad. Pero mayor densidad de lo real y mayor riqueza de pensamiento no significa mayor perfección de la forma dramática ni superior nivel de la categoría dramática, es de-

---

[26] *Las Máscaras,* I, *Obras Completas,* III, Madrid, Aguilar, 1966, pág. 33.

cir, de lo que llamamos género dramático o drama. Y esto por una razón fundamental: Galdós dramaturgo no sabe romper con Galdós novelista. Su *escritura* de dramaturgo está siempre interferida por su *escritura de novelista.* La transposición o reflejo de la realidad es radicalmente distinta en la novela y en el drama. En Galdós tal diferencia es sólo externa, pero nunca interna. No se trata sólo de que sus dramas sean poco teatrales, en el sentido vulgar de esta palabra, tan desgraciadamente utilizado por empresarios y críticos, aún hoy día, cosa que no tendría demasiada importancia, y a lo que el propio Galdós dio cumplida respuesta en sus prólogos a *Los condenados* (1894) y *Alma y vida* (1902), ni tampoco se trata de que en sus piezas adaptadas de novelas pasen procedimientos novelescos. Se trata de que la estructura de la pieza teatral es en Galdós una estructura esencialmente novelesca. Esos «necesarios pormenores que describen la vida» son demasiado tupidos y demasiado descriptivos y atentan contra el ritmo propiamente dramático, dando excesiva cabida a lo que es accidental en el drama. Los diálogos de los personajes galdosianos rompen, casi constantemente, la economía dramática propia de la pieza teatral, sin hacer avanzar internamente la acción. Los personajes dialogan como si tuvieran todo el tiempo por delante, el tiempo moroso de la novela, donde todos los pormenores son posibles. Los conceptos, ideas y sentimientos que expresan la psicología de los personajes se reiteran a lo largo del drama, sin que descubran nada dramáticamente esencial. Escenas enteras son un puro parloteo, todo lo interesante que se quiera, pero marginal al conflicto dramático y demorador de la acción. En cambio, en otras escenas que son fundamentales para la expresión del conflicto, y que nada tienen de marginal, los personajes dicen demasidas cosas, cosas que los aleja de la situación que están viviendo, que son dramáticamente innecesarias. Esa falta de economía del diálogo, esa técnica dilatoria de la palabra, llena de meandros, de avances y retrocesos, de excursos, paréntesis y digresiones, procede de la técnica novelesca del diálogo, en la que Galdós es maestro indiscutible. Pero lo que en la novela era acertado es desacertado en el drama, género por excelencia de la esencialidad y la intensidad. Galdós no supo acomodarse a la visión esencializadora del drama, y permaneció fiel a la óptica extensiva de la novela. Tenía razón *Clarín* cuando escribía: «Este autor, novelista ante todo, ha querido escribir para el teatro, y hasta hoy no ha hecho más que llevar a la escena, más o menos cambiadas, ideas novelescas, planes de novela.»

Me parece un error considerar que sus novelas dialogadas poseen naturaleza dramática sólo porque adoptan la forma del diálogo y la división en jornadas, cuando lo esencial es que la técnica del diálogo en sus novelas es técnica novelesca y no técnica dramática. Cuando Galdós arregla para la escena su novela dialogada *El abuelo* no realiza una transposición formal ni de técnica, sino que se limita a suprimir pasajes, a amputar parlamentos y a concentrar diálogos. La versión escénica de *El abuelo* no es, en el fondo, más que una versión reducida de la novela dialogada. Cuando escribe directamente dramas éstos son, en realidad, versiones reducidas de novelas dialogadas o, si se prefiere, novelas dialogadas concentradas para su representación. La palabra de los personajes galdosianos carece, en general, de ese carácter combativo, esencialmente agónico (ἀγων = = combate) propio de la palabra teatral. En lugar de enfrentar a los personajes y hacerlos combatir unos contra otros con palabras, palabras que son ya acción, Galdós utiliza el diálogo para exponer hechos, ideas, sentires, previos, en cierto modo, a la palabra del personaje. Los personajes galdosianos no *se hacen* con su palabra y por su palabra, sino que nos dan la impresión de estar ya hechos antes de que el telón se levante, de estar puestos allí en la escena para servir una tesis que el autor quiere demostrar. La frialdad que la crítica contemporánea ponía de relieve en los dramas galdosianos nace de esa falta de unidad entre la palabra del personaje como explicitación de su propia interioridad, explicitación que le hace ser el que es [27] y la palabra del personaje en función de la tesis del autor. De ahí nace también esa falta de adecuación entre el carácter del personaje y su finalidad en la obra dramática *(El abuelo,* por ejemplo) y la entidad del conflicto, cuyo resultado, a nivel del espectador, es la invencible impresión de ingenuidad que estos personajes y sus conflictos nos causan.

Los héroes y heroínas de ese teatro aparecen movidos por un pequeño repertorio de pasiones-motoras, siempre el mismo y con muy pequeñas variaciones, hasta el punto de que parecen unos réplicas de otros. Y lo mismo sucede con los antihéroes. A los primeros los mueve la pasión de la verdad y de la caridad, entendida a lo divino o a lo profano, que se tiñe de un sentimiento de justicia y de libertad individual. A los segundos, una espesa red de convencionalismos sociales, morales o religiosos, vistos como raíz de todos los males, entre los cuales destacan la mentira, la hipocresía y la aparencialidad. En síntesis, las dos grandes fuerzas enfrentadas son la autenticidad y la inautenticidad. Estos dramas, al igual que las novelas de Galdós, son, como en otra ocasión escribí, una radical «meditatio Hispaniae». Los personajes pertenecen a dos bandos, el bando de una España posible caracterizada por el amor al trabajo y a la

[27] Ver Etienne Souriau, *Les grands problèmes de l'esthétique théâtrale,* París, 1963.

verdad, y el bando de una España real caracterizada por la intolerancia, el inmovilismo y la servidumbre a las apariencias.

En una serie de dramas el protagonista es la pareja formada por la mujer aristócrata y el hombre trabajador (ingeniero, comerciante o científico) que luchan contra una sociedad parasitaria, escudada en privilegios y dogmas intocables. *La de San Quintín* (1892), *Electra* (1901), *Mariucha* (1903), por ejemplo; o la mujer noble y rica que desciende a los senos miserables de la sociedad para hacer felices a los pobres: *Celia en los infiernos* (1913); o la mujer que, impulsada por el heroísmo religioso, se sacrifica a sí misma: *La loca de la casa* (1893), *Sor Simona* (1915), por ejemplo; o la mujer que destruye el mal matando a quien lo encarna: *Casandra* (1910); o la mujer que ha hecho de su vida entera un acto de amor y de aceptación del dolor: *Santa Juana de Castilla* (1918).

Aunque admiremos los nobles propósitos que animan a estos héroes y heroínas y rechacemos el mundo que se opone a la realización de sus ideales, todos ellos, en cuanto criaturas dramáticas, carecen de suficiente vitalidad interna y están demasiado ligados a ser portavoces de las tesis galdosianas. Estas tesis tienen toda nuestra simpatía, pero los personajes que las sustentan nos parecen demasiado simples, y su modo de vivir el conflicto excesivamente infantil las más de las veces. ¿Quién no se ha sorprendido viendo el infantilismo de Electra, que juega con muñecas y enreda en escena y fuera de escena, según nos dicen los otros personajes, de que tenga dieciocho años? ¿Cómo no sonreír de la tipificación poco inteligente de muchos personajes, comenzando por el bruto materialista Cruz, de *La loca de la casa,* que causa «horror» a Gabriela y a la misma Victoria? Esta última pieza, considerada por algunos críticos como uno de los tres mejores dramas de Galdós, es para mí ejemplo de drama insuficiente, tanto por los caracteres como por las situaciones y por el lenguaje. Cruz, varón duro, ejemplar del hombre que se ha hecho a sí mismo, en dura brega con la naturaleza y con los hombres, en tierras de esa América que funciona como un socorrido tópico, que profesa una filosofía materialista de consistencia monolítica, no tiene otro sueño que casarse con una de las hijas de su antiguo amo, no importa cuál, y su primera aparición es para recordar reiteradamente que las hijas del amo le tiraban salivitas en el cogote; Victoria, a punto de profesar en un convento, decide casarse con él, tanto para salvar a su familia de la ruina cuanto impulsada por una oscura mística del sacrificio, que se mudará en un vago socialismo de índole religiosa. En ningún momento asistimos al nacimiento de un auténtico y verdadero conflicto, sino a simples choques de poca trascendencia. Y cuando al final de la pieza Victoria le dice a su marido, más o menos domado: «Eres el mal, y si el mal no existiera, los buenos no sabríamos qué hacer... ni podríamos vivir», y cae el telón, nos quedamos con una frase que no responde a la realidad de los protagonistas, pues Cruz no es, ni mucho menos, algo de tanta entidad como el mal. Si el autor quiso que lo fuera no lo consiguió, desde luego. Este drama muestra, ejemplarmente, la enorme distancia entre el propósito creador y la realización dramática. Ni los personajes ni el conflicto inventado responden adecuadamente a la intención del autor.

En otras ocasiones, como sucede en *Realidad* (1892), plantea y soluciona de una manera nueva y original un tema viejo y gastado (el adulterio, tema favorito del teatro de la segunda mitad del siglo XIX), e inventa personajes de mayor hondura y trascendencia que los comunes de los dramas coetáneos de adulterio. Ninguno de los amantes, maridos ni esposas del drama de adulterio tiene la complejidad psicológica ni la espiritualidad del triángulo de personajes galdosianos. Sobre todo Orozco, el marido, héroe de conciencia pura, especie de santo laico, que sabe situarse por encima de «la miseria de las pasiones, del odio y del vano juicio del vulgo» y perdonar magnánimamente, es, en ese tipo de dramas, un personaje absolutamente nuevo. Pero un personaje de novela —de la novela de donde ha sido arrancado— rodeado de personajes de novela que hablan con palabra de novela y se mueven en un tiempo y un espacio novelesco, viviendo su conflicto con ritmo de novela. Al subir al tablado todos los personajes quedan como desplazados de su ámbito natural, forzados a quemar etapas, a comerse palabras necesarias, y entregados, al mismo tiempo, a conversaciones de capítulo de novela y no de escena de drama. Todo el primer acto con sus apartes, sus monólogos y sus diálogos de salón repletos de críticas al gobierno y denuncias de las estructuras contemporáneas, de galanterías y alusiones, es un modelo de diálogo antidramático, regido por la ley de la dispersión.

Los críticos han destacado unánimemente *El abuelo* (1904) como la obra cumbre del Galdós dramaturgo. Junto a ella, creo, debe figurar por su alto nivel dramático —puesto que de dramas estamos tratando, y no *sólo* de obras literarias— *Casandra*. *Casandra* y *El abuelo,* son, *como teatro,* las dos mejores creaciones galdosianas.

En *El abuelo* nos da Galdós un personaje de impresionante grandeza dramática: el viejo conde de Albrit. Y es ese personaje, y no el conflicto, lo importante. El conflicto en sí no tiene gran trascendencia. De las dos nietas del conde de Albrit nos importa, en realidad, muy poco saber quién es la nieta legítima y quién la espúrea. Que al final del drama Dolly, la nieta ilegítima, se quede al lado del abuelo, y Neil, la legítima, lo abandone, no pasa de ser un hecho más o menos emocionante. Lo fundamental en este drama es la figura gigante del conde, su hambre de verdad, su apasionado apetito de conocimiento patéticamente vivido. Dolorosamente desgarrado por la incertidumbre, la verdad que busca con sus ojos casi ciegos escapa a sus pesquisas y cuando al final la encuentra, ésta aniquila todo el sistema de valores por los que ha regido su existencia el conde de Albrit y reduce a la nada su concepción del mundo, su sentimiento del honor y de la estirpe en que estribaba la conciencia que de sí mismo tiene. La verdad convierte la razón profunda de su vida, la que le ha sustentado y en la que ha fundado su superioridad, en una «mueca horrible» en una realidad absurda que le lleva al borde de la locura. Pero, al mismo tiempo, de las cenizas de su ser destruido nace el hombre nuevo, el auténtico, el hombre que es espíritu y que por el espíritu vive. Hermano de Edipo por su búsqueda de la verdad y del rey Lear por su patética soledad, don Rodrigo de Arista-Podestá, conde de Albrit, se yergue muy por encima de cuantas figuras dramáticas pueblan los escenarios españoles del siglo XIX. Pero se yergue solitario, aun dentro de su propio drama, superior al conflicto al que lo encadena su autor, demasiado mezquino como conflicto para tan formidable personaje. Junto a él crea Galdós otro gran personaje, espléndido de humanidad grotesca y enternecedora, a la vez, el mínimo y magnífico don Pío Coronado, héroe de la bondad absoluta.

De los tres dramas de la intolerancia —*Doña Perfecta, Electra, Casandra*— a pesar de que en su tiempo el mayor éxito de público correspondió a *Electra,* cuyo estreno causó grandes alborotos tanto en Madrid como en París, por razones políticas ajenas a su valor como drama, el mejor es *Casandra.* En él enfrenta Galdós dos mundos antagónicos representados por dos mujeres: doña Juana Samaniego y Casandra. Doña Juana, hermana espiritual de doña Perfecta, encarnación del espíritu inquisitorial, alma autoritaria y sin caridad, dispone de las vidas ajenas y las destruye como si fueran cosas, en nombre de una religión dura, seca y vacía de auténticos contenidos religiosos. Doña Juana, aun siendo el prototipo de un cierto y real catolicismo español denunciado y atacado por Galdós a lo largo y a lo ancho de toda su producción literaria, es también esta vez un personaje teatral de gran fuerza dramática, contra el cual se levanta, como encarnación de la libertad de conciencia y en nombre de la Humanidad, Casandra. La escena III del acto IV es, *teatralmente,* de las mejores que escribió Galdós. El diálogo de doña Juana y Casandra, y la muerte de aquélla a manos de ésta, es esta vez ceñido, esencial, pleno de emoción, rigurosamente dramático.

Dentro del panorama teatral fin de siglo —un fin de siglo cuyo espíritu lo rebasa cronológicamente— Galdós dramaturgo, pese a todos sus defectos de constructor de la pieza teatral, significa un nuevo nivel de trascendencia en la historia del teatro español decimonónico, que no se caracteriza, precisamente, por su capacidad de crear grandes acciones ni grandes personajes, pues siempre hay en sus dramaturgos una radical pobreza de imaginación simbólica creadora de mitos dramáticos universales. Galdós poseyó, en algunos momentos de sus dramas, esa imaginación, pero careció de los instrumentos idóneos para su dramatización.

Terminemos con palabras de Galdós que podrían servir de lema a una edición de sus dramas: «Defendámonos contra la fantasmagoría. ¡Atrás, sombras vanas, imágenes absurdas! No nos dejaremos fascinar; lucharemos contra la ilusión hasta vencerla y poner sobre sus destrozados restos el orgulloso pabellón de la realidad.»

Apéndices

Apéndice 1

PROBLEMAS DE BASE EN *LA CELESTINA*

1. Textos

La obra nos ha llegado en dos versiones:

I) *Comedia de Calisto y Melibea.*
II) *Tragicomedia de Calisto y Melibea.*

Primeras ediciones conocidas de la Comedia

A) Burgos?, 1499? (Hispanic Library). Contiene 16 actos con sus argumentos. Falto de hojas al principio y al fin.
B) Toledo, 1500 (Bodmer). Contiene: Carta de «El autor a un su amigo», coplas acrósticas, argumento general, 16 actos con sus argumentos, coplas del corrector Alonso de Proaza.
C) Sevilla?, 1501? (París). Contiene: Carta de «El autor...», coplas acrósticas, incipit, argumento general, 16 actos con sus argumentos, coplas de Proaza.

Primeras ediciones de la Tragicomedia

D) Sevilla, 1502 (Michigan).
E) Sevilla, 1502 (Madrid).
F) Sevilla, 1502 (British Museum).
G) Toledo, 1502 (British Museum).
H) Salamanca, 1502 (Hispanic Library).

Todas ellas contienen: Carta de «El autor...», coplas acrósticas prólogo del autor, incipit, argumento general, 21 actos con sus argumentos, tres coplas a nombre del autor y siete de Alonso de Proaza.

Entre los actos XIV y XV de la *Comedia* se intercala el *Tratado de Centurio* (cinco actos nuevos).

Según J. Homer Herriot *(Toward a Critical Edition of the «Celestina»: A Filiation of Early Editions.* Univ. of Wisconsin Press, 1964), que ha estudiado con rigor y gran inteligencia crítica las variantes de 19 ediciones, pueden establecerse cuatro familias de textos, de cada una de las cuales se ha perdido el prototipo. La edición príncipe de la *Comedia* —prototipo de la familia I— sería, según el profesor Herriot, de Toledo, 1496-1499; y la edición príncipe de la *Tragicomedia* —prototipo de la familia II— de Salamanca?, 1500?

Según F. J. Norton *(Printing in Spain —1501-1520— With a Note on the Early Editions of the «Celestina»*, Cambridge University Press, 1966), las ediciones citadas de la *Comedia* serían, en efecto, de Burgos, 1499; Toledo, 1500 y Sevilla, 1501. En cambio las ediciones citadas de la *Tragicomedia* no serían de 1502 sino, conservando nuestras siglas: D (Sevilla, hacia 1513-1515), E (Sevilla, hacia 1518-1520), F (Sevilla, hacia 1511), G (entre 1510-1514), H (Roma, hacia 1520). De ser esto cierto, la más antigua edición conservada de la *Tragicomedia* sería la de Zaragoza, 1507.

Carecemos hasta el presente de una auténtica edición crítica de *La Celestina.*

2. Autoría

He aquí esquematizadas, las principales hipótesis sobre el problema de la autoría:

1. Un solo autor para la *Comedia.* Otro autor para todo lo añadido en la *Tragicomedia.* (Fouché-Delbosc y Julio Cejador.)
2. Fernando de Rojas autor único de la *Comedia* y de lo añadido en la *Tragicomedia.* (Menéndez Pelayo.)
3. Acto I, de autor anónimo. Actos II-XVI de la *Comedia* de Fernando de Rojas. Todo lo añadido en la *Tragicomedia,* de Fernando de Rojas. Es la hipótesis más extendida, basada en el estudio lingüístico y de fuentes. (Criado de Val, Castro Guisasola, Ruth Davis, Bataillon, Riquer, Menéndez Pidal, Deyermond..., etcétera.)
4. Acto I, de autor anónimo. Actos II-XVI de Rojas. Todo lo añadido en la *Tragicomedia,* a) de otro autor, b) de Rojas en colaboración. (Esto último lo sostiene M. R. Lida de Malkiel.)

Sin embargo, algunos investigadores actuales de gran solvencia, vuelven a defender la hipótesis de Rojas autor único (Adinolfi, Gillet, Herriot). La hipótesis 3, basada en las diferencias de lengua y de fuentes entre el acto I y el resto de *La Celestina,* dista, sin embargo, de ser concluyente respecto al problema de la autoría, y sólo demuestra la diferencia de fechas de composición. No existe razón incontrovertible en contra de que un mismo autor —Rojas— pudiera escribir en fechas distantes el acto I y los restantes.
La única afirmación de que el acto I es de distinto autor la da Rojas mismo. No hay otro testimonio que lo confirme, ni siquiera el del corrector Proaza. Tampoco, pues, la cuestión de la autoría —uno o más autores— es ni mucho menos asunto resuelto.

3. Fernando de Rojas

1. En un proceso de la Inquisición de Toledo de 1525 contra Álvaro de Montalbán, declara éste bajo juramento tener una hija llamada Leonor Álvarez «mujer del bachiller Rojas, que compuso Celestina, vecino de Talavera». Y cuando los inquisidores autorizan a Montalbán para nombrar defensor, nombrará al «bachiller Fernando de Rojas, su yerno, vecino de Talavera, que es converso». En esas fechas su mujer contaba treinta y cinco años. (M. Serrano y Sanz, «Noticias biográficas de Fernando de Rojas, autor de *La Celestina...*», *Revista de Archivos, Bibliotecas y Museos,* VI, 1902, páginas 245-299.)
2. En un proceso de pruebas de hidalguía se afirma, por varios vecinos de la Puebla de Montalbán, que compuso a Melibea. (F. del Valle-Lersundi, «Documentos referentes a Fernando de Rojas», *Revista de Filología Española,* XII, 1925, páginas 385-396.)
3. Sabemos también que otorgó testamento a 3 de abril de 1541 y que murió antes del 8 de abril del mismo año. (F. del Valle-Lersundi, «Testamento de Fernando de Rojas, autor de *La Celestina, Ibíd.,* XVI, 1929, págs. 366-388.)
4. En las *Relaciones geográficas* compuestas durante el reinado de Felipe II, se dice que «de la dicha villa Puebla de Montalbán fue natural el bachiller Rojas, que compuso a Celestina». Del mismo modo en la *Historia de Talavera,* escrita por Gómez Tejada de los Reyes a principios del siglo XVI, se dice que «Fernando de Rojas, autor de la *Celestina,* fábula de Calisto y Melibea, nació en la Puebla de Montalbán». (Citado por Menéndez Pelayo en *Orígenes de la no-*

vela, Nueva Biblioteca de Autores Españoles, Madrid, 1910, páginas 17-19.)

De estos y otros documentos puede trazarse acerca de Fernando de Rojas el siguiente resumen: Converso. Nació en la Puebla de Montalbán. Hijo de Garci González Ponce de Rojas y de Catalina de Rojas. Bachiller en Leyes. En 1518 estaba ya establecido en Talavera de la Reina, donde en 1538 ejerció como suplente el cargo de alcalde mayor. Estuvo casado con Leonor Álvarez. Otorgó testamento en Talavera el 3 de abril de 1541, muriendo antes del 8 del mismo mes, fecha en que su mujer hace inventario de los bienes. Por él vemos que el Bachiller Rojas poseyó una buena biblioteca.

Apéndice 2

ÍNDICE DE TRAGEDIAS «ORIGINALES ESPAÑOLAS» (1740-1827)

1. *Hormesinda* (Moratín, padre) (1770).
2. *Munuza* (Jovellanos). (Estrenada bastantes años después con el título de *Pelayo:* Teatro del Príncipe, 8-X-1792.)
3. *Don Sancho García* (Cadalso) 1.ª edición 1771). (Estreno el 12-VIII-1785.)
4. *Numancia destruida* (López de Ayala) (1775). (Estreno 27-I-1791.)
5. *Guzmán el Bueno* (Moratín, padre) (1777).
6. *Raquel* (García de la Huerta). (Estreno 14-XII-1775.)
7. *Doña María de Pacheco* (García Malo, Ignacio) (1789).
8. *Guzmán el Bueno* (Iriarte). (Estreno 26-II-1791.)
9. *Zoraida* (Cienfuegos). (Estreno 28-VII-1798.)
10. *El duque de Viseo* (Quintana) (1801). (Estreno 19-V-1801.)
11. *La condesa de Castilla* (Cienfuegos). Estreno 25-IV-1803.)
12. *Florinda* (María Rosa Gálvez) (1804).
13. *Pelayo* (Quintana). (Estreno 19-I-1805.)
14. *La viuda de Padilla* (Martínez de la Rosa) (1812).
15. *Aliatar* (duque de Rivas) (1816).
16. *Morayma* (Martínez de la Rosa) (1818).
17. *Lanuza* (duque de Rivas) (1822).
    (Perdidas del duque de Rivas: *Ataulfo* (1814) y *Doña Blanca* (1817).
18. *Rodrigo* (Gil y Zárate) (1825).
19. *Arias Gonzalo* (duque de Rivas) (1827).

BIBLIOGRAFÍA ESCOGIDA

Esta selección bibliográfica incluye sólo libros. Omite ediciones y artículos, excepto en colecciones, pues su inclusión hubiera extendido esta breve bibliografía más allá de límites razonables.

ESTUDIOS GENERALES

ALBORG, Juan Luis, *Historia de la literatura española,* Madrid, Gredos, tomo I, 1970²; t. II, 1967; t. III, 1972.
AUBRUN, Charles V., *Histoire de Théâtre espagnol,* París, P.U.F., 1965.
CASALDUERO, Joaquín, *Estudios sobre el teatro español,* Madrid, Gredos, 1967².
PARKER, Jack Horace, *Breve historia del teatro español,* México, 1957.
SCHACK, Adolfo Federico, Conde de, *Historia de la literatura y del arte dramático en España,* traducción de Eduardo de Mier, Madrid, 1885-87, 5 volúmenes.
SHERGOLD, N. D., *A History of the Spanish Stage from Medieval Times until the End of the Seventeenth Century,* Oxford, 1967.
VALBUENA PRAT, Ángel, *Literatura dramática española,* Barcelona, Labor, 1930.
— *Historia del teatro español,* Barcelona, Noguer, 1956.

CAPÍTULO 1

El teatro medieval

BONILLA Y SAN MARTÍN, A., *Las Bacantes o del origen del teatro,* Madrid, Rivadeneyra, 1921.
DONOVAN, Richard B., *The Liturgical Drama in Medieval Spain,* Toronto, 1958.
LÁZARO CARRETER, Fernando, *Teatro Medieval,* Madrid, Castalia, 1965².
LÓPEZ MORALES, Humberto, *Tradición y creación en los orígenes del teatro castellano,* Madrid, Alcalá, 1968.
STURDEVANT, Winifred, *The Misterio de los Reyes Magos. Its Position in the Development of the Medieval Legend of the Three Kings,* The John's Hopkins Sstudies in Romance Literatures and Languages, X, Baltimore, 1927.

CAPÍTULO 2

Los dramaturgos de la «Generación de los Reyes Católicos» y el teatro del siglo XVI

Bibliografías

BARRERA Y LEIRADO, Cayetano Alberto de la, *Catálogo bibliográfico y biográfico del teatro antiguo español desde sus orígenes hasta mediados del siglo XVIII,* Madrid, 1860; reimpreso en Madrid, 1969.
MCCREADY, Warren T., *Bibliografía temática de estudios sobre el teatro español antiguo,* Toronto, 1966.

Estudios generales

CRAWFORD, J. P., Wickersham, *Spanish Drama before Lope de Vega,* Filadelfia, 3.ª ed. revisada, 1967.
— *The Spanish Pastoral Drama,* Filadelfia, 1915.
HENDRIX, William Samuel, *Some Native Comic Types in the Early Spanish Drama,* The Ohio State University Bulletin, vol. I, 1924, núm. 3, págs. 1-115.
HESS, Rainer, *El drama religioso románico como comedia religiosa y profana,* Madrid, Gredos, 1977.
JACK, William S., *The Early «Entremes» in Spain: the Rise of a Dramatic form,* Filadelfia, 1923.
JULIÁ MARTÍNEZ, Eduardo, «La literatura peninsular en el siglo XV», en *Historia general de las Literaturas Hispánicas,* Barcelona, Barna, 1951, vol. II, páginas 237-315.
MENÉNDEZ PELAYO, Marcelino, *Antología de poetas líricos castellanos,* Madrid, C.S.I.C., 1944-45, 10 vols.
MEREDITH, Joseph, *Introito and Loa in the Spanish Drama of the 16th. Century,* Filadelfia, 1928.
SHOEMAKER, W. H., *The Multiple Stage in Spain during the Fifteenth end Sixteenth Centuries,* Princeton, 1935; traducción española en *Estudios Escénicos,* 2, 1957, págs. 1-154.
WILLIAMS, Ronald B., *The Staging of Plays in the Spanish Peninsule prior to 1555,* Iowa, 1935.

I. 1. ANDxEWS, Richard J., *Juan del Encina. Prometheus in Search of Prestige,* Berkeley, 1959.
BAYO, Marcial J., *Virgilio y la pastoral española del Renacimiento,* Madrid, Gredos, 1959.
BEYSTERVELDT, Anthony van, *La poesía amatoria del siglo XV y el teatro profano de Juan del Encina,* Madrid, Ínsula, 1972.
COTARELO Y MORI, E., *Juan del Encina y los orígenes del teatro español,* Madrid, 1901.
SULLIVAN, Henry W., *Juan del Encina,* Nueva York, Twayne, 1976.
2. HERMENEGILDO, Alfredo, *Renacimiento, teatro y sociedad. Vida y obra de Lucas Fernández,* Madrid, Cincel, 1975.
LIHANI John, *Lucas Fernández,* Nueva York, Twayne, 1973.
— *El lenguaje de Lucas Fernández. Estudio del dialecto sayagués,* Bogotá, 1973.

II. MANDEL, Adrienne Schizzano, «*La Celestina*» *Studies: A Themetic Survey and Bibliography*, 1924-1970, Metuchen, N.J., 1971.
BATAILLON, Marcel, *La Celestine selon Fernando de Rojas,* París, Didier, 1961.
BERNDT, Erna R., *Amor, muerte y fortuna en «La Celestina»*, Madrid, Gredos, 1963.
CASTRO GUISASOLA, Florentino, *Observaciones sobre las fuentes literarias de La Celestina,* Madrid, 1924.
DEYERMOND, A. D., *The Petrarchean Sources of La Celestina,* Oxford University Press, 1961.
DUNN, Peter, *Fernando de Rojas,* Nueva York, Twayne, 1975.
GILMAN, Stephen, *The Art of La Celestina,* Madison, 1956. Versión española *La Celestina: arte y estructura,* Madrid, Taurus, 1974.
— *The Spain of Fernando de Rojas,* Princeton, N.J., 1972. Versión española, Madrid, Taurus, 1978.
HEUGAS, Pierre, *La Celestine et sa descendance directe,* Bordeaux, 1973.
LIDA DE MALKIEL, María Rosa, *La originalidad de la Celestina,* Buenos Aires, Eudeba, 1962.
MAEZTU, Ramiro de, *Don Quijote, Don Juan y La Celestina,* Madrid, Espasa-Calpe, Austral, 1957[8].
MARAVALL, José Antonio, *El mundo social de La Celestina,* Madrid, Gredos, 1968.
MENÉNDEZ PELAYO, Marcelino, *La Celestina,* en *Orígenes de la novela,* III, C.S.I.C., 1947.
MORÓN ARROYO, Ciriaco, *Sentido y forma de La Celestina,* Madrid, Cátedra, 1974.
RUBIO GARCÍA, Luis, *Estudios sobre La Celestina,* Murcia, S. A.
SAMONA, Carmelo, *Aspetti del retoricismo nella Celestina,* Roma, 1953.
VARIOS, *La Celestina y su contorno social,* Ed. M. Criado de Val, Barcelona, Hispana, 1977.

III. 1. TORRES NAHARRO, Bartolomé de, *Propalladia and Other Works,* editado por J. E. Gillet, 4 vols., Bryn Mawr-Filadelfia, 1943-1961.
2. KEATES, Laurence, *The Court Theatre of Gil Vicente,* Lisboa, 1962.
PARKER, Jack H., *Gil Vicente: Espíritu y Letra. I. Estudios,* Madrid, Gredos, 1977.
SLETSJOE, Leif, *O elemento cenico em Gil Vicente,* Lisboa, 1965.
TEYSSIER, Paul, *La langue de Gil Vicente,* Paris, 1959.

IV. *Autos, Comedias y farsas de la Biblioteca Nacional,* edición y nota preliminar de Justo García Morales, 2 vols., Madrid, 1962-1964.
— *Colección de autos, farsas y coloquios del siglo XVI,* edición Leo Rounct, 4 volúmenes, Barcelona y Madrid, 1901.
FLECNIAKOSKA, Jean-Louis, *La formation de l «auto» religieux en Espagne avant Calderon* (1550-1635), Montpellier, 1961.
WARDROPPER, Bruce W., *Introducción al teatro religioso del Siglo de Oro,* edición revisada, Salamanca, 1967.

V. ARRONIZ, Othon, *La influencia italiana en el nacimiento de la comedia española,* Madrid, Gredos, 1969.
ASENSIO, Eugenio, *Itinerario del entremés desde Lope de Rueda a Quiñones de Benavente,* Madrid, Gredos, 1965.
TUSÓN, Vicente, *Lope de Rueda, bibliografía crítica,* Madrid, 1965.

VI. GARCÍA SORIANO, Justo, *El teatro universitario y humanístico en España,* Toledo, 1945.

HERMENEGILDO, Alfredo, *Los trágicos españoles del siglo XVI,* Madrid, 1961, y la nueva edición muy ampliada de *La tragedia española del Renacimiento,* Barcelona, Planeta, 1973.

SARGENT, Cecilia Vennard, *A Study of the Dramatic Works of Cristobal de Virués,* Nueva York, 1930.

VII. 1. GLENN, Richard F., *Juan de la Cueva,* Nueva York, Twayne, 1973.

WATSON, Anthony I. *Juan de la Cueva and the Portuguese Succession,* Londres, Tamesis, 1971.

2. CANAVAGGIO, Jean, *Cervantés dramaturge. Un théâtre à naître,* París, P.U.F., 1977.

CASALDUERO, Joaquín, *Sentido y forma del teatro de Cervantes,* Madrid, Gredos, 1966.

COTARELO Y VALLEDOR, Armando, *El teatro de Cervantes. Estudio crítico,* Madrid, 1915.

HERMENEGILDO, Alfredo, *La «Numancia» de Cervantes,* Madrid, 1976.

MARRAST, Robert, *Cervantes, Dramaturge,* París, L. Arche, 1957.

CAPÍTULO 3

El teatro nacional del Siglo de Oro

I. ARRONIZ, Othon, *Teatros y escenarios del Siglo de Oro,* Madrid, Gredos, 1977.

AUBRUN, Charles, *La comedie espagnole* (1600-1680), París, P.U.F., 1966. Traducción española Taurus, 1968.

BEYSTERVELDT, A. A. van, *Repercussions du souci de la pureté de sang sur la conception de l'honneur dans la «Comedia Nueva» espagnole,* Leiden, 1966.

BRAVO VILLASANTE, Carmen, *La mujer vestida de hombre en el teatro español (siglos XVI-XVIII),* Madrid, Revista de Occidente, 1955.

CASTRO, Américo, *De la edad conflictiva,* Madrid, Taurus, 1961.

DÍEZ BORQUE, José María, *Sociología de la comedia española del siglo XVII,* Madrid, Cátedra, 1976.

— *Sociedad y teatro en la España de Lope de Vega,* Barcelona, 1978.

FLECNIAKOSKA, J. L., *La loa,* Madrid, 1975.

GARCÍA BAQUERO, J. A., *Aproximaciones al teatro clásico español,* Sevilla, 1973.

HESSE, Everett W., *Análisis e interpretación de la Comedia,* Madrid, Castalia, 1968.

— *La comedia y sus intérpretes,* Madrid, Castalaia, 1972.

— *Interpretando la comedia,* Madrid, Porrua, 1977.

LEY, Charles David, *El Gracioso en el teatro de la Península (siglos XVI-XVII),* Madrid, Revista de Occidente, 1954.

MARAVALL, José Antonio, *Teatro y literatura en la sociedad barroca,* Madrid, 1972.

NEWELS, Margaret, *Los géneros dramáticos en las poéticas del Siglo de Oro,* Londres, Tamesis, 1974.

ORTIGOZA VIEYRA, Carlos, *Los móviles de la «Comedia» en Lope, Alarcón, Tirso, Moreto, Rojas, Calderón,* México, 1954.

OROZCO DÍAZ, Emilio, *El teatro y la teatralidad del barroco,* Barcelona, 1969.

FIORE, Robert L., *Drama and Ethos,* University Press of Kentucky, 1975.

PARKER, Alexander A., *The Approach to the Spanish Drama of the Golden Age,* Diamante, VI, Londres, 1957. Traducción española en *Calderón y la crítica: historia y antología,* edición Manuel Durán y R. González Echevarría, t. I, págs. 329-357.

PRADES, Juana de José, *Teoría de los personajes de la comedia nueva,* Madrid, C.S.I.C., 1963.
— *Lope de Vega. El Arte Nuevo de hacer comedias en este tiempo,* Madrid, C.S.I.C., 1971.
RENNERT, Hugo Albert, *The Spanish Stage in the Time of Lope de Vega,* Reimpreso, Nueva York, Dover, 1963.
ROZAS, Juan Manuel, *Significado y doctrina del «Arte Nuevo» de Lope de Vega,* Madrid, 1976.
RUIZ RAMÓN, Francisco, *Estudios sobre teatro español clásico y contemporáneo,* Madrid, Fundación Juan March-Cátedra, 1978.
SÁNCHEZ ESCRIBANO, F. y PORQUERAS MAYO, A., *Preceptiva dramática española,* Madrid, Gredos, 1971².
SICROFF, A. A., *Les controverses des statuts de «pureté de sang» en Espagne du XVᵉ au XVIIᵉ siècle,* París, 1960.
VALBUENA PRAT, A., *El teatro español en su Siglo de Oro,* Barcelona, Planeta, 1969.
VALDECASAS, Alfonso G., *El hidalgo y el honor,* Madrid, Revista de Occidente, 1958.
WILSON, Edward M., y MOIR, Duncan, *A Literary History of Spain. The Golden Age: Drama* (1492-1700), Londres, 1971.
HOMENAJE *a William L. Fichter. Estudios sobre el teatro antiguo hispánico y otros estudios,* edición de David Kossoff y José Amor y Vázquez, Madrid, 1971.

II. *Lope de Vega Studies,* 1937-1962. *A Critical Survey and Annoted Bibliography,* edición de J. A. Parker y A. M. Fox, Toronto, 1964.
GRISMER, Raymond L., *Bibliography of Lope de Vega,* 2 vols., Minneapolis, 1965.
ENTRAMBASAGUAS, Joaquín de, *Estudios sobre Lope de Vega,* 3 vols., Madrid, 1946-1958.
FROLDI, Rinaldo, *Lope de Vega y la formación de la comedia,* Salamanca, Anaya, 1973².
FORASTIERI, Eduardo, *Aproximación estructural al teatro de Lope de Vega,* Madrid, Hispanova, 1976.
LÁZARO CARRETER, Fernando, *Lope de Vega. Introducción a su vida y obra,* Salamanca, Anaya, 1966.
LEFEBVRE, Alfredo, *La fama en el teatro de Lope,* Madrid, Taurus, 1962.
LARSON, Donald R., *The Honor Plays of Lope de Vega,* Harvard University Press, 1977.
MCCRARY, William C., *The Goldfinch and the Hawk: A Study of Lope de Vega's Tragedy, «El Caballero de Olmedo»,* Chapel Hill, 1966.
MARÍN, Diego, *La intriga secundaria en el teatro de Lope de Vega,* México-Toronto, 1958.
— *Uso y función de la versificación dramática en Lope de Vega,* Valencia, 1962.
MENÉNDEZ PIDAL, Ramón, *De Cervantes y Lope de Vega,* Madrid, Gredos, 1968.
MONTESINOS, José F., *Estudios sobre Lope de Vega,* Salamanca, Anaya, 1967.
MORLEY, S. G., y BRUERTON, Courtney, *Cronología de las comedias de Lope de Vega,* Madrid, Gredos, 1968.
ROMERA NAVARRO, Miguel, *La preceptiva dramática de Lope de Vega y otros ensayos sobre el Fénix,* Madrid, 1935.
SALOMON, Noel, *Recherches sur la thème paysan dans la «comedia» au temps de Lope de Vega,* Burdeos, 1965.
ZAMORA VICENTE, Alonso, *Lope de Vega. Su vida y su obra,* Madrid, Gredos, 1961.
VOSSLER, Karl, *Lope de Vega y su tiempo,* Madrid, Revista de Occidente, 1933.

VARIOS, *El teatro de Lope de Vega. Artículos y Estudios,* edición de José Francisco Gatti, Buenos Aires, Eudeba, 1967[2].

III. 1. GARCÍA LORENZO, Luciano, *El teatro de Guillén de Castro,* Barcelona, Planeta, 1976.
MERIMEE, Henri, *L'art dramatique a Valencia,* Toulouse, 1913.
WEIGER, John G., *The Valencian Dramatists of Spain's Golden Age,* Nueva York, Twayne, 1976.
— *Hacia la Comedia: de los valencianos a Lope,* Madrid, CUPSA, 1978.
WILSON, William E., *Guillén de Castro,* Nueva York, Twayne, 1973.
2. CASTAÑEDA, James A., *Mira de Amescua,* Nueva York, Twayne, 1977.
COTARELO Y MORI, Emilio, *Mira de Amescua y su teatro. Estudio biográfico y crítico,* Madrid, 1931.
3. SPENCER, F. E., y SCHEVILL, Rudolph, *The Dramatic Works of Luis Vélez de Guevara,* Barkeley, 1937.
4. POESSE, Walter, *Ensayo de una bibliografía de Juan Ruiz de Alarcón y Mendoza,* Valencia, 1964.
BRENES, Carmen Olga, *El sentimiento democrático en el teatro de Juan Ruiz de Alarcón,* Valencia, 1960.
CASTRO LEAL, Antonio, *Juan Ruiz de Alarcón, su vida y su obra,* México, 1943.
CLAYTON, Ellen, *Juan Ruiz de Alarcón, Baroque Dramatist,* Chapel Hill, N.C., 1970.
EBERSOLE, Alva V., *El ambiente español visto por Juan Ruiz de Alarcón,* Valencia, 1959.
ESPANTOSO DE FOLEY, Augusta, *Occult Arts and Doctrine in the Theatre of Juan Ruiz de Alarcón,* Ginebra, 1972.
JIMÉNEZ RUEDA, Julio, *Juan Ruiz de Alarcón y su tiempo,* México, 1939.
POESSE, Walter, *Juan Ruiz de Alarcón,* Nueva York, Twayne, 1972.
VARIOS, *Critical Essays on the Life and Work of Juan Ruiz de Alarcón,* Madrid, 1972.
5. AGHEANA, Ion Tudor, *The Situational Drama of Tirso de Molina,* Nueva York, 1972.
DARST, David H., *The Comic Art of Tirso de Molina,* Chapel Hill, N.C., 1974.
KENNEDY, Ruth Lee, *Studies in Tirso, I: the Dramatist and his Competitors,* Chapel Hill, North Carolina, 1974.
MCCLELLAND, I. I., Tirso de Molina: *Studies in Dramatic Realism,* Liverpool, 1958.
MANCINI, Guido, y otros, *Studi Tirsiani,* Milán, Feltrinelli, 1958.
MAUREL, Serge, *L'univers dramatique de Tirso de Molina,* Poitiers, 1971.
RÍOS, Blanca de los, *El enigma biográfico de Tirso de Molina,* Madrid, 1928.
SULLIVAN, Henry W., *Tirso de Molina and the Drama of the Counter Reformation,* Amsterdam, 1976.
VOSSLER, Karl, *Lecciones sobre Tirso de Molina,* Madrid, Taurus, 1965.
WILSON, Margaret, *Tirso de Molina,* Nueva York, Twayne, 1977.
VARIOS, *Tirso de Molina. Revista Estudios,* Madrid, 1949 (extensa bibliografía de E. W. Hesse).
6. ASENSIO, Eugenio, *Itinerario del entremés... Op. cit.*
BERGMAN, Hannah E., *Luis Quiñones de Benavente y sus entremeses,* Madrid, 1965.
RECOULES, Henri, *Les intermèdes des collections imprimées. Vision caricaturale de la societé espagnole au XVII siècle,* Université de Lille, 1973, 2 volúmenes mec.

IV. *Calderón de la Barca Studies,* 1951-1969. *A Critical Survey and Annotated Bibliography,* J. H. Parker y A. M. Fox, Toronto, 1971.

BANDERA, Cesáreo, *Mimesis conflictiva. Ficción literaria y violencia en Cervantes y Calderón*, Madrid, Gredos, 1975.
BODINI, Vittorio, *Segni e simboli nella «Vida es sueño». Dialettica elementare del dramma calderoniano,* Roma, 1968.
CILVETI, Ángel, *El significado de «La vida es sueño»*, Valencia, Albatros, 1971.
FARINELLI, Arturo,*La vita è un sogno,* Turín, 1916, 2 vols.
HESSE, Everett W., *Calderón de la Barca,* Nueva York, Twayne, 1967.
HILBORN, Harry W., *A Chronology of the Plays of D. Pedro Calderon de la Barca,* Toronto, 1938.
HONIG, Edwin, *Calderon and the Seizures of Honor,* Cambridge, Mass., 1972.
KOMMERELL, Max, *Die Kunst Calderons,* Frankfurt, 1974.
MENÉNDEZ PELAYO, M., *Calderón y su teatro,* Madrid, 1881.
OLMEDO, Félix G. de, *Las fuentes de «La vida es sueño»: la idea —el cuento— el drama,* Madrid, 1928.
PALACIOS, Leopoldo E., *Don Quijote y «La vida es sueño»*, Madrid, Rialp, 1960.
SAUVAGE, Micheline, *Calderon, Dramaturge,* París, L. Arche, 1959.
SLOMAN, Albert E., *The Dramatic Craftsmanship of Calderon,* Oxford, 1958.
VALBUENA BRIONES, Ángel, *Perspectiva crítica de los dramas de Calderón,* Madrid, Rialp, 1965.
— *Calderón y la Comedia Nueva,* Madrid, Espasa-Calpe, Austral, 1977.
VALBUENA PRAT, A., *Calderón. Su personalidad, su arte dramático, su estilo y sus obras,* Barcelona, Juventud, 1941.
WILSON, Edward M., y SAGE, Jack, *Poesías líricas en las obras dramáticas de Calderón: citas y glosas,* Londres, Tamesis, 1962.
VARIOS: DURÁN, M. y GONZÁLEZ-ECHEVARRÍA, R., Ed. *Calderón y la crítica: historia y antología,* Madrid, Gredos, 1976, 2 vols.
VARIOS: FLASHE, Hans, ed. *Calderón de la Barca,* Darmstadt, 1971.
— *Hacia Calderón. Coloquio anglogermano,* Exeter, 1969, Berlín, 1970.
— *Hacia Calderón. Segundo coloquio anglogermano,* Hamburgo, 1970; Berlín, Nueva York, 1973.
VARIOS: VAREY, J. E., ed. *Calderón Comedias. Critical Studies,* vol. XIX, Londres, Greeg-Tamesis, 1973.
VARIOS: WARDROPPER, Bruce W., *Critical Essays on the Theatre of Calderon,* Nueva York, 1965.

V. 1. MACCURDY, Raymond R., *Francisco de Rojas Zorrilla and the Tragedy,* Alburquerque, 1956.
— *Francisco de Rojas Zorrilla,* Nueva York, Twayne, 1968.
2. CALDERA, Ermanno, *Il teatro di Moreto,* Pisa, 1960.
CASA, Frank P., *The Dramatic Craftsmanship of Moreto,* Cambridge, Mass., 1966.
CASTAÑEDA, James A., *Agustín Moreto,* Nueva York, Twayne, 1974.
KENNEDY, Ruth Lee, *The Dramatic Art of Moreto,* Filadelfia, 1932[2].

VI. FRUTOS CORTÉS, Eugenio, *La filosofía de Calderón en sus autos sacramentales,* Zaragoza, 1952.
PARKER, Alexander, *The Allegorical Drama of Calderon,* Oxford, 1943.
SHERGOLD, N. D., y VAREY, J. E., *Los autos sacramentales en Madrid en la época de Calderón* (1637-1681), Madrid, 1961.
WARDROPPER, Bruce W., *Introducción al teatro religioso del Siglo de Oro, Opus cit.*

CAPÍTULO 4

El teatro del siglo XVIII y primer tercio del XIX

ANDIOC, René, *Sur la querelle du théâtre au temps de Leandro Fernandez de Moratin,* Bordeaux, 1970; versión española *Teatro y sociedad en el Madrid del siglo XVIII,* Madrid, Fundación Juan March, Castalia, 1976.
CAMPOS, Jorge, *Teatro y sociedad en España* (1780-1920), Madrid, Edit. Moneda y Crédito, 1969.
CARO BAROJA, Julio, *Teatro popular y magia,* Madrid, Revista de Occidente, 1974.
CASO GONZÁLEZ, José, *Rococó, prerromanticismo y neo-clasicismo* (Cuadernos de la Cátedra Feijoo, 22), Oviedo, 1970.
CID DE SIRGADO, Isabel M., *Afrancesados y neoclásicos (su deslinde en el teatro español del siglo XVIII),* Madrid, 1973.
COOK, John A., *Neoclassic Drama in Spain. Theory and Practice,* Dallas, 1959.
COTARELO Y MORI, Emilio, *Iriarte y su época,* Madrid, 1897.
DOWLING, John, *Leandro Fernández de Moratín,* Nueva York, Twayne,......
EBERSOLE, Alva V., *José de Cañizares, dramaturgo olvidado del siglo XVIII,* Madrid, Ínsula, 1975.
HIGASHITANI, Hidehito, *El teatro de Leandro Fernández de Moratín,* Nueva York, Plaza Mayor, 1971.
LÁZARO CARRETER, Fernando, *Moratín en su teatro* (Cuadernos de la Cátedra Feijoo, 9), Oviedo, 1961.
MACCLELLAND, I. L., *Spanish Drama of Pathos* (1750-1808), Liverpool University Press, 1970, 2 vols.
MERIMEE, Paul, *L'art dramatique en Espagne dans la première moitié du XVIIIe siècle.*
— *La comedia. Les theoriciens,* Toulouse, 1955, dos tomos mecanografiados.
MOORE, John A., *Ramón de la Cruz,* Nueva York, Twayne, 1972.
ROSSI, Giuseppe Carlo, *Leandro Fernández de Moratín. Introducción a su vida y obra,* Madrid, Cátedra, 1974.

CAPÍTULO 5

El teatro del siglo XIX

ADAMS, Nicholson B., *The Romantic Dramas of Garcia Gutierrez,* Nueva York, 1922.
ALONSO CORTÉS, N., *Zorrilla. Su vida y sus obras,* Valladolid, 1916, 1920, 3 volúmenes.
— «El teatro español en el siglo XIX», en *Historia general de las literaturas hispánicas,* Barcelona, IV, 1957.
BLANCO GARCÍA, Francisco, *La literatura española en el siglo XIX,* Madrid, 3.ª edición, 1909-10 y 1912, 3 vols.
BUENO, Manuel, *Teatro español contemporáneo,* Madrid, Renacimiento, 1909.
DELEITO Y PIÑUELA, José, *Origen y apogeo del género chico,* Madrid, Revista de Occidente, 1949.
ESQUER TORRES, Ramón, *El teatro de Tamayo y Baus,* Madrid, C.S.I.C., 1965.
FUNES, E., *García Gutiérrez. Estudio crítico de su obra dramática,* Cádiz, 1900.
FLYNN, Gerard, *Manuel Tamayo y Baus,* Nueva York, Twayne, 1973.
GALLEGO Y BURIN, A., *Echegaray: su obra dramática,* Granada, 1917.

GOENAGA, *Ángel*, y MAGUNA, Juan P., *Teatro español del siglo XIX. Análisis de obras*, Nueva York, Las Américas, 1971.
LOVETT, Gabriel, *The Duke of Rivas*, Nueva York, Twayne, 1977.
MATHIAS, Julio, *Echegaray*, Madrid, EPESA, 1970.
MONLEÓN, José, *Larra. Escritos sobre teatro*, Madrid, Cuadernos para el Diálogo, 1976.
MONTERO ALONSO, José, *Ventura de la Vega, su vida y su tiempo*, Madrid, Editora Nacional, 1951.
NAVAS RUIZ, Ricardo, *El romanticismo español. Historia y crítica*, Salamanca, Anaya, 1970.
PEAK, J. Hunter, *Social Drama in Nineteenth Century Spain*, Chapel Hill, N.C., 1964.
PEERS, E. Allison, *Historia del movimiento romántico español*, Madrid, Gredos, 1954, 2 vols.
POYAN DÍAZ, Daniel, *Enrique Gaspar. Medio siglo de teatro español*, Madrid, Gredos, 1957, 2 vols.
STOUDEMIRE, S. A., *The Dramatic Works of Gil y Zárate*, Chapel Hill, N.C., 1930.
TAYLER, Neale H., *Las fuentes del teatro de Tamayo y Baus. Originalidad e influencia*, Madrid, 1959.
WILLIAMS, Edwin B., *The Life and Dramatic Works of Gertrudis Gómez de Avellaneda*, Filadelfia, 1924.
YXART, José, *El arte escénico en España*, Barcelona, 1894-1896.
VARIOS, *Estudios escénicos*, 18 septiembre 1974 (número especial dedicado al teatro de Galdós).

Índice de nombres